O salão em Bolsão

VALFENDA

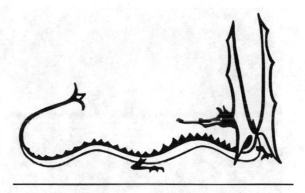

O HOBBIT ANOTADO

Um retrato de J.R.R. Tolkien, provavelmente tirado por Elliot & Fry em Londres, no dia 27 de outubro de 1937.

O HOBBIT ANOTADO
EDIÇÃO REVISTA E AMPLIADA

ANOTADO POR
Douglas A. Anderson

O HOBBIT
OU LÁ E DE VOLTA OUTRA VEZ

J.R.R. Tolkien

Tradução do texto
Reinaldo José Lopes

Tradução das notas
Guilherme Mazzafera

Com ilustrações de
J.R.R. Tolkien

Rio de Janeiro, 2022

Título original: *The Annotated Hobbit*
Copyright © The J.R.R. Tolkien Trust 1937, 1951, 1966, 1978, 1995, 2002
Introdução e anotações © Douglas A. Anderson 2002
Edição original por George Allen & Unwin, 1937
Todos os direitos reservados à HarperCollins *Publishers*.
Copyright de tradução © Casa dos Livros Editora LTDA., 2019

Os pontos de vista desta obra são de responsabilidade de seus autores, não refletindo necessariamente a posição da HarperCollins Brasil, da HarperCollins *Publishers* ou de sua equipe editorial.

⌘•, TOLKIEN• e THE HOBBIT• são marcas registradas de J.R.R. Tolkien Estate Limited.

Citações: As citações de J.R.R. Tolkien são usadas com permissão. "Elvish Song in Rivendell" ["Canção Élfica em Valfenda"], "Glip" e "The Quest of Erebor" ["A Demanda de Erebor"] © The Tolkien Trust 2002. "Enigmata Saxonica Nuper Inventa Duo" © The J.R.R. Tolkien Copyright Trust 1923, 2002. "Progress in Bimble Town" ["Progresso na Cidade de Bimble"] © The J.R.R. Tolkien Copyright Trust 1931, 2002. Citações de *The Marvellous Land of the Snergs* [*A Maravilhosa Terra dos Snergs*] © 1927 de E.A. Wyke-Smith, © 1996 Edward S. Wyke-Smith e Nina Wyke-Smith. Usadas com permissão.

Ilustrações: Ilustrações de J.R.R. Tolkien e de todas as edições de *O Hobbit* da Allen & Unwin são usadas com permissão. As ilustrações da edição de *O Hobbit* da Folio Society são de Eric Fraser, 1979. Usadas com permissão. A sobrecapa e as páginas pré-textuais da primeira e segunda impressões norte-americanas de *O Hobbit* são reproduzidas com a permissão da Houghton Mifflin Company. Frontispício: Lafayette. "Tolkien's Desk" ["A escrivaninha de Tolkien"]: copyright da fotografia © The Marion E. Wade Center, Wheaton College, Wheaton, Illinois. Fotografado por Jon Martyn Carter. Usada com permissão. "The house at No. 20 Northmoor Road" ["A casa no n. 20 da Northmoor Road"]: reproduzida primeiramente em *J.R.R. Tolkien; A Biography*, de Humphrey Carpenter, copyright © 1977 por George Allen and Unwin Ltd. "Troll's Hill" ["A Colina dos Trols"]: Estate of J.R.R. Tolkien; reproduzida primeiramente no Marquette University Catalogue, copyright ©1987 Marquette University. A ilustração do trol de "Soria Moria Castle" ["O Castelo de Soria Moria"]: Lancelot Speed em *The Red Fairy Book* [*O Fabuloso Livro Vermelho*], de Andrew Lang, copyright © 1890 por Longman Group UK Ltd. Usada com permissão.
Ilustração de Virgil Finlay © 1975 por Lail M. Finlay. Usada com permissão de Lail M. Finlay. *J.R.R. Tolkien: Der Kleine Hobbit* © para as ilustrações de Klaus Ensikat: 1997 Deutscher Taschenbuch Verlag, Munique, Alemanha. Usadas com permissão.
O autor agradece pela permissão de uso das ilustrações das seguintes edições estrangeiras de *O Hobbit*: búlgara, *Bilbo Begins*, ilustrações © 1975 de Peter Chuklev. Usadas com permissão do ilustrador, Peter Chuklev. Estoniana, *Kääbik ehk Sinna ja tagasi*. Eesti Raamat copyright © 1977. Reimpressas com permissão da ilustradora, Sra. M. Kernumees. Francesa, *Bilbo le hobbit*. Bibliotèque Verte copyright © Hachette, 1976. Alemã, *Kleiner Hobbit und der Grosse Zauberer*. Copyright © 1957, 1968 por Georg Bitter Verlag, Recklinghausen. Húngara, *A Babo*. Copyright © 1975 Mora Ferenc, Budapeste. Os desenhos de Tamas Szecsko foram reproduzidos por cortesia de seu herdeiro. Japonesa, *Hobbit No Boken*. Ilustrador: Ryuichi Terashima. Reproduzidas com permissão de Iwanami Shoten, Editora, Tóquio. Portuguesa, *O Gnomo*. Livraria Civilização copyright © 1962. Russa, *Hobbit, ili Tuda I obratno*. Detskaya Literatura copyright © 1976. Eslovaca, *Hobbitis*. Bratislava: Mladé Letá copyright © 1973. Reproduzidas com permissão da ilustradora, Nada Rappensbergerová-Jankovičová. Sueca, *Hompen, eller, En resa dit och tillbaksigen*. Kooperativa Förbundets Bokförlag copyright © 1947, e *Bilbo en Hobbits* Äventyr. Rabén & Sjögern copyright © 1962. Reproduzidas com permissão de Tove Jansson, Moomin Characters, Ltd. Iugoslava, *Hobbit*. Mirna Pavlovec-Mladinska knjiga Ljubljana.
O autor não mediu esforços para localizar todos os detentores de ilustrações e material protegido por direitos autorais e obter permissão para reproduzi-los. Quaisquer erros ou omissões não são intencionais e serão corrigidos, se necessário, em impressões futuras.

Publisher	*Samuel Coto*
Editora	*Brunna Castanheira Prado*
Produção gráfica	*Lúcio Nöthlich Pimentel*
Preparação de texto	*Leonardo Dantas do Carmo*
Revisão	*Gabriel Oliva Brum, Erick Carvalho e Daniela Vilarinho*
Diagramação	*Sonia Peticov*
Capa	*Alexandre Azevedo*

Dados Internacionais de Catalogação na Publicação (CIP)
(BENITEZ Catalogação Ass. Editorial, MS, Brasil)

T589h
  Tolkien, J.R.R., 1892-197.
  O Hobbit anotado = The anotted Hobbit / J.R.R. Tolkien; Douglas Anderson; tradução de Reinaldo José Lopes; Guilherme Mazzafera. — 1.ed. — Rio de Janeiro: Thomas Nelson Brasil, 2021.
  368 p.; 20,5 x 27,5 cm.

  ISBN 978-65-55111-50-7

  1. Ficção inglesa. I. Anderson, Douglas. II. Lopes, Reinaldo José. III. Mazzafera, Guilherme. IV. Título.

  05-2021/02   CDD: 823

Índice para catálogo sistemático:
1. Ficção: Literatura inglesa   823

Bibliotecária responsável: Aline Graziele Benitez CRB-1/3129

HarperCollins Brasil é uma marca licenciada à Casa dos Livros Editora LTDA.
Todos os direitos reservados à Casa dos Livros Editora LTDA.
Rua da Quitanda, 86, sala 218 — Centro
Rio de Janeiro — RJ — CEP 20091-005
Tel.: (21) 3175-1030
www.harpercollins.com.br

Não posso imaginar uma velhice mais agradável
do que a gasta no campo não muito afastado
onde possa reler e anotar meus livros favoritos.
ANDRÉ MAUROIS

O que foi lido com prazer é relido com prazer.
HORÁCIO

Sumário

Agradecimentos	9
Prefácio à Segunda Edição	11
Introdução	15
1. Uma Festa Inesperada	45
2. Cordeiro Assado	69
3. Um Pouco de Descanso	92
4. Sobre Monte e Sob Monte	103
5. Adivinhas no Escuro	116
6. Da Frigideira para o Fogo	138
7. Acomodações Esquisitas	157
8. Moscas e Aranhas	180
9. Barris Desabalados	204
10. Cálida Acolhida	220
11. Na Soleira da Porta	232
12. Informação Interna	241
13. Fora de Casa	258
14. Fogo e Água	268
15. As Nuvens se Ajuntam	278
16. Um Ladrão na Noite	287
17. As Nuvens Desabam	292
18. A Viagem de Volta	302
19. O Último Estágio	309
Apêndice A. A Demanda de Erebor	321
Apêndice B. Sobre as Runas	332
Bibliografia	334

Agradecimentos

Um livro como *O Hobbit Anotado* não poderia ser compilado sem o auxílio de muitas pessoas, e eu gostaria de expressar aqui minha gratidão. Primeiramente, sou grato a Christopher Tolkien por me permitir reestruturar o livro de seu pai com um aporte crítico e comentado; além disso, muito me beneficiei de seus comentários e sugestões. Possuo, também, uma importante dívida com meus amigos Christina Scull e Wayne G. Hammond, que compartilharam comigo parte de sua pesquisa para seu *J.R.R. Tolkien: A Companion and Guide* [J.R.R. Tolkien: Compêndio e Guia], e também prestaram auxílio de muitas outras formas.

No que se refere a instituições e organizações, gostaria de expressar minha gratidão pela ajuda de Matt Blessing, arquivista da Biblioteca Memorial, da Universidade Marquette, Milwaukee, Wisconsin; Christopher W. Mitchell e Marjorie Lamp Mead, do Centro Marion E. Wade, do Wheaton College, Wheaton, Illinois; Dra. Judith Priestman, da Biblioteca Bodleiana, Oxford; e à Biblioteca da Universidade de Notre Dame, South Bend, Indiana.

Na Houghton Mifflin Company, pessoas (do passado e do presente) que foram muito prestativas (e pacientes além das obrigações do ofício) incluem Clay Harper, Austin Olney, Ruth Hapgood, Becky Saikia-Wilson e Rhiannon Agosti.

Outras pessoas que auxiliaram em pontos específicos ou contribuíram de formas diversas incluem Fred Biggs, Richard E. Blackwelder, Alexandra Bolintineanu, David Bratman, Brad Brickner, Diane Bruns, Humphrey Carpenter, Deborah Benson Covington, John L. DiBello, Michael Drout, Charles B. Elston, Verlyn Flieger, Steven M. Frisby, John Garth, Charles Gavin, Peter Geach, Peter Glassman, Glen H. GoodKnight, Martin Hempstead, Thomas D. Hill, Carl F. Hostetter, Ellen Kline, Chris Lavallie, Dennis K. Lien, Abbe Lyons, Michael Martinez, Richard Mathews, Charles E. Noad, John D. Rateliff, Becky Reiss, Taum Santoski, Dr. William A. S. Sarjeant, Tom Seidner, Tom Shippey, Babbie Smith, Susan A. Smith, Stacy Snyder, Donn P. Stephen, Priscilla Tolkien, Rayner Unwin, Richard C. West, Kelley M. Wickham-Crowley, Gene Wolfe, Reinhold Wotawa, Nina Wyke-Smith, Ted Wyke-Smith, Jessica Yates, Manfred Zimmermann, e Henry Zmuda.

Pela ajuda com vários aspectos das traduções de *O Hobbit* e com os ilustradores estrangeiros, sou grato a Mikael Ahlström, Felix Claessens, David Doughan, Jim Dunning, Mark T. Hooker, John Kadar, Victor Kadar, Mari Kotani, Gergely Nagy, René van Rossenberg, Arden R. Smith, Anders Stenström (Beregond), Asako Suzuki, Makoto Takahashi, e Takayuki Tatsumi.

Prefácio à Segunda Edição

O Hobbit Anotado foi publicado primeiramente pela Houghton Mifflin Company em setembro de 1988, em reconhecimento pelo quinquagésimo aniversário da primeira publicação norte-americana de *O Hobbit*. Uma edição britânica, publicada pela Unwin Hyman, apareceu em 1989.

Nos 14 anos desde que a primeira edição foi compilada, muitos volumes dos escritos de Tolkien até então não publicados foram lançados. Além disso, a quantidade de material secundário sobre Tolkien, incluindo livros e artigos, ampliou-se em ritmo impressionante. Ao revisar e atualizar *O Hobbit Anotado*, dei-me conta de imediato que uma revisão em larga escala se fazia necessária. Isso, a meu ver, demandava não uma nova abordagem do processo de anotar o livro em si, mas um reajuste da metodologia anterior e sua aplicação aos muitos avanços dos estudos tolkienianos.

Em geral, preferi manter as opiniões do próprio Tolkien sobre seus escritos em uma posição de importância central. Minhas anotações partem delas e se deslocam para o exterior em direção ao contexto biográfico e histórico. O próprio propósito de anotar é geralmente considerado como o de iluminar um texto, mas também procurei oferecer informações adicionais sobre a vida de Tolkien, seus amigos e parceiros, seus interesses literários, e seus outros escritos de modo a compor um melhor retrato cumulativo. O resultado é o de que algumas anotações podem parecer desviar-se para além da relevância imediata junto ao texto, mas sinto que essas pequenas deambulações são tanto justificáveis como compensatórias.

Cada seção desta nova edição de *O Hobbit Anotado* foi revisada, atualizada e reescrita, mas a nova edição difere sutilmente da anterior em termos de conteúdo e disposição. A mudança aparente mais imediata é a de que todas as notas sobre as revisões feitas por Tolkien no texto de *O Hobbit*, originalmente localizadas em um apêndice, estão agora integradas às demais anotações no corpo principal do livro. (Os detalhes sobre as várias edições de *O Hobbit* que Tolkien revisou estão na segunda seção da bibliografia no final desta publicação.) Um item novo para este livro é "A Demanda de Erebor", em que Tolkien revisita a história de *O Hobbit*, originalmente pensada como parte de um apêndice de *O Senhor dos Anéis*, mas omitida por questões de tamanho; uma variante foi publicada pela primeira vez em *Contos Inacabados*. Adicionei à bibliografia a seção "Estudos selecionados sobre *O Hobbit*" a fim de chamar a atenção para outras abordagens críticas. Alguns dos artigos lá referenciados são de grande interesse por si mesmos, mas seus argumentos são complexos e de difícil condensação para compor anotações. Um bom exemplo é "Some of Tolkien's Narrators" ["Alguns narradores tolkienianos"], de Paul Edmund Thomas, uma excelente análise da voz narrativa de Tolkien que deve ser lida de forma integral.

Em minhas anotações e ao longo deste livro referi-me a uma série de trabalhos que são vitais para qualquer estudo sobre J.R.R. Tolkien, referenciando-os por uma pequena abreviação em vez do título por inteiro. Uma lista é apresentada a seguir, e os detalhes completos de publicação podem ser encontrados na primeira seção da bibliografia ao final deste livro.

ARTIST: *J.R.R. Tolkien: Artist and Illustrator* [J.R.R. Tolkien: Artista e Ilustrador] (1995), de Wayne G. Hammond e Christina Scull.

BIBLIOGRAPHY: *J.R.R. Tolkien: A Descriptive Bibliography* [J.R.R. Tolkien: Uma Bibliografia Descritiva] (1993), de Wayne G. Hammond, com assistência de Douglas A. Anderson.

BIOGRAFIA: *J.R.R. Tolkien: A Biography* (1977), de Humphrey Carpenter. [*J.R.R. Tolkien: Uma biografia*. Tradução de Ronald Kyrmse. Rio de Janeiro: HarperCollins Brasil, 2018.]

CARTAS: *The Letters of J.R.R. Tolkien* [Cartas de J.R.R. Tolkien] (1981), editadas por Humphrey Carpenter, com assistência de Christopher Tolkien.

HISTÓRIA: A série de 12 volumes *The History of Middle-earth* [A História da Terra-média] (1983–96), editada por Christopher Tolkien.

"Nomenclature of *The Lord of the Rings*" ["A Nomenclatura de *O Senhor dos Anéis*"] In: *A Tolkien Compass* [Bússola Tolkieniana] (1975), organizado por Jared Lobdell. Notas de Tolkien para os tradutores, escritas originalmente em 1966–67.

PICTURES: *Pictures by J.R.R. Tolkien* [Ilustrações de J.R.R. Tolkien] (1979); edição revisada (1992), editado por Christopher Tolkien.

"Silmarillion": A palavra "Silmarillion" entre aspas refere-se de modo geral ao conjunto de escritos de Tolkien vinculados às lendas mais antigas da Terra-média. Em itálico, como em *O Silmarillion*, a palavra refere-se especificamente ao livro publicado em 1977, editado por Christopher Tolkien [*O Silmarillion*. Tradução de Reinaldo José Lopes. Rio de Janeiro: HarperCollins Brasil, 2019].

DOUGLAS A. ANDERSON
Março de 2002

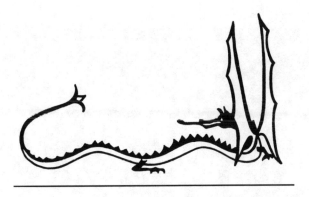

O HOBBIT ANOTADO

Introdução

Tolkien disse uma vez que sua resposta típica ao ler uma obra medieval não era o desejo de embarcar em um estudo crítico ou filológico dela, mas, em vez disso, o de escrever uma obra moderna na mesma tradição.[A] De modo semelhante, para um entrevistador em 1965, Tolkien disse que "dificilmente terminou qualquer estória de fadas sem desejar escrever uma [ele próprio]."[B]

Essas declarações, em sentido amplo, servem como um bom ponto de partida para o estudo de Tolkien e suas obras. Pois com o entendimento da formação de Tolkien e seus interesses literários segue-se uma melhor apreciação do que ele realizou em suas obras mais conhecidas, *O Hobbit* e *O Senhor dos Anéis*.

John Ronald Reuel Tolkien nasceu em 3 de janeiro de 1892, em Bloemfontein, África do Sul, filho de Arthur Reuel Tolkien, um gerente de banco, e Mabel Suffield. Ambos eram da região de Birmingham, nas Midlands[C] da Inglaterra.

Arthur pedira Mabel em casamento quando os dois ainda viviam na Inglaterra, mas pouco depois ele obteve um posto no Bank of Africa, e seu casamento foi realizado na Cidade do Cabo. J.R.R. Tolkien, conhecido como Ronald, foi seu primogênito; um segundo filho, Hilary Arthur Reuel, nasceu dois anos depois de Ronald.

Em 1895, Mabel Tolkien retornou à Inglaterra com seus dois filhos, supostamente para uma breve visita, mas também devido a preocupações quanto à saúde do pequeno Ronald. Arthur Tolkien, que permanecera na África do Sul, adoeceu no final de 1895 e morreu pouco tempo depois.

Mabel ficou na Inglaterra, criando os filhos perto de sua própria família na região de Birmingham. Em 1900, Mabel converteu-se ao Catolicismo Romano, para a grande consternação de seus familiares protestantes, que deixaram de ajudá-la. Mabel labutou por conta própria, instruindo os filhos na religião católica. Sua saúde vacilou e, após sua morte em 1904, o Padre Francis Morgan, do Oratório de Birmingham, se tornou o guardião dos dois garotos Tolkien.

Os garotos foram educados na King Edward's School, em Birmingham, onde Ronald conseguiu uma bolsa de estudos em 1903. Por volta de 1910, Ronald conheceu outra órfã, uma jovem chamada Edith Bratt, que morava na mesma pensão em que os garotos Tolkien viviam. Um relacionamento secreto entre Ronald e Edith teve início, mas, assim que foi descoberto por seus guardiões, Ronald foi proibido de ver ou falar com Edith até completar 21 anos de idade.

Tolkien foi para o Exeter College, Oxford, no outono de 1911. Inicialmente estudou letras clássicas, mas logo percebeu que seus interesses o conduziam ao estudo da filologia comparada assim como ao de outras línguas, como o finlandês, e a dar início à criação de uma língua pessoal que ele chamaria mais tarde de quenya ou élfico.

[A] A declaração é atribuída a Tolkien por Eugène Vinaver, que recorda que Tolkien fizera a observação para um público que fora a Oxford ouvi-lo palestrar sobre filologia, mas para quem, em vez disso, ele leu um poema de sua própria autoria. A anedota é citada (p. 80) por Richard C. West em "The Interlace Structure of *The Lord of the Rings*" [A estrutura entrelaçada de *O Senhor dos Anéis*], publicado em *A Tolkien Compass* (1975), organizado por Jared Lobdell.

[B] Entrevista com Denys Gueroult, gravada em 20 de janeiro de 1965. Partes da gravação foram eventualmente transmitidas pelo programa *Now Read On*, da Rádio BBC, em dezembro de 1970.

[C] Os condados no centro da Inglaterra [N. T.]

INTRODUÇÃO

A casa no número 20 da Northmoor Road, Oxford, onde a família Tolkien viveu de janeiro de 1930 até o início de 1947. O gabinete de Tolkien ficava no térreo, ocupando o cômodo na parte inferior direita, com janelas (vistas acima) voltadas para o oeste e janelas voltadas para o sul (à direita), não visíveis nesta fotografia. A escrivaninha ficava diante das janelas voltadas para o sul. [D]

Em 1913, no seu vigésimo primeiro aniversário, Tolkien retomou seu relacionamento com Edith Bratt. Obteve a Segunda Classe nas *Honour Moderations*[E] e, devido a sua inclinação para a filologia, conquistou a Primeira Classe em Língua e Literatura Inglesas em junho de 1915.

[D] Uma fotografia de Tolkien trabalhando em sua escrivaninha pode ser vista na página 56 de *The Tolkien Family Album* [O álbum da família Tolkien] (1992), de John e Priscilla Tolkien, que também escrevem:

> O gabinete era de fato o centro da vida doméstica de Ronald, e o centro de seu gabinete era sua escrivaninha. Ao longo dos anos o topo desta continuava a mostrar paisagens familiares: sua jarra de tabaco feita de madeira marrom-escura, seu caneco Toby contendo cachimbos e uma vasilha larga na qual as cinzas de seu cachimbo eram regularmente batidas. Também nos lembramos vividamente de uma fileira colorida de tintas Quink e Stevenson, e conjuntos de lacres em diferentes tons para combinar com seu vasto abastecimento de artigos de papelaria. Havia também maravilhosas caixas de lápis coloridos Koh-i-Noor e tubos de tinta com nomes mágicos como Siena Abrasado, Gamboge [um tipo de amarelo, tendendo ao mostarda] e Lago Carmim.

[E] As *Honour Moderations*, como a maioria dos exames de Oxford, compreendem certo número de provas escritas sobre vários aspectos da matéria do candidato. As categorias de classificação (em ordem decrescente de mérito) vão de 1 a 4. [N T.]

Logo em seguida, ele ingressou no Corpo de Fuzileiros de Lancashire e treinou como soldado. Ronald e Edith se casaram em 22 de março de 1916, antes que Tolkien fosse enviado à linha de frente na França naquele verão. Tolkien passou alguns meses nas trincheiras do Somme, experimentando diretamente os horrores da Primeira Guerra Mundial. Acabou por contrair febre das trincheiras e foi enviado de volta à Inglaterra, onde passou a maior parte do restante da guerra. O primogênito de Ronald e Edith, John Francis Reuel, nasceu em 1917.

Em 1972 Tolkien deu sua escrivaninha de presente para a organização Help the Aged [Ajude os Idosos], de modo que sua venda pudesse beneficiá-la. Em carta de 27 de julho de 1972, entregue com a escrivaninha, Tolkien escreveu: "Esta escrivaninha foi comprada para mim por minha esposa em 1927. Foi minha primeira escrivaninha,[F] e a única que usei, sobretudo para trabalhos literários, até a morte de minha esposa em 1971. Nela *O Hobbit* foi inteiramente produzido: escrito, datilografado e ilustrado." A escrivaninha está agora acondicionada no Centro Marion E. Wade, no Wheaton College, em Wheaton, Illinois.

Perto do final da guerra, Tolkien aceitou um posto na equipe do *Oxford English Dictionary*, que estava então sendo compilado em Oxford. Em 1920 foi nomeado Professor Associado de

---

[F] Em seu escritório no Merton College, Tolkien possuía uma impressionante escrivaninha com tampo retrátil. Após sua morte, ela foi comprada pela romancista Iris Murdoch (1919–1999), que era admiradora dos escritos de Tolkien. Uma fotografia de Murdoch sentada na escrivaninha em seu gabinete térreo pode ser vista em *Iris Murdoch: A Life* [Iris Murdoch: uma vida] (2001), de Peter J. Conradi.

Língua Inglesa na Universidade de Leeds, e a família mudou-se para o norte. Um segundo filho, Michael Hilary Reuel, nasceu em 1920.

A primeira publicação profissional relevante de Tolkien, *A Middle English Vocabulary* [Vocabulário do inglês médio], apareceu em 1922. Foi composta para ser utilizada em conjunto com a antologia de Kenneth Sisam, *Fourteenth Century Verse and Prose* [Poesia e prosa do século XIV] (1921). Com este e outros trabalhos afins, além de sua experiência no *Oxford English Dictionary*, Tolkien estava se tornando um dos mais competentes filólogos do seu tempo. Em julho de 1924, foi promovido a professor de língua inglesa em Leeds, e um terceiro filho, Christopher Reuel, nasceu no final do mesmo ano.

Uma importante edição do poema em inglês médio *Sir Gawain e o Cavaleiro Verde*, coeditada por Tolkien e E.V. Gordon, foi publicada em 1925. Logo depois, Tolkien foi eleito professor Rawlinson e Bosworth de Anglo-Saxão em Oxford. Seu quarto filho (e única menina), Priscilla Mary Reuel, nasceu em 1929. *O Hobbit*, escrito para seus filhos, foi publicado em 1937.

Tolkien manteve a cátedra Rawlinson e Bosworth até 1945, quando foi eleito professor Merton de Língua e Literatura Inglesa em Oxford. A muito aguardada sequência de *O Hobbit, O Senhor dos Anéis*, foi publicada em três volumes em 1954–55. Ele permaneceu um *fellow*G do Merton College até sua aposentadoria em 1959. Sua esposa Edith faleceu em 1971, e o próprio Tolkien faleceu, após breve doença, em 2 de setembro de 1973.

A atração de Tolkien por línguas e literaturas medievais começou muito cedo. Enquanto estudante na King Edward's School, Tolkien lera *Beowulf*, primeiro em uma tradução moderna e então no original anglo-saxão. Dali rumou para as sagas islandesas, algumas nas traduções de William Morris, e para a *Edda em Prosa* de Snorri Sturluson, e a *Edda Antiga*, uma coleção de poemas mitológicos e heroicos em nórdico antigo. Encontrou o *Kalevala* finlandês em 1911. No Exeter College, seu interesse pelas obras de William Morris se aprofundou. O fato de Morris também ter sido aluno de Exeter provavelmente fomentou o interesse de Tolkien, e ele achou o verso narrativo e os romances em prosa tardios de Morris (alguns dos quais são entremeados por poesia) especialmente do seu gosto.

SOCIEDADE LITERÁRIA

Em 17 de fevereiro, por volta de 25 membros reuniram-se para ouvir o trabalho de J.R.R. Tolkien sobre "Sagas Nórdicas". Saga é um relato em prosa; não é nem uma história factual nem ficção, mas um relato antigo e verdadeiro sobre coisas que aconteceram de fato, mas há tanto tempo que maravilhas e milagres da velha e estranha estirpe nórdica afluíram ao conto. As melhores sagas são aquelas da Islândia, e em termos de retratos da vida e temperamento humanos elas dificilmente podem ser superadas em qualquer literatura. Os homens que lhes deram origem eram grandes salteadores e ferozes guerreiros marítimos, mas igualmente lavradores robustos, artífices habilidosos e advogados precisos. Quando, na Noruega, Harold Belos-Cabelos tentou atrair sob seu jugo esse povo orgulhoso e turbulento, eles naturalmente se revoltaram. Os mais fortes e destemidos navegaram rumo à Islândia, e foi lá em isolamento, em meio a neve e fogo, que eles preservaram intacta — maravilhosamente intacta — sua vida antiquada. Histórias verdadeiras dos dias antigos eram contadas ao pé do fogo nas intermináveis noites de inverno. Não foi antes do término da Idade Média que estas histórias foram finalmente escritas em islandês, e ocasionalmente em latim. Estas são as Sagas, e elas contam como homens corajosos — do nosso próprio sangue, talvez — viveram e amaram, e lutaram, e viajaram, e morreram.

Uma das melhores (e que é distinta das demais) é a *Völsunga Saga* — estranho e glorioso conto. Ela conta sobre a mais antiga caça ao tesouro: a demanda do ouro rubro de Andvari, o anão. Ela conta sobre o bravo Sigurd, o Matador-de-Fáfnir, que foi amaldiçoado pela posse desse ouro, e que, a despeito de sua grandeza, não encontrou felicidade em seu amor por Brynhild. A Saga fala disso e de muitas coisas estranhas e emocionantes. Ela nos mostra o mais elevado gênio épico libertando-se penosamente da selvageria rumo à humanidade completa e consciente. Embora inferior a Homero em muitos aspectos, e embora o épico nórdico não tenha como um todo o encanto e deleite daquele proveniente do sul, ainda assim em certa veracidade sem adornos ele o supera, e também na estória dos Volsungos quanto ao manejo do interesse amoroso. Não há em Homero uma cena como a tragédia final de Sigurd e Brynhild. A Völsunga Saga é apenas uma de muitas; por exemplo, a saga de Njáll, a mais longa de todas e também uma das melhores, e "Howard, o Coxo", a melhor das mais breves.

O trabalho terminava com um esboço da religião nórdica e copiosas citações de diversas Sagas. É de se lamentar que não seja possível dar qualquer ideia aqui sobre as passagens lidas em voz alta, pois elas constituem um dos encantos do trabalho.

O Presidente, Sr. Reynolds, propôs um caloroso voto de agradecimento, que foi unanimemente aceito.

Relatório referente a J.R.R. Tolkien lendo um trabalho sobre "Sagas Nórdicas" para a Sociedade Literária na King Edward's School, Birmingham, em 17 de fevereiro de 1911, retirado da publicação *King Edward's School Chronicle*, março de 1911 (26, n. 2), pp. 18–9.

G Graduado que recebe subvenção para pesquisa e geralmente combina esse trabalho com a docência. [N. T.]

INTRODUÇÃO

Tolkien leu e estudou todo o corpus das línguas e literaturas germânicas antigas, especializando-se em inglês antigo, nórdico antigo e inglês médio. Do período do inglês médio, os interesses de Tolkien incluem as obras do poeta Geoffrey Chaucer (1340?–1400), bem como as do autor anônimo de *Sir Gawain e o Cavaleiro Verde*, *Pearl* [Pérola], *Cleanness* [Pureza] e *Patience* [Paciência], do século XIV. Uma das áreas especiais de estudo de Tolkien era o dialeto do inglês médio das West Midlands, tal como encontrado no *Ancrene Wisse*, um livro de instrução religiosa para mulheres que optaram por viver a vida religiosa em pequenas celas construídas ao lado de igrejas.

O interesse de Tolkien por partilhar tal entusiasmo o levou a formar o Clube Viking em Leeds, que se reunia para beber cerveja e ler sagas; de volta a Oxford, ele fundou um clube islandês, os *Kolbítar*, que consistia em um grupo de *dons* que se reuniram de 1926 até por volta de 1930–31 a fim de ler sagas islandesas em voz alta, uns para os outros, traduzindo-as de improviso. O amigo de Tolkien, C.S. Lewis, era membro dos *Kolbítar* (ou Coal-biters — homens que se sentavam tão perto do fogo que pareciam morder o carvão), assim como o era Nevill Coghill, e ambos também iriam se tornar membros dos Inklings, o grupo de escritores de Oxford que se encontravam regularmente para ler suas próprias composições uns para os outros. De fato, os Inklings (cujo nome provinha originalmente de um grupo de estudantes que se reunira por volta de 1931–33) parecem ter se desenvolvido como grupo diretamente a partir dos primeiros encontros dos *Kolbítar*.

A própria criatividade literária de Tolkien encontrou expressão desde muito cedo. Seu interesse por línguas está presente na língua inventada animálico, que Tolkien e duas primas idearam quando adolescentes. Foi uma das primeiras entre as muitas línguas que Tolkien inventou, frequentemente construídas com grande complexidade.

Talvez como resultado da instrução materna, Tolkien também era muito interessado por pintura, desenho e caligrafia. Um estudo completo de sua arte, abrangendo muitas décadas, pode ser encontrado em *J.R.R. Tolkien: Artist and Illustrator*, de Wayne G. Hammond e Christina Scull.

Em 1910, Tolkien também começou a escrever poesia e, por volta do início da Primeira Guerra Mundial, encontrou as seguintes linhas em *Crist*, um poema anglo-saxão de Cynewulf:

Ēalā Ēarendel,   engla beorhtast,
ofer middangeard   monnum sended
                    (*Crist*, versos 104-5)

Salve, Earendel   mais brilhante dos anjos
sobre a terra-média enviado aos homens

A palavra Ēarendel é comumente glosada com o sentido de "uma luz brilhante, ou raio", e alguns estudiosos consideram que ela se refere a uma estrela. Tolkien sentia que Earendel poderia ter sido o nome para Vênus, a estrela vespertina. Anos mais tarde, em carta de 18 de dezembro de 1965, escrita a Clyde S. Kilby, Tolkien referiu-se a este dístico de Cynewulf como "palavras arrebatadoras das quais enfim surgiu o todo de minha mitologia".[H]

A mitologia de Tolkien era também uma derivação natural de suas línguas inventadas, pois ele sentia que, a fim de que tais línguas inventadas crescessem e evoluíssem como fazem as línguas reais, elas precisavam de um povo que as falasse, e com um povo vem uma história. Tolkien nomeou seu mundo inventado Terra-média, que é apenas uma alteração moderna do inglês

---

[H] Clyde S. Kilby cita essas palavras em seu livro de 1976, *Tolkien and The Silmarillion* [Tolkien e O Silmarillion], p. 57, em que interpretou erroneamente a caligrafia de Tolkien para a primeira palavra. Para um estudo das origens filológicas do mito de Earendel de Tolkien, ver "Over Middle-earth Sent unto Men" [Sobre a Terra-média enviado aos homens], de Carl F. Hostetter, em *Mythlore*, primavera de 1991 (17, n. 3, edição 65), pp. 5–10.

antigo *middangeard*, uma palavra para o mundo que habitamos. Tolkien povoou seu mundo com elfos, homens e outras criaturas, enquanto suas duas línguas élficas principais, gnômico (que mais tarde se tornou sindarin) e qenya (mais tarde grafado quenya), tornaram-se enraizadas em uma história imaginária.

Tolkien escreveu "The Voyage of Earendel the Evening Star" [A viagem de Earendel, a Estrela Vespertina], o primeiro poema do que viria a ser sua mitologia inventada, em setembro de 1914. E pelos próximos anos sua mitologia encontraria expressão primordialmente em dicionários, gramáticas e poemas. No início de 1916, ele ofereceu uma coletânea de poemas, intitulada *The Trumpets of Fairie* [As Trompas de Feéria], aos editores londrinos Sidgwick and Jackson, mas o livro foi recusado. Logo depois ele começou a escrever versões em prosa da mitologia inventada, chamando o conjunto de histórias de *O Livro dos Contos Perdidos*. Essas versões em prosa são os originais do que se tornou o "Silmarillion" de Tolkien, o legendário em que ele trabalhou e retrabalhou ao longo de toda sua vida. A complexa evolução destes contos e lendas está evidenciada nos 12 volumes da série de Christopher Tolkien, *A História da Terra-média* (1983–96).

Tolkien começou a escrever para crianças em 1920 com a primeira do que se tornou por muitos anos uma série de cartas ilustradas, endereçadas a seus próprios filhos, aparentemente escritas pelo Papai Noel e narrando eventos do Polo Norte. As primeiras cartas são relativamente simples, mas por volta de 1925 elas começaram a crescer em tamanho e complexidade, à medida que Tolkien inevitavelmente desenvolvia uma mitologia em torno do Papai Noel e dos vários elfos, gnomos e ursos polares daquela região. Uma seleção destas cartas apareceu em 1976 como *The Father Christmas Letters* [As cartas do Papai Noel], editada por Baillie Tolkien. Uma edição bastante ampliada foi lançada em 1999 sob o título *Letters from Father Christmas* [Cartas do Papai Noel].

Por volta de 1924, Tolkien começou a contar histórias a seus filhos, por vezes escrevendo-as. Um destes esforços iniciais é "The Orgog" [O Orgog], uma história inacabada de uma estranha criatura viajando por uma paisagem fantástica. Outra, uma pequena novela chamada *Roverandom*, publicada postumamente em 1998, foi primeiro contada de forma improvisada a seus filhos em setembro de 1925, mas aparentemente não foi escrita até por volta do Natal de 1927. *Sr. Boaventura*, um livreto ilustrado publicado em edição fac-similar em 1982, foi escrito em 1928, de acordo com o diário de verão de Michael Tolkien, embora o único manuscrito sobrevivente pareça estar datado do início dos anos 1930.[i]

Por volta de 1928, Tolkien deu início a uma série de poemas que ele intitulou "Tales and Songs of Bimble Bay" [Contos e Canções da Baía Bimble], localizados ao redor de uma cidade litorânea imaginária chamada Baía Bimble. Tolkien escreveu seis poemas nesta série, dos quais três aparecem neste livro.[j] E a mais antiga versão de *Lavrador Giles de Ham* também data provavelmente do final dos anos 1920, por volta da época imediatamente anterior à escrita de *O Hobbit*.[k]

---

[i] "The Orgog" [O Orgog] é descrito em *Artist* (p. 77), em que uma ilustração de Tolkien aparentemente feita para a história é também reproduzida. Sobre a datação de *Sr. Boaventura*, ver "Origin of a Tolkien Tale" [A origem de um conto tolkieniano], de Joan Tolkien, *Sunday Times*, 10 de outubro de 1982 (p. 25).

[j] "Glip" pode ser encontrado no Capítulo 5, nota 6; "Progresso na Cidade de Bimble" no Capítulo 10, nota 8; e "A Visita do Dragão", no Capítulo 14, nota 2. Uma versão bastante revisada de outro destes poemas, "The Bumpus" [O Bumpus] (intitulado alternativamente como "William and the Bumpus" [William e o Bumpus]), aparece em *As Aventuras de Tom Bombadil* (1962) como "Pervinco". Os outros dois poemas, "A Song of Bimble Bay" [Uma Canção da Baía Bimble] e "Poor Old Grabbler" [Pobre e Velho Apalpador] (uma versão posterior é intitulada "Old Grabbler" [Velho Apalpador]), não foram publicados.

[k] *Lavrador Giles de Ham* foi extensivamente ampliado em 1938, e publicado em 1949. A versão anterior, consideravelmente menor, foi publicada na edição comemorativa de cinquenta anos, editada por Christina Scull e Wayne G. Hammond, lançada em 1999.

INTRODUÇÃO

Em seu ensaio "Whose *Lord of the Rings* Is It, Anyway?" [De quem é *O Senhor dos Anéis* afinal?], Wayne G. Hammond faz uma excelente avaliação das histórias infantis de Tolkien:

> A importância das histórias infantis de Tolkien não foi completamente apreciada. Elas lhe deram oportunidades (ou desculpas) para experimentar outros modos narrativos além da prosa e poesia formais que ele usava ao escrever sua mitologia. Em uma história para crianças ele podia ser desavergonhadamente brincalhão, mesmo infantil, com palavras e situações. Não era para o *legendário* sério um garoto ruivo chamado Carrots [Cenoura] que teve estranhas aventuras dentro de um relógio cuco, ou o vilão "Bill Stickers" [Bill Adesivos] e seu pesadelo "Major Road Ahead" [Major Estrada à Frente]. Nem para a posteridade, também, já que Tolkien parece nunca ter deitado estas estórias no papel, ou não em grande medida. [...] *Sr. Boaventura* possui camadas de sátira social, e (até onde sabemos) é o único experimento de Tolkien com o livro-álbum, no qual arte e palavras têm o mesmo peso. Nas "Cartas do Papai Noel" ele pôde saciar seus talentos para pintura e desenho, caligrafia e línguas. *Roverandom* começou como uma invenção para confortar o pequeno Michael Tolkien que perdera um brinquedo, e Michael e seu irmão John, que estavam assustados durante uma tempestade. [...] *Lavrador Giles de Ham* começou igualmente simples, como um jogo familiar disputado nos arredores de Oxford, mas acabou por atrair o amor de Tolkien por jogos de palavras e topônimos, e ele subsequentemente o expandiu para publicação. (*Canadian C. S. Lewis Journal*, primavera de 2000, p. 62)

O Hobbit representa de fato a primeira junção dessas várias facetas dos escritos de Tolkien — sua poesia (há 16 poemas em *O Hobbit*, mais oito adivinhas); sua arte; os povos e lugares de sua mitologia inventada (Elrond, Trevamata e o Necromante, Sauron); e o estilo e acessibilidade de sua escrita para crianças, junto com uma espécie de jocosidade alicerçada em seu conhecimento profissional de línguas e literaturas medievais. Todas se reúnem e florescem em *O Hobbit*, enquanto de modo análogo elas resplandeceriam em *O Senhor dos Anéis*.[L]

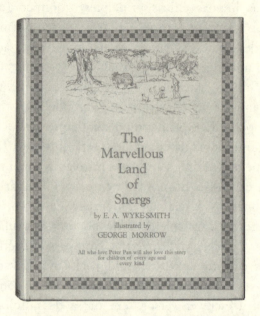

A sobrecapa (com impressão castanho-avermelhada sobre um fundo rosa claro) da primeira edição britânica de *A maravilhosa terra dos Snergs*, de E.A. Wyke-Smith, publicado pela Ernest Benn em setembro de 1927. Uma sinopse um tanto ofegante na primeira orelha (provavelmente escrita pelo editor do livro, Victor Gollancz, que trabalhou na Benn antes de fundar sua própria firma editorial) descreve o livro como se segue:

> O livro abre com a descrição de uma Colônia para Crianças Supérfluas. Um pouco ao norte da Colônia, Vanderdecken e sua tripulação estão nos arredores da praia; o *Holandês Voador* ancorado por perto. Para o sul ficam os amigáveis, se bem que pouco inteligentes, Snergs, uma variação dos duendes. De forma um tanto atrevida Joe e Sylvia fogem, e na companhia de Gorbo — de todos os Snergs o menos inteligente — encontram-se *do lado errado do rio*. Escapadas de Golithos, um ogro imperfeitamente reformado; de Mãe Meldrum, aquela bruxa sinistra; do perverso Rei Kul; e o resgate por Vanderdecken e os Snergs preenchem um prazeroso volume.

O *Times Literary Supplement*, em 24 de novembro de 1927, chamou-o de "um livro alegre e satisfatório". *A maravilhosa terra dos Snergs* foi reimpresso em 1996 pela Old Earth Books de Baltimore, com introdução de Douglas A. Anderson sobre Wyke-Smith e seus escritos. (Cortesia da foto de Peter Glassman do Books of Wonder, Nova York.)

[L] A melhor avaliação de Tolkien e suas raízes medievais encontra-se em *The Road to Middle-earth* [A estrada para a Terra-média] (1982; edição revisada, 1992), de T.A. Shippey.

O próprio Tolkien dizia que *O Hobbit* era derivado de épica, mitologia e estórias de fadas "previamente digeridas". Podemos nomear algumas fontes: *Beowulf*, as coleções de estórias de fadas de Andrew Lang e dos Irmãos Grimm, obras de E.H. Knatchbull-Hugessen, Rudyard Kipling, William Morris e George Macdonald, especialmente, deste último, *A Princesa e o Goblin* e sua sequência *The Princess and Curdie* [A Princesa e Curdie]. A única influência que Tolkien chamou de consciente foram suas próprias lendas do "Silmarillion". Outra influência, mais obscura, foi *A maravilhosa terra dos Snergs* (1927), um livro infantil de E.A. Wyke-Smith. Esta história se refere às aventuras de um Snerg chamado Gorbo. Snergs são "uma raça de pessoas somente um pouco mais altas que uma mesa comum, mas possuem ombros largos e grande força". (*A maravilhosa terra dos Snergs*. Tradução de Gabriel Oliva Brum. Curitiba: Arte & Letra, 2012, p. 19.)

Edward Augustine Wyke-Smith (1871–1935). O britânico Wyke-Smith foi um engenheiro de mineração e um aventuroso viajante do mundo. Nos anos 1920 ele publicou oito romances, quatro destes para crianças. Wyke-Smith também publicou uma série de histórias infantis nos vários anuários editados por "Herbert Strang" e publicados pela Oxford University Press. *A maravilhosa terra dos Snergs* foi seu último livro. Esta fotografia foi tirada por volta de 1925, quando Wyke-Smith havia finalizado *A maravilhosa terra dos Snergs*.

A terra dos Snergs é descrita como "um lugar à parte", onde se estabeleceu uma pequena colônia para crianças que foram retiradas de seus pais abusivos ou negligentes. A história está centrada em duas crianças, Joe e Sylvia, que, junto com Gorbo, tomam parte em uma aventura errante por terras desconhecidas. Eles encontram vários personagens perturbadores e curiosos, tal como Golithos, um ogro reformado que se tornou vegetariano e não come mais crianças, e Mãe Meldrum, uma bruxa sinistra que é também uma maravilhosa cozinheira.

Tolkien admitiu em carta a W.H. Auden em 1955 que *A maravilhosa terra dos Snergs* "provavelmente foi uma fonte inconsciente! para os Hobbits, não de algo mais" (*Cartas*, n. 163). Mas essa declaração não é capaz de transmitir a estima que Tolkien já teve pelo livro. Nos rascunhos para sua famosa palestra "Sobre Estórias de Fadas" ele escreveu: "Eu gostaria de registrar o meu próprio amor e o dos meus filhos por *A maravilhosa terra dos Snergs*, de E.A. Wyke-Smith, de qualquer forma pelo elemento-snerg da história, e por Gorbo, a gema dos estúpidos, a joia dos companheiros em uma escapada."

A descontração e o humor de *A maravilhosa terra dos Snergs* são fortemente sugestivos de *O Hobbit*, como demonstra o excerto seguinte:

> [Os Snergs] são ótimos com banquetes, que dão ao ar livre em longas mesas juntadas que seguem as curvas da rua. Isso é necessário porque quase todos são convidados — ou, melhor dizendo, ordenados a comparecer, pois é o Rei que dá os banquetes, embora cada pessoa tenha que levar sua parte da comida e da bebida e colocá-las no estoque geral. O procedimento mudou nos últimos anos devido ao enorme número de convites que precisavam ser enviados; as ordens agora são subentendidas e apenas convites para permanecerem longe são enviados às pessoas que não são desejadas em determinada ocasião. Os Snergs às vezes têm dificuldades em arranjar uma razão para um banquete, e então o Mestre de Assuntos Domésticos, sendo este o seu trabalho, precisa caçar por uma

razão qualquer, como ser o aniversário de alguém. Certa vez deram um banquete porque não era aniversário de ninguém naquele dia. (*A maravilhosa terra dos Snergs.* Tradução de Gabriel Oliva Brum. Curitiba: Arte & Letra, 2012, pp. 22–3.)

Há outras similaridades entre os dois livros, no tema e em alguns episódios específicos. *A maravilhosa terra dos Snergs* permanece um livro encantador, e fãs de *O Hobbit* encontrarão muito que apreciar nele para além da conexão tolkieniana.

Esta ilustração de George Morrow, extraída de *A maravilhosa terra dos Snergs*, mostra Gorbo, o Snerg, conduzindo Sylvia e Joe (e seu cachorro, Tigre) através da Floresta Sombria. Morrow (1869–1955) era um ilustrador bastante conhecido por *Punch*, uma revista com a qual Wyke-Smith também contribuía. O estilo gráfico de Morrow, focado nas pessoas e expressões faciais, complementa muito bem a prosa de Wyke-Smith. Morrow também ilustrou os outros três livros infantis de Wyke-Smith, *Bill of the Bustingforths* [Bill dos Bustingforths] (apenas o frontispício), *The Last of the Baron* [O sumiço do barão], e *Some Pirates and Marmaduke* [Alguns piratas e Marmaduque], todos publicados em 1921.

A história da escrita efetiva de *O Hobbit* é mais bem contada pelo estudo inicial dos manuscritos, textos datilografados e provas sobreviventes, salvaguardados agora nos Arquivos da Biblioteca Memorial na Universidade Marquette, em Milwaukee, Wisconsin. Talvez seja mais fácil descrever estes documentos em termos de estágios de composição, que chamarei de A a F.

Estágio A: Um manuscrito de seis páginas, escrito à mão, do Capítulo 1 (as páginas iniciais estão faltando). Este é o mais antigo manuscrito sobrevivente, no qual o dragão se chama Pryftan, o anão principal, Gandalf, e o mago, Bladorthin.

Estágio B: Um manuscrito misto entre datilografado e escrito à mão. As primeiras 12 páginas estão datilografadas (na máquina Hammond de Tolkien), e as demais páginas estão escritas à mão e numeradas consecutivamente de 13 a 167. Este estágio de composição é constituído pelos Capítulos 1 até 12 do livro publicado, e o Capítulo 14. O nome do dragão foi originalmente datilografado (no Capítulo 1) Pryftan, mas foi corrigido à mão para Smaug. O manuscrito segue com o anão principal ainda chamado de Gandalf, e o mago, Bladorthin. Beorn é chamado de Medwed ao longo desta versão, e o mago não exibe a chave da porta de trás da Montanha Solitária — uma chave encontrada no tesouro dos trols é usada para abrir a Porta de Durin. Algumas interrupções são discerníveis em certos pontos, evidenciadas por uma mudança de papel ou tinta, e uma sutil mudança na caligrafia, talvez devido ao uso de outra caneta. As paradas ocorrem aproximadamente na p. 50 (próximo ao início do Capítulo 5), p. 77 (no final do Capítulo 6), p. 107 (o meio do Capítulo 8) e p. 119 (o início do Capítulo 9). Nas últimas 35 páginas, o anão principal se torna Thorin, e o mago, Gandalf.

Um esboço de seis páginas sumariza a história dos Salões do Rei-élfico até o fim dela.[M]

Estágio C: Um texto datilografado feito na máquina Hammond (com as canções em itálico), com as páginas numeradas de 1 a 132, cobrindo o mesmo material do estágio B. (As páginas finais foram renumeradas no Estágio

---

[M] Este esquema contém a passagem, descrita assim por Humphrey Carpenter: "Essas anotações sugerem que Bilbo Bolseiro poderia esgueirar-se para dentro do covil do dragão e apunhalá-lo. 'Bilbo enterra sua pequena faca mágica', escreveu [Tolkien]. 'Espasmos do dragão. Estraçalha as paredes e a entrada do túnel'" (*Biografia*, p. 245). Esta passagem foi riscada por Tolkien, ao que parece imediatamente após tê-la escrito, e esquema continua com a história tal como a conhecemos no livro publicado.

E, no momento da inserção do material que se tornou o Capítulo 13; ver adiante.) Este texto datilografado usa Thorin e Gandalf do começo ao fim, e deve ter sido preparado no final do estágio B. Além disso, o personagem inicialmente nomeado Medwed é agora chamado de Beorn.

Estágio D: Um texto manuscrito, com páginas numeradas de 1 a 45, cobrindo os Capítulos 13 e 15–19.

Estágio E: O texto datilografado do Estágio C foi retrabalhado, com a nova inserção do Capítulo 13 paginado 127–34, e o texto datilografado do Capítulo 13 anterior, agora Capítulo 14, renumerado à mão como 135–40. Os novos capítulos do estágio D estão agora datilografados e numerados à mão como 141–68.

Estágio F: Um segundo texto datilografado completo, destinado inicialmente para impressão, foi feito a esta altura, mas ele parece não ter sido usado, já que apresenta um número significativo de erros tipográficos.

Depois disso veio o primeiro conjunto de provas tipográficas, seguido pelas provas revisadas.

Combinar a evidência física dos manuscritos com o que se sabe da cronologia de composição do livro é um processo especulativo e nem sempre é possível determinar as datas com precisão.

Tolkien recontava com frequência sobre como havia começado a história. Em uma tarde quente de verão ele estava em casa, sentado em sua escrivaninha, corrigindo as provas de literatura inglesa para o School Certificate. Disse ele a um entrevistador: "Um dos candidatos misericordiosamente havia deixado uma página sem nada escrito (a melhor coisa que pode acontecer a um examinador) e escrevi nela: '*Numa toca no chão vivia um hobbit*'. Nomes sempre geram uma história na minha mente. No fim, achei que seria melhor eu descobrir como eram os Hobbits." (*Biografia*, p. 236) Acrescentou em outro lugar: "Mais tarde, alguns meses depois, pensei que aquilo era bom demais para ficar apenas no verso de uma folha de prova... Escrevi o primeiro capítulo primeiro — então me esqueci disso, então escrevi outra parte. Eu mesmo ainda posso ver as lacunas. Há uma lacuna bastante grande após eles alcançarem o ninho das Águias. Depois disso eu realmente não sabia como continuar." E completou: "Eu apenas teci um fio a partir de quaisquer elementos em minha cabeça: não me lembro de organizar a coisa de todo."[N]

O momento exato em que Tolkien escreveu aquela primeira frase não é precisamente claro. O livro já possuía existência suficiente em janeiro de 1933 para ser mostrado a C.S. Lewis, que escreveu sobre ele a Arthur Greeves em 4 de fevereiro de 1933: "Desde que o semestre começou [em 15 de janeiro] tenho tido momentos deliciosos lendo uma história para crianças que Tolkien acabou de escrever [...] Se é realmente boa (penso que o é até o fim) é, naturalmente, outra questão: além do mais, será que vai fazer sucesso com as crianças modernas" (*They Stand Together*, editado por Walter Hooper, n. 183). Os filhos mais velhos de Tolkien, John e Michael, tinham lembranças de ouvir elementos da história sendo contados a eles no gabinete de seu pai no número 22 da Northmoor Road, onde a família Tolkien viveu do início de 1926 a janeiro de 1930, quando se mudaram desta casa para a maior logo ao lado. Mas quais eram esses elementos permanece incerto — eles poderiam ser de outras histórias improvisadas que Tolkien contava aos filhos e que foram então reutilizados posteriormente em *O Hobbit*. Michael Tolkien preservou algumas de suas composições infantis que mais tarde na vida ele acreditava serem datadas de 1929, escritas como imitação de *O Hobbit*. No entanto, alguns elementos dessas histórias, tal como descritos por Michael Tolkien, deixam claro que elas não são

---

[N] A declaração de Tolkien começando em "Mais tarde..." é citada de uma entrevista de rádio, em 1957, com Ruth Harshaw para seu programa *Carnival of Books* [Carnaval dos Livros]. A declaração subsequente ("Eu apenas teci um fio...") é citada de uma entrevista de 1964 com Irene Slade, da BBC, para *A World of Sound* [Mundo do Som].

compatíveis com as primeiras fases de composição, mas com estágios posteriores.º

> FOLKLORE OF THE NORTH OF ENGLAND. 79
>
> pigmies, chittifaces, nixies (22), Jinny-burnt-tails, dudmen, hell-hounds, dopplé-gangers (23), boggleboes, bogies, redmen, portunes, grants, hobbits, hobgoblins, brown-men (24), cowies, dunnies (25), wirrikows (26), alholdes, mannikins, follets, korreds, lubberkins, cluricauns, kobolds, leprechauns, kors, mares, korreds, puckles, korigans, sylvans, succubuses, blackmen, shadows, banshees, lian-hanshees, clabbernappers, Gabriel-hounds, mawkins, doubles (27), corpse lights or candles, scrats, mahounds, trows, gnomes, sprites, fates, fiends, sybils, nick-nevins (28), whitewomen, fairies (29), thrummy-caps (30),

Quando escreveu pela primeira vez a frase que abre *O Hobbit* — "Numa toca no chão vivia um hobbit" — Tolkien acreditava estar inventando a palavra *hobbit*. Muitas derivações possíveis para a palavra foram sugeridas, incluindo combinações baseadas em *hob* (uma palavra comum para uma pessoa rústica) e *rabbit* [coelho]. A similaridade entre *hobbit* e os nomes de algumas criaturas do folclore britânico também foi notada: alguns *sprites* e *brownies* [tipos de fadas e duendes] locais são chamados de Hobs e Hobthrusts, e na coleção *More English Fairy Tales* [Outros contos de fadas ingleses] (1894), de Joseph Jacobs, há uma história de criaturas mais sinistras chamadas Hobyahs. Em uma entrevista, Tolkien sugeriu que a palavra *hobbit* pode ter sido associada ao *Babbit* de Sinclair Lewis, o romance satírico de 1922 sobre um desesperado homem de negócios de classe média. Em *O Senhor dos Anéis*, no entanto, Tolkien ofereceu uma derivação da hipotética palavra do inglês antigo *hol-bytla*, ou "habitante-de-toca".ᵖ

Após a morte de Tolkien, descobriu-se que a palavra *hobbit* de fato aparece em uma longa lista de aproximadamente duzentos tipos de criaturas sobrenaturais publicada em 1895. A lista consta em um volume chamado *The Denham Tracts* [Os folhetos de Denham], uma coleção de escritos sobre folclore de Michael Aislabie Denham (1801?–1859), editado pelo Dr. James Hardy e publicado em dois volumes (1892 e 1895) pela Sociedade Folclórica em Londres. *Hobbit* aparece no Volume Dois (p. 79, ver a linha 3 da ilustração ao lado), e no índice, no qual a palavra é definida como "um tipo de espírito".ᑫ

Há algumas outras importantes evidências contemporâneas a discutir. Primeiro, há uma carta de Christopher Tolkien escrita para o Papai Noel em dezembro de 1937, propondo *O Hobbit* como uma ideia para presentes de Natal. Esta carta descreve a história do livro como se segue: "Papai escreveu faz um tempão e leu para John, para Michael e para mim nas nossas 'leituras' de inverno depois do chá da tarde, mas os capítulos finais eram bem toscos e nem estavam datilografados; ele terminou há mais ou menos um ano." (*Biografia*, p. 242).

º A entrevista com Michael Tolkien foi feita pela Rádio Blackburn, provavelmente por volta de 1975. Uma transcrição desta entrevista foi publicada em uma edição dupla do *Minas Tirith Evening-Star* (18, n. 1) e *Ravenhill* (7, n. 4) com a data da primavera de 1989. Nela, e em seu discurso de 1977 para a Tolkien Society, Michael Tolkien discutiu alguns dos personagens dessas composições infantis, incluindo vários anãos com nomes semelhantes àqueles em *O Hobbit*; o terrível anfíbio Ollum, claramente baseado em Gollum; e um mago chamado Scandalf, o Cachimbeiro, tendo evidentemente Gandalf por modelo. Nos manuscritos iniciais de *O Hobbit*, no entanto, o mago chamava-se *Bladorthin*, e o anão principal, *Gandalf*, portanto as composições de Michael Tolkien devem datar de um estágio avançado da escrita de *O Hobbit*. Na mesma entrevista, Michael Tolkien sugeriu que estes escritos feitos em livros de exercício datam do tempo em que ele tinha dez ou onze anos, e uma vez que ele teria feito dez anos no final de outubro de 1930, a ideia de que estes escritos estejam datados de depois de 1930, em vez de 1929, parece muito mais plausível.

ᵖ Para teorias sobre a palavra *hobbit*, ver "On the Origin of the Name 'Hobbit'" [Sobre a origem do nome 'Hobbit'], de Donald O'Brien, em *Mythlore*, inverno de 1989 (vol. 16, n. 2; edição 60), pp. 32–8. E, embora a história "The Hobyahs" apareça na coleção de Joseph Jacobs *More English Fairy Tales*, sua fonte imediata foi um conto de ninar escocês, referido no *Journal of American Folk-Lore*, volume 4 (1891), por S.V. Proudfit, que se lembra de ter ouvido a história, em sua infância, contada por uma família proveniente dos arredores de Perth.

ᑫ Denham, um comerciante de Piercebridge (próximo de Darlington no norte da Inglaterra), compôs sua coleção de folhetos sobre folclore entre 1846 e 1859, publicando várias partes em panfletos e jornais. A lista que contém a palavra *hobbit* apareceu originalmente como uma carta para o *Literary Gazette* londrino de 23 de dezembro de 1848, mas *hobbit* não aparece nesta versão inicial, e deve ter sido adicionado pelo Dr. James Hardy, um correspondente de Denham que possuía muitos dos folhetos anotados por Denham e por ele mesmo. *Hobbit* aparece de forma impressa apenas no volume de 1895.

E, em um memorando, Stanley Unwin escreveu, após encontrar Tolkien no final de outubro de 1937, que se lembrava do fato de Tolkien ter "mencionado que *O Hobbit* lhe tomou dois ou três anos para escrever porque ele trabalha muito vagarosamente" (*George Allen & Unwin — A Remembrancer* [George Allen & Unwin — um memorial], p. 81).

J.R.R. Tolkien e seus quatro filhos, fotografia tirada por volta de 1936 no jardim do número 20 da Northmoor Road. Da esquerda para a direita: Priscilla, Michael, John, J.R.R. Tolkien e Christopher.

Se tomarmos a publicação de *A maravilhosa terra dos Snergs* como necessariamente anterior à ideia de Tolkien sobre hobbits, então o mais cedo que ele poderia ter escrito aquela primeira frase teria sido o verão de 1928. Tolkien claramente teve a inspiração para a primeira frase enquanto corrigia provas no verão, e parece provável que isto tenha ocorrido em um dos três anos de 1928 a 1930. Tolkien retornou à ideia de hobbits em algum momento indefinido posterior, escrevendo a primeira versão do Capítulo 1 (estágio A). Algum período de tempo desconhecido transcorreu, e ele retornou à história, datilografando o Capítulo 1 e continuando à mão (com uma lacuna adicional na composição após o episódio da águia), perfazendo o estágio B. Ele claramente deve ter chegado ao estágio C, um texto datilografado, em janeiro de 1933, a tempo de C.S. Lewis ler o livro e sentir-se incerto sobre o final, que aparentemente não estava escrito para além de um esquema. Os estágios D, E e F provavelmente pertencem ao verão de 1936, quando Tolkien retornou ao livro com o intuito de finalizá-lo para que pudesse ser considerado pela Allen & Unwin.

O próprio Tolkien datou o início da escrita de *O Hobbit* como 1930. Em um relato, disse que escreveu o primeiro capítulo "certamente após 1930, quando me mudei para a 20 Northmoor Road" (*Biografia*, p. 241). No programa de televisão da BBC de 1968, *Tolkien in Oxford*, Tolkien fez o seguinte relato sobre a escrita da primeira frase, e mais uma vez associou-a especificamente à casa no número 20 da Northmoor Road:

O verdadeiro ponto de virada foi — lembro-me com muita clareza — posso ainda ver a esquina da minha casa na 20 Northmoor Road onde isso aconteceu. Eu tinha uma enorme pilha de provas lá [apontando para sua direita], e corrigir provas no verão é uma [tarefa] enorme, muito trabalhosa e infelizmente também muito chata. Eu me lembro de pegar um papel e encontrar de fato — quase dei um ponto extra por isso, cinco pontos extras — uma página de uma prova específica deixada em branco. Glória. Nada para ler, então rabisquei nela, não consigo pensar no motivo, "Numa toca no chão vivia um hobbit". (*Tolkien in Oxford*, 1968)

Tolkien também escreveu em uma carta à Allen & Unwin de 31 de agosto de 1937 que "meu filho mais velho tinha treze anos quando ouviu o folhetim" (*Cartas*, n. 15), e como John nasceu em novembro de 1917, ele teria feito 13 anos em novembro de 1930, o que sugere que Tolkien pode ter lido os primeiros capítulos para seus filhos durante suas "Leituras de Inverno" no inverno de 1930–31.

INTRODUÇÃO

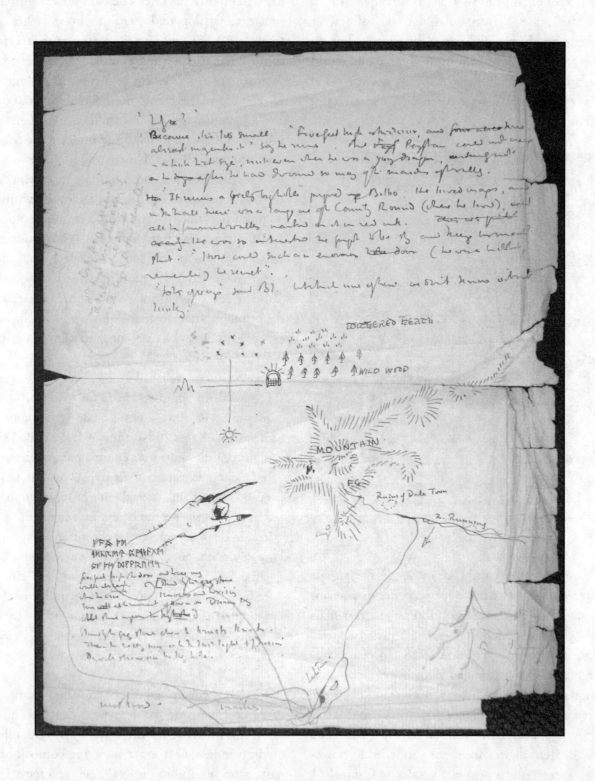

Ao lado: Uma página do manuscrito original de *O Hobbit*, que não foi além do primeiro capítulo.[R] A porta de trás da montanha está aqui marcada com uma runa F, a passagem rúnica próxima à mão diz (com os caracteres sublinhados representados por uma única runa): FA<u>NG</u> <u>THE</u> / SECRET PASSAGE / OF <u>THE</u> DWARVES [FANG A / PASSAGEM SECRETA / DOS ANÕES] (A runa usada para O é a mesma que Tolkien usaria mais tarde para EE.) O texto sob as runas lê-se: "five feet high the door and three may walk abreast" [cinco pés de altura tem a porta e três podem passar lado a lado]. Uma frase entre colchetes está riscada: "Stand by the grey stone when [*or where*] the crow [*escrito acima*: thrush] knocks and the rising sun at the moment of dawn on Durin's Day will shine upon the key hole ["*hole*" *está riscado*] [Fique ao lado da pedra cinzenta quando (*ou* onde) o corvo (*escrito acima*: tordo) bater, e o sol nascente, na hora da aurora do Dia de Durin, brilhará sobre a fechadura ("*dura*" *está riscado*)]. A frase encontra-se retrabalhada abaixo: "Stand by the grey stone where the thrush knocks. Then the setting sun with the last light of Durin's Day will shine on the key hole" [Fique ao lado da pedra cinzenta onde o tordo bater, e o sol poente, com a última luz do Dia de Durin, brilhará sobre a fechadura].

Nesta versão inicial do Mapa de Thror a geografia ao redor da Montanha Solitária é vista como já tendo tomado forma. O Urzal Seco e as ruínas da Cidade de Valle estão marcados, e o Rio Rápido, a Cidade-do-lago, os pântanos próximos e Trevamata. Um esboço da Montanha Solitária aparece no canto inferior direito. Uma bússola no centro mostra as sete estrelas da Ursa Maior (chamada de o Grande Carro na América do Norte) ao norte, com o que aparenta ser o sol ao sul. Os símbolos a leste e oeste podem refletir elementos dos escritos de Tolkien relativos ao "Silmarillion" dos anos 1930 — os Portões da Manhã a leste, e as Montanhas de Valinor a oeste. (Ver o volume quatro da *História*, *A Formação da Terra-média*.)

A sequência dos eventos que trouxe o manuscrito de *O Hobbit* à atenção da George Allen & Unwin não é mais clara. O "manuscrito caseiro" de Tolkien foi emprestado a algumas pessoas de fora da família, incluindo C.S. Lewis, Elaine Griffiths, a Reverenda Madre Sta. Teresa Gale (a Madre Superiora de Cherwell Edge, um convento da Ordem do Sagrado Menino Jesus), e uma criança, uma garota de 12 ou 13 anos, presumivelmente Aileen Jennings, a irmã mais velha da poetisa Elizabeth Jennings, cuja família era amiga dos Tolkien.

Elaine Griffiths (1909–1996) foi uma aluna de Tolkien que mais tarde, por muitos anos, foi uma *fellow* do St. Anne's College, Oxford. No início dos anos 1930, ela tutorava alunos de graduação em Cherwell Edge, ao qual se acoplava um pensionato (onde Griffiths vivia) para mulheres católicas na Society of Home-Students [Sociedade dos Estudantes Nativos], como então St. Anne era chamado. Desde 1934 Griffiths estava trabalhando na sua dissertação com Tolkien sobre a linguagem do *Ancrene Wisse*. Ela uma vez relembrou:

Quando eu era uma jovem pós-graduanda, o professor Tolkien me emprestou a sua — não

---

[R] Na parte esquerda desta página, e evidentemente tarde em sua vida, Tolkien escreveu a lápis: "Única página preservada da primeira cópia rabiscada de *O Hobbit* que não foi além do primeiro capítulo." A declaração de Tolkien é incorreta, pois esta folha (na verdade duas páginas, já que há escritos em ambos os lados) era meramente a única porção que permanecera entre os próprios papéis de Tolkien após a venda, em 1957, dos manuscritos de alguns de seus escritos, incluindo *O Hobbit* e *O Senhor dos Anéis*, para a Universidade Marquette, em Milwaukee, Wisconsin. As duas folhas adicionais (mais quatro páginas) deste rascunho guardadas nos Arquivos Marquette foram recentemente acompanhadas pelo original desta folha, compondo um total de seis páginas do rascunho guardado em Marquette.

O texto nesta página (omitindo cancelamentos) lê-se como se segue:

"Por quê?"

"Porque ela é muito pequena. 'Cinco pés de altura tem a porta, e três lado a lado podem nela entrar' dizem as runas. Mas Pryftan [um nome antigo para Smaug] não conseguiria se enfiar num buraco desse tamanho, nem mesmo quando era um dragão jovem, e certamente não depois de devorar tantas donzelas do vale."

"Parece uma toca bastante grande", bradou Bilbo. Adorava mapas, e em seu corredor havia um grande do Campo Em Volta, com todas as suas caminhadas favoritas marcadas nele com tinta vermelha. Estava tão interessado que esqueceu de ficar de boca fechada. "Como uma porta tão grande" (ele era um hobbit, lembre-se) "podia ser secreta?"

"Muitas maneiras", disse Bl[adorthin, um nome antigo para Gandalf], "mas qual delas não saberemos sem olhar."

Em sua introdução à edição de cinquenta anos de *O Hobbit*, Christopher Tolkien reproduz e transcreve ambos os lados desta folha do manuscrito de seu pai.

manuscrita, mas magnificamente datilografada cópia de O Hobbit. Ele tinha uma fascinante máquina de escrever com escrita itálica, e achei que a obra era maravilhosa e a li com enorme prazer. E um bom tempo depois, alguém que eu havia conhecido quando ela era uma aluna de graduação que trabalhava para a Allen & Unwin veio até mim e queria alguma coisa, esqueci o que era, e eu disse, "Oh, Susan, eu não sei e não consigo obtê-la, mas vou te dizer uma coisa, vá atrás do Professor Tolkien e veja se consegue obter dele uma obra chamada O Hobbit, já que penso que ela é espantosamente boa.[s]

A pessoa da Allen & Unwin era Susan Dagnall (1910–1952), que estivera em Oxford na mesma época que Griffiths e que fora trabalhar na Allen & Unwin em 1933. Em algum momento no final da primavera ou início do verão de 1936, Dagnall visitou Oxford para discutir com Griffiths a revisão de uma tradução de Beowulf que era popular entre os graduandos. Tolkien havia de fato recomendado Griffiths para o trabalho, embora no final ela tenha sido incapaz de fazê-lo. A tarefa foi completada pelo colega de Tolkien C.L. Wrenn, e a Allen & Unwin publicou a obra em 1940 como *Beowulf and the Finnesburgh Fragment* [Beowulf e o Fragmento de Finnesburgh], com observações prefaciais de Tolkien.

Dagnall de fato pegou emprestado o manuscrito de O Hobbit, e, após lê-lo, encorajou Tolkien a finalizá-lo de modo que pudesse ser considerado para publicação pela Allen & Unwin. Tolkien pôs-se a trabalhar. Em agosto escreveu que O Hobbit estava quase finalizado, mas não foi antes de 3 de outubro de 1936 que ele enviou o texto datilografado para a Allen & Unwin.

Stanley Unwin, o presidente da firma, leu o livro e o aprovou. Uma segunda opinião foi solicitada à escritora infantil Rose Fyleman (1877–1957), que então trabalhava como leitora externa e tradutora para a Allen & Unwin. Mas Stanley Unwin acreditava que as crianças eram os melhores juízes de livros infantis, e de modo intermitente empregou seus próprios filhos, incluindo o filho caçula, Rayner, para resenhar as submissões de livros infantis pelo valor padrão de um xelim por parecer escrito. *O Hobbit* foi entregue a Rayner Unwin, então com dez anos, que o considerou um bom livro e julgou, com a superioridade de seus dez anos, que ele deveria agradar a todas as crianças entre cinco e nove anos. *O Hobbit* foi oficialmente aceito para publicação. Os contratos foram assinados no início de dezembro.

Em 4 de dezembro de 1936, Susan Dagnall solicitou a Tolkien um breve parágrafo descrevendo o livro para o catálogo da Allen & Unwin. Tolkien certamente o forneceu antes de 10 de dezembro. Ele não apenas aparece nos *Anúncios de Verão* de 1937 da Allen & Unwin como também foi usado na primeira orelha da sobrecapa do livro publicado, na qual observações adicionais foram acrescentadas pela editora. Os parágrafos de Tolkien são os seguintes:

> Se você gosta de viagens lá e de volta, para fora do confortável mundo Ocidental, sobre a borda do Ermo, e em casa outra vez, e pode se interessar por um modesto herói (abençoado com um pouco de sabedoria e coragem e considerável boa sorte), aqui está o registro de uma jornada e um viajante tal e qual. O período é a época antiga entre a era de Feéria e o domínio dos Homens, quando a famosa floresta de Trevamata ainda existia e as montanhas eram cheias de perigo. Seguindo o caminho deste humilde aventureiro, você aprenderá, a propósito (assim como ele) — se é que você já não sabe tudo sobre essas coisas — muito sobre trols, gobelins, anãos e elfos e captará alguns vislumbres da história e política de um negligenciado, porém importante, período.
>
> Pois o Sr. Bilbo Bolseiro visitou várias pessoas notáveis; conversou com o dragão Smaug, o Magnífico;

---

[s] A reminiscência de Elaine Griffiths é retirada de *The Road Goes Ever On* [A estrada segue sempre avante], um programa da Rádio Oxford de 1974 sobre a vida de Tolkien.

e esteve presente, muito de má vontade, na Batalha dos Cinco Exércitos. Isso é ainda mais notável, já que era um hobbit. Hobbits, até agora, têm sido preteridos em história e lenda, talvez porque eles, via de regra, preferem o conforto ao invés da agitação. Mas este relato, baseado em suas memórias pessoais do ano mais excitante da outrora pacata vida do Sr. Bolseiro, dará a você uma justa ideia do estimado povo que, agora (dizem), está se tornando cada vez mais raro. Eles não gostam de barulho.

Parecer de leitura sobre o *Hobbit* de Rayner Unwin, escrito quando ele tinha dez anos.

Rayner Unwin (1925-2000) foi, mais do que qualquer outro, o editor de Tolkien. Após ter ido trabalhar na firma do pai em 1951, ele foi responsável por assegurar a publicação das obras de Tolkien pelo resto da vida do autor e por muito tempo depois disso. Rayner Unwin sucedeu o pai como presidente da George Allen & Unwin quando da morte deste em 1968. Seu delicioso livro de memórias da firma familiar, *George Allen & Unwin – A Remembrancer*, foi publicado em 1999. Ele possui dois longos capítulos recontando sua experiência de publicar Tolkien.

Uma fotografia de Stanley Unwin, tal como publicada na edição de 1º de janeiro de 1938 do *Publishers' Circular and The Publisher & Bookseller*. O biógrafo de Tolkien, Humphrey Carpenter, descreveu o editor como "baixo, de olhos brilhantes e barbudo", e observou que o próprio Tolkien disse que Unwin se parecia "exatamente com um dos meus anãos" (*Biografia*, p. 251).

Stanley Unwin (1884-1968) trabalhou no meio editorial antes de adquirir os ativos da empresa falida George Allen & Sons em 1914, renomeando-a George Allen & Unwin. Sua companhia provou-se muito bem-sucedida, e ele se tornou figura de destaque no meio editorial. Seu livro *The Truth About Publishing* [A verdade sobre editar] (1926) permanece como um dos relatos clássicos sobre a atividade. Em sua autobiografia *The Truth About a Publisher* [A verdade sobre um editor] (1960), Unwin nomeou *O Hobbit* como "uma de minhas publicações favoritas". Unwin foi ordenado cavaleiro em 1946.

Certamente havia algumas ilustrações do próprio Tolkien junto ao "manuscrito caseiro" de *O Hobbit*, mas quais teriam sido permanece incerto. Havia também alguns mapas, cinco dos quais aparentemente estavam com o livro quando submetido à Allen & Unwin em outubro de 1936.[T]

Ao longo dos anos desde que *O Hobbit* foi publicado, um número de ilustrações de Tolkien, oito em preto e branco e cinco coloridas (mais os dois mapas), tornaram-se o que se pode chamar de ilustrações "padrão" que geralmente

---

[T] Estas eram aparentemente versões iniciais do Mapa de Thror (provavelmente uma variante de *Artist* n. 85; ver também a p. 64 deste livro) e do mapa das Terras-selváticas (*Artist* n. 84), e mapas da terra entre as Montanhas Nevoentas e Trevamata, da terra a leste de Trevamata até o leste do Rio Rápido, e do Lago Longo (combinado com uma vista da Montanha Solitária) (*Artist* n. 128).

aparecem no livro.ᵘ Mas este padrão demorou algum tempo para se desenvolver, e as artes sobreviventes associadas a *O Hobbit* giram em torno de 70 peças.

A primeira edição britânica não possuía ilustrações coloridas, mas incluía dez em preto e branco, e dois mapas. Todos os desenhos em preto e branco de Tolkien para *O Hobbit* parecem ter sido feitos após as festas de dezembro de 1936 e antes do meio de janeiro de 1937. Em 4 de janeiro, Tolkien enviou à Allen & Unwin quatro desenhos finalizados, incluindo *O Portão do Rei-élfico*, *Cidade-do-lago*, *O Portão da Frente* e *Trevamata* (que Tolkien imaginava como a primeira folha de guarda). Ao mesmo tempo ele enviou as versões redesenhadas do Mapa de Thror e do mapa das Terras-selváticas, tendo decidido que os outros três não eram necessários (embora Tolkien tivesse que redesenhar o Mapa de Thror uma vez mais, em um formato horizontal adequado para uma folha de guarda). Duas semanas mais tarde ele enviou outros seis desenhos, que havia concebido para distribuir as ilustrações ao longo do livro de forma mais equilibrada. Estas seis ilustrações incluem *A Colina: Vila-dos-Hobbits-defronte-ao-Água* (uma versão em preto e branco), *Os Trols*, *A Trilha da Montanha*, *Nas Montanhas Nevoentas olhando para o Oeste*, *O salão de Beorn*, e *O salão em Bolsão*.

Pelo final de março, a Allen & Unwin estava esperançosa de que Tolkien pudesse encontrar tempo para providenciar um desenho para a sobrecapa do livro. Ele submeteu um desenho preliminar no início de abril, e em 25 de abril havia entregado a arte-final (com elaboradas instruções para os impressores escritas nas margens).

Quatro das cinco pinturas coloridas para *O Hobbit* foram feitas durante algumas semanas de férias universitárias em meados de julho de 1937. Estas incluem *Valfenda*, *Bilbo acordou com o sol do começo da manhã em seus olhos*, *Bilbo chega às cabanas dos Elfos-balseiros* e *Conversa com Smaug*. A quinta, uma pintura colorida para substituir a versão à tinta de *A Colina: Vila-dos-Hobbits-defronte-ao-Água*, foi terminada em 13 de agosto.

As complexidades dos vários mapas, ilustrações e da sobrecapa ocuparam Tolkien e a Allen & Unwin por grande parte da primeira metade de 1937. Em suas memórias de editor, Rayner Unwin descreveu a situação deste modo:

> Apenas em 1937 Tolkien escreveu 26 cartas para a George Allen & Unwin e recebeu 31 cartas em resposta. Da parte de Tolkien, todas foram escritas à mão, tendo com frequência até cinco páginas, detalhadas, fluentes, em geral pungentes, mas infinitamente educadas e exasperadamente precisas. O tempo e a paciência que seus editores devotaram ao que deveria ter sido um trabalho tipográfico simples é espantoso. Duvido que qualquer autor hoje, não importa o quão famoso, receberia tão escrupulosa atenção. (*George Allen & Unwin — A Remembrancer*, p. 75)

O primeiro anúncio sobre a publicação de *O Hobbit* veio na edição de 6 de fevereiro de 1937 do *Publishers' Circular and The Publisher & Bookseller*. A Allen & Unwin colocou um anúncio para suas publicações de março e abril, e *O Hobbit* é listado como o primeiro livro sob a rubrica abril, onde é descrito (em uma estranha comparação) como "a mais deliciosa história de seu tipo desde *The Crock of Gold* [O Vaso de Ouro]", um livro de James Stephens publicado originalmente em 1912. *O Hobbit* foi anunciado como sendo "ilustrado", com o mesmo preço (7s. 6d.) que o livro publicado teria.

ᵘ As cinco ilustrações coloridas são *A Colina: Vila-dos-Hobbits-defronte-ao-Água*, *Valfenda*, *Bilbo acordou com o sol do começo da manhã em seus olhos*, *Bilbo chega às cabanas dos Elfos-balseiros* e *Conversa com Smaug*. As oito ilustrações em preto e branco são *Os Trols*, *A Trilha da Montanha*, *Nas Montanhas Nevoentas olhando para o Oeste*, *O salão de Beorn*, *O Portão do Rei-élfico*, *Cidade-do-lago*, *O Portão da Frente* e *O salão em Bolsão*.

Provavelmente no final de abril de 1937, uma cópia da prova tipográfica de *O Hobbit* foi enviada à firma de Boston Houghton Mifflin Company, que foi convidada a fazer uma oferta pelos direitos estadunidenses de publicação. Naquele tempo, várias editoras britânicas tinham arranjos comerciais com firmas estadunidenses compatíveis, e neste contexto os vínculos da Allen & Unwin eram com a Houghton Mifflin. Paul Brooks era então um jovem editor na Houghton Mifflin, e muitos anos mais tarde ele recontou em seu livro de memórias *Two Park Street* (1986) a reação inicial na Houghton Mifflin diante de *O Hobbit*: "Nosso gerente editorial (então encarregado dos livros infantis) não estava impressionado. Nem a bibliotecária infantil da Biblioteca Pública de Boston, para quem pedimos uma opinião profissional. Mas por alguma razão — embora não entendesse nada de obras infantojuvenis — eu li *O Hobbit* e me apaixonei pelo Sr. Bilbo Bolseiro e sua trupe. Não importa para qual faixa etária essa história foi escrita, precisamos dar uma chance a ela" (p. 107).[v]

Curiosamente, a Houghton Mifflin sugeriu encomendar algumas ilustrações coloridas adicionais de "bons artistas estadunidenses" para acompanhar os desenhos de Tolkien em preto e branco. Tolkien concordou com isso em uma carta de 13 de maio de 1937, desde que fosse possível "vetar qualquer coisa dos estúdios Disney ou influenciada por eles (por cujas todas as obras possuo uma sincera aversão)"[w] (*Cartas*, n. 13); mas a Allen & Unwin o convenceu de que seria melhor se todas as ilustrações fossem de sua autoria. Uma nova confusão surgiu quando Tolkien enviou à Houghton Mifflin algumas amostras de ilustrações coloridas que não eram para *O Hobbit* antes de enviar à editora cinco pinturas para a história. A Houghton Mifflin escolheu quatro dessas cinco e, com uma cutucada da Allen & Unwin, pagou cem dólares ao artista.

Tolkien recebeu as primeiras provas do texto em dois lotes, em 20 e 24 de fevereiro de 1937. Tolkien retornou-as à Allen & Unwin em 11 de março. Suas correções foram consideradas um tanto pesadas, e embora ele tenha minuciosamente calculado o tamanho das passagens substitutivas, foi necessário recompor diversas seções. Tolkien recebeu as provas revisadas no início de abril e as reenviou em 13 de abril.

O livro foi impresso em junho, mas a publicação foi adiada para permitir o envio de cópias antecipadas e para ter em mira as compras de Natal. Em um anúncio na edição de 3 de julho de 1937 da *Publishers' Circular and The Publisher & Bookseller*, a Allen & Unwin reposicionou o livro na lista de outono. A descrição neste anúncio diz: "Um livro de aventuras em um mundo mágico de anãos e dragões, por um professor de Oxford. Talvez um novo *Alice no País das Maravilhas*."

---

[v] O gerente editorial era Ferris Greenslet (1875–1959), uma figura proeminente na Houghton Mifflin por 35 anos até sua aposentadoria em 1942. A bibliotecária infantil na Biblioteca Pública de Boston era Alice M. Jordan (1870–1960), que resenhou com apreciação parcial outro dos livros de Tolkien, *Lavrador Giles de Ham*, na edição de julho de 1950 do *Horn Book*, observando que "aqueles para quem *O Hobbit* trouxe deleite duradouro abrirão este livro do mesmo autor com impaciente antecipação. [...] Para desfrutar este livro, é preciso ter uma imaginação vívida, um ouvido para maravilhas, um senso de absurdo e prazer em palavras estranhamente compostas". Paul Brooks (1909–1998) era o editor-chefe e diretor da Houghton Mifflin nos anos 1950, quando a firma publicou *O Senhor dos Anéis*.

[w] Pode-se argumentar que em 1938, quando Tolkien fez esta declaração, os Estúdios Disney haviam acabado de lançar *Branca de Neve e os Sete Anões* (1937), e outras obras célebres, como *Fantasia* (1940), ainda estavam por vir. No entanto, a opinião de Tolkien permaneceu basicamente a mesma quase 30 anos depois. Em uma carta de 15 de julho de 1964, para Jane Louise Curry, Tolkien escreveu sobre Walt Disney: "Reconheço seu talento, mas ele sempre me pareceu irremediavelmente corrupto. Embora na maioria dos 'filmes' provenientes de seus estúdios haja passagens admiráveis ou encantadoras, o efeito deles é para mim repugnante. Alguns me deram náusea."

INTRODUÇÃO

Tolkien recebeu seu primeiro exemplar do livro em 13 de agosto. Algumas semanas antes da publicação do livro em 21 de setembro, Stanley Unwin tomou a medida inusitada de comprar um anúncio de página inteira no *Publisher's Circular and The Publisher & Bookseller*, chamando decididamente *O Hobbit* de "o livro infantil do ano". A Allen & Unwin raramente usava anúncios de página inteira para qualquer livro isolado, mas o fez três vezes ao promover *O Hobbit*.

O Hobbit foi finalmente publicado na Inglaterra em 21 de setembro de 1937, em uma primeira tiragem de 1.500 exemplares. Tolkien acertou com a Allen & Unwin o envio de exemplares de resenha para C.S. Lewis, *Oxford Magazine*, Book Society, e para dois colegas próximos, os professores George Gordon, de Oxford, e R.W. Chambers, da Universidade de Londres. Dos seus próprios, Tolkien distribuiu exemplares entre diversos membros próximos da família. Outros foram para ex-alunos seus que se tornaram colegas e amigos da família, incluindo E.V. Gordon, Elaine Griffiths, Helen Buckhurst, Simonne d'Ardenne, Stella Mills e Katherine Kilbride. Um exemplar foi enviado à família Jennings.

A Allen & Unwin também enviou exemplares para alguns críticos, incluindo Richard Hughes e Arthur Ransome, solicitando suas opiniões. Uma seleção de comentários críticos tornou-se a base do próximo anúncio de página inteira da Allen & Unwin para *O Hobbit*, que apareceu na edição de 6 de novembro de 1937 do *Publishers' Circular and The Publisher & Bookseller*. A Allen & Unwin preparou materiais adicionais de publicidade, incluindo a sobrecapa afixada em papel-cartão e o fac-símile de uma carta do romancista Richard Hughes.[x]

---

[x] A carta de Richard Hughes, datada de 5 de outubro de 1937, lê-se em parte:
> Concordo com você que esta é uma das melhores histórias para crianças com que me deparei em muito tempo. O autor possui um dom para a contação de histórias; e ao mesmo tempo está tão impregnado do seu pano de fundo mitológico que é capaz de evocá-lo, sem esforço, com uma vivacidade e completude bastante surpreendentes.
>
> O único senão que posso ver é que muitos pais (e, mais do que eles, autoridades infantis) podem recear que certas partes da história sejam demasiado assustadoras para se ler antes de dormir.
>
> Francamente, eu mesmo não concordo com este ponto de vista; as crianças parecem ter uma capacidade natural para o terror diante da qual não há muito que fazer: quero dizer, se não lhes dermos dragões para se assustarem, elas vão se assustar com uma velha cômoda.

Richard Hughes (1900–1976) é conhecido principalmente por seu romance *Um ciclone na Jamaica* (1929), mas é também lembrado por diversos livros de histórias para crianças.

HOBBIT HOBBIT HOBBIT HOBBIT HOBBIT

"Original e muitíssimo agradável. Nunca vi algo parecido com isso antes."
L.A.G. STRONG

HOBBIT HOBBIT HOBBIT HOBBIT HOBBIT

O HOBBIT

por J.R.R. Tolkien   *7s. 6d. líquido*

Um inusitado livro infantil de aventura em um mundo mágico de anões e dragões, do qual o herói, Bilbo Bolseiro, é um hobbit (nem anão, nem elfo, mas algo entre eles). O livro agradará não apenas às crianças, mas a todos os interessados pelas estórias de fadas como um ramo da literatura, e sua natureza imaginativa é exemplificada pela reluzente e atrativa sobrecapa — concebida, aliás, pelo autor — que se mostrará muito efetiva nas vitrines.

J.R.R. Tolkien é um professor de Oxford, e escreveu este livro para o divertimento de seus filhos; um outro professor universitário era tão tímido como o professor Tolkien quanto à publicação de um livro que mais tarde se tornou mundialmente famoso — **"ALICE NO PAÍS DAS MARAVILHAS"**. Acreditamos que, de modo similar, logo há de surgir um clamor por **HOBBITS**, um clamor a que os livreiros precisam estar preparados para responder.

SENHORES, O HOBBIT!

Disponível em 21 de setembro
O LIVRO INFANTIL DO ANO

George Allen & Unwin Ltd

Anúncio de página inteira da Allen & Unwin noticiando a publicação de *O Hobbit*, tirado da edição de 4 de setembro de 1937 do *Publishers' Circular and The Publisher & Bookseller*.

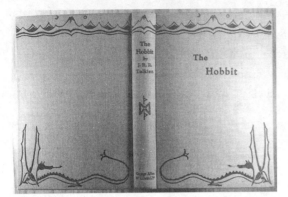

A capa para a edição da Allen & Unwin de *O Hobbit* foi desenhada por Tolkien. (Alguns de seus desenhos para a capa podem ser vistos em *Artist*, n. 140–41.) As runas na lombada, duas runas TH, acima e abaixo de uma runa D, referem-se a Thorin e Thror, e à porta secreta da Montanha Solitária (marcada similarmente com uma runa D no Mapa de Thror).

A sobrecapa para edição de *Hobbit* da Allen & Unwin também foi desenhada por Tolkien, usando as cores azul e verde em adição ao preto e branco. (Um desenho preliminar fragmentário de Tolkien, junto com a arte-final, pode ser visto em *Artist*, n. 143–44.) Tolkien pretendia inicialmente que o sol e o dragão fossem impressos em vermelho, mas esta ideia foi rejeitada pela Allen & Unwin devido ao custo adicional.

Wayne G. Hammond e Christina Scull escreveram com sensibilidade sobre o desenho de Tolkien da seguinte forma:

> A sobrecapa de Tolkien para *O Hobbit* é tão chamativa hoje como era em 1937. Ela atrai não pelas cores, mas por sua energia gráfica. As montanhas marcham de forma rítmica através da vastidão, seus picos nevados contrastando brilhantemente com as sombrias encostas abaixo. Linhas denteadas como raios passam através das montanhas e pulsam a seus sopés. Troncos de árvores ao longo da parte inferior do desenho cintilam alternadamente em preto e branco. Como muitos dos desenhos de Tolkien, ele é concebido ao redor de um eixo central, neste caso com a longa estrada através da floresta rumo à Montanha Solitária. Seu conteúdo é também simétrico: na contracapa estão a noite, a escuridão, o Mal na forma do dragão; na capa estão o dia, a luz, o Bem na forma das águias que vêm duas vezes ao resgate na história (*Artist*, p. 149).

Segundo anúncio de página inteira da Allen & Unwin para *O Hobbit*, noticiando a recepção crítica do livro, na edição de 6 de novembro de 1937 do *Publishers' Circular and The Publisher & Bookseller*.

A Feira Nacional do Livro foi realizada em Londres no sábado, 20 de novembro, e relatos divulgados no *Publishers' Circular and The Publisher & Bookseller* noticiaram que Sua Alteza Real, o Duque de Kent, lá estivera e comprara uma cópia de *O Hobbit*. O próprio Tolkien também visitou a Feira do Livro.

Na sede da Allen & Unwin em Museum Street, um *expositor* de vitrine foi engenhosamente posicionado, exibindo por volta de 50 exemplares de *O Hobbit* com a capa para fora, dispostos em fileiras em uma estante. (Uma pequena fotografia do display aparece na edição de 20 de novembro de 1937 do *Publishers' Circular and The Publisher & Bookseller*.)

A primeira impressão de *O Hobbit* vendeu bem, e uma reimpressão foi necessária antes do Natal. As cinco ilustrações coloridas de Tolkien foram solicitadas de volta à Inglaterra antes da publicação da edição estadunidense, e a Allen & Unwin decidiu usar quatro na segunda impressão sem elevar o preço do livro. Quatro gravuras coloridas apareceriam mais tarde também na edição estadunidense, mas enquanto a Allen & Unwin escolheu *Bilbo chega às cabanas dos Elfos-balseiros*, a Houghton Mifflin escolheu em seu lugar *Bilbo acordou com o sol do começo da manhã em seus olhos*.[Y]

A segunda impressão de *O Hobbit* pela Allen & Unwin consistia em 2.300 exemplares. Estes foram impressos no início de dezembro de 1937, mas nem todas as folhas impressas foram imediatamente encadernadas (423 cópias das folhas impressas foram destruídas em novembro de 1940 quando o estoque da editora foi bombardeado.)

As duas primeiras resenhas publicadas de *O Hobbit* estão entre as mais simpáticas e perceptivas. Elas apareceram anonimamente no *Times Literary Supplement* e no jornal matriz, o *Times*. Ambas foram escritas pelo amigo íntimo de Tolkien, C.S. Lewis.

A primeira responde diretamente à sinopse[z] da editora que compara o livro a Lewis Carroll:

[Y] A Houghton Mifflin também, sem exceção, cortou, renomeou ou de outra forma alterou a arte colorida de Tolkien.
[z] A sinopse sobre o autor na sobrecapa da primeira impressão de *O Hobbit* lê-se deste modo:

> J.R.R. Tolkien é professor Rawlinson e Bosworth de Anglo-Saxão em Oxford, e *fellow* do Pembroke College. Ele tem quatro filhos e *O Hobbit* foi escrito para eles e lido em voz alta para eles no quarto de brincar, que, é claro, é o modo pelo qual praticamente todas as histórias infantis imortais adquiriram existência. Mas a fama da história espalhou-se além do núcleo familiar, e o manuscrito de *O Hobbit* foi emprestado a amigos em Oxford e lido para os filhos destes. Embora completamente dissimilares em caráter, o nascimento de *O Hobbit* evoca fortemente o de *Alice no País das Maravilhas*. Aqui novamente um professor de uma matéria obscura está a brincar; enquanto *Alice no País das Maravilhas* está repleto de disparatados enigmas, *O Hobbit* possui constantes ecos de magia e mitologia selecionados a partir de um conhecimento vasto e preciso. Dodgeson [sic] inicialmente não pensava valer a pena publicar sua história do País das Maravilhas, e o Professor Tolkien — mas não seus editores — ainda precisa ser convencido de que alguém vai querer ler sua agradabilíssima história da jornada de um Hobbit.

A editora afirma que *O Hobbit*, embora bastante distinto de *Alice*, assemelha-se a este por ser o trabalho de um professor a brincar. Uma verdade mais importante é a de que ambos pertencem a uma classe muito diminuta de livros que nada têm

---

Em uma carta de 31 de agosto de 1937, para Charles Furth da Allen & Unwin (ver *Cartas*, n. 15), Tolkien enviou diversas correções e comentários sobre as imprecisões da sinopse. Para a segunda impressão, a sinopse foi mudada para esta:

> J.R.R. Tolkien é professor Rawlinson e Bosworth de Anglo-Saxão em Oxford, e *fellow* do Pembroke College. Ele tem quatro filhos, e *O Hobbit* foi escrito para eles e lido em voz alta para eles. Ele se tornou um entretenimento familiar permanente, especialmente na época de Natal. Mas o manuscrito logo começou a visitar amigos mais velhos e mais novos (há muitos amantes das verdadeiras estórias de fadas); e a fama do hobbit espalhou-se além da família. Embora de todo dissimilares, o nascimento de *O Hobbit* evoca fortemente o de *Alice no País das Maravilhas* e *Através do Espelho e o que Alice Encontrou Lá*; e aqui novamente temos um estudante a brincar. Há tão pouco de filologia em *O Hobbit* quanto há de matemática em *Alice*, mas este brincar não é um escape do estudo — uma sala mais atrativa, como sabe a maioria das crianças que tiveram a chance de invadi-la.
>
> *O Hobbit* possui adivinhas, runas e anãos islandeses; e embora seu mundo de magia e mitologia lhe seja próprio, uma nova terra do saber, ele possui a atmosfera do Norte antigo. Dodgson inicialmente não pensava valer a pena publicar sua história do País das Maravilhas, e foi muito difícil convencer o Professor Tolkien de que alguém iria querer ler seu delicioso livro. Os poucos excertos seguintes, extraídos de uma bateria de resenhas favoráveis, vão mostrar que, seja como for, críticos proeminentes aliaram-se aos editores para reivindicar que *O Hobbit* é uma obra de gênio.

em comum exceto que cada um nos franqueia um mundo que lhe é próprio — um mundo que parece existir antes de tropeçarmos para dentro dele, mas que, uma vez encontrado pelo leitor certo, torna-se indispensável para ele. Seu lugar é junto de *Alice, Planolândia, Phantastes, O vento nos salgueiros.*

[...] É preciso entender que este é um livro infantil apenas no sentido de que a primeira de muitas leituras pode ser feita no quarto de brincar. *Alice* é lido com seriedade por crianças e aos risos por adultos; *O Hobbit*, por outro lado, será mais engraçado para seus leitores mais jovens, e apenas anos depois, em uma décima ou vigésima leitura, eles começarão a perceber o que o hábil saber e a profunda reflexão fizeram para tornar tudo nele tão maduro, tão amigável, e a seu próprio modo tão verdadeiro. Fazer previsões é perigoso: mas *O Hobbit* bem pode se provar um clássico. (*Times Literary Supplement*, 2 de outubro de 1937)

A segunda resenha contém mais percepções:

A verdade é que neste livro uma série de coisas boas, nunca antes unidas, vieram a se fundir; um fundo de humor, uma compreensão das crianças, e o feliz amálgama do domínio mitológico do estudioso e do poeta. Na beira do vale um dos personagens do professor Tolkien pode parar e dizer: "Isto cheira a elfos." Pode levar anos até produzirmos outro autor com tal nariz para elfos. O professor tem o ar de quem nada inventa. Ele estudou trols e dragões em primeira mão e os descreve com aquela fidelidade que vale oceanos de propalada "originalidade". (*The Times*, 8 de outubro de 1937)

Por volta de 30 resenhas da primeira edição britânica de *O Hobbit* foram localizadas. Muitas destas são bastante curtas, mas um punhado delas tem algo mais a dizer do que apenas descrever o livro.[AA]

[AA] Para uma análise mais ampla das resenhas, ver "Some Notes on the Reception of *The Hobbit*" [Algumas notas sobre a recepção de *O Hobbit*], de Åke Bertenstam, em *Angerthas in English 2* (1992), pp. 17–25.

A sobrecapa para a edição norte-americana de 1938 de *O Hobbit*, publicada pela Houghton Mifflin Company, fez uso de duas das ilustrações coloridas de Tolkien na primeira e quarta capas.

A resenha de Alice Forrester em *Poetry Review* (novembro–dezembro de 1937), sem grandes surpresas, comenta sobre a poesia de Tolkien: "Não o menor dos itens a ser elogiado neste livro são as canções e poemas que se fundem e se somam à atmosfera vívida e um tanto misteriosa."

No *Junior Bookshelf*, Eleanor Graham deu a *O Hobbit* uma de suas poucas resenhas desfavoráveis. Escreve Graham:

O Hobbit é um livro estranho. Ele tem em si os elementos de uma história excelente, ou talvez de um livro de contos curtos para crianças, mas é maculado, em minha opinião, por certa reflexão sobre a atitude do autor para com o mundo. Uma espécie de espírito da "Tia Sally" substitui a benevolência perceptível nos mais amados livros infantis. No lugar dos obstáculos naturais no caminho da conquista, a jornada do Hobbit e seus companheiros é interrompida por obstruções que de certa forma geram o efeito de reveses deliberadamente intencionais, e não de desenvolvimentos naturais. [...] Há em seu lugar um inquieto tipo de compulsão e o Hobbit jamais se conforma de fato com seu exílio ou sua longa jornada. Ao fazer estas críticas, preciso também dizer que há um forte sentido de realidade na escrita e uma verdadeira distinção, e que aquelas pessoas que gostam disso vão verdadeiramente apreciá-lo em grande medida. (*Junior Bookshelf*, dezembro de 1937)

INTRODUÇÃO

L.A.G. Strong escreveu no *Spectator*, em 3 de dezembro de 1937: "É perigoso dizer que um livro é realmente original, mas neste caso aceito de bom grado o risco: *O Hobbit* deverá se tornar um clássico."

Uma publicação australiana, *All About Books*, deu ao livro uma de suas mais longas resenhas na edição de 15 de janeiro de 1938. O resenhista era G.H. Cowling, que fora colega de Tolkien em Leeds. Ele sugeriu uma série de fontes possíveis para elementos em *O Hobbit*, escrevendo: "Se eu fosse um cientista, deveria falar com propriedade sobre hobbits e dizer se eles derivaram seu nome de 'hobs' [duendes] ou 'rabbits' [coelhos]. Mas não o sou, portanto vou simplesmente apreciar a história." Conclui Cowling: "Esta é uma estória de fadas de verdade, com os incontestáveis dispositivos da terra das fadas."

R.B. McCallum, um dos Inklings e colega de Tolkien, escreveu no *Pembroke College Record* de 1937–38: "O livro inteiro é notável pela solidez e exatidão da narrativa, uma veia humorística alegre e reflexiva e pelo equilíbrio da filosofia subjacente. Nada é capaz de diminuir o lustro que o nome de Lewis Carroll traz ao Christ Church, mas pode muito bem ser que o fato de o autor de *O Hobbit* ter sido um *fellow* de Pembroke será um ponto adicional de interesse para nossos futuros visitantes."

Nos Estados Unidos, *O Hobbit* foi anunciado para publicação em 23 de fevereiro de 1938, na edição de fevereiro de 1938 do *Retail Bookseller*, mas certamente alguns problemas com a impressão ou encadernação atrasaram ligeiramente o livro. Ele foi anunciado novamente na edição de março do *Retail Bookseller* para ser publicado em 2 de março, mas exemplares finalizados estavam aparentemente prontos alguns dias antes.

Mais de 20 resenhas da primeira edição estadunidense de *O Hobbit* foram localizadas, e uma seleção de excertos representativos está dada a seguir. A primeira resenha, que precedeu ligeiramente a publicação do livro, foi de May Lamberton Becker no *New York Herald Tribune*:

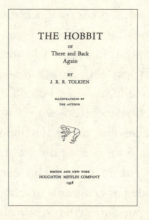

Há pelo menos duas impressões da edição de 1938 da Houghton Mifflin de *O Hobbit*. A impressão mais antiga apresenta um hobbit curvado na folha de rosto, enquanto as outras variantes apresentam em seu lugar o logotipo da Houghton Mifflin Company, uma figura sentada tocando uma flauta.[AB]

Até este momento da escrita, ainda sob o efeito da história, sinto-me incapaz de perguntar a mim mesma se nossas crianças norte-americanas irão gostar dela. Meu impulso é o de dizer que se não gostarem, muito pior para elas. Como o erudito Charles Dodgson, o autor é um professor de Oxford, sua especialidade é o anglo-saxão; como Alice, a história traz sinais inequívocos de ter sido contada a crianças inteligentes. Mas seu estilo não

---

[AB] Todas as variantes fazem uso do mapa das Terras-selváticas na frente do livro e do *Mapa de Thror* na parte de trás, mas, na versão do "hobbit curvado", a lista de ilustrações impressa na p. 9 descreve o *Mapa de Thror* como "folha de guarda 1" e o *Mapa das Terras-selváticas* como "folha de guarda 2". Na versão "flautista", a lista impressa está invertida.

Em todos os exemplares observados da versão "hobbit curvado", o anterrosto não está presente (e o frontispício está colado em uma apara), e a folha contendo as pp. 309–10 foi extraída, deixando apenas uma apara na qual foi colada a folha substituta. Na variante "flautista", o anterrosto está presente (e o frontispício não está colado em uma apara) e as pp. 309–10 estão inteiras.

Na variante "hobbit curvado", o cabeçalho (na p. 118) do Capítulo 7, "Acomodações Esquisitas", está erroneamente indicado como "Capítulo VI". Exemplares da variante "flautista" foram observados em duas condições: com "Capítulo VI" ou com o correto "Capítulo VII".

é como o de Lewis Carroll; é bem mais como o de Dunsany. [...] Nestas páginas está contido um mundo, uma odisseia comprimida, à medida que as aventuras na estrada rumo ao tesouro ilícito do dragão se avolumam. Não sei como nossas crianças vão gostar de história tão rigidamente contida, de cujos capítulos um único bastaria para compor um livro em outro lugar; elas podem pensar que estão recebendo em excesso por seu dinheiro. Mas anões entraram na moda este ano nos Estados Unidos; talvez estes se beneficiem do *boom* da Disney. (*New York Herald Tribune*, 20 de fevereiro de 1938)

Há mágica em

O Hobbit*

Escrito e ilustrado por J.R.R. Tolkien

ANNE T. EATON — *N. Y. Times:* "Um dos livros para crianças mais viçosamente originais e deliciosamente imaginativos que tem aparecido. [...] Um relato glorioso de uma aventura magnífica. [...] Repleto de valiosas dicas para o matador de dragões."

MAY LAMBERTON BECKER — *N. Y. Herald Tribune:* "Nestas páginas está contido um mundo, uma odisseia comprimida [...] ainda estou sob o feitiço da história."

Sinais de que a mágica está funcionando

EM uma escola particular em Connecticut os garotos ficaram loucos pelo Hobbit.

O filho de sete anos de Sinclair Lewis e Dorothy Thompson: "O HOBBIT é uma história muito agradável. Eu amo muito ele. Com amor — Michael."

UM dos primeiros resenhistas o chama de: "Uma saga deslumbrante de acontecimentos vertiginosos e inacreditáveis. Finalmente temos um livro infantojuvenil que pode ser comparado a *E o Vento Levou* e *Antônio Adverso* para adultos."

BIBLIOTECÁRIAS, a leste e oeste, dão entusiasmadas notícias.

Vendas mágicas também

USE-O como "livro extra" para adultos que gostaram de *A Branca de Neve*, *Ferdinando*, *Alice* (nenhuma similaridade exceto o tipo de cliente). Propaganda, folhetão e pôster em preparação. $ 2.50

*Os hobbits são um povo pequeno, menores que anões; vestem-se com cores vivas; possuem dedos compridos, hábeis e morenos, rostos bem-humorados e dão risadas profundas e animadas.

HOUGHTON MIFFLIN COMPANY — Publishers

Anúncio de página inteira da Houghton Mifflin para *O Hobbit*, extraído da edição de 26 de março de 1938 da *Publishers Weekly*.

O Hobbit
De J. R. R. Tolkien

O que é um hobbit? Os hobbits são um povo pequeno, menores que os anões (e não têm barba), mas muito maiores que os liliputianos. Vivem em tocas-hobbit, com portas redondas feito escotilhas, pintadas de verde; eles apreciam seu conforto e têm a barriga avantajada.

O Sr. Bilbo Bolseiro, o modesto herói desta história, era um hobbit respeitável e muito bem de vida. No entanto, de alguma forma ele se vê, acompanhado por um mago e anões, a caminho de uma jornada tresloucada sobre a borda do ermo para arrancar de Smaug, o dragão, seu áureo tesouro há muito esquecido. Isto tudo é ainda mais impressionante quando nos lembramos de que ele era um hobbit e nem um pouco aventureiro.

O autor, como Lewis Carroll, é um professor inglês: neste caso, professor de Anglo-Saxão.

O London Times diz: "Seu lugar é junto de *Alice* e *O vento nos salgueiros*. [...] Fazer previsões é perigoso, mas *O Hobbit* bem pode se provar um clássico."

Ilustrações coloridas e em preto e branco do autor $ 2,50

Chegando em 12 de abril

Eu Viajei com Vasco da Gama

De LOUISE ANDREWS KENT
Uma história para meninos e meninas entre 10 e 14 anos, da autora de *As aventuras de Marco Polo*, *Two Children of Tyre* [Duas crianças de Tiro] etc. Ilustrado. $ 2,00

HOUGHTON MIFFLIN COMPANY

Mencionar o Horn Book *ajuda tanto o Anunciante quanto a Revista*

Anúncio da Houghton Mifflin para *O Hobbit*, feito para a edição de março–abril de 1938 do *Horn Book*.

Sophia L. Goldsmith escreveu em março de 1938 no *New York Post*: "Este livro será lido à exaustão tanto por garotos como por garotas. Ele possui imenso encanto, inteligência genuína e anões que põem os amigos de Branca de Neve completamente à sombra."

Anne T. Eaton (1881–1971), uma figura conhecida da literatura infantil e bibliotecária na Lincoln School do Teacher's College da Universidade Columbia, escreveu:

INTRODUÇÃO

Este é um dos livros para crianças mais viçosamente originais e deliciosamente imaginativos que apareceu em muito, muito tempo. [...] [Há] florestas que evocam às dos romances em prosa de William Morris. Como as regiões de Morris, as Terras-selváticas são Feéria, no entanto elas têm uma qualidade telúrica, um odor de árvores, chuvas torrenciais e o cheiro das fogueiras. [...] As canções dos anãos e dos elfos são poesia verdadeira, e já que o autor é afortunado o bastante para fazer seus próprios desenhos, as ilustrações são um acompanhamento perfeito para o texto. (*New York Times Book Review*, 13 de março de 1938)

Eaton também escreveu sobre o livro no *Horn Book*:

A época da história situa-se entre os tempos de Feéria e o domínio dos homens, e o cenário assenta-se em uma daquelas regiões mágicas que, como as terras dos romances em prosa de William Morris, são inconfundivelmente parte da Inglaterra e da Terra-das-fadas ao mesmo tempo. O pano de fundo da história está cheio de pedaços autênticos de mitologia e magia, e o livro possui a rara qualidade do estilo. Está escrito com um humor sóbrio e com o detalhismo lógico com que as crianças se deleitam. [...] Todos aqueles, jovens ou velhos, que amam uma história refinadamente imaginada, belamente contada, acolherão *O Hobbit* em seus corações. (*Horn Book*, março–abril de 1938)

O *Horn Book* interessou-se consideravelmente por *O Hobbit*. Anne Carroll Moore (1871–1961), a bibliotecária infantil da Biblioteca Pública de Nova York, também escreveu sobre o livro em sua coluna "The Three Owls Notebook" [O caderno das três corujas] na edição de março–abril, qualificando-o como:

uma história refrescantemente aventurosa e original de anões, gobelins, elfos, dragões, trols etc., na verdadeira tradição das antigas sagas. Penso que é um erro comparar *O Hobbit* com *Alice* ou com *O vento nos salgueiros*. É distinto de qualquer um deles. Ele está firmemente enraizado em *Beowulf* e no autêntico saber saxão, e ao atrair crianças mais novas possui algo em comum com *The Treasure of the Isle of Mist* [O tesouro da ilha nevoenta] de W.W. Tarn, e com certos contos de William Morris. Há erudição segura por trás de *O Hobbit*, enquanto um rico veio humorístico conecta este pequeno ser, descrito como menor que um anão, com os estranhos seres do mundo antigo e o mundo em que vivemos hoje. (*Horn Book*, março–abril de 1938)

Na edição de maio de 1938, uma das fundadoras da revista, Bertha E. Mahony, introduziu *O Hobbit* como parte de um grupo de "certos livros raros que permanecem na mente como poesia, revelando sempre novas alegrias e sentidos inéditos". Várias páginas do Capítulo 1 de *O Hobbit* foram republicadas nesta edição.

Mary A. Whitney escreveu no *Christian Science Monitor* em 31 de março de 1938: "Todos os que apreciam uma história bem trabalhada, com originalidade e imaginação, vão se deliciar com as aventuras do hobbit." E William Rose Benét, no *Saturday Review* de 2 de abril de 1938, chamou *O Hobbit* de "tão notável obra de literatura imaginativa para crianças provinda de um professor de anglo-saxão em Oxford como foi *Alice no País das Maravilhas*, provinda de um tal matemático como o reverendo Dodgson. *O Hobbit* é tanto prosa como poesia e, acima de tudo, deslumbrante fantasia".

Em 25 de abril de 1938, Tolkien recebeu um cabograma de Ferris Greenslet da Houghton Mifflin, dizendo que *O Hobbit* iria receber um prêmio de 250 dólares. Na segunda edição do seu Festival Infantil anual, o *New York Herald Tribune* planejava conceder dois prêmios de 250 dólares cada, um para o melhor livro publicado na primavera para crianças mais novas, e o outro para o melhor livro para crianças mais velhas. *O Hobbit* ganhou o prêmio para crianças mais novas, e o vencedor na categoria para crianças mais velhas foi *Iron Duke* [Duque de Ferro], de John R. Tunis, uma história universitária que se passa em Harvard.

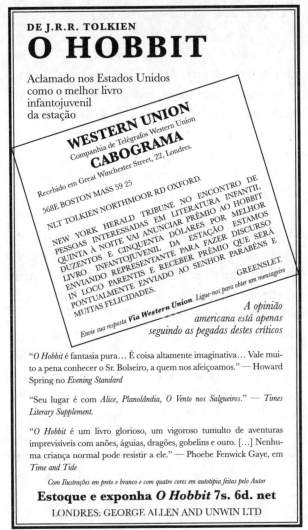

Após *O Hobbit* ganhar o prêmio do *New York Herald Tribune*, Tolkien foi notificado sobre o mesmo em um cabograma de Ferris Greenslet da Houghton Mifflin Company. Stanley Unwin reconheceu o valor de dar publicidade ao prêmio no ramo livreiro da Inglaterra e reproduziu o cabograma em um anúncio de página inteira na edição de 7 de maio de 1938 do *Publishers' Circular and The Publisher & Bookseller*.

Os jurados na categoria para crianças mais novas eram May Lamberton Becker (presidente), Elizabeth Morrow (esposa do embaixador dos Estados Unidos no México, Dwight W. Morrow, e mãe da escritora Anne Morrow Lindbergh), e Stephen Vincent Benét. O prêmio foi oficialmente entregue em um almoço especial na terça-feira, 17 de maio de 1938. O almoço, presidido por Irita Van Doren, editora da seção de Livros do *New York Herald Tribune*, foi realizado no último dia da convenção anual da American Bookseller's Association [Associação Estadunidense de Livreiros] no Hotel Pennsylvania na cidade de Nova York. Um membro da equipe de vendas da Houghton Mifflin, LeBaron R. Barker Jr., aceitou o prêmio em nome de J.R.R. Tolkien.[AC]

Como na Inglaterra, houve uma opinião dissidente no lote de resenhas de *O Hobbit*. Ela foi escrita por Mary L. Lucas, que discutiu o hobbit e os anãos como se segue: "Suas aventuras e revezes são numerosos, demasiado numerosos na verdade para uma leitura realmente agradável. O livro seria mais bem lido em voz alta em pequenas doses, ou a criança deve ser aconselhada a lê-lo de tal forma ela mesma. Ele terá apelo limitado a menos que propriamente introduzido e mesmo assim será mais bem apreciado por aquelas crianças cuja imaginação é alerta" (*Library Journal*, 1º de maio de 1938).

No *Catholic World* de julho de 1938, o resenhista anônimo escreveu: "Nós garantimos que você vai gostar desta agitada história tanto quanto seu filho. Faça-o desvendar as adivinhas de Gollum e Bilbo. Elas sozinhas valem o preço do livro." E Harry Lorin Bisse chamou o livro, em uma brevíssima resenha no *Commonweal* de 2 de dezembro de 1938, de "uma estória de fadas moderna brilhantemente contada".

O Hobbit foi um sucesso nos Estados Unidos. Por volta de junho, quase três mil exemplares do livro haviam sido vendidos. A Houghton Mifflin decidiu anunciar novamente o livro no topo da lista de outono de obras infantojuvenis, com a esperança de impulsionar maiores vendas. Seu anúncio para o livro na edição de Natal de 1938

[AC] John e Priscilla Tolkien, no *The Tolkien Family Album*, registram: "Em 1938 [Tolkien] recebeu um prêmio literário por Melhor História Infantil do Ano. Uma lembrança um tanto comovente é a dele abrindo a carta na mesa de café da manhã e passando o cheque de cinquenta libras anexo — uma soma formidável naqueles dias — para Edith, de modo que ela pudesse pagar com ele uma exorbitante consulta médica." (p. 69)

INTRODUÇÃO

da revista *Horn Book* (ver nota 6 ao Capítulo 1) inclui o desenho de um hobbit para o qual Tolkien provera maiores detalhes descritivos. *O Hobbit* foi exposto ao lado de aproximadamente outros cinquenta livros infantis na exposição anual de novembro–dezembro na Sala Central das Crianças da Biblioteca Pública de Nova York e foi adequadamente elogiado em um pequeno livreto, *Children's Books 1938* [Livros Infantis de 1938], publicado na ocasião. O livro foi reimpresso, e pelo final de 1938 as vendas da edição estadunidense haviam excedido 5 mil exemplares.

O Hobbit perdeu certo impulso após a irrupção da Segunda Guerra Mundial. Devido ao racionamento de papel, que fora introduzido na Inglaterra em abril de 1940 (vários meses antes, o depósito da Allen & Unwin na parte norte de Londres fora bombardeado, com a resultante perda de mais de um milhão de livros), *O Hobbit* ficou indisponível na Inglaterra por longos intervalos dos anos 1940, a despeito do desejo tanto da editora como do autor de mantê-lo em estoque. O racionamento de papel permaneceu em vigor até 1949.

A partir do início dos anos 1950 (talvez estimulado pela publicação, no final de 1949, de *Lavrador Giles de Ham*), *O Hobbit* começou a ser notado outra vez. Quase 13 anos depois de o *Junior Bookshelf* ter dado ao livro uma resenha desconcertante, a mesma publicação se pronunciou com algumas observações perspicazes de outro resenhista, Marcus S. Crouch:

> *O Hobbit* teve uma recepção mista, como a de muitos livros de originalidade pronunciada. Ele foi, creio, não mais que um sucesso moderado nas livrarias, e bibliotecários que tiveram a coragem de comprá-lo em quantidades suficientes não podem alegar que ele rivaliza com a popularidade dos atuais produtos de produção em massa. No entanto, ele me parece possuir em alto grau algumas das qualidades que contribuem para a permanência. Não conheço qualquer livro infantil publicado nos últimos 25 anos sobre o qual poderia predizer com maior confiança que será lido no século XXI. (*Junior Bookshelf*, março de 1950)

Nos anos 1950 as vendas de *O Hobbit* elevaram-se consideravelmente, ascendendo de forma ainda mais dramática após a publicação de sua muito aguardada sequência, *O Senhor dos Anéis*. Houve muitas dramatizações do livro, tanto amadoras quanto profissionais, desde março de 1953, quando a primeira adaptação autorizada foi encenada na St. Margaret's School em Edimburgo. Estas foram seguidas por várias outras releituras, incluindo um verdadeiramente execrável programa de televisão de 1977 baseado no livro, uma versão em *graphic novel*, e, mais recentemente, várias versões em áudio e uma performance pela Ópera Nacional Finlandesa em outubro de 2001. As vendas do livro há muito se elevaram ao nível dos exemplares multimilionários. Na Grã-Bretanha, um selo postal homenageando *O Hobbit* foi lançado em 1998. À medida que *O Hobbit* se aproxima de seu sexagésimo quinto aniversário de publicação, ele terá aparecido em mais de 40 línguas. Não há dúvida de que *O Hobbit* é um clássico mundial, para todas as idades e para todos os tempos.

Em 21 de julho de 1998, *O Hobbit* foi homenageado pelo Correio Real da Grã-Bretanha ao se tornar o tema de um selo postal, parte da série "Mundos Mágicos: Livros Clássicos de Fantasia para Crianças". A série celebrou outras quatro obras além de *O Hobbit*, incluindo *Através do espelho e o que Alice encontrou lá* (1872), de Lewis Carroll; *The Phoenix and the Carpet* [A fênix e o tapete] (1904), de E. Nesbit; *O leão, a feiticeira e o guarda-roupa* (1950), de C.S. Lewis; e *Os pequeninos Borrowers* (1952) de Mary Norton. A arte dos selos é de Peter Malone.

O HOBBIT
OU
LÁ E DE VOLTA
OUTRA VEZ

Esta é uma história de muito tempo atrás. Naquela época, as línguas e letras eram bem diferentes das nossas hoje. O inglês está sendo usado para representar as línguas. Mas podemos notar dois pontos. (1) Em inglês, o único plural correto de *dwarf* [anão] é *dwarfs*, e o adjetivo é *dwarfish*. Nesta história, *dwarves* [anãos] e *dwarvish* são usados,[a] mas apenas quando se fala do povo antigo ao qual Thorin Escudo-de-carvalho e seus companheiros pertenciam.[1] (2) *Orc* [orque] não é uma palavra inglesa. Ela ocorre em um ou dois lugares, mas normalmente é traduzida por *goblin* [gobelin] (ou *hobgoblin* [hobgobelin], no caso dos tipos maiores desses seres).[2] *Orc* é a forma hobbit do nome dado naquele tempo a essas criaturas, e não tem conexão nenhuma com as palavras *orc*, *ork* [orca], aplicadas a animais marinhos aparentados aos golfinhos.[b]

As runas são antigas letras originalmente usadas para fazer inscrições em madeira, pedra ou metal e, por isso, elas eram finas e angulosas. Na época desta história, apenas os anãos as usavam regularmente, em especial para registros particulares ou secretos. As runas deles, neste livro, são representadas pelas runas inglesas, as quais, hoje, poucas pessoas conhecem. Se as runas do Mapa de Thror forem comparadas com as transcrições em letras modernas (nas pp. 61–2 e pp. 103–4), o alfabeto, adaptado ao inglês moderno, pode ser descoberto, e assim será possível ler o título rúnico acima. No Mapa podemos encontrar todas as runas normais, exceto ᛉ para X. I e U são usados também para J e V. Não havia runa equivalente ao Q (usa-se CW), nem ao Z (a runa dos anãos ᛪ pode ser usada nesse caso, se necessário). Ficará claro, entretanto, que algumas runas isoladas correspondem a duas letras modernas: *th*, *ng*, *ee*; outras do mesmo tipo (ᛠ *ea* e ᛥ *st*) também eram usadas às vezes. A porta secreta está marcada com o ᛥ (letra D). Da lateral, uma mão apontava para ela, e embaixo estava escrito:

---

[a] A razão para esse uso é dada em *O Retorno do Rei*, Apêndice F. [N. A.]
[b] Em português, optamos pelo plural "anãos", que é tão correto quanto "anões" e dá ao leitor a impressão de estranheza trazida por *dwarves* em inglês. As demais palavras citadas neste parágrafo ficaram assim traduzidas: orque (plural: orques), gobelim (plural: gobelins) e hobgobelim (plural: hobgobelins). [N. T.]

[1] Em 15 de outubro de 1937, pouco depois da publicação de *O Hobbit*, Tolkien escreveu a Stanley Unwin:

> Nenhum resenhista (que eu tenha visto), embora todos tenham usado cuidadosamente a forma correta *dwarfs* [anões], comentou a respeito do fato (do qual me tornei consciente apenas através das resenhas) de eu usar no decorrer do livro o plural "incorreto" *dwarves* [anãos]. Temo que esse seja apenas um exemplo particular de gramática ruim, um tanto chocante em um filólogo. [...] O verdadeiro plural "histórico" de *dwarf* (como *teeth* [dentes] de *tooth* [dente]) é *dwarrows* [ananos], de qualquer modo: sem dúvida uma bela palavra, um tanto arcaica demais. No entanto, gostaria que eu tivesse usado a palavra *dwarrow*. (*Cartas*, n. 17)

Em uma entrevista, Tolkien comentou: "*Dwarves* foi originalmente um erro gramatical. Tentei encobri-lo, mas o fato se deve unicamente à minha tendência de ampliar o número destes plurais vestigiais em que há uma mudança de consoante, como *leaf*, *leaves* [folha, folhas]. Minha tendência é usá-los mais assiduamente do que o padrão atual. E realmente pensei *dwarf*, *dwarves*; *wharf*, *wharves* [anão, anãos; molhe, molhes] — por que não?" (Entrevista feita por Denys Gueroult para a Rádio BBC, gravada em janeiro de 1965.)

Na Seção II (Da Tradução) do Apêndice F em *O Senhor dos Anéis*, Tolkien ofereceu outra explicação:

Pode-se observar que neste livro, assim como em *O Hobbit*, é usada a forma anãos, apesar de o plural mais comum para anão ser anões [Em inglês o plural de *dwarf* é *dwarfs*, não o *dwarves* usado pelo autor.] Deveria ser *dwarrows* (ou *dwerrows*), se o singular e o plural tivessem percorrido seus próprios caminhos ao longo dos anos, assim como temos *man* [homem] e *men* [homens], ou *goose* [ganso] e *geese* [gansos]. Mas não falamos mais de anãos com a mesma frequência que de homens, ou mesmo de gansos, e as lembranças entre os Homens não têm sido frescas o bastante para guardarmos um plural especial para uma raça que já foi abandonada aos contos populares, nos quais pelo menos se conserva uma sombra da verdade, ou finalmente a histórias absurdas em que eles se tornaram meras figuras divertidas. Mas na Terceira Era ainda se vislumbra algo do seu antigo caráter e poder [...].

Foi para assinalar isso que me aventurei a usar a forma *anãos*, e talvez removê-los um pouco das histórias mais bobas destes dias recentes. *Ananos* teria sido melhor; mas só usei essa forma no nome *Covanana*, para representar o nome de Moria na fala comum.

2 A afirmação de que *hobgobelim* é usado para os tipos maiores de gobelim é o oposto da tradição original. No saber das fadas, os hobgobelins são a menor das criaturas. São geralmente retratados como espíritos domésticos travessos.

3 O texto original (*1937*) não apresentava nota, nem uma se fazia necessária até que as mudanças (particularmente no Capítulo 5) que resultaram na segunda edição (*1951*) fossem feitas. A nota seguinte foi acrescentada neste período:

Nesta reedição diversas imprecisões menores, em sua maioria observadas pelos leitores, foram corrigidas. Por exemplo, o texto nas pp. 30 e 64 agora corresponde exatamente às runas no Mapa de Thror. Mais importante é a questão do Capítulo 5. Lá a verdadeira história do final do Jogo das Adivinhas, tal como foi enfim revelada (sob pressão) por Bilbo a Gandalf, é agora dada de acordo com o Livro Vermelho, no lugar da versão que Bilbo contou inicialmente

[runas]

As últimas duas runas são as iniciais de Thror e Thrain. As runas-da-lua lidas por Elrond são:

[runas]

No mapa os pontos cardeais estão marcados com runas, com o Leste no alto, como era comum no caso de mapas dos anãos, e lidos desta maneira, em sentido horário: L(este), S(ul), O(este), N(orte).[3]

a seus amigos, e de fato registrou em seu diário. Este desvio da verdade por parte de um hobbit honestíssimo foi um portento de grande significância. No entanto, ele não diz respeito à presente história, e aqueles que nesta edição tomam conhecimento pela primeira vez do saber dos hobbits [*hobbit-lore*] não precisam se atribular com isso. Sua explicação encontra-se na história do Anel, tal como registrada nas crônicas do Livro Vermelho do Marco Ocidental, e deve aguardar sua publicação.

Pode-se acrescentar uma última nota, sobre uma questão levantada por diversos estudantes do saber do período. No Mapa de Thror está escrito *Aqui outrora Thrain foi Rei sob a Montanha*; mas Thrain era o filho de Thror, o último Rei sob a Montanha antes da vinda do dragão. O Mapa, no entanto, não incorre em erro. Nomes são constantemente repetidos em dinastias, e as genealogias mostram que um ancestral distante de Thror fora referido, Thrain I, um fugitivo de Moria, que primeiro descobriu a Montanha Solitária, Erebor, e lá governou por um tempo, antes de seu povo se mudar para as montanhas mais remotas do Norte.

A edição da Puffin Books de 1961 inclui apenas o segundo parágrafo, com a abertura alterada para: "Foi sugerido por diversos estudantes do saber do período que há um erro no Mapa de Thror nas pp. 6–7. No Mapa está escrito: 'Aqui outrora […]'"

1966-Ball repete a nota de *1951*, com a alteração da última frase do primeiro parágrafo para: "[…] ela foi registrada nas crônicas do Livro Vermelho do Marco Ocidental, e agora está contada em *O Senhor dos Anéis*"; e com a alteração da referência das páginas na segunda frase. *1966-Longmans/Unwin* possui uma nota inteiramente nova, exatamente como impressa aqui.

1

Uma Festa Inesperada

Numa toca no chão vivia um hobbit.[1] Não uma toca nojenta, suja, úmida, cheia de pontas de minhocas e um cheiro de limo, nem tampouco uma toca seca, vazia, arenosa, sem nenhum lugar onde se sentar ou onde comer: era uma toca de hobbit, e isso significa conforto.

Ela tinha uma porta perfeitamente redonda feito uma escotilha, pintada de verde, com uma maçaneta amarela e brilhante de latão exatamente no meio. A porta se abria para um corredor em forma de tubo, feito um túnel: um túnel muito confortável, sem fumaça, de paredes com painéis e assoalhos azulejados e acarpetados, com cadeiras enceradas e montes e montes de cabideiros para chapéus e casacos — o hobbit apreciava visitas. O túnel seguia em frente, continuando quase (mas não totalmente) em linha reta pela encosta da colina — A Colina, como toda a gente por muitas milhas ao redor a chamava —, e muitas portinhas redondas se abriam a partir dele, primeiro de um lado e depois do outro. Nada de segundo andar para o hobbit: quartos, banheiros, adegas, despensas (muitas dessas), armários (ele tinha cômodos inteiros dedicados a roupas), cozinhas, salas de jantar, todos ficavam no mesmo andar e, de fato, na mesma passagem. Os melhores cômodos estavam todos do lado esquerdo (de quem entrava), pois esses eram os únicos a ter janelas, janelas fundas e redondas que davam para o jardim dele e para os prados mais distantes, que desciam até o rio.[2]

Esse era um hobbit muito bem de vida, e seu nome era Bolseiro.[3] Os Bolseiros tinham vivido na vizinhança d'A Colina desde tempos imemoriais, e as pessoas os consideravam muito respeitáveis, não apenas porque a maioria deles era rica, mas também porque nunca participavam de aventuras nem faziam nada inesperado: dava para saber o que um Bolseiro diria sobre qualquer questão sem o incômodo de perguntar a ele. Esta é a história de como um Bolseiro participou de uma aventura e se descobriu fazendo e dizendo coisas de todo inesperadas. Ele pode ter perdido o respeito dos vizinhos, mas ganhou... Bem, você vai ver se ele ganhou alguma coisa no final.

A mãe desse nosso hobbit em particular — o que é um hobbit? Suponho que os hobbits exijam algum tipo de

[1] O parágrafo de abertura tornou-se tão amplamente conhecido que, em 1980, ele foi incluído na décima quinta edição do *Bartlett's Familiar Quotations* [Citações Familares de Bartlett]. A primeira frase é reconhecida em muitas línguas, das quais o que se segue é uma pequena seleção: "*Dans un trou vivait un hobbit*" (francês); "*In einer Höhle in der Erde, da lebte ein Hobbit*" (alemão; tradução de Scherf); "*Volt egyszer egy földbe vájt lyuk, abban élt egy babó*" (húngaro); "*In una caverna sotto terra viveva uno Hobbit*" (italiano); "*En un agujerro en el suelo, vivía un hobbit*" (espanhol; tradução de Figueroa); "*I en håla under jorden bodde en hobbit*" (sueco; tradução de Hallqvist). *O Hobbit* foi traduzido para 41 línguas até o momento [2003]. Uma listagem completa pode ser encontrada na Seção III da bibliografia no final deste livro.

[2] A confortável toca de hobbit de Bilbo evoca inevitavelmente as aconchegantes casas subterrâneas do Texugo e da Toupeira em *O vento nos salgueiros* (1908), de Kenneth Grahame. O nome da casa de Bilbo, Bag End [Bolsão], até ecoa o da Toupeira, Mole End, embora tal formulação seja comum em nomes britânicos para casas.

Grahame (1859–1932) trabalhou por muitos anos no Banco da Inglaterra e, embora não achasse o trabalho desagradável, foi por meio de seus escritos que ele obteve sucesso, começando com *The Golden Age* [A era de ouro] (1895) e *Dream Days* [Dias de sonho] (1898), coleções de histórias e bosquejos que delicadamente recapturam a experiência da infância. *O vento nos salgueiros* teve início como histórias de ninar contadas para o filho mais novo de Grahame, e prosseguiu em diversas cartas escritas para o garoto quando Grahame estava fora de casa. Essas cartas foram publicadas postumamente em *First Whisper of*

"The Wind in the Willows" [Primeiros sussurros de "O vento nos salgueiros"] (1944), editado pela viúva de Grahame, Elspeth. Quando Tolkien teve notícia da publicação deste volume, informou seu filho Christopher em uma carta escrita em 31 de julho e 1º de agosto de 1944, acrescentando: "Devo conseguir um exemplar" (*Cartas*, n. 77).

3 Em *The Road to Middle-earth*, Tom Shippey observa que *baggins* [bolseiro] provavelmente deriva de *bagging*, um termo que o *Oxford English Dictionary* diz ser "usado nos condados do norte da Inglaterra para o alimento consumido entre refeições regulares; agora, especialmente em Lancashire, uma refeição vespertina, 'chá da tarde' em forma substancial". É, portanto, um nome apropriado para ser encontrado entre hobbits, que sabemos jantar duas vezes ao dia, e para Bilbo, que mais adiante no Capítulo 1 vai se sentar para seu segundo desjejum. No Prólogo a *O Senhor dos Anéis*, Tolkien observa que os hobbits gostavam de "seis refeições por dia (quando podiam obtê-las)."

Shippey afirma que "o *OED* [Oxford English Dictionary] prefere a forma 'mais polida' *bagging*, mas Tolkien sabia que pessoas que faziam uso de palavras como essa quase certamente não pronunciariam o -g final" (p. 66). A palavra também aparece em uma forma grafada foneticamente como *bæggin* em *A New Glossary of the Dialect of the Huddersfield District* [Um novo glossário do dialeto do distrito de Huddersfield] (1928), de Walter E. Haigh, para o qual Tolkien escreveu um prefácio elogioso. Haigh define *bæggin* como "*refeição, hoje geralmente 'chá', mas anteriormente qualquer refeição; um bagging. Provavelmente assim chamado porque os trabalhadores geralmente levavam suas refeições para o trabalho em algum tipo de bolsa [bag]*".

Huddersfield era provavelmente a parte mais isolada do sul de Yorkshire até o final do século XVIII, e em seu dialeto sobreviveram muitas palavras que pereceram alhures. O prefácio de Tolkien mostra como a obra de Haigh ilumina algumas palavras e expressões obscuras em *Sir Gawain e o cavaleiro verde*.

Tolkien veio a conhecer Haigh em 1923, quando se filiou à Yorkshire Dialect Society [Sociedade do Dialeto de Yorkshire]. Walter

descrição hoje em dia, já que se tornaram raros e arredios em relação ao Povo Grande, como nos chamam. Eles são (ou eram) um povo pequeno, com cerca de metade da nossa altura, e menores do que os anões barbados.[4] Hobbits não têm barba. Há pouca ou nenhuma mágica neles, exceto a do tipo comum e cotidiano que os ajuda a desaparecer em silêncio e rapidamente quando gente estúpida e grande como você e eu chega desengonçada, fazendo um barulho feito o de elefantes, que eles conseguem escutar a uma milha de distância.[5] Têm inclinação a serem gordos na barriga; vestem-se com cores vivas (principalmente verde e amarelo); não usam sapatos, porque seus pés têm solas cascudas naturais e pelos grossos, quentinhos e castanhos como os cabelos da cabeça deles (que são encaracolados); possuem dedos compridos, hábeis e morenos, rostos bem-humorados, e dão risadas profundas e animadas (especialmente depois do jantar, que consomem duas vezes por dia, quando conseguem).[6] Agora você sabe o suficiente para continuar. Como eu ia dizendo, a mãe desse hobbit — isto é, de Bilbo[7] Bolseiro — era a famosa Beladona Tûk, uma das três impressionantes filhas do Velho Tûk,[8] chefe dos hobbits que viviam do outro lado d'O Água, o pequeno rio que corria aos pés d'A Colina. Dizia-se com frequência (em outras famílias) que, muito tempo antes, um dos ancestrais dos Tûks devia ter se casado com uma fada.[9] Isso era, é claro, um absurdo, mas certamente ainda havia algo de não inteiramente hobbit quanto a eles, e, de vez em quando, membros do clã Tûk acabavam se metendo em aventuras. Desapareciam discretamente, e a família abafava o caso; mas isso não mudava o fato de que os Tûks não eram tão respeitáveis quanto os Bolseiros, embora fossem indubitavelmente mais ricos.

Não que Beladona Tûk jamais tenha se metido em aventuras depois que se tornou a Sra. Bungo Bolseiro. Bungo, que era o pai de Bilbo, construiu para ela (e, em parte, com o dinheiro dela) a toca de hobbit mais luxuosa que podia ser encontrada sob A Colina, ou do outro lado d'A Colina, ou atravessando O Água, e ali permaneceram até o fim de seus dias. Mesmo assim, é provável que Bilbo, único filho de Beladona, embora tivesse aparência e comportamento exatamente iguais a uma segunda edição de seu pai sólido e acomodado, houvesse herdado alguma coisa esquisita do lado Tûk, algo que estava só esperando uma chance para aparecer. A chance nunca chegava, e nisso Bilbo cresceu, chegou a uns cinquenta anos de idade[10] e continuou vivendo na linda toca de hobbit construída por seu pai, que eu acabei de descrever a você, até que, na verdade, parecia ter sossegado a ponto de ficar imóvel.

Por algum acaso curioso, em certa manhã muito tempo atrás, na quietude do mundo, quando havia menos barulho e mais verde e os hobbits ainda eram numerosos e prósperos, e Bilbo estava de pé à porta depois do café da manhã, fumando um cachimbo de madeira enormemente comprido que quase chegava aos seus dedos dos pés peludos (cuidadosamente escovados) — Gandalf apareceu. Gandalf![11] Se você tivesse ouvido só um quarto do que já ouvi sobre ele, e eu só ouvi muito pouco do que há para se ouvir, estaria preparado para qualquer tipo de história impressionante. Histórias e aventuras brotavam por todo lado aonde quer que ele fosse, da maneira mais extraordinária. Ele não tinha passado por aquelas partes sob A Colina por anos e anos, não desde que seu amigo, o Velho Tûk, tinha morrido,[12] e os hobbits quase haviam se esquecido de sua aparência. Tinha viajado para o outro lado d'A Colina e cruzado O Água para resolver assuntos seus desde que todos eram pequenos meninos-hobbits e meninas-hobbits.

Tudo o que o desavisado Bilbo viu naquela manhã foi um velho com um cajado.[13] Tinha um chapéu azul alto e pontudo, um longo manto cinzento, um cachecol prateado por cima da qual sua longa barba branca chegava até abaixo da cintura e imensas botas pretas.[14]

"Bom dia!", disse Bilbo, e era verdade. O sol estava brilhando, e a grama estava muito verde. Mas Gandalf olhou para ele debaixo de sobrancelhas longas e frondosas, que se projetavam mais para a frente do que a aba de seu grande chapéu.

"O que quer dizer?", perguntou. "Está me desejando um bom dia, ou quer dizer que é um bom dia quer eu queira ou não; ou que você se sente bem neste dia; ou que é um bom dia para ser bom?"

"Tudo isso de uma vez", disse Bilbo. "E é um dia muito bom para encher o cachimbo de tabaco ao ar livre, de quebra. Se trouxe um cachimbo, sente-se e pegue um pouco do meu tabaco! Não há pressa, temos o dia inteiro diante de nós!" Então Bilbo se sentou num banco ao lado da porta, cruzou as pernas e soprou um belo anel cinzento de fumaça, que saiu navegando pelo ar sem se desfazer e flutuou para longe, sobre A Colina.

"Muito bonito!", disse Gandalf. "Mas não tenho tempo para soprar anéis de fumaça nesta manhã. Estou procurando alguém para tomar parte numa aventura que estou arranjando e é muito difícil achar gente."

"Imagino que sim — nestas partes! Somos gente simples e quieta e não queremos saber de aventuras. Coisas desagradáveis, perturbadoras e desconfortáveis! Fazem o sujeito se atrasar para o jantar! Não consigo imaginar o que alguém vê nelas", disse nosso Sr. Bolseiro, e enfiou um dedão embaixo dos suspensórios, e soprou outro anel de fumaça ainda maior. Então pegou suas cartas da manhã[15] e começou a ler,

Edward Haigh (1856–1930) era natural do distrito de Huddersfield e, na época da publicação de seu glossário, professor emérito de Inglês no Huddersfield Technical College.

4 *1937:* "They are (or were) small people, smaller than dwarves (and they have no beards) but very much larger than lilliputians" ["Eles são (ou eram) um povo diminuto, menores que os anãos (e não têm barba), mas muito maiores que os liliputianos."] > *1966-Ball:* "They are (or were) a little people, about half our height, and smaller than the bearded Dwarves. Hobbits have no beards" ["Eles são (ou eram) um povo pequeno, com cerca de metade da nossa altura, e menores do que os Anãos barbados. Hobbits não têm barba."] (*1966-A&U* e *1967-HM* seguem *1966-Ball*, mas com "Anãos" erroneamente sem inicial maiúscula. A cópia de conferência de Tolkien de 1954 confirma a leitura pretendida "Anãos", também encontrada em *1966-Longmans/Unwin*.)

Tolkien provavelmente removeu a referência aos liliputianos devido à inadequação de referir-se diretamente a elementos de outra obra literária. Nas *Viagens de Gulliver* (1726), de Jonathan Swift, o povo de Lilipute tem cerca de seis polegadas [15 centímetros] de altura. A associação de liliputianos com contos de fadas é vista na versão infantil da história (reescrita e abreviada por May Kendall) que aparece em *O Fabuloso Livro Azul* (1891), de Andrew Lang, sob o título "Uma viagem a Lilipute". Em seu ensaio "Sobre Estórias de Fadas", Tolkien contesta sua classificação como estória de fadas, tanto em sua forma original como na condensada.

5 Tolkien não usou a palavra *elephant* [elefante] em *O Senhor dos Anéis*, em que preferiu a forma obsoleta *oliphaunt* [olifante]. No Capítulo 3 do Livro IV de *O Senhor dos Anéis*, Sam recita um breve poema sobre um olifante. O poema foi também incluído em *As Aventuras de Tom Bombadil*, e o próprio Tolkien pode ser ouvido recitando-o no disco de 1975 *J.R.R. Tolkien Reads and Sings His "The Lord of the Rings"* [J.R.R. Tolkien lê e canta seu "O Senhor dos Anéis"] (Caedmon TC 1478), baseado nas gravações feitas em agosto de 1952.

Tolkien publicou um poema mais extenso chamado "Iumbo, or Ye Kinde of Yer Oliphaunt" [Iumbo, ou a Espécie do Olifante], um de uma série de dois poemas intitulados "Adventures in Unnatural History and Medieval Metres, Being the Freaks of Fisiologus" [Aventuras em história antinatural e métricas medievais, a saber as fantasias de fisiologus], publicados pelo Exeter College na *Stapeldon Magazine* em junho de 1927 (7, n. 40). Estes poemas foram escritos à maneira dos antigos bestiários que descendem do *Physiologus* grego do século II.

6 Em março de 1938, Tolkien foi contatado por sua editora estadunidense, que lhe solicitava alguns desenhos de hobbits em posições variadas para uso publicitário. Tolkien respondeu que não se sentia qualificado para fazê-lo. Sua carta para a Houghton Mifflin não sobreviveu, mas um excerto datilografado foi encontrado nos arquivos da editora e publicado em *Cartas*. Tolkien escreveu:

> Visualizo uma figura razoavelmente humana, não um tipo de coelho "mágico" como alguns de meus críticos britânicos parecem imaginar: gorduchinho no abdome e de pernas curtas. Um rosto redondo e jovial; orelhas apenas levemente pontudas e "élficas", cabelo (castanho) curto e encaracolado. Os pés, dos tornozelos para baixo, cobertos com pelo castanho e espesso. Roupas: calças curtas de veludo verde; colete vermelho ou amarelo; paletó marrom ou verde; botões de ouro (ou latão); um capuz e um manto verde-escuros (pertencentes a um anão). Tamanho real — importante apenas se outros objetos estiverem na gravura — de, digamos, cerca de três pés ou três pés e seis polegadas [noventa centímetros ou um pouco mais de um metro]. (*Cartas*, n. 27)

A Houghton Mifflin claramente fez uso destes detalhes ao conceber seu anúncio para *O Hobbit* (ver ilustração nesta página) publicado na edição de Natal de 1938 da revista *Horn Book*.

Em *Artist*, Wayne G. Hammond e Christina Scull observam que Tolkien desenhou para si mesmo no telegrama "um esboço a lápis bastante inadequado de um hobbit [...] com o rosto deixado em branco e com orelhas um pouco mais do que 'ligeiramente' pontudas" (p. 99).

O HOBBIT
de J.R.R. TOLKIEN

"Este livro será lido à exaustão tanto por garotos como garotas. Ele possui imenso encanto, inteligência genuína e anões que põem os amigos de Branca de Neve completamente à sombra." — *Sophia L. Goldsmith no New York Post*

"Um dos livros para crianças mais viçosamente originais e deliciosamente imaginativos que apareceu em muito, muito tempo [...] um relato glorioso de uma aventura magnífica, repleta de suspense e temperado com um humor sóbrio que é irresistível. [...] A história está repleta de valiosas dicas para o matador de dragões e aventureiro em Feéria." — *Anne T. Eaton no New York Times*

$ 2,50

---

fingindo não prestar mais atenção ao velho. Tinha decidido que ele não era bem da sua turma e queria que fosse embora. Mas o velho não se mexeu. Ficou apoiado no seu bastão, olhando para o hobbit sem dizer nada, até que Bilbo começou a se sentir desconfortável e até um pouco contrariado.

"Bom dia!", disse ele por fim. "Não queremos nenhuma aventura por aqui, obrigado! Pode tentar do outro lado d'A Colina ou atravessando O Água." Com isso queria dizer que a conversa estava acabada.

"Você usa esse *Bom dia* para um monte de coisas!", disse Gandalf.[16] "Agora significa que quer se livrar de mim e que o dia não vai ser bom até eu sair daqui."

"De modo algum, de modo algum, meu caro senhor! Deixe-me ver, não acho que eu saiba seu nome?"

"Sim, sim, meu caro senhor — e *eu* sei seu nome, Sr. Bilbo Bolseiro. E você sabe meu nome sim, embora não se lembre de que eu pertenço a ele. Eu sou Gandalf, e Gandalf quer dizer eu! E pensar que eu haveria de viver para receber um bom dia do filho de Beladona Tûk como se eu estivesse vendendo botões de porta em porta!"

"Gandalf, Gandalf! Ora viva! Não o mago viajante que deu ao Velho Tûk um par de abotoaduras mágicas de diamante que se prendiam sozinhas e nunca se soltavam a não ser que fosse ordenado? Não o camarada que costumava contar tantas histórias maravilhosas em festas sobre dragões, e gobelins, e gigantes, e o resgate de princesas, e a sorte inesperada de filhos de viúvas? Não o homem que costumava fazer fogos de artifício tão particularmente excelentes! Eu me lembro desses! O Velho Tûk costumava soltá-los na Véspera do Meio-do-verão. Esplêndidos! Costumavam explodir feito grandes lírios, e bocas-de-leão, e laburnos de fogo e ficar pendurados no crepúsculo por todo o anoitecer!" Você já deve estar notando que o Sr. Bolseiro não era tão banal quanto gostava de acreditar, e também que tinha um forte apreço por flores. "Que coisa!", continuou. "Não o Gandalf que foi responsável por levar tantos rapazes e raparigas tranquilos a desaparecer na Lonjura em aventuras desvairadas?¹⁷ Todo tipo de coisa, de escalar árvores a visitar elfos — ou navegar em navios, navegar para outras costas! Minha nossa, a vida costumava ser bem interes... digo, você costumava bagunçar as coisas demais nestas partes tempos atrás. Perdoe-me, mas não tinha ideia de que ainda estava em serviço."

"Onde mais eu estaria?", disse o mago. "De todo modo, agrada-me descobrir que você recorda algo a meu respeito. Parece recordar meus fogos de artifício com carinho, de qualquer modo, e isso não é mau sinal. De fato, em consideração a seu avô Tûk e à pobre Beladona, vou dar a você o que pediu."

"Perdoe-me, não pedi nada!"

"Sim, pediu! Duas vezes já. Meu perdão. Está dado. De fato, irei mais longe e vou incluí-lo nessa aventura. Muito divertida para mim, muito boa para você — e lucrativa também, muito provavelmente, se chegar a concluí-la."

"Desculpe! Não quero aventura nenhuma, obrigado. Hoje não. Bom dia! Mas por favor apareça para o chá — na hora que quiser! Por que não amanhã? Venha amanhã! Adeus!" Com isso o hobbit se virou, e passou rapidinho por sua porta verde e redonda, e a trancou tão velozmente quanto era possível sem parecer rude. Magos, afinal, são magos.

"Por que raios eu o convidei para o chá?", disse a si mesmo enquanto ia para a despensa. Tinha acabado de tomar o café

Nas melhores reproduções das ilustrações de Tolkien *Bilbo acordou com o sol do começo da manhã em seus olhos* e *O salão em Bolsão*, como aquelas encontradas em *Artist* (n. 113 e 139), um exame mais atento mostra que as orelhas de Bilbo foram desenhadas como pontudas.

7 De acordo com o *Dictionary of Obsolete and Provincial English* [Dicionário de Inglês Obsoleto e Provinciano] (1857), de Thomas Wright, bilbo era "uma espada espanhola, nomeada em função de Bilbao, onde espadas de excelência eram feitas. Um espadachim era por vezes denominado [em inglês] bilboman". No entanto, não há evidências de que Tolkien tenha derivado o nome desta palavra.

Bilbo. Ilustração de Tamás Szecskó para a edição húngara de 1975. Szecskó (1925–1987) foi um prolífico ilustrador de livros infantis na Hungria. Ele havia se juntado anteriormente com o tradutor de *O Hobbit*, Tibor Szobotka, para ilustrar a versão húngara de *Alice no País das Maravilhas* (1974), de Lewis Carroll. Szobotka (1913–1982) foi um escritor bastante conhecido de romances e peças, historiador literário dos poetas românticos (Byron, Keats, Shelley etc.) e tradutor das obras de Agatha Christie, George Eliot e James Joyce. Outras quatro ilustrações de Szecskó estão incluídas nas pp. 64, 255, 269 e 293. Ver também a p. 348 (capa de livro).

Bilbo e Gandalf do lado de fora de Bolsão. Ilustração de Klaus Ensikat para a edição alemã de 1971. Ensikat (1937–) ganhou diversos prêmios por suas ilustrações, que frequentemente possuem certa qualidade surrealista. Outros livros ilustrados por ele incluem obras dos Irmãos Grimm e Charles Perrault, assim como *Alice no País das Maravilhas* (1993), de Lewis Carroll. Outras três ilustrações de Ensikat podem ser encontradas nas pp. 111, 168 e 194.

8 Em sua biografia de Tolkien, Humphrey Carpenter observa as similaridades entre Bilbo Bolseiro e seu criador:

> Na história, Bilbo Bolseiro, filho da vivaz Beladona Tûk, uma das três notáveis filhas do Velho Tûk, descendente também dos respeitáveis e sensatos Bolseiros, é um indivíduo de meia-idade nada aventureiro, que veste roupas sensatas, mas gosta de cores vivas e aprecia comida simples. [...] John Ronald Reuel Tolkien, filho da enérgica Mabel Suffield, uma das três notáveis filhas do velho John Suffield (que viveu quase até os 100 anos), descendente também dos respeitáveis e sensatos Tolkien, era um indivíduo de meia-idade com tendência ao pessimismo, que vestia roupas sensatas, mas gostava de coletes coloridos quando podia se dar a esse luxo e apreciava comida simples. (*Biografia*, pp. 239–40)

Tolkien provavelmente escolheu o nome *Beladona* por seu sentido italiano, "bela dama" (do latim *bela*, o feminino de *bellus*, beleza, e *domina*, dama). O nome da planta *belladonna* (uma variedade de erva-moura) é a mesma palavra, pois as damas italianas usavam antigamente um cosmético feito do sumo da planta venenosa. Em *O Senhor dos Anéis*, Tolkien continuou usando nomes de plantas e flores para mulheres hobbits. Beladona Tûk é a única personagem feminina nomeada em *O Hobbit*. O sobrenome *Tûk* deve ser pronunciado com o mesmo som vocálico de *tule* ou *mundo*.

A partir das árvores genealógicas dos Hobbits no Apêndice C de *O Senhor dos Anéis*, aprendemos que as duas irmãs de Beladona chamavam-se Donamira e Mirabela. O neto de Mirabela era Frodo Bolseiro, o personagem central de *O Senhor dos Anéis*. Frodo era parente de Bilbo também pelo lado Bolseiro, com o avô de Bilbo e o bisavô de Frodo sendo irmãos.

9 *1937:* "It had always been said that long ago one or other of the Tooks had married into a fairy family (the less friendly said a goblin family); certainly there was" ["Havia-se dito com frequência que, muito tempo antes, um ou outro dos Tûks havia entrado, pelo casamento, para uma família de fadas (os menos amigáveis diziam para uma família de gobelins); certamente havia"] > *1966-Ball:* "It was often said (in other families) that long ago one of the Took

da manhã, mas achou que um bolo ou dois e algo para beber iam lhe fazer bem depois daquele susto.

Gandalf, nesse meio-tempo, ainda estava de pé do lado de fora da porta, rindo baixinho sem parar. Depois de algum tempo, chegou mais perto e, com o esporão de seu cajado, rabiscou um sinal esquisito na linda e verde porta da frente do hobbit. Então foi embora, bem no momento em que Bilbo estava terminando seu segundo bolo e começando a achar que tinha escapado muito bem das tais aventuras.

No dia seguinte, tinha quase se esquecido de Gandalf. Não se lembrava das coisas muito bem, a não ser que as anotasse em sua Tabela de Compromissos, deste jeito: *Gandalf Chá Quarta-feira*. No dia anterior ele ficara atabalhoado demais para fazer qualquer coisa do tipo.

Pouco antes da hora do chá,[18] veio um tremendo toque na campainha da porta da frente, e então ele se lembrou! Apressou-se a colocar o bule no fogo, e ajeitou mais uma xícara e um pires, e um ou dois bolos extras, e correu até a porta.

"Sinto tanto por fazê-lo esperar!", já ia dizendo, quando viu que não era Gandalf de jeito nenhum. Era um anão com uma barba azul enfiada num cinto dourado e olhos muito brilhantes debaixo de seu capuz verde-escuro. Assim que a porta se abriu ele foi entrando, exatamente como se estivesse sendo esperado.

Pendurou sua capa com capuz no cabideiro mais próximo e "Dwalin, a seu serviço" disse ele, fazendo uma profunda reverência.

"Bilbo Bolseiro, ao seu!", disse o hobbit, surpreso demais para fazer qualquer pergunta no momento. Quando o silêncio que se seguiu já tinha ficado desconfortável, acrescentou: "Estou prestes a tomar chá; por favor, venha tomar comigo." Um pouco desajeitado, talvez, mas a intenção era boa. E o que você faria se um anão não convidado aparecesse e pendurasse suas coisas no seu corredor sem uma só palavra de explicação?

Não fazia muito tempo que estavam à mesa, de fato mal tinham chegado ao terceiro bolo, quando veio outro toque ainda mais alto da campainha.

"Com licença!", disse o hobbit, e lá se foi para a porta.

"Então você chegou aqui afinal!"[19] Isso era o que ia dizer a Gandalf dessa vez. Mas não era Gandalf. Em vez dele, havia um anão que parecia muito velho na soleira, com uma barba branca e um capuz escarlate; e também ele pulou para dentro assim que a porta se abriu, como se tivesse sido convidado.

"Vejo que eles já começaram a chegar", disse quando reparou no capuz verde de Dwalin pendurado ali. Pendurou o seu capuz vermelho do lado e "Balin, a seu serviço!" disse ele, com a mão no peito.

"Obrigado!", disse Bilbo, engasgando. Não era a coisa correta a se dizer, mas o *já começaram a chegar* o deixara muito atabalhoado. Gostava de visitantes, mas também gostava de conhecê-los antes que chegassem e preferia que ele próprio os convidasse. Passara-lhe pela cabeça a horrível ideia de que os bolos pudessem não dar para todos e então ele — como anfitrião, conhecia seu dever e o seguia à risca, por mais que fosse doloroso — poderia ter de ficar sem nenhum.

"Vamos entrando, venha tomar um pouco de chá!", conseguiu dizer depois de tomar bastante fôlego.

"Um pouco de cerveja me cairia melhor, se não houver problema, meu bom senhor", disse Balin, com sua barba branca. "Mas não seria mal comer um pouco de bolo — bolo de sementes,[20] se você tiver algum."

"Vários!", Bilbo se ouviu respondendo, para sua própria surpresa; e se viu sair correndo, também, rumo à adega para encher uma caneca de cerveja, e depois até uma das despensas[21] para pegar dois lindos bolos de sementes redondos que tinha assado naquela tarde para beliscar depois da ceia.

Quando voltou, Balin e Dwalin estavam conversando à mesa como velhos amigos (na verdade, eles eram irmãos). Bilbo botou a cerveja e os bolos na frente deles, quando veio outro toque alto na campainha de novo, e depois mais um.

"Gandalf, com certeza, dessa vez",[22] pensou enquanto bufava pelo corredor. Mas não era. Eram mais dois anãos, ambos com capuzes azuis, cintos prateados e barbas louras; e cada um deles carregava um saco de ferramentas e uma pá. Foram entrando assim que a porta começou a se abrir — Bilbo mal ficou surpreso.

"O que posso fazer por vocês, meus anãos?", disse ele.

"Kili, a seu serviço!", disse o primeiro. "E Fili!", acrescentou o outro; e ambos arrancaram seus capuzes azuis e se inclinaram.

"Ao seu e ao de sua família!", replicou Bilbo, recordando suas boas maneiras dessa vez.

"Dwalin e Balin já estão aqui, pelo que vejo", disse Kili. "Vamos nos juntar ao bando!"

"Bando!", pensou o Sr. Bolseiro. "Não gosto de como isso soa. Preciso realmente me sentar por um minuto, e organizar as ideias, e beber alguma coisa." Tinha acabado de beber um gole — no cantinho, enquanto os quatro anãos se sentavam ao redor da mesa e falavam de minas e ouro, e problemas com os gobelins, e das depredações de dragões, e de montes de outras coisas que ele não entendia e não queria entender, pois soavam aventurosas demais — quando, *blém-blóm-lím-dém*, a campainha tocou de novo, como se algum menininho-hobbit levado estivesse tentando arrancar a corda.

"Alguém está à porta!", disse ele, piscando.

"Alguéns — uns quatro, eu diria, pelo som", comentou Fili. "Além disso, nós os vimos chegando atrás de nós, de longe."

ancestors must have taken a fairy wife. That was, of course, absurd, but certainly there was" ["Dizia-se com frequência (em outras famílias) que, muito tempo antes, um dos ancestrais dos Tûks devia ter se casado com uma fada. Isso era, é claro, um absurdo, mas certamente havia"].

Bilbo e Gandalf. Ilustração de Mikhail Belomlinskiy para a edição russa de 1976. Belomlinskiy (seu nome é por vezes transliterado Belomlinskii ou Belomlinsky) graduou-se em Pintura, Escultura e Arquitetura no Instituto I. E. Repin em 1960. Tornou-se bastante conhecido como cartunista político e caricaturista de atores, artistas e autores russos famosos. Ele também Ilustrou muitos livros infantis de origem russa, assim como as traduções de *Um ianque na corte do Rei Artur* (1988), de Mark Twain, a fantasia infantil de Gerald Durrell, *Talking Parcel* [O Pacote Falante] (1990), e obras do Dr. Seuss. Ilustrações de Belomlinskiy aparecem também em um livro norte-americano — uma tradução para o inglês de um conto folclórico russo, *Lions and Sailing Ships* [Leões e barcos à vela], de Svyatoslav Sakharov, publicado em 1982. O artista vive atualmente nos Estados Unidos.

David Doughan, em sua resenha da edição russa em *Amon Hen* n. 55 (abril de 1982), observa que "o russo empregado no dia a dia não faz diferença entre pés e pernas, e ninguém parece ter avisado o ilustrador". Por conta disso, as pernas de Bilbo são desenhadas como peludas por inteiro, em vez de apenas os pés. Outras três ilustrações de Belomlinskiy estão incluídas nas pp. 197, 208 e 242. Ver também a p. 351 (capa de livro).

10 Em *O Senhor dos Anéis* descobrimos que Bilbo Bolseiro nasceu em 22 de setembro do ano 2890 da Terceira Era da Terra-média. A história começa em abril do ano 2941 da Terceira Era, quando Bilbo estava em seu quinquagésimo primeiro ano.

11 Tolkien deixou inacabado um esboço de Gandalf abordando Bilbo, que está fumando do lado de fora de sua porta da frente. Ele está legendado "One Morning Early in the Quiet of the World" [Certa manhã cedo, na quietude do mundo] e foi publicado em *Artist* (n. 89). Outro esboço inacabado intitulado "Gandalf" mostra Gandalf parado em pé do lado direito da porta da frente de Bilbo (ver *Artist* n. 91), e as marcas que Gandalf fez na porta — as runas para B e D, seguidas por um diamante — são vistas próximas do arbusto à direita.

12 Gerontius, o Velho Tûk, morreu no ano 2920 da Terceira Era, com a idade de 130 anos, por volta de 21 anos antes do início da presente história.

13 *1937:* "a little old man with a tall pointed blue hat" ["um velhinho com um chapéu azul alto e pontudo"] > *1966-Ball:* "an old man with a staff. He had a tall pointed blue hat" ["um velho com um cajado. Tinha um chapéu azul alto e pontudo"].

A ideia de que Gandalf era um "velhinho" persistiu nos rascunhos iniciais de *O Senhor dos Anéis* antes de ser abandonada. Estes rascunhos iniciais, datados de logo depois da publicação de *O Hobbit*, podem ser lidos em *O Retorno da Sombra*, volume 6 da *História*.

O pobre hobbit se sentou no corredor, e colocou a cabeça entre as mãos, e se perguntou o que tinha acontecido, e o que ia acontecer, e se todos eles iam ficar para a ceia. Então a campainha tocou de novo, mais alta do que nunca, e ele teve de correr até a porta. Não eram quatro, afinal, eram cinco. Outro anão tinha chegado[23] enquanto ele ficara matutando no corredor. Mal tinha virado a maçaneta quando viu todos entrarem, curvando-se e dizendo "a seu serviço", um depois do outro. Dori, Nori, Ori, Oin e Gloin[24] eram seus nomes; e logo dois capuzes roxos, um cinza, um marrom e um branco estavam pendurados nos cabideiros, e lá se foram eles, com suas mãos largas enfiadas em seus cintos dourados e prateados, a se juntar aos outros. Aquilo já tinha quase virado um bando mesmo. Alguns pediam cerveja clara, outros, cerveja escura,[25] um queria café, e todos queriam bolos; de modo que o hobbit ficou muito ocupado por um tempo.

Uma grande jarra de café tinha acabado de ser colocada na lareira, os bolos de sementes tinham acabado e os anões estavam começando a atacar uns pães doces amanteigados quando se ouviu uma batida forte na porta. Não um toque de campainha, mas um "pá-pá" duro na linda porta verde do hobbit. Alguém estava batendo nela com um pau!

Bilbo saiu correndo pela passagem, muito bravo e totalmente desnorteado e desacorçoado — essa era a quarta-feira mais desagradável de que conseguia se lembrar. Abriu a porta com um tranco, e eles todos caíram para dentro, um em cima do outro. Mais anões, quatro mais! E lá estava Gandalf atrás deles, apoiando-se em seu cajado e rindo. Tinha aberto um buraco daqueles na bonita porta de Bilbo; também tinha, aliás, apagado a marca secreta que fizera nela na manhã anterior.

"Cuidado! Cuidado!", disse ele. "Não é do seu feitio, Bilbo, deixar amigos esperando na soleira e aí abrir a porta como se fosse uma rolha! Permita-me apresentar Bifur, Bofur, Bombur e especialmente Thorin!"

"A seu serviço!", disseram Bifur, Bofur e Bombur, ficando de pé em fila. Então penduraram dois capuzes amarelos e um verde-claro no cabideiro; e também um azul-celeste com uma

Bilbo e Gandalf, do lado de fora de Bolsão. Ilustração de Livia Rusz para a edição romena de 1975. Rusz (1930–2020) também ilustrou traduções húngaras de contos de fadas de Wilhelm Hauff e Charles Perrault. Uma tradução para o inglês de algumas histórias infantis romenas, escritas por Lucia Olteanu e ilustradas por Rusz, apareceu em 1978 sob o título *The Adventures of Quacky and His Friends* [As aventuras de Grasnadinho e seus amigos]. Outras três ilustrações de Rusz podem ser encontradas nas pp. 109, 203 e 255.

À direita: Bilbo e Gandalf, do lado de fora de Bolsão. Ilustração de António Quadros para a edição portuguesa de 1962. Quadros (1933–1994) também ilustrou as traduções portuguesas das histórias do Tio Remo (1959), de Joel Chandler Harris, *A Princesa e o Goblin* (1960), de George MacDonald, e *Um livro de maravilhas para meninas e meninos* (1961), de Nathaniel Hawthorne. Ele traduziu obras de Albert Camus (1913–1960) e André Maurois (1885–1967) do francês para o português.

As ilustrações de Quadros para *O Hobbit* não agradaram a Tolkien. Clyde S. Kilby, um professor estadunidense que auxiliou Tolkien durante o verão de 1966, escreveu em suas memórias, *Tolkien and The Silmarillion* (1976), que Tolkien considerou as ilustrações portuguesas como "horríveis". Outras duas podem ser vistas nas pp. 76 e 249.

comprida borla prateada. Este último pertencia a Thorin, um anão enormemente importante; de fato, ninguém menos que o grande Thorin Escudo-de-carvalho em pessoa, que não estava nada contente por ter desabado no tapete de Bilbo com Bifur, Bofur e Bombur em cima dele. Para começo de conversa, Bombur era imensamente gordo e pesado. Thorin, de fato, tinha um ar muito arrogante e não disse nada sobre *serviço*; mas o pobre Sr. Bolseiro disse que sentia muito tantas vezes que, por fim, o anão resmungou "não por isso" e parou de franzir o cenho.

"Agora estamos todos aqui!", disse Gandalf, olhando para o rol de treze capuzes — os melhores capuzes destacáveis de festa — e para seu próprio chapéu pendurado no cabideiro. "Isso é que é reunião alegre! Espero que tenha sobrado algo para os retardatários comerem e beberem! O que é isso? Chá? Não, obrigado! Um pouco de vinho tinto para mim, creio."

"E para mim", disse Thorin.

"E geleia de framboesa e torta de maçã", disse Bifur.

"E torta de frutas secas e queijo", disse Bofur.

"E torta de carne de porco e salada", disse Bombur.

"E mais bolos — e cerveja clara — e café, se não se importa", gritaram da porta os outros anões.

"Ponha mais uns ovos para cozinhar, meu bom camarada!", gritou Gandalf atrás dele, enquanto o hobbit saiu pisando duro rumo às despensas. "E veja se traz o frango e os picles!"[26]

"Parece que ele sabe tanto sobre o interior da minha cozinha[27] quanto eu mesmo!", pensou o Sr. Bolseiro, que estava se sentindo positivamente destemperado e começava a temer que uma aventura das mais danadas tivesse chegado

14 Na *Biografia*, Humphrey Carpenter relata a história de que, durante sua excursão a pé pela Suíça no verão de 1911, Tolkien comprou alguns cartões-postais ilustrados, sendo um deles a reprodução de uma pintura de um velho com um manto vermelho e uma longa barba branca, sentado sob uma árvore e acariciando uma jovem corça. A pintura intitula-se *Der Berggeist* e está assinada por J. Madelener (ver ilustração na p. 54). Carpenter registra que Tolkien "guardou cuidadosamente este cartão-postal e muito tempo depois escreveu no envelope onde o mantinha: 'Origem de Gandalf'" (p. 75).

Carpenter equivoca-se em alguns pontos, pois o nome do artista não é Madelener, mas Madlener, e a pintura data não de 1911 (ou antes), mas da última metade dos anos 1920. Josef Madlener (1881–1967) foi um artista e ilustrador alemão nascido próximo de Memmingen. Seu trabalho apareceu em diversos jornais, revistas e em alguns livros natalinos para crianças com temas religiosos, como *Das Christkind Kommt* [O Menino Jesus está chegando] (1929) e *Das Buch vom Christkind* [O livro do Menino Jesus] (1938). A arte de Madlener também apareceu em diversas séries de cartões-postais.

Para seu artigo "The Origin of Gandalf and Josef Madlener" [A origem de Gandalf e Josef Madlener], em *Mythlore*, inverno de 1983 (vol. 9, n. 4, edição 34), Manfred Zimmermann entrevistou a filha do artista, Julie (nascida em 1910), que se lembra com clareza do pai pintando *Der Berggeist* algum tempo depois de 1925–26. Ela também observou que a versão em cartão-postal foi "publicada no final dos anos 1920 pela Ackermann Verlag München em uma pasta com três ou quatro desenhos semelhantes com motivos tirados da mitologia germânica: uma feérica dama das matas, um veado carregando uma cruz brilhante entre suas galhadas, 'Rübezahl' (um personagem de contos de fadas) e possivelmente mais um outro" (p. 22).

A monografia *Josef Madlener 1881 bis 1967* (1981), escrita por Eduard Raps e publicada em Memmingen para o centenário do artista, traz uma ótima mostra da arte de Madlener, que passou por diversas fases. Fica evidente, pelas similaridades de estilo, que a pintura *Der Berggeist* pertence ao período em torno de 1925–30.

15 Na Inglaterra nos anos 1930 havia pelo menos duas entregas de correspondência por dia — daí a distinção de cartas da manhã.

A palavra *braces* [suspensórios], algumas linhas antes, é o termo usado na Inglaterra para as correias ou faixas passadas sobre os ombros para segurar as calças. São chamados de *suspenders* nos Estados Unidos.

16 Deirdre Greene, em seu artigo "Tolkien's Dictionary Poetics: The Influence of the *OED's* Defining Style on Tolkien's Fiction" [A poética de dicionário de Tolkien: a influência do estilo de definição do *Oxford English Dictionary* na ficção de Tolkien], nota que essa troca entre Bilbo e Gandalf expõe a preocupação do lexicógrafo com as possibilidades semânticas de palavras e frases. Ela "mostra Bilbo usando a mesma frase tanto como saudação quanto como despedida" e chama atenção para a diferença entre sentido básico e conotação (*Proceedings of the J.R.R. Tolkien Centenary Conference 1992* [Anais da Conferência do Centenário de J.R.R. Tolkien 1992], editado por Patricia Reynolds e Glen H. Goodknight, p. 196).

17 *1937*: "mad adventures, anything from climbing trees to stowing away aboard the ships that sail to the Other Side?" [aventuras desvairadas, todo tipo de coisa, de escalar árvores a

justamente à sua casa. Quando enfim conseguiu colocar todas as garrafas, e pratos, e facas, e garfos, e copos, e pires, e colheres e coisas empilhadas em grandes bandejas estava ficando muito suado, de cara vermelha e irritado.

"Que embrulhada[28] e que apoquentação são esses anãos!", disse em voz alta. "Por que eles não vêm me dar uma mãozinha?" Não mais que de repente, eis que Balin e Dwalin apareceram à porta da cozinha, com Fili e Kili atrás deles, e antes que Bilbo conseguisse dizer *faca* eles já tinham levado as bandejas e um par de pequenas mesas para a sala de visitas e arrumado tudo.

Gandalf se sentou na cabeceira com os treze anãos à sua volta, enquanto Bilbo ficou sentado num banco ao lado do fogo, mordiscando um biscoito[29] (seu apetite tinha praticamente sumido) e tentando agir como se tudo isso fosse perfeitamente normal e de modo algum uma aventura. Os anãos comeram e comeram, e conversaram e conversaram, e o tempo foi passando. Enfim empurraram suas cadeiras para trás, e Bilbo fez menção de recolher os pratos e copos.

"Suponho que todos vocês vão ficar para a ceia?", disse no tom mais educado e despreocupado possível.

"Claro!", disse Thorin. "E até depois. Não vamos resolver nossos negócios até bem tarde e precisamos de um pouco de música antes. E agora, hora da limpeza!"

Com isso, os doze anãos — menos Thorin, que era importante demais e ficou conversando com Gandalf — puseram-se de pé num salto e fizeram grandes pilhas das várias coisas. Lá se foram eles, sem esperar as bandejas, equilibrando colunas de pratos, cada um deles com uma garrafa no alto, enquanto o hobbit corria atrás quase gritando de susto: "Por favor, cuidado!" e "Por favor, não se incomodem! Eu me viro." Mas os anãos apenas começaram a cantar:

Bata copo e prato na porta!
  Sem gume a faca e torto o garfo!
Eis o que Bilbo não suporta —
  Nas garrafas desça o sarrafo!

Rasgue o pano e pise na banha!
  Derrame o leite no assoalho!
Ossos no chão ninguém apanha!
  E o vinho no piso eu espalho!

Jogue as xícaras nas panelas;
  Bata tudo com um pilão;
E se enfim sobrar uma delas,
  É só girá-la até o salão!

Eis o que Bilbo não suporta!
  Alto lá com os pratos na porta![a]

E é claro que eles não fizeram nenhuma dessas coisas horríveis, mas foram limpando tudo e guardando a louça em segurança, rápidos feito raio, enquanto o hobbit ficava de lá para cá na cozinha tentando ver o que estavam fazendo. Então voltaram para a sala de estar e encontraram Thorin, com os pés esticados perto da lareira, fumando um cachimbo. Estava bafejando enormíssimos anéis de fumaça, e, aonde quer que ele mandasse um deles ir, o anel ia — subia a chaminé, ou passava atrás do relógio na cornija da lareira, ou debaixo da mesa, ou dava voltas no teto; mas, aonde quer que fosse, não era rápido o suficiente para escapar de Gandalf. Puff! mandava ele um anel de fumaça menor, saído de seu cachimbo curto de barro, que atravessava cada um dos anéis de Thorin. Então o anel de fumaça de Gandalf ficava verde e voltava[30] a pairar sobre a cabeça do mago. Já havia uma nuvem desses em volta dele e, naquela luz fraca, faziam-no parecer estranho e cheio de feitiçaria.[31] Bilbo ficou parado, observando aquilo — ele adorava anéis de fumaça — e então enrubesceu ao pensar como ficara orgulhoso, na manhã do dia anterior, dos anéis de fumaça que lançara ao vento sobre A Colina.

"Agora, um pouco de música!", disse Thorin. "Peguem os instrumentos!"

---

[a]*Chip the glasses and crack the plates! / Blunt the knives and bend the forks! / That's what Bilbo Baggins hates– / Smash the bottles and burn the corks! / Cut the cloth and tread on the fat! / Pour the milk on the pantry floor! / Leave the bones on the bedroom mat! / Splash the wine on every door! / Dump the crocks in a boiling bowl! / Pound them up with a thumping pole; / And when you've finished, if any are whole, / Send them down the hall to roll! / That's what Bilbo Baggins hates! / So, carefully! carefully with the plates!*

esconder-se a bordo de navios que navegam para o Outro Lado?"] > *1966-Longmans/Unwin:* "mad adventures? Anything from climbing trees to visiting elves — or sailing in ships, sailing to other shores!" ["aventuras desvairadas? Todo tipo de coisa, de escalar árvores a visitar elfos — ou navegar em navios, navegar para outras costas!"] (A leitura em *1966-Ball* concorda com a de *1966-Longmans/Unwin*, mas erroneamente apresenta um ponto final em vez do ponto de interrogação após *desvairadas*.)

A ideia de hobbits navegando "para o Outro Lado" é incompatível com a concepção em *O Senhor dos Anéis* de que nenhum navio mortal poderia navegar sobre o mar às Terras Imortais no Oeste.

18 A hora do chá na Inglaterra dá-se tradicionalmente por volta das quatro da tarde. É uma refeição vespertina leve, consistindo geralmente em chá, pão (com manteiga e geleia) e vários bolos ou biscoitos. Na p. 306, Bilbo comenta em despedida aos anãos: "O chá é às quatro; mas qualquer um de vocês é bem-vindo a qualquer hora!"

19 *1937:* "here at last!' what was what he was going to say" ["aqui afinal!' que era o que ia dizer"] > *1961* (Puffin): "here at last!' was what he was going to say" ["aqui afinal!' era o que ia dizer"] > *1966-Ball:* "here at last!' That was what he was going to say" ["aqui afinal!' Isso é o que ia dizer"]. (A leitura de *1961* parece ter sido uma revisão intermediária, em vez de apenas uma palavra erroneamente cortada, pois as notas presentes na cópia de conferência de Tolkien de 1954 parecem refletir dois estágios de mudança.)

20 Bolo de sementes é um bolo adoçado, condimentado com sementes de cominho.

21 *1937:* "and to the pantry" ["e até a despensa"] > *1966-Ball:* "and then to a pantry" ["e então até uma das despensas"].

22 *1937:* "Gandalf for sure this time" ["Gandalf, é claro, dessa vez"] > *1966-Ball:* "Gandalf for certain this time" ["Gandalf, com certeza, dessa vez"].

23 *1937:* "Another one had come" ["Outro tinha chegado"] > *1966-Ball:* "Another dwarf had come" ["Outro anão tinha chegado"].

24 O Anão Gloin é o pai de Gimli, um dos nove membros da Sociedade do Anel em *O Senhor dos Anéis*.

25 *Porter* [cerveja escura] é uma cerveja marrom-escura, geralmente mais forte do que uma cerveja comum.

26 *1937:* "cold chicken and tomatoes!" ["o frango e os tomates!"] > *1966-Ball:* "cold chicken and pickles!" ["o frango e os picles!"].

Esta revisão traz o problema de por que deveria importar se a despensa de Bilbo estava abastecida com tomates ou picles. Tom Shippey, em *The Road to Middle-earth*, sugere que ao escrever a sequência para *O Hobbit*, e ao perceber os hobbits e sua terra como caracteristicamente ingleses em natureza, Tolkien reconheceu os tomates como estrangeiros em origem e nome. Eles eram produtos importados da América, como batatas e tabaco, que foram rapidamente adotados na Inglaterra. Embora Tolkien use a palavra *tobacco* [tabaco] em *O Hobbit* uma porção de vezes, ela é rigorosamente evitada em *O Senhor dos Anéis*, no qual *pipeweed* [erva-de-fumo] é utilizada. Lá, também, as "potatoes" [batatas] ganham o nome mais rústico de *taters* [papas]. Deste modo, os tomates estavam deslocados no Condado, como Tolkien veio a perceber.

27 *1937:* "the inside of my larder" ["o interior da minha despensa"] > *1966-Ball:* "the inside of my larders" ["o interior das minhas despensas"].

28 A palavra *confusticate* [embrulhada] aparece na segunda edição de 1989 do *Oxford English Dictionary*, onde é descrita como alteração fantástica de *confound* ou *confuse*. Usos da palavra são citados desde 1891, e, em outro exemplo, ela é descrita como gíria escolar. O uso feito pelo próprio Tolkien em *O Hobbit* é também citado.

Confusticate é usada de modo similar em outras duas ocorrências: por Dori na p. 139 (onde é traduzida por "desacorçoado"), e coletivamente pelos anãos na p. 191 (onde é traduzida por "desgramado").

Kili e Fili se apressaram a pegar suas sacolas e tiraram delas pequenas rabecas; Dori, Nori e Ori tiraram flautas de algum lugar dentro de seus casacos; Bombur veio do salão de entrada com um tambor; Bifur e Bofur também saíram e voltaram com clarinetas que tinham deixado junto com seus bastões de viagem. Dwalin e Balin disseram: "Com licença, deixamos as nossas na entrada!"[32] "Aproveitem e tragam a minha com vocês!", disse Thorin. Voltaram com violas de gamba tão grandes quanto eles e com a harpa de Thorin embrulhada num tecido verde. Era uma linda harpa dourada e, quando Thorin a tangeu, a música começou de improviso, tão repentina e doce que Bilbo esqueceu todo o resto e foi arrastado para terras escuras sob luas estranhas, muito além d'O Água e muito longe de sua toca de hobbit sob A Colina.

A escuridão chegava à sala vinda da pequena janela que se abria na encosta d'A Colina; o fogo bruxuleava — era abril —, e eles continuavam a tocar, enquanto a sombra da barba de Gandalf oscilava contra a parede.

A escuridão encheu toda a sala, e o fogo foi morrendo, e as sombras se perderam, e eles continuavam a tocar. E, de repente, primeiro um deles e depois outro e mais outro começaram a cantar enquanto tocavam, o canto vindo do fundo da garganta dos anãos, nos lugares fundos de seus antigos lares; e este é como que um fragmento de sua canção, se é que pode ser como a canção deles sem sua música.

Além dos montes em nevoeiro
Pras masmorras sem prisioneiro
Vamos embora, antes da aurora,
Buscar nosso ouro feiticeiro.

De anãos antigos a magia
Em seus martelos se fazia
Numa cava a treva sonhava,
No oco salão da encosta fria.

Pro nobre elfo e rei antigo
Ao brilho belo do ouro amigo
Deram forma, co' a luz que adorna
Joias que em arma têm abrigo.

Em colar de prata puseram
Astros em flor, laurel fizeram
Com luz feroz de draco atroz,
O sol e a lua em fio trançaram.

Além dos montes em nevoeiro
Pras masmorras sem prisioneiro
Vamos embora, antes da aurora,
Lembrai-vos d'ouro feiticeiro!

No breu moldaram muitos cálices,
Harpas d'ouro; canções multíplices
Feitas ali, sem gente ouvir,
Elfo ou homem, só os auríflices.

Pinhais rugiam nas alturas,
Ventos gemiam nas lonjuras.
Rubro o fogo, sem desafogo,
Fez de tochas as copas duras.

Sinos soaram no valão
E os homens viram o clarão;
Do draco a ira, fera pira,[33]
Torres e casas pôs no chão.

Ardeu o monte sob a lua;
Aos anãos coube a sina sua.
Foi-se o salão de supetão
Aos pés do monstro sob a lua.

Além dos frios montes escuros
Pros grandes calabouços duros
Vamos embora, antes da aurora,
Recobrar ouro em nossos muros![b]

Enquanto cantavam, o hobbit sentia o amor pelas coisas belas feitas por mão e por engenho e por magia atiçando-se em suas entranhas, um amor feroz e ciumento, o desejo dos corações dos anãos. Então alguma coisa típica dos Tûks despertou dentro de Bilbo, e ele desejou partir, e ver as

[b] *Far over the misty mountains cold / To dungeons deep and caverns old / We must away ere break of day / To seek the pale enchanted gold. / The dwarves of yore made mighty spells, / While hammers fell like ringing bells / In places deep, where dark things sleep, / In hollow halls beneath the fells. / For ancient king and elvish lord / There many a gleaming golden hoard / They shaped and wrought, and light they caught / To hide in gems on hilt of sword. / On silver necklaces they strung / The flowering stars, on crowns they hung / The dragon-fire, in twisted wire / They meshed the light of moon and sun. / Far over the misty mountains cold / To dungeons deep and caverns old / We must away, ere break of day, / To claim our long-forgotten gold. / Goblets they carved there for themselves / And harps of gold; where no man delves / There lay they long, and many a song / Was sung unheard by men or elves. / The pines were roaring on the height, / The winds were moaning in the night. / The fire was red, it flaming spread; / The trees like torches blazed with light. / The bells were ringing in the dale / And men looked up with faces pale; / The dragon's ire more fierce than fire / Laid low their towers and houses frail. / The mountain smoked beneath the moon; / The dwarves, they heard the tramp of doom. / They fled their hall to dying fall / Beneath his feet, beneath the moon. / Far over the misty mountains grim / To dungeons deep and caverns dim / We must away, ere break of day, / To win our harps and gold from him!*

29 Na Inglaterra, biscoitos são itens à base de farinha, pequenos, finos e comumente quebradiços. Biscoitos não adoçidados são também chamados de *crackers*. Na América do Norte, biscoitos adoçidados são chamados de *cookies*.

Os Anãos limpam os pratos enquanto Bilbo observa alarmado. Ilustração de Chica para a edição francesa de 1976. O ilustrador e autor francês conhecido como Chica (1933–) ilustrou livros de Enid Blyton e escreveu e ilustrou uma série de livros infantis sobre a rata Celestina e suas aventuras. Vários dos livros de Celestina apareceram em tradução para o inglês no início dos anos 1980. Outras quatro ilustrações de Chica aparecem nas pp. 224, 256, 280 e 291.

30 *1937:* "Then Gandalf's smoke-ring would go green with the joke and come back" ["Então o anel de fumaça de Gandalf ficava verde com o gracejo e voltava"] > *1966-Ball:* "Then Gandalf's smoke-ring would go green and come back" ["Então o anel de fumaça de Gandalf ficava verde e voltava"].

31 *1937:* "He had quite a cloud of them about him already, and it made him look positively sorcerous." ["Já havia uma nuvem e tanto desses em volta dele, e faziam-no parecer verdadeiramente cheio de feitiçaria"] > *1966-Longmans/ Unwin:* "He had a cloud of them about him already, and in the dim light it made him look strange and sorcerous." ["Já havia uma nuvem desses em volta dele e, naquela luz fraca, faziam-no parecer estranho e cheio de feitiçaria."] (*1966-Ball* mantém a leitura "quite a cloud" ["uma nuvem e tanto"], mas fora isso coincide com *1966-Longmans/Unwin*.)

Os Anãos fazem música. Ilustração de Torbjörn Zetterholm para a edição sueca de 1947. Zetterholm (1921–2007), artista versátil cujo trabalho tem sido exibido por todo o mundo, também ilustrou os escritos de Hans Christian Andersen. Ele é o irmão mais novo de Tore Zetterholm (1915–2001), um romancista e escritor bastante conhecido que também traduziu a edição sueca de *O Hobbit* publicada em 1947. Outras quatro ilustrações de Zetterholm encontram-se nas pp. 79, 112, 196 e 225.

32 Tolkien pode ter tido a intenção de rimar os nomes dos anãos a fim de indicar uma relação familiar (e por vezes filial). Aprendemos alhures que Fili e Kili são irmãos (na p. 226 Thorin os descreve como "os filhos da filha de meu pai"), assim como o são Dwalin e Balin (ver pp. 50-1). No Apêndice A de *O Senhor dos Anéis* confirma-se que Oin e Gloin são irmãos, e afirma-se que Dori, Ori e Nori também pertencem à Casa de Durin e são parentes distantes de Thorin, embora o parentesco exato de um para com os outros não seja discutido. Bifur, Bofur e Bombur, por outro lado, são de

grandes montanhas, e ouvir os pinheiros e as quedas-d'água, e explorar as cavernas, e usar uma espada em vez de um bastão de caminhada. Olhou para fora pela janela. As estrelas tinham aparecido no céu escuro acima das árvores. Pensou nas joias dos anãos brilhando em cavernas escuras. De repente, na mata além d'O Água, uma chama saltou — provavelmente alguém acendendo uma fogueira — e ele imaginou dragões saqueadores pousando em sua Colina tranquila e devorando-a com suas chamas. Estremeceu; e, mais do que depressa, voltou a ser o simples Sr. Bolseiro de Bolsão, Soto-Monte, outra vez.[34]

Levantou-se tremendo. Tinha menos que meia intenção de pegar a lamparina, e mais do que meia intenção de fingir que ia fazer isso e se esconder atrás dos barris de cerveja na adega, e não sair dali até que todos os anãos tivessem ido embora. De repente, percebeu que a música e o canto tinham parado e que todos estavam olhando para ele com olhos que luziam no escuro.

"Aonde está indo?", disse Thorin, num tom que parecia mostrar que adivinhara ambas as meias intenções do hobbit.

"Que tal um pouco de luz?", disse Bilbo, como quem se desculpa.

"Gostamos do escuro", disseram todos os anãos. "Escuro para negócios obscuros! Ainda há muitas horas antes da aurora."

"É claro!", disse Bilbo, e se sentou apressado. Não mirou direito no banco e acabou se apoiando na grade da lareira, derrubando o atiçador e a pá com estardalhaço.

"Silêncio!", disse Gandalf. "Deixe Thorin falar!" E foi assim que Thorin começou.

"Gandalf, anãos e Sr. Bolseiro! Estamos reunidos na casa de nosso amigo e companheiro conspirador, este mui excelente e audacioso hobbit — que os cabelos de seus dedos dos

pés nunca caiam! Todo louvor a seu vinho e cerveja!" Ele fez uma pausa para tomar fôlego e para que o hobbit fizesse um comentário educado, mas os elogios praticamente foram jogados fora no caso do pobre Bilbo Bolseiro, que estava mexendo a boca em protesto por ser chamado de *audacioso* e, pior de tudo, de *companheiro conspirador*, embora nenhum som saísse, já que ele estava tão desacorçoado. Assim, Thorin continuou:

"Encontramo-nos para discutir nossos planos, nossos métodos, meios, abordagens e estratégias. Havemos de começar em breve, antes que rompa a manhã, nossa longa jornada, uma jornada da qual alguns de nós, ou talvez todos nós (exceto nosso amigo e conselheiro, o engenhoso mago Gandalf), podem nunca retornar. É um momento solene. Nosso objetivo é, creio eu, bem conhecido de todos nós. Para o estimado Sr. Bolseiro, e talvez para um ou dois dos anões mais jovens (acho que seria correto mencionar Kili e Fili, por exemplo), a situação exata neste momento pode requerer uma brevíssima explicação..."

Esse era o estilo de Thorin. Ele era um anão importante. Se lhe tivesse sido permitido, provavelmente continuaria nessa toada até ficar sem fôlego, sem contar a ninguém ali nada que já não fosse sabido. Mas foi rudemente interrompido. O pobre Bilbo não conseguia mais suportar a conversa. Ao ouvir aquele *podem nunca retornar*, começou a sentir um grito subindo de dentro dele, e logo o grito explodiu feito o apito de uma locomotiva saindo de um túnel.[35] Todos os anões se puseram de pé, derrubando a mesa. Gandalf acendeu uma luz azul na ponta de seu cajado mágico e, naquela luz de fogo de artifício, o pobre hobbit podia ser visto ajoelhado no tapete da lareira, tremendo feito geleia que está derretendo. Então desabou no assoalho e ficou repetindo "Atingido por relâmpago, atingido por relâmpago!" sem parar; e isso foi tudo o que conseguiram extrair dele durante muito tempo. Então o pegaram, e o puseram no sofá da sala de visitas com uma bebida a seu lado, e voltaram a seus negócios obscuros.

"Camaradinha agitado",[36] disse Gandalf quando se sentaram de novo. "Tem esses ataques esquisitos e engraçados, mas é um dos melhores, um dos melhores — tão feroz quanto um dragão encurralado."

Se você já viu um dragão encurralado, vai perceber que isso era só exagero poético se aplicado a qualquer hobbit, até mesmo no caso do tio-bisavô do Velho Tûk, Berratouro,[37] que era tão enorme (para um hobbit) que conseguia montar um cavalo. Ele lançou uma investida contra as fileiras dos gobelins do Monte Gram na Batalha dos Campos Verdes e arrancou a cabeça do rei deles, Golfimbul, com um taco de

linhagem diversa da de Thorin, e não da Casa de Durin. Nas pp. 198–9 aprendemos que Bofur e Bombur são irmãos, e na p. 246 Bifur descreve Bofur e Bombur como seus primos. Ver nota 20 ao Capítulo 2 para informações sobre a fonte dos nomes dos anões de Tolkien.

33 *1937: "The dragon's ire more fierce then fire" > 1966-Ball: "The dragon's ire more fierce than fire"* ["Do draco a ira, fera pira"] > *1966-A&U: "Then dragon's ire more fierce than fire"* > (*1966-Longmans/Unwin* segue *1966-Ball*, que basicamente corrige o erro tipográfico *then* [dos] por *than* [do]. *1967-HM* segue *1966-A&U*, que erroneamente começa com a palavra *Then*.

34 Tolkien escreveu em seu guia para tradutores, "Nomenclature of *The Lord of the Rings*", que Bag End [Bolsão], o nome local para a casa de Bilbo, "devia ser associado (pelos hobbits) com o final de um 'bag' [saco, bolsa] ou 'pudding-bag' [saco para fazer pudim] = cul-de-sac [beco sem saída]". Era o nome local da fazenda da tia de Tolkien em Worcestershire, que ficava no final de uma alameda que a ela conduzia e nada mais. A tia de Tolkien, Jane Neave (1872–1963), era a irmã mais nova de sua mãe. Ela acompanhou Tolkien em uma excursão a pé pela Suíça no verão de 1911 (ver nota 1 ao Capítulo 4), e foi graças ao seu pedido em 1961 por um pequeno livro com Tom Bombadil em seu centro que Tolkien compilou *As aventuras de Tom Bombadil e outros versos do Livro Vermelho* (1962).

O antigo esboço de Tolkien "Bag End Underhill" [Bolsão sob Sotomonte] está reproduzido à direita, mostrando (como relata o texto na p. 45) os "melhores cômodos [...] todos do lado esquerdo (de quem entrava)", com "janelas fundas e redondas" com vista para o jardim de Bilbo e os prados além. Em ilustrações posteriores, Tolkien deslocou a árvore para mais longe da porta da frente de Bilbo, para o topo da colina.

UMA FESTA INESPERADA

Bilbo escuta a conversa dos Anãos. Ilustração de Nada Rappensbergerová para a edição eslovaca de 1973. Rappensbergerová (1936–) ilustrou muitos livros de escritores eslovacos. O nome da artista aparece por vezes como Rappensbergerová-Jankovičová. Outras quatro ilustrações de Rappensbergerová podem ser encontradas nas pp. 79, 189, 273 e 300.

35 *1937:* "like the whistle of an engine coming out of a tunnel" ["feito o apito de uma locomotiva saindo de um túnel"].

É certo que Tolkien estava consciente do possível anacronismo do narrador ao usar uma metáfora envolvendo o barulho de um trem ferroviário em uma história que se passa no que de outro modo é um mundo pré-industrializado. Para a revisão do texto de 1966, Tolkien cuidadosamente considerou o espaço de uma possível linha substitutiva aqui — "like the whee of a rocket going up into the sky" ["como o viva de um foguete subindo ao céu"] —, mas acabou por rejeitá-la. Esse uso não precisa ser visto como um anacronismo, pois Tolkien enquanto narrador estava contando esta história para seus filhos no início dos anos 1930, e eles viviam em um mundo no qual trens ferroviários eram um aspecto bastante importante da vida.

Um uso semelhante ocorre no primeiro capítulo de *O Senhor dos Anéis*, descrevendo um dos fogos de artifício de Gandalf: "O dragão passou como um trem expresso."

madeira. A cabeça saiu voando pelos ares por cem jardas[c] e caiu num buraco de coelho, e desse modo a batalha foi vencida, e o jogo de golfe foi inventado no mesmo momento.

Enquanto isso, entretanto, o descendente mais gentil de Berratouro estava voltando a si na sala de visitas. Depois de algum tempo, após tomar uma bebida, ele se esgueirou nervosamente até a porta da sala de estar. Isto foi o que ouviu. Gloin fez "Humpf!" (ou algum grunhido mais ou menos desse tipo). "Vocês acham que ele vai servir? Gandalf pode muito bem dizer que esse hobbit é feroz, mas um só grito daqueles num momento de empolgação seria suficiente para despertar o dragão e todos os seus parentes e matar a todos nós. Acho que soou mais como pânico do que como empolgação! Aliás, se não fosse pelo sinal na porta, eu teria certeza de que tínhamos chegado à casa errada. Assim que botei os olhos no camaradinha balançando e bufando no tapete tive minhas dúvidas. Parece mais um quitandeiro que um gatuno!"

Então o Sr. Bolseiro girou a maçaneta e entrou. O lado Tûk tinha vencido. De repente, sentiu que toparia ficar sem dormir e sem o café da manhã para que o achassem feroz. Quanto a *camaradinha balançando no tapete*, isso quase o fez ficar feroz de verdade. Muitas vezes, mais tarde, o lado Bolseiro, arrependido do que ele fez naquela hora, costumava lhe dizer: "Bilbo, você foi um bobo; entrou de cabeça e se deu mal."

"Perdão," disse, "se fiquei ouvindo o que vocês estavam dizendo. Não posso dizer que entendi do que estavam falando, ou as suas referências a gatunos, mas acho que não erro se acreditar" (isso é o que ele chamava de manter sua dignidade) "que vocês acham que eu não valho nada. Pois vou lhes mostrar. Não tenho sinais na minha porta — ela foi pintada faz uma semana — e estou bastante certo de que vieram à casa errada. Assim que vi suas caras engraçadas na soleira da porta tive minhas dúvidas. Mas podem considerar que vieram à casa certa. Digam-me o que querem que eu faça, e vou tentar, mesmo se tiver de andar daqui até o Leste do Leste e lutar com as Grãs-Serpes[d] Selvagens no Último Deserto. Certa vez, o meu tio-tataravô Berratouro Tûk..."[38]

"Sim, sim, mas isso foi há muito tempo", disse Gloin. "Eu estava falando de *você*. E lhe asseguro que há uma marca nesta porta — a marca comum nesse ramo, ou costumava ser. *Gatuno deseja um bom trabalho, um bocado de Empolgação*

---

[c]Cada jarda equivale a 91 centímetros. Cem jardas equivalem a cerca de 90 metros. [N. T.]

[d]"Serpe" é o mesmo que "serpente". O termo é utilizado ao longo do livro como tradução da palavra em inglês *worm*, quando se refere aos dragões. [N. T.]

e Recompensa razoável é como essa marca normalmente é lida. Pode dizer *Caçador de Tesouros Especializado* em vez de *Gatuno*, se preferir. Alguns deles preferem. Dá na mesma para nós. Gandalf nos contou que havia um sujeito desse tipo nestas partes procurando um trabalho imediato e que ele tinha arrumado um encontro com ele na hora do chá nesta quarta-feira."

"Claro que há uma marca", disse Gandalf. "Eu mesmo a pus lá. Por razões muito boas. Vocês me pediram para achar o décimo-quarto homem da sua expedição, e eu escolhi o Sr. Bolseiro. Quero só ver alguém dizendo que escolhi o homem errado ou a casa errada, e vocês podem ficar com apenas treze homens e ter toda a má sorte que quiserem, ou então voltar a minerar carvão."

Olhou tão feio para Gloin que o anão se encostou de novo na sua cadeira; e, quando Bilbo tentou abrir a boca para fazer uma pergunta, Gandalf se virou para ele, e franziu o cenho, e projetou suas sobrancelhas frondosas, até que Bilbo fechou bem a boca com um estalo. "É isso mesmo", disse Gandalf. "Chega de discussão. Escolhi o Sr. Bolseiro, e isso deveria ser suficiente para todos vocês. Se digo que ele é um Gatuno, um Gatuno é o que ele é, ou será, quando a hora chegar. Há muito mais nele do que vocês acham, e um bocado mais do que ele próprio imagina. Vocês todos ainda hão de viver (possivelmente) para me agradecer por isso. Agora, Bilbo, meu rapaz, pegue a lamparina, e lancemos alguma luz sobre isto!"

Sobre a mesa, à luz de uma grande lamparina com um anteparo vermelho, ele abriu um pedaço de pergaminho que lembrava um mapa.

"Foi feito por Thror, seu avô, Thorin",[39] disse ele, em resposta às perguntas empolgadas dos anões. "É uma planta da Montanha."

"Não vejo como isso vá nos ajudar muito", disse Thorin, desapontado, depois de dar uma olhada. "Lembro-me bastante bem da Montanha e das terras em volta dela. E sei onde fica Trevamata, assim como o Urzal Seco, onde os grandes dragões procriavam."

"Há um dragão marcado em vermelho na Montanha", disse Balin, "mas será bem fácil achá-lo sem isso, se algum dia chegarmos lá."

"Há um ponto que vocês não notaram," disse o mago, "e é a entrada secreta. Veem a runa do lado Oeste e a mão apontando para ela perto das outras runas? Isso marca uma passagem oculta para os Salões Inferiores." (Veja o mapa na página 63 deste livro e você verá as runas.)[40]

"Pode ter sido secreta antes," disse Thorin, "mas como sabemos que ainda é secreta? O velho Smaug já vive ali há

36 *1937:* "Excitable little man" ["Homenzinho agitado"] > *1951:* "Excitable little fellow" ["Camaradinha agitado"].

Esta revisão teve lugar por conta de uma sugestão de Arthur Ransome (1884–1967), cujos livros eram muito admirados pelos filhos de Tolkien. Logo após sua publicação, a Allen & Unwin enviou um exemplar de *O Hobbit* para Ransome, então convalescendo em uma casa de repouso. Descrevendo a si mesmo como "um humilde apreciador do hobbit (e alguém certo de que seu livro será reimpresso muitas vezes)", Ransome escreveu a Tolkien em 13 de dezembro de 1937 perguntando se por acaso seria um erro do escriba humano atribuir a Gandalf o uso da palavra *homem* ao descrever Bilbo. Tolkien concordou que a palavra estava incorreta e sugeriu a mudança em uma carta para a Allen & Unwin em 19 de dezembro de 1937, mas a revisão não apareceu até 1951.

Ransome sugeriu outras duas possíveis correções. Ver nota 11 ao Capítulo 6 e nota 2 ao Capítulo 18.

37 A referência a Berratouro Tûk como tio-bisavô do Velho Tûk é original da edição de 1937 de *O Hobbit*, mas ela não concorda com a árvore genealógica dos Tûk no Apêndice C de *O Senhor dos Anéis*, na qual Berratouro é meramente tio-avô do Velho Tûk. Em *Os Povos da Terra-média*, volume 12 da *História*, duas versões anteriores (classificadas como T2 e T3) da árvore genealógica dos Tûk são apresentadas, e elas correspondem ao parentesco tal como exposto em *O Hobbit*. Evidentemente, quando Tolkien retrabalhou os parentescos entre os Tûk para *O Senhor dos Anéis*, ele se esqueceu de verificá-los em *O Hobbit*.

De acordo com o Apêndice B ("O Conto dos Anos") em *O Senhor dos Anéis*, Bandobras Tûk derrotou um bando de Orques na Quarta Norte do Condado em 2747.

38 Tolkien comenta em seu guia para tradutores, "Nomenclature of *The Lord of the Rings*", que, ao escrevê-la, acreditava "que *bullroarer* [berra-touro] era uma palavra usada por antropólogos para instrumentos que faziam um som berrante, usado por povos incivilizados; mas não consigo encontrá-la em nenhum dicionário".

A palavra aparece de fato no *Oxford English Dicionary*, sob a entrada *bull* (sb[1] acepção 11), em que o seguinte uso de 1881 é citado: "Um pedaço plano de madeira de algumas polegadas de extensão, afunilando-se na direção de uma ou das duas extremidades, e preso por uma das extremidades a uma correia para girá-lo, quando ele faz um barulho intermitente de zumbido ou berro; ouvido de muito longe. É [...] chamado na Inglaterra de 'zumbidor' ('whizzer') ou 'berra-touro' ('bull-roarer')."

Em seu breve artigo "Possible Sources of Tolkien's Bullroarer" [Possíveis fontes do Berratouro de Tolkien] na edição de dezembro de 2000 de *Mythprint* (37, n. 12, edição 225), Arden R. Smith nota que *bullroarer* aparece diversas vezes na edição em 12 volumes de *The Golden Bough: A Study in Magic and Religion* [O ramo de ouro: um estudo sobre magia e religião], de James G. Frazer, enquanto Andrew Lang, no seu *Custom and Myth* [Costume e mito] (1884), dedica um capítulo inteiro ao berra-touro, chamando-o "familiar aos rapazes ingleses do campo". Continua Lang:

> O berra-touro comum é um brinquedo barato que qualquer um pode fazer. No entanto, não o recomendo para famílias, por duas razões. Em primeiro lugar, ele produz um ruído dos mais horríveis e incomparáveis, que o torna caro aos muito jovens, mas o faz detestável às pessoas em idade madura. Em segundo lugar, o feitio do brinquedo é tal que certamente de modo quase infalível ele vai quebrar tudo o que é frágil na casa onde está sendo usado e provavelmente pôr para fora os olhos de alguns dos habitantes. [...] O berra-touro tem, de todos os brinquedos, a mais ampla difusão e a mais extraordinária história. Estudar o berra-touro é ter uma aula sobre folclore. O instrumento é encontrado entre os povos mais amplamente separados, selvagens e civilizados, e é usado na celebração dos mistérios selvagens e civilizados. (pp. 29–31)

A referência aqui a Berratouro como tio-tataravô de Bilbo é original da edição de 1937 de *O Hobbit* e, como no caso do parentesco de Berratouro com o Velho Tûk discutido na nota anterior, ela não concorda com a árvore genealógica dos Tûk no Apêndice C de *O Senhor dos Anéis*. Lá Berratouro é tio-trisavô de Bilbo, enquanto nas versões anteriores (T2 e T3)

tempo suficiente para ter descoberto tudo o que há para se saber acerca daquelas cavernas."

"Pode ser — mas ele não teria como usá-la durante esses anos todos."

"Por quê?"

"Porque é pequena demais. 'Cinco pés de altura a porta, e três podem entrar lado a lado',[41] dizem as runas, mas Smaug não conseguiria se enfiar num buraco desse tamanho, nem mesmo quando era um dragão jovem, e certamente não depois de devorar tantos dos anãos e dos homens de Valle."[42]

"Para mim parece uma toca enorme", berrou Bilbo (que não tinha experiência com dragões, só com tocas de hobbit). Estava ficando empolgado e interessado de novo, de modo que esqueceu de ficar de boca fechada. Adorava mapas, e em seu corredor estava pendurado um grande do Campo Em Volta, com todas as suas caminhadas favoritas marcadas nele com tinta vermelha. "Como uma porta tão grande poderia continuar em segredo para todos os que estão fora, além do dragão?", perguntou. Ele era só um pequeno hobbit, lembre-se.

"De muitas maneiras", disse Gandalf. "Mas de que maneira essa ficou escondida nós não saberemos sem ir até lá para ver. Do que se diz no mapa, eu imaginaria que há uma porta fechada que foi feita para ter a aparência exata da encosta da Montanha. Esse é o método usual dos anãos — acho que está correto, não?"

"Bastante correto", disse Thorin.

"Além disso," continuou Gandalf, "esqueci de mencionar que com o mapa veio uma chave, uma chave pequena e curiosa. Aqui está!", disse, e deu a Thorin uma chave com um cabo comprido e entalhes intrincados, feita de prata. "Guarde-a bem!"

"É o que farei", disse Thorin, e a prendeu numa corrente fina que estava pendurada no seu pescoço e ficava debaixo de sua jaqueta. "Agora as coisas estão ficando mais promissoras. Essa notícia faz com que tudo pareça melhor. Até agora, não tivemos ideia clara do que fazer. Pensamos em ir para o Leste, do modo mais discreto e cuidadoso que pudéssemos, até chegar ao Lago Longo. Depois disso os problemas começariam..."

"Começariam muito antes disso, se conheço algo das estradas para o Leste", interrompeu Gandalf.

"Poderíamos partir de lá ao longo do Rio Rápido", continuou Thorin, sem lhe dar atenção, "e assim chegar às ruínas de Valle — a velha cidade no vale, sob a sombra da Montanha. Mas nenhum de nós gostou da ideia de entrar pelo Portão da Frente. O rio passa por ele através da grande encosta no Sul da Montanha e é dele que o dragão sai também — e com muita frequência, a não ser que ele tenha mudado seus hábitos."

"Isso não prestaria," disse o mago, "não sem um Guerreiro poderoso, até mesmo um Herói. Tentei achar um; mas os guerreiros estão ocupados lutando uns contra os outros em terras distantes, e nesta vizinhança os heróis são escassos, ou simplesmente não existem. As espadas nestas partes em geral estão sem gume, e os machados são usados em árvores, e os escudos como berços ou coberturas de pratos; e os dragões estão a uma distância confortável (e, portanto, são lendários). Foi por isso que decidi empregar *gatunagem* — especialmente da árvore genealógica dos Tûk, impressas em *Os Povos da Terra-média*, o parentesco dado corresponde àquele em *O Hobbit*. Além disso, no Prólogo a *O Senhor dos Anéis*, diz-se que Berratouro é filho de Isengrim Segundo, enquanto na árvore genealógica dos Tûk no Apêndice C, Berratouro é listado como neto de Isengrim II. (As árvores genealógicas dos Tûk anteriores listam Berratouro como filho de Isengrim I.)

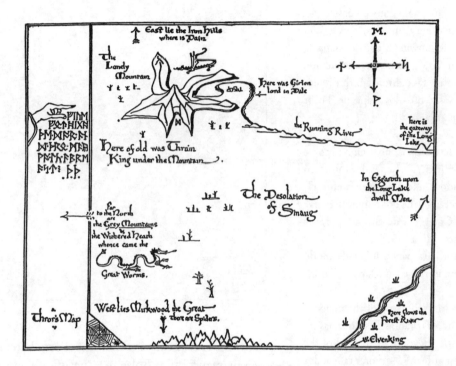

O Mapa de Thror, de J.R.R. Tolkien. Transcritas (estando sublinhados os pares de letras representados por um único caractere nas runas), as runas da coluna esquerda leem-se: FIVE / FEET HIGH / THE DOR AN / D THREE MAY / WOLK ABRE / AST. TH. TH. [CINCO / PÉS DE A / LTURA TEM / A PORTA E / TRÊS POD / EM POSSAR L / ADO A LAD / O. TH. TH.] Na nota introdutória de O Hobbit nas pp. 41–2, Tolkien dá estas runas com a correção de uma runa-O por uma runa-A em WOLK [POSSAR] e afirma que as duas últimas runas são as iniciais de Thror e Thrain. Na mesma nota Tolkien observa que "No mapa os pontos cardeais estão marcados com runas, com o Leste no alto, como era comum no caso de mapas dos anãos, e lidos desta maneira, em sentido horário: L(este), S(ul), O(este), N(orte)". Ver também a p. 100.

Uma versão anterior do *Mapa de Thror* (página ao lado) foi feita em formato vertical em vez de horizontal, pois Tolkien queria que ele fosse inserido no Capítulo 1 à primeira menção do mapa no texto. A legenda deixa claro que o mapa deveria ser considerado antes uma cópia do Mapa de Thror feita por Bilbo do que como o original. Para essa versão, Tolkien desenhou runas-da-lua especiais, que serão descobertas por Elrond no Capítulo 3, dispostas ao contrário na parte de trás da ilustração, onde ele esperava que elas pudessem ser impressas de modo que as runas-da-lua ficassem visíveis apenas quando o mapa fosse segurado contra a luz. No topo e na base constam versões, escritas com lápis fraco, do texto rúnico em élfico e inglês antigo, respectivamente (para transcrições, ver *Artist*, p. 150, n. 6).

A versão mais antiga do *Mapa de Thror* não estava em uma página separada, mas desenhada no manuscrito do primeiro capítulo de *O Hobbit* (ver p. 26).

A ilustração regular do *Mapa de Thror* foi colorida por H.E. Riddett (junto com o mapa das "Terras-selváticas") e lançado como pôster pela Allen & Unwin em 1979. As runas-da-lua para o *Mapa de Thror* foram impressas no verso do pôster de modo a ficarem visíveis através do papel apenas quando segurado contra a luz.

39 *1937*: "made by your grandfather, Thorin" ["feito por seu avô, Thorin"] > *1966-Ball*: "made by Thror, your grandfather, Thorin" ["feito por Thror, seu avô, Thorin"]

40 Essa frase foi alterada em diversas edições, de acordo com onde (e em que cores) o mapa de Thror é impresso. A leitura original de *1937* é: "(Look at the map at the beginning of this book, and you will see there the runes in red.)" ["(Veja o mapa no começo deste livro e você verá as runas em vermelho)"]. A edição de 1937 da Allen & Unwin faz uso do Mapa de Thror como primeira guarda. Erroneamente, a edição de 1938 da Houghton Mifflin retém essa leitura, mas faz uso do Mapa de Thror como segunda guarda.

41 *1937*: "Five feet high is the door and three abreast may enter it" ["Cinco pés de altura tem a porta, e três lado a lado podem nela entrar"] > *1951*: "Five feet high the door and three may walk abreast" ["Cinco pés de altura a porta, e três podem entrar lado a lado"].

Essa revisão foi feita para alinhar de modo exato o texto com as runas no Mapa de Thror.

42 *1937*: "devouring so many of the maidens of the valley" ["devorar tantas das donzelas do vale"] > *1966-Ball*: "devouring so many of the dwarves and men of Dale" ["devorar tantos dos anãos e dos homens de Valle"].

A ideia de um dragão devorando donzelas do vale é algo convencional nos contos de fadas, e Tolkien a substituiu por uma referência mais relevante para sua história.

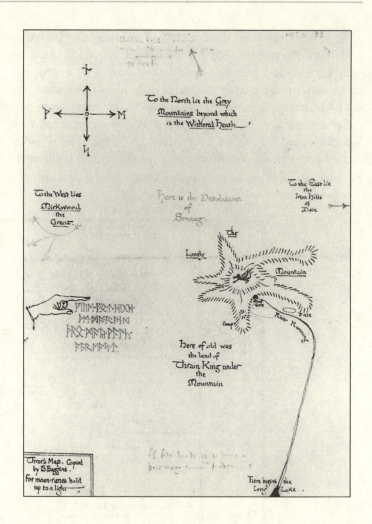

Thorin, Gandalf e Bilbo lendo o Mapa de Thror. Ilustração de Tamás Szecskó para a edição húngara de 1975.

quando recordei a existência de uma Porta Lateral. E aqui está nosso pequeno Bilbo Bolseiro, *o gatuno*, o gatuno escolhido e selecionado. Então vamos continuar e fazer alguns planos."

"Pois muito bem," disse Thorin, "vamos supor que o gatuno-especialista nos dê algumas ideias ou sugestões." Virou-se com gentileza fingida para Bilbo.

"Primeiro, eu gostaria de saber um pouco mais sobre as coisas", disse Bilbo, sentindo-se todo confuso e um pouco trêmulo por dentro, mas por enquanto ainda determinado, ao modo dos Tûks, a ir adiante. "Quero dizer, sobre o ouro, e o dragão, e tudo isso, e como foi parar lá, e a quem pertence o tesouro, e coisa e tal."

"Céus!", disse Thorin. "Você não está vendo um mapa? E não escutou nossa canção? E será que já não estamos falando sobre tudo isso faz horas?"

"De todo modo, gostaria que tudo ficasse direto e claro", disse ele obstinadamente, usando sua postura de negócios (normalmente reservada para pessoas que tentavam emprestar dinheiro dele) e fazendo seu melhor para parecer sábio, e prudente, e profissional, e corresponder à recomendação de Gandalf. "Além disso, também gostaria de saber sobre riscos, despesas imediatas, tempo requerido e remuneração, e assim por diante" — com o que ele queria dizer: "O que vou ganhar com isso? E vou sair vivo dessa?"

"Oh, muito bem", disse Thorin.[43] "Há muito, no tempo de meu avô Thror, nossa família foi expulsa do Norte distante e retornou, com toda a sua riqueza e suas ferramentas, a essa Montanha no mapa. Tinha sido descoberta por meu ancestral distante, Thrain, o Velho,[44] mas após esse retorno eles mineraram, e abriram túneis, e fizeram salões imensos e oficinas maiores — e, além disso, creio que encontraram uma bela quantidade de ouro e muitíssimas joias também. De qualquer modo, ficaram imensamente ricos e famosos, e meu avô se tornou Rei sob a Montanha de novo,[45] sendo tratado com grande reverência pelos homens mortais, que viviam ao Sul e estavam gradualmente se espalhando Rio Rápido acima, até o vale sob a sombra da Montanha. Eles construíram a alegre cidade de Valle ali naqueles dias. Reis costumavam convocar nossos ferreiros e recompensar até os menos hábeis mui ricamente. Pais imploravam que fizéssemos de seus filhos nossos aprendizes e nos pagavam regiamente, em especial em suprimentos de comida, que nunca nos preocupávamos em produzir ou achar por nós mesmos. Em resumo, aqueles eram bons dias para nós, e os mais pobres entre nós tinham dinheiro para gastar e emprestar, e tempo para fazer coisas belas apenas pelo divertimento, para não falar dos brinquedos mais maravilhosos e mágicos, cuja semelhança não se acha no mundo nos dias de hoje. Assim, os salões de meu avô se tornaram cheios de armaduras, e joias, e entalhes, e taças,[46] e o mercado de brinquedos de Valle era a maravilha do Norte.

"Indubitavelmente foi isso o que atraiu o dragão. Dragões roubam ouro e joias, sabe, de homens e elfos e anãos, onde quer que os achem; e guardam seu butim enquanto vivem (o que é praticamente para sempre, a menos que sejam mortos), e nunca aproveitam nem um anel de latão de tudo aquilo. De fato, dificilmente sabem a diferença entre uma peça bem-feita e outra ruim, embora normalmente tenham boa noção do valor de mercado corrente; e não conseguem criar nada sozinhos, nem mesmo consertar uma escama solta de suas armaduras. Havia montes de dragões no Norte naqueles dias, e o ouro provavelmente estava ficando escasso por lá, com os anãos fugindo para o sul ou sendo mortos, e toda a desolação e destruição que os dragões produzem indo de mal a pior. Havia uma serpe mui especialmente ávida, forte e perversa com o nome de Smaug. Certo dia, ele saiu voando pelos ares e veio para o sul.[47] A primeira coisa que ouvimos foi um barulho como o de um furacão vindo do Norte, e os pinheiros da Montanha rangendo e rachando ao vento. Alguns dos anãos

43 *1937:* "Long ago in my grandfather's time some dwarves were driven out of the far North, and came with all their wealth and their tools to this Mountain on the map. There they mined and they tunnelled and they made huge halls and great workshops" ["Há muito, no tempo de meu avô, alguns anãos foram expulsos do Norte distante e retornaram, com toda a sua riqueza e suas ferramentas, a essa Montanha no mapa. Lá mineraram, e abriram túneis, e fizeram salões imensos e grandes oficinas"] > *1966-Ball:* "Long ago in my grandfather Thror's time our family was driven out of the far North, and came back with all their wealth and their tools to this Mountain on the map. It had been discovered by my far ancestor, Thrain the Old, but now they mined and they tunnelled and they made huger halls and greater workshops" ["Há muito, no tempo de meu avô Thror, nossa família foi expulsa do Norte distante e retornou, com toda a sua riqueza e suas ferramentas, a essa Montanha no mapa. Tinha sido descoberta por meu ancestral distante, Thrain, o Velho, mas após esse retorno eles mineraram, e abriram túneis, e fizeram salões imensos e oficinas maiores"].

Essa revisão foi feita para introduzir no texto Thrain, o Velho, e assim explicar a nota no Mapa de Thror de que "Aqui outrora Thrain foi Rei sob a Montanha", fazendo a distinção de que havia dois anãos chamados Thrain, sendo um deles o pai de Thorin (e filho de Thror), e o outro um anão muito mais antigo que fundou o Reino sob a Montanha. Esta explicação apareceu pela primeira vez na nota introdutória acrescida à segunda edição de 1951 (ver nota 3 à p. 42); a revisão feita aqui fez com que aquela parte da nota introdutória de 1951 não fosse mais necessária.

44 No Apêndice B de *O Senhor dos Anéis*, "O Conto dos Anos", aprendemos que Thrain I (o Velho) fundou o reino sob a Montanha Solitária no ano 1999 da Terceira Era, mas em 2210 o filho de Thrain I, Thorin I, deixou Erebor e reuniu seu povo nas Montanhas Cinzentas no norte.

O descendente de Thrain I, Thror, reestabeleceu o reino sob a Montanha em 2590.

45 *1937:* "King under the Mountain" ["Rei sob a Montanha"] > *1966-Ball:* "King under the Mountain again" ["Rei sob a Montanha de novo"].

46 *1937:* "full of wonderful jewels and carvings and cups, and the toyshops of Dale were a sight to behold" ["cheios de joias, entalhes e taças maravilhosas, e as lojas de brinquedo de Valle eram um espetáculo belo de se ver"] > *1966-Longmans/Unwin:* "full of armour and jewels and carvings and cups, and the toy market of Dale was the wonder of the North" ["cheios de armaduras, e joias, e entalhes, e taças, e o mercado de brinquedos de Valle era a maravilha do Norte."] (*1966-Ball* apresenta a mesma leitura que *1966-Longman/Unwin*, mas faz uso da grafia norte-americana *armor*.)

47 Smaug desceu sobre Ererbor no ano 2770 da Terceira Era, 180 anos após Thror ter reestabelecido o reino sob a Montanha, e 171 anos antes da época em que se passa *O Hobbit*.

48 *1937:* "Your grandfather was killed, you remember, in the mines of Moria by a goblin —" ["Seu avô foi morto, você se lembra, nas minas de Moria por um gobelim —"] > *1966 Longmans/Unwin:* "Your grandfather Thror was killed, you remember, in the mines of Moria by Azog the Goblin." ["Seu avô Thror foi morto, você se lembra, nas minas de Moria por Azog, o Gobelim"]. (*1966-Ball* coincide com *1966-Longmans/Unwin*, mas termina com um travessão, como em *1937*. Na edição em português, o trecho termina com reticências.)

A história da morte de Thror está contada na Seção III do Apêndice A em *O Senhor dos Anéis*. Em resumo, Thror foi morto no ano 2790 da Terceira Era, após ter entrado sozinho em Moria. Sua cabeça foi cortada e lançada fora do Portão de Moria junto com seu corpo. O nome de seu assassino, Azog, fora-lhe escrito no rosto. Este foi o início da guerra entre os Anãos e os Gobelins, chamada em *O Senhor dos Anéis* de a Guerra dos Anãos e dos Orques.

As Minas de Moria não estão visíveis no mapa das "Terras-selváticas" em *O Hobbit*, mas elas estariam localizadas mais ao sul, entre as Montanhas Nevoentas.

que, por acaso, estavam fora (eu era um deles, por sorte — um belo rapaz aventuroso naqueles dias, sempre vagando por aí, e isso salvou minha vida) — bem, de uma boa distância vimos o dragão pousar na nossa montanha com um borbulhar de chama. Então desceu as encostas e, quando alcançou as matas, todas pegaram fogo. A essa altura, todos os sinos estavam soando em Valle, e os guerreiros estavam se armando. Os anãos saíram correndo de seu grande portão; mas lá estava o dragão esperando por eles. Ninguém escapou por aquela via. O rio se alçou em vapores, e uma névoa caiu sobre Valle, e na névoa o dragão veio sobre eles e destruiu a maioria dos guerreiros — a velha e triste história, por demais comum naqueles dias. Então ele voltou e se esgueirou pelo Portão da Frente e devastou todos os salões, e alamedas, e túneis, e becos, e adegas, e mansões e passagens. Depois disso não havia mais anãos vivos do lado de dentro, e ele tomou toda a riqueza deles para si. Provavelmente, já que é assim que dragões agem, ele empilhou tudo num grande monte no fundo da montanha e dorme em cima dele como se fosse uma cama. Mais tarde, costumava sair rastejando do grande portão e vir à noite a Valle, e levar pessoas embora, especialmente donzelas, para comer, até que Valle ficou arruinada, e todo o povo morreu ou se foi. O que acontece lá agora eu não sei ao certo, mas não suponho que alguém viva mais perto da Montanha do que na borda oposta do Lago Longo nos dias de hoje.

"Os poucos de nós que estavam bem do lado de fora sentaram-se e choraram escondidos, e amaldiçoaram Smaug; e ali se juntaram a nós, inesperadamente, meu pai e meu avô, com barbas chamuscadas. Tinham ar muito sombrio, mas pouco disseram. Quando perguntei como tinham escapado, disseram para eu segurar a língua e que um dia, no momento propício, eu saberia. Depois disso fomos embora, e tivemos que ganhar a vida da melhor maneira que podíamos para lá e para cá pelas terras, às vezes descendo tão baixo a ponto de trabalhar como um ferreiro comum, ou mesmo minerando carvão. Mas nunca esquecemos nosso tesouro roubado. E, mesmo agora, quando admito que temos um pouco guardado e não estamos tão mal," — aqui Thorin acariciou a corrente de ouro em volta de seu pescoço — "ainda queremos recuperá-lo e levar nossas maldições a Smaug — se pudermos.

"Muitas vezes me perguntei sobre a fuga de meu pai e meu avô. Vejo agora que deviam ter uma Porta Lateral privada que só eles conheciam. Mas aparentemente fizeram um mapa, e gostaria de saber como Gandalf tomou posse dele e por que não chegou até mim, o herdeiro legítimo."

"Eu não 'tomei posse', ele me foi dado", disse o mago. "Seu avô Thror foi morto, você se lembra, nas minas de Moria por Azog, o Gobelim."[48]

"Maldito seja seu nome, sim",⁴⁹ disse Thorin.

"E Thrain, seu pai, foi embora no vigésimo-primeiro dia de abril, fez cem anos na última quinta-feira,⁵⁰ e nunca mais foi visto por você desde então..."

"Verdade, verdade", disse Thorin.

"Bem, seu pai me deu isto para que desse a você; e, se escolhi minha própria hora e maneira de lhe entregar a chave, você dificilmente pode me culpar, considerando a dificuldade que tive para encontrá-lo. Seu pai não conseguia recordar o próprio nome quando me deu o papel e nunca me contou o seu; então, de modo geral, acho que você devia me elogiar e agradecer! Aqui está", disse ele, entregando o mapa a Thorin.

"Não entendi", disse Thorin, e Bilbo sentiu que gostaria de dizer o mesmo. A explicação parecia não explicar nada.

"Seu avô", disse o mago, de modo lento e sombrio,⁵¹ "deu o mapa ao filho dele por segurança antes que fosse às minas de Moria. Seu pai foi embora para tentar sua sorte com o mapa depois que seu avô foi morto; e montes de aventuras de um tipo muitíssimo desagradável ele teve, mas nunca chegou perto da Montanha. Como foi parar lá eu não sei, mas o encontrei quando ele era prisioneiro nas masmorras do Necromante."⁵²

"Pode me dizer o que estava fazendo lá?", perguntou Thorin com um estremecimento, e todos os anãos tremeram.

"Nada demais. Estava tentando descobrir coisas, como de costume; e um negócio terrivelmente perigoso foi. Até eu, Gandalf, mal consegui escapar. Tentei salvar seu pai, mas era tarde demais. Estava sem juízo e delirando, e tinha esquecido quase tudo, exceto o mapa e a chave."

"Há muito tempo que nos vingamos dos gobelins de Moria", disse Thorin; "precisamos pensar no que fazer quanto ao Necromante."

"Não seja absurdo! Ele é um inimigo muito além dos poderes⁵³ de todos os anãos postos juntos, se todos pudessem ser reunidos de novo dos quatro cantos do mundo. A única coisa que seu pai desejava era que o filho dele lesse o mapa⁵⁴ e usasse a chave. O dragão e a Montanha são tarefas mais do que grandes o suficiente para você!"

"Ouçam, ouçam!", disse Bilbo, e foi acidentalmente que o fez em voz alta.

"Ouvir o quê?", disseram todos eles, virando-se de repente para ele, e ele ficou tão desacorçoado que respondeu: "Ouçam o que tenho a dizer!"

"E o que é?", perguntaram.

"Bem, eu diria que devem ir para o Leste e dar uma olhada em volta. Afinal de contas há a Porta Lateral, e dragões precisam dormir às vezes, suponho. Se vocês se sentarem na soleira da porta por tempo suficiente, ouso dizer que pensarão em

49 *1937:* "Curse the goblin, yes" ["Maldito seja o gobelim, sim"] > *1966-Ball:* "Curse his name, yes" ["Maldito seja seu nome, sim"].

50 *1937:* "And your father went away on the third of March" ["E seu pai foi embora no terceiro dia de março"] > *1951:* "And your father went away on the twenty-first of April" ["E seu pai foi embora no vigésimo-primeiro dia de abril"] > *1966-Ball:* "And Thrain your father went away on the twenty-first of April." ["E Thrain, seu pai, foi embora no vigésimo-primeiro dia de abril"].

A afirmação de que Thrain "foi embora no vigésimo-primeiro dia de abril, fez cem anos na última quinta-feira" oferece uma das poucas datas seguras dentro de *O Hobbit* para a cronologia da história. Pelo que Bilbo deve ter anotado em sua Tabela de Compromissos, Gandalf e os anãos vieram para o chá em uma quarta-feira (ver p. 50). Assim, se a quinta-feira precedente foi 21 de abril, quarta-feira seria 27 de abril. (No entanto, em "A Demanda de Erebor", que foi originalmente escrita para ser parte de um apêndice de *O Senhor dos Anéis* e que conta o relato de Gandalf sobre como ele planejou a jornada de Bilbo, a data da chegada de Thorin e seus companheiros a Bolsão é dada precisamente como quarta-feira, 26 de abril, com a visita de Gandalf no dia anterior especificada como terça-feira, 25 de abril. Essas datas não podem ser reconciliadas com o texto tal como consta em *O Hobbit*. Ver "A Demanda de Erebor" no Apêndice A deste livro.)

As outras duas datas exatas presentes em *O Hobbit* ocorrem perto do final do livro. Na p. 309, quando Bilbo chega de novo a Valfenda em sua viagem para casa, é 1º de maio do ano seguinte. E na p. 313, Bilbo chega em casa em meio a um leilão no dia 22 de junho.

51 *1937:* "said the wizard slowly and crossly" ["disse o mago, de modo lento e irritadiço"] > *1966-Ball:* "said the wizard slowly and grimly" [disse o mago, de modo lento e sombrio].

52 O pai de Thorin, Thrain, foi aprisionado nas masmorras do Necromante em 2845. Gandalf lá entrou e recebeu de Thrain o mapa e a chave em 2850, 91 anos antes do início de *O Hobbit*. Thrain morreu pouco depois de dar o mapa e a chave para Gandalf.

UMA FESTA INESPERADA

Em *O Senhor dos Anéis*, ficamos sabendo que o Necromante de *O Hobbit* é também o Senhor Sombrio, ou Sauron, de *O Senhor dos Anéis*.

53 *1937:* "That is a job quite beyond the powers" ["É um tarefa um tanto além dos poderes"] > *1966-Ball:* "He is an enemy quite beyond the powers" ["Ele é um inimigo um tanto além dos poderes"] > *1966-Longmans/Unwin:* "He is an enemy far beyond the powers" ["Ele é um inimigo muito além dos poderes"].

54 *1937:* "was for you to read the map" ["era que você lesse o mapa"] > *1966-Ball:* "was for his son to read the map" ["era que o filho dele lesse o mapa"].

alguma coisa. E bem, sabe como é, acho que já conversamos o bastante por uma noite, se entendem o que quero dizer. Que tal cama, e começar cedo, e tudo o mais? Vou lhes oferecer um bom café da manhã antes de vocês irem."

"Antes de *nós* irmos, suponho que você queira dizer", observou Thorin. "Você não é o gatuno? E se sentar na soleira da porta não é o seu trabalho, sem falar em entrar pela porta? Mas concordo quanto a cama e o café da manhã. Gosto de comer seis ovos com meu presunto, quando começo uma viagem: fritos, não cozidos, e cuidado para não quebrá-los."

Depois que todos tinham encomendado seu café da manhã sem nem dizer por favor (o que irritou Bilbo um bocado), eles se levantaram. O hobbit teve de achar espaço para todos, e encheu os seus quartos livres, e fez camas em cadeiras e sofás, até que conseguiu enfiar todo mundo em seu lugar e foi para sua própria caminha, muito cansado e não muito contente. Uma coisa que decidiu de vez foi não se incomodar em levantar muito cedo e cozinhar a porcaria do café da manhã para todo mundo. O lado Tûk estava ficando fraco, e naquele momento ele não tinha tanta certeza se faria alguma viagem de manhã.

Já deitado na cama, podia ouvir Thorin ainda murmurando para si mesmo no melhor quarto, ao lado do dele:

> *Além dos montes em nevoeiro*
> *Pras masmorras sem prisioneiro*
> *Vamos embora, antes da aurora,*
> *Lembrai-vos d'ouro feiticeiro!*[c]

Bilbo foi dormir com aquilo em seus ouvidos, o que lhe trouxe sonhos muito desconfortáveis. Já era bem depois da aurora quando ele acordou.

---

[c] *Far over the misty mountains cold / To dungeons deep and caverns old / We must away, ere break of day, / To find our long-forgotten gold.*

2

CORDEIRO ASSADO

Bilbo pulou da cama e, colocando seu robe, foi para a sala de jantar. Ali não viu ninguém, mas achou todos os sinais de um café da manhã farto e apressado. Havia uma bagunça tremenda na sala e pilhas de louça não lavada na cozinha. Quase todas as tigelas e panelas que possuía pareciam ter sido usadas. A louça suja era tão horrendamente real que Bilbo foi forçado a acreditar que a festa da noite anterior não fora parte de seus pesadelos, como tinha esperança que fosse. De fato, estava mesmo aliviado, no fim das contas, por pensar que todos tinham ido embora sem ele e sem se dar ao trabalho de acordá-lo ("Mas sem nem um obrigado", pensou.); e, contudo, de certo modo, não conseguia evitar a sensação de estar um tantinho desapontado. A sensação o surpreendeu.

"Não seja tolo, Bilbo Bolseiro!", disse a si mesmo, "pensando em dragões e em toda aquela bobagem extravagante na sua idade!" Então colocou um avental, acendeu o fogo, ferveu água e lavou tudo. Depois tomou um pequeno e gostoso café da manhã na cozinha antes de arrumar a sala de jantar. A essa altura, o sol estava brilhando; e a porta da frente estava aberta, deixando entrar uma calorosa brisa de primavera. Bilbo começou a assobiar alto e a esquecer a noite anterior. De fato, estava se sentando para comer mais um pouco de desjejum gostoso na sala de jantar, do lado da janela aberta, quando eis que entrou Gandalf.

"Meu caro companheiro," disse ele, "quando é que você *vai* vir? E quanto a *começar cedo*? — e aqui está você tomando o café da manhã, ou seja lá como chama isso, às dez e meia! Deixaram uma mensagem para você porque não podiam esperar."

"Que mensagem?", disse o pobre Sr. Bolseiro, todo atarantado.

"Grandes Elefantes!", disse Gandalf, "você não caiu em si nesta manhã — nem chegou a tirar poeira de cima da lareira!"

"O que isso tem a ver com a história? Já tive trabalho o suficiente lavando a louça suja de catorze pessoas!"

"Se tivesse tirado a poeira, você teria encontrado isto bem embaixo do relógio", disse Gandalf, dando a Bilbo um bilhete (escrito, é claro, com o próprio papel para anotações do hobbit).

1 Desde muito cedo, Tolkien tinha predileção por dragões verdes. Ele escreveu a W.H. Auden em 7 de junho de 1955: "Tentei escrever uma história pela primeira vez quando eu tinha cerca de sete anos. Era sobre um dragão. Não me recordo de coisa alguma sobre ela, exceto um fato filológico. Minha mãe nada disse sobre o dragão, mas observou que não se podia dizer 'um verde dragão grande', mas que se devia dizer 'um grande dragão verde'. Perguntei-me por quê, e ainda o faço" (*Cartas*, n. 163).

O poema de Tolkien "A Visita do Dragão" (ver nota 2 ao Capítulo 14) é sobre um dragão verde, e em alguns de seus desenhos os dragões são igualmente verdes (ver *Artist*, n. 48 e 49, e *Pictures*, n. 40, que inclui ambos os dragões presentes em *Artist* além de um outro igualmente verde).

The Hill: Hobbiton across the Water [A Colina: Vila-dos-Hobbits defronte ao Água], de J.R.R. Tolkien. Este desenho de linha apareceu pela primeira vez como frontispício da primeira edição de 1937, sendo posteriormente substituído pela versão colorida. Ele deveria ter sido reimpresso na edição de 1979 de *Pictures* (n. 1, à esquerda), mas um desenho anterior feito a lápis foi erroneamente incluído e aparece em seu lugar. O desenho finalizado aparece corretamente na segunda edição de *Pictures* (n. 1, à esquerda), de 1992, e em *Artist* (n. 97).

Tolkien fez diversas tentativas para desenhar esta cena antes de conseguir o equilíbrio adequado na curva em S da estrada e no desenho do Moinho em primeiro plano (incluindo vários detalhes como o formato das janelas e se o cata-vento aparece ou não). Uma dessas tentativas é *The Hill: Hobbiton* [A Colina: Vila-dos-Hobbits] (à esquerda), que também aparece em *Artist* (n. 92). Outros quatro esboços inacabados podem ser vistos em *Artist* (n. 93-96), acompanhados de uma discussão sobre a evolução dos desenhos (pp. 101-07).

Eis o que dizia:

"Thorin e Companhia para o Gatuno Bilbo: saudações! Por sua hospitalidade nossos mais sinceros agradecimentos e, à sua oferta de assistência profissional, nosso agradecido aceite. Termos: pagamento à vista no momento da entrega, até e não excedendo uma décima-quarta parte dos lucros totais (caso existam); todas as despesas de viagem garantidas para qualquer eventualidade; despesas funerárias a serem cobertas por nós ou por nossos representantes, se houver ocasião e se o assunto não for resolvido de outra maneira.

Crendo ser desnecessário perturbar seu estimado repouso, procedemos na frente com vistas a fazer os preparativos requeridos e havemos de aguardar sua respeitada pessoa na Estalagem Dragão Verde,[1] Beirágua, às 11h em ponto. Confiando em sua *pontualidade*,
*Honrados de permanecer
ao vosso dispor,
Thorin & Cia.*"

"Ou seja, você só tem dez minutos. Vai ter de correr", disse Gandalf.

"Mas...", disse Bilbo.

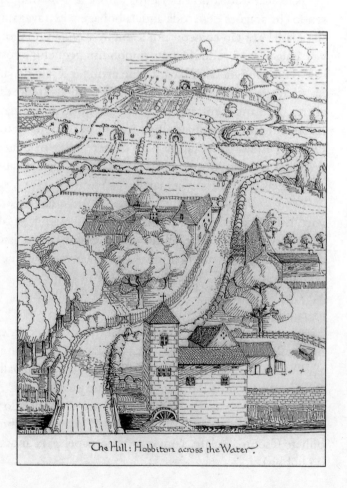

"Sem tempo para isso", disse o mago.

"Mas...", disse Bilbo de novo.

"Sem tempo para isso também! Vamos lá!"

Até o fim de seus dias, Bilbo nunca conseguiu recordar como foi parar lá fora, sem um chapéu, um bastão de caminhada, nem dinheiro algum, nem nada do que costumava levar quando saía; deixando seu segundo desjejum pela metade e sem lavar os pratos, jogando suas chaves nas mãos de Gandalf e correndo tão rápido quanto seus pés peludos conseguiam carregá-lo, descendo a alameda, passando o grande Moinho, atravessando O Água e seguindo por outra milha ou mais.[2]

Todo esbaforido estava quando chegou a Beirágua exatamente quando batiam as onze horas — e descobriu que tinha vindo sem um lenço de bolso!

"Bravo!", disse Balin, que estava de pé na porta da estalagem esperando por ele.

2 *1937:* "and so for a whole mile or more" ["e assim por toda uma milha ou mais"] > *1966-Ball:* "and then on for a whole mile or more" ["e seguindo por toda uma milha ou mais"] > *1966-Longmans/Unwin:* "and then on for a mile or more" ["e seguindo por outra milha ou mais"].

A Colina: Vila-dos-Hobbits-defronte-ao-Água, de J.R.R. Tolkien, uma das ilustrações coloridas padrão para *O Hobbit*. Este desenho foi publicado pela primeira vez como frontispício da segunda impressão da primeira edição inglesa (1937), e como frontispício da edição estadunidense de 1938 (na qual o monograma de Tolkien e a legenda com o título foram removidos). Nestas duas aparições a ilustração recebeu a legenda impressa "The Hill: Hobbiton across the Water" [A Colina: Vila-dos-Hobbits defronte ao Água] (o segundo *the* está em maiúsculas na edição estadunidense). A ilustração aparece em *Artist* (n. 98) e *Pictures* (n. 1, à direita). Vários aspectos das construções que podem ser vistos neste desenho são discutidos por Pat Reynolds em seu artigo "'The Hill at Hobbiton': Vernacular Architecture in the Shire" [A Colina na Vila-dos-Hobbits: arquitetura vernacular no Condado], em *Mallorn*, setembro de 1997 (n. 35).

3 Como decorrência da nota 50 ao Capítulo 1, a "bela manhã, pouco antes do mês de maio" na qual a jornada de Bilbo teve início seria quinta-feira, 28 de abril.

Um esboço de Anãos marchando, de J.R.R. Tolkien. Este esboço provém de uma página reproduzida em *Artist* (n. 103) na qual também aparece um esboço de Smaug. Esta é a melhor representação visual dos anãos feita pela própria mão de Tolkien.

4 *1937:* "They hadn't been riding" ["Não tavam cavalgando"] > *1966-Ball:* "They had not been riding" ["Não estavam cavalgando"].

5 *1937:* "Things went on like this for quite a long while. There was a good deal of wide respectable country to pass through, inhabited by decent respectable folk, men or hobbits or elves or what not, with good roads, an inn or two, and every now and then a dwarf, or a tinker, or a farmer ambling by on business. But after a time they came to places where people spoke strangely, and sang songs Bilbo had never heard before." ["As coisas seguiram como estavam por um período consideravelmente longo. Havia um bom pedaço de uma ampla e respeitável região para passar, habitada por gente decente e respeitável, homens ou hobbits ou elfos ou o que seja, com boas estradas, uma ou duas estalagens e, de vez em quando, um anão, ou um latoeiro, ou um lavrador viajando a negócios. Mas depois de um tempo chegaram a lugares onde as pessoas falavam de modo estranho e cantavam canções que Bilbo nunca tinha ouvido antes."] > *1966-Longmans/Unwin:* "At first they had passed through hobbit lands, a wide respectable country inhabited by decent folk, with good roads, an inn or two, and now and then a dwarf or a farmer ambling by on business. Then they came to lands where people spoke strangely, and sang songs Bilbo had never heard before." ["No começo,

Na mesma hora, todos os outros viraram a esquina da rua que passava pela vila. Estavam montados em pôneis, e cada pônei estava carregado com todo tipo de bagagem, pacote, embrulho e parafernália. Havia um pônei bem pequeno, aparentemente para Bilbo.

"Montem, vocês dois, e vamos lá!", disse Thorin.

"Peço mil desculpas," disse Bilbo, "mas vim sem meu chapéu, e deixei meu lenço de bolso para trás, e não tenho dinheiro nenhum. Só vi seu bilhete depois das 10h45, para ser preciso."

"Não seja preciso", disse Dwalin, "e não se preocupe! Você vai ter de se virar sem lenços de bolso, e sem muitas outras coisas, antes de chegar ao fim da jornada. Quanto a chapéus, eu tenho um capuz e um manto de reserva na minha bagagem."

Foi assim que eles acabaram começando a viagem, saindo trotando da estalagem numa bela manhã, pouco antes do mês de maio,[3] em pôneis carregados; e Bilbo estava usando um capuz verde-escuro (um pouco desbotado pelo tempo) e um manto também verde-escuro emprestado de Dwalin. Eram grandes demais para ele, que ficou com aparência bastante cômica. O que seu pai, Bungo, teria pensado dele, nem ouso imaginar. Seu único conforto é que não havia como confundi-lo com um anão, já que ele não tinha barba.

Não estavam cavalgando[4] fazia muito tempo quando lá veio Gandalf, muito esplêndido em um cavalo branco. Tinha trazido um monte de lenços de bolso, e o cachimbo e o tabaco de Bilbo. Assim, depois disso o grupo seguiu em frente muito alegre, e eles contavam histórias ou cantavam canções enquanto cavalgavam o dia todo, exceto, é claro, quando paravam para as refeições. Essas não eram tão frequentes quanto Bilbo gostaria, mas ainda assim ele começou a sentir que aventuras não eram tão ruins, afinal de contas.

No começo, tinham passado por terras hobbits, uma ampla e respeitável região habitada por gente decente, com boas estradas, uma ou duas estalagens e, de vez em quando, um anão ou um lavrador viajando a negócios. Então chegaram a terras onde as pessoas falavam de modo estranho e cantavam canções que Bilbo nunca tinha ouvido antes.[5] Agora, já tinham adentrado as Terras-solitárias, onde não havia mais ninguém, nem estalagens, e as estradas foram ficando cada vez piores. Não muito longe havia montes desolados, erguendo-se cada vez mais altos, escuros e cobertos de árvores. Em alguns deles havia antigos castelos com um ar maligno, como se tivessem sido construídos por gente perversa. Tudo parecia tristonho, pois o tempo, naquele dia, ficara bem ruim. Em geral, o tempo tinha sido tão bom quanto qualquer mês de maio pode ser, mesmo em histórias alegres, mas agora estava frio e úmido.

Nas Terras-solitárias eles tinham sido obrigados a acampar quando podiam, mas pelo menos tinha sido no seco.⁶

"E pensar que logo vai ser junho!",⁷ resmungou Bilbo, enquanto chapinhava atrás dos demais numa trilha muito lamacenta. Era depois da hora do chá; a chuva desabava, como fizera o dia inteiro; seu capuz jogava pingos d'água em seus olhos, seu manto estava ensopado; o pônei, cansado, tropeçava nas pedras; os outros estavam rabugentos demais para conversar. "E tenho certeza de que a chuva molhou as roupas secas e nossas bolsas de comida", pensou Bilbo. "Para os diabos com a gatunagem e tudo o que tem a ver com ela! Queria estar em casa, na minha toca gostosa, ao lado do fogo, com a chaleira começando a cantar!" Não foi a última vez que desejou isso!

Ainda assim, os anãos seguiam em frente, nunca se virando nem prestando atenção no hobbit. Em algum lugar detrás das nuvens cinzentas o sol devia ter se posto, pois começou a ficar escuro conforme desciam para um vale fundo que tinha um rio na parte mais baixa. O vento aumentou, e salgueiros ao longo das margens se inclinaram e sibilaram.⁸ Por sorte, a estrada passava por uma antiga ponte de pedra, pois o rio, cheio com as chuvas, descia das colinas e montanhas ao norte.⁹

Era quase noite quando atravessaram. O vento dissipou as nuvens cinzentas, e uma lua vagante apareceu¹⁰ acima das colinas, entre os fiapos nebulosos. Então pararam, e Thorin resmungou algo sobre a ceia, "e onde vamos achar um pouco de chão seco para dormir?".

Foi só então que notaram que Gandalf tinha sumido. Até então, tinha vindo com eles por todo o caminho, nunca dizendo se estava participando da aventura ou apenas lhes fazendo companhia por um tempo. Era o que tinha mais comido, mais conversado e mais rido. Mas agora simplesmente não estava mais lá!

"Justo quando um mago seria mais útil, aliás", gemeram Dori e Nori (que compartilhavam das opiniões do hobbit sobre refeições regulares, fartas e frequentes).

Decidiram, no fim das contas, que teriam de acampar onde estavam.¹¹ Foram para um aglomerado de árvores e, embora estivesse mais seco debaixo delas, o vento fazia a chuva cair das folhas, e o pinga-pinga era demasiado irritante. Além disso, o fogo parecia estar rebelde. Anãos são capazes de fazer fogo em quase qualquer lugar, usando quase qualquer coisa, com ou sem vento; mas não estavam conseguindo naquela noite, nem mesmo Oin e Gloin, que eram especialmente bons nessa tarefa.

Então um dos pôneis se assustou do nada e deu no pé. Tinha entrado no rio antes que conseguissem pegá-lo; e, antes

tinham passado por terras hobbits, uma ampla e respeitável região habitada por gente decente, com boas estradas, uma ou duas estalagens e, de vez em quando, um anão ou um lavrador viajando a negócios. Então chegaram a terras onde as pessoas falavam de modo estranho e cantavam canções que Bilbo nunca tinha ouvido antes."] (*1966-Ball* e *1967-HM* seguem *1966-Longmans/Unwin*, mas apresentam a leitura errônea "wild respectable country" ["uma agreste e respeitável região"] na primeira frase.)

6 *1937:* "Inns were rare and not good, the roads were worse, and there were hills in the distance rising higher and higher. There were castles on some of the hills, and many looked as if they had not been built for any good purpose. Also the weather which had often been as good as May can be, even in tales and legends, took a nasty turn." ["Estalagens eram raras e ruins, e as estradas eram piores, e havia montes na distância, erguendo-se cada vez mais altos. Havia castelos em alguns dos montes, e muitos pareciam não ter sido construídos para bom propósito algum. Também o tempo, que tinha sido tão bom como qualquer mês de maio pode ser, mesmo em histórias e lendas, ficou bem ruim."] > *1966-Longmans/ Unwin:* "Now they had gone on far into the Lone-lands, where there were no people left, no inns, and the roads grew steadily worse. Not far ahead were dreary hills, rising higher and higher, dark with trees. On some of them were old castles with an evil look, as if they had been built by wicked people. Everything seemed gloomy, for the weather that day had taken a nasty turn. Mostly it had been as good as May can be, even in merry tales, but now it was cold and wet. In the Lone-lands they had been obliged to camp when they could, but at least it had been dry." ["Agora, já tinham adentrado as Terras-solitárias, onde não havia mais ninguém, nem estalagens, e as estradas foram ficando cada vez piores. Não muito longe havia montes desolados, erguendo-se cada vez mais altos, escuros e cobertos de árvores. Em alguns deles havia antigos castelos com um ar maligno, como se tivessem sido construídos por gente perversa. Tudo parecia tristonho, pois o tempo, naquele dia, ficara bem ruim. Em geral, o tempo tinha sido tão bom quanto qualquer mês de maio pode ser, mesmo em histórias alegres, mas agora estava frio e úmido. Nas Terras-solitárias eles tinham sido obrigados a acampar quando podiam, mas pelo menos tinha sido no seco."] (*1966-Ball* coincide com a leitura de *1966-Longmans/Unwin*, mas omite *been obliged* ["sido obrigados"] da última frase.)

Ao introduzir o nome *Lone-lands* [Terras-solitárias] na edição de 1966 de *O Hobbit*, Tolkien estava provendo um equivalente linguístico para o nome em élfico Sindarin *Eriador* ("wilderness" [deserto]), que em *O Senhor dos Anéis* se refere às vastas terras entre as Montanhas Azuis a oeste e as Montanhas Nevoentas a leste. O Condado, onde os hobbits habitam, fica próximo de seu centro.

7 *1937:* "To think it is June the first tomorrow," ["E pensar que amanhã é primeiro de junho,"] > *1966-Longmans/Unwin:* "To think it will soon be June!" ["E pensar que logo vai ser junho!"] (*1966-Ball*, *1966-A&U* e *1967-HM* apresentam erroneamente uma vírgula no lugar do ponto de exclamação.)

que conseguissem tirá-lo de lá, Fili e Kili quase se afogaram, e toda a bagagem que o cavalo carregava foi levada pela água. É claro que essa bagagem era principalmente comida, de modo que tinha sobrado muito pouco para a ceia e menos ainda para o café da manhã.

Lá estavam todos sentados, cabisbaixos e molhados e resmungando, enquanto Oin e Gloin continuavam tentando acender o fogo e brigavam por causa disso. Bilbo refletia tristemente que aventuras nem sempre são cavalgadas em pôneis à luz do sol de maio quando Balin, que era sempre o vigia do grupo, disse: "Há uma luz ali!"[12] Havia uma colina a alguma distância deles, com árvores em cima, bem densas em alguns pontos. Da massa escura das árvores agora podiam ver uma luz brilhando, avermelhada e com aparência reconfortante, como se fosse uma fogueira ou tochas brilhando.

Depois de observarem a luz por algum tempo, começaram a discutir. Alguns diziam "não" e alguns diziam "sim". Alguns diziam que podiam ir logo até lá e ver do que se tratava, e que qualquer coisa era melhor do que pouca ceia, ainda menos café da manhã e roupas molhadas a noite toda.

Outros disseram: "Estas partes não são muito bem conhecidas e estão perto demais das montanhas. Viajantes quase

Bilbo e os Anãos atravessam a ponte de pedra com seus pôneis. Ilustração de Tove Jansson para as edições sueca de 1962 e finlandesa de 1973. Tove Jansson (1914–2001) era natural da Finlândia, nascida em uma família de falantes de sueco. De todos os ilustradores estrangeiros de *Hobbit*, Jansson é sem dúvida a mais conhecida e aclamada, tanto como artista quanto como escritora. Suas histórias infantis ilustradas sobre os Moomins, uma família de trols excêntricos que lembram hipopótamos, foram publicadas entre 1945 e 1970 e foram traduzidas em todo o mundo. Ela também ilustrou traduções de *A Caça ao Snark* (1959) e *Alice no País das Maravilhas* (1966), de Lewis Carroll. Uma edição inglesa do último com as ilustrações de Jansson foi publicada em 1977. Ela também publicou ficção para adultos.

Sobre ilustrar Tolkien, Jansson escreveu a Mikael Ahlström da Tolkien Society finlandesa em 1992 que "para mim, ilustrar *O Hobbit* foi uma aventura", e seria desejável que ela tivesse dito mais. O Museu Moomin em Tampere, Finlândia, é dedicado aos personagens ficcionais de Jansson, mas ele também abriga suas artes originais para *O Hobbit*. Outras três ilustrações de Jansson podem ser encontradas nas pp. 150, 259 e 301. Ver também a p. 53 (capa de livro).

não vêm por este caminho hoje em dia. Os mapas antigos não prestam: as coisas mudaram para pior, e a estrada não é protegida.[13] Quase não chegaram a ouvir falar do rei[14] por aqui e, quanto menos curioso você for enquanto viaja, menos problemas tende a encontrar." Alguns replicaram: "Afinal de contas, há catorze de nós aqui." Outros comentaram: "Para onde será que Gandalf foi?" Esse comentário foi repetido por todos. Então a chuva começou a desabar mais forte do que nunca, e Oin e Gloin começaram a brigar.

Isso resolveu a questão. "Afinal, temos um gatuno conosco", disseram; e assim partiram, levando seus pôneis (com todo o cuidado devido e apropriado) na direção da luz. Chegaram à colina e logo estavam no bosque. Lá se foram, subindo a colina; mas não havia uma trilha apropriada que pudesse ser vista, do tipo que levaria a uma casa ou a uma fazenda; e não conseguiram evitar que o mato farfalhasse e gemesse e rangesse (nem que eles mesmos resmungassem e xingassem bastante), conforme andavam em meio às árvores naquele breu.

De repente, a luz vermelha brilhou muito forte em meio aos troncos das árvores, pouco à frente deles.

"Agora é a vez do gatuno", afirmaram, querendo dizer Bilbo. "Vá na frente e descubra tudo sobre aquela luz, para que é e se tudo está perfeitamente seguro e tranquilo", disse Thorin ao hobbit. "Agora rasteje até lá e volte logo, se tudo estiver bem. Se não, volte se conseguir! Se não conseguir, pie duas vezes como uma coruja-das-torres e uma vez como uma coruja-do-mato, e faremos o que pudermos."

E lá Bilbo teve de ir, antes que conseguisse explicar que não sabia piar nem uma vez como qualquer tipo de coruja, não mais do que conseguia voar como um morcego. Mas, de qualquer modo, hobbits conseguem se movimentar sem fazer barulho na mata, em silêncio absoluto. Têm orgulho disso, e Bilbo tinha ficado irritado mais de uma vez com o que chamava de "toda essa barulheira de anões" conforme prosseguiam, embora eu não suponha que você ou eu teríamos notado alguma coisa numa noite de muito vento, nem mesmo se toda a cavalgada passasse a dois pés de distância. Quanto a Bilbo, caminhando com cautela na direção da luz vermelha, suponho que nem mesmo uma doninha teria mexido um fio de bigode por causa dele. Então, naturalmente, ele chegou bem perto da fogueira — pois fogueira era — sem incomodar ninguém. E isto é o que ele viu.

Três pessoas muito grandes se sentavam ao redor de uma fogueira muito grande, feita com toras de faia. Estavam assando carne de cordeiro em grandes espetos de madeira e lambendo a gordura de seus dedos. O cheiro era muito apetitoso. Também havia um barril de boa bebida à mão,

8 *1937:* "it began to get dark. Wind got up, and the willows along the river-bank bent and sighed." ["começou a ficar escuro. O vento aumentou, e os salgueiros ao longo da margem do rio se inclinaram e sibilaram."] > *1966-Longmans/Unwin:* "it began to get dark as they went down into a deep valley with a river at the bottom. Wind got up, and willows along its banks bent and sighed." ["começou a ficar escuro conforme desciam para um vale fundo que tinha um rio na parte mais baixa. O vento aumentou, e salgueiros ao longo das margens se inclinaram e sibilaram."] (*1966-Ball* coincide com a leitura do texto de *1937*.)

9 *1937:* "I don't know what river it was, a rushing red one, swollen with the rains of the last few days, that came down from the hills and mountains in front of them." ["Eu não sei qual rio era aquele, de um vermelho apressado, cheio com as chuvas dos últimos dias, que descia das colinas e montanhas à frente deles"] > *1966-Longmans/Unwin:* "Fortunately the road went over an ancient stone bridge, for the river, swollen with the rains, came rushing down from the hills and mountains in the north." ["Por sorte, a estrada passava por uma antiga ponte de pedra, pois o rio, cheio com as chuvas, descia das colinas e montanhas ao norte."] (*1966-Ball* segue *1937*. *1966-A&U* e *1967-HM* não apresentam vírgula após a palavra *river* [rio].)

Esta revisão foi feita para melhor alinhar a geografia de *O Hobbit* com a de *O Senhor dos Anéis*, e especificamente para introduzir "uma antiga ponte de pedra", chamada de "a Última Ponte" ou "a Ponte de Mitheithel" em *A Sociedade do Anel*. Era uma ponte de três arcos, na parte mais oriental da Estrada, cruzando o Rio Fontegris, que os Elfos chamam Mitheithel (sindarin, "nascente-cinzenta").

10 *1937:* "Soon it was nearly dark. The winds broke up the grey clouds, and a waning moon appeared" ["Logo era quase noite. Os ventos dissiparam as nuvens cinzentas, e uma lua minguante apareceu"] > *1966-Longmans/Unwin:* "It was nearly night when they had crossed over. The wind broke up the grey clouds, and a wandering moon appeared" ["Era quase noite quando atravessaram. O vento dissipou as nuvens cinzentas e uma lua vagante apareceu"] (*1966-Ball* segue *1937*).

CORDEIRO ASSADO

Bilbo e os Trols. Ilustração de António Quadros para a edição portuguesa de 1962.

e estavam bebendo em jarros. Mas eram trols. Obviamente trols. Até Bilbo, apesar de sua vidinha protegida, conseguia ver isso: as caras grandes e pesadas deles, e seu tamanho, e a forma de suas pernas, para não falar de sua linguagem, que não era uma linguagem de salão, não, de jeito nenhum.[15]

"Cordeiro ontem, cordeiro hoje e olha lá se num vai sê cordeiro de novo diamanhã", disse um dos trols.

"Nem uma porcaria de pedacinho de carne de homem sobra pra gente já faz tempo", disse um segundo. "Que diacho o William tava pensano quando trouxe a gente pra esses lados, eu nem sei — e a bebida acabano, olha só", disse, empurrando o cotovelo de William, que estava puxando o jarro.

William engasgou. "Calaboca!", disse, assim que conseguiu falar. "Cêis num espera que o povo vai parar aqui só pra ser comido pelo cê e pelo Bert. Cêis dois sozinho já cumero uma vila e meia desde que a gente desceu das montanha. Que mais cêis qué? E até que a gente tá cum sorte, cêis devia era dizê 'brigado, Bill' por um pedacinho gostoso de cordeiro gordo do vale feito esse aqui." Ele arrancou uma boa mordida de uma coxa de cordeiro que estava assando e esfregou os lábios numa manga.

Sim, temo que os trols de fato se comportem desse jeito, até mesmo aqueles que só têm uma cabeça cada um.[16] Depois de ouvir tudo isso, Bilbo devia ter feito alguma coisa de imediato. Ou devia ter voltado quietinho e avisado a seus

Trolls' Hill [Colina dos Trols], de J.R.R. Tolkien. No desenho original, usa-se tinta vermelha para direcionar a atenção para a luz do fogo próxima à crista da colina no primeiro plano esquerdo. O esboço é claramente destinado a ilustrar a seguinte passagem: "Havia uma colina a alguma distância deles, com árvores em cima, bem densas em alguns pontos. Da massa escura das árvores agora podiam ver uma luz brilhando, avermelhada e com aparência reconfortante, como se fosse uma fogueira ou tochas brilhando." Uma reprodução colorida do original pode ser vista em *Artist* (n. 99).

amigos que havia três trols de bom tamanho e maus bofes bem perto, os quais provavelmente experimentariam anão assado, ou mesmo pônei, para variar; ou então deveria ter praticado um pouco de boa gatunagem. Um gatuno legendário que realmente fosse de primeira classe, a essa altura, teria limpado os bolsos dos trols — quase sempre vale a pena, se você conseguir —, arrancado até o cordeiro dos espetos, afanado a cerveja e saído dali sem ser notado. Outros, mais práticos, mas com menos orgulho profissional, talvez tivessem enfiado uma adaga em cada um dos monstros antes de serem observados. Então seria possível passar a noite alegremente.

Bilbo sabia de tudo isso. Tinha lido sobre um bocado de coisas que nunca tinha visto ou feito. Estava muito alarmado, e também enojado; desejava estar a cem milhas dali, e ainda assim — e ainda assim, de algum modo, não podia voltar direto para Thorin e Companhia de mãos vazias. Então ficou e hesitou nas sombras. Dos vários procedimentos gatunescos que conhecia, limpar os bolsos dos trols parecia o menos difícil, de modo que enfim se esgueirou por trás de uma árvore às costas de William.

Bert e Tom tinham ido até o barril. William estava bebendo um pouco mais. Então Bilbo reuniu coragem e colocou sua mãozinha no enorme bolso de William. Havia uma carteira dentro dele, tão grande quanto uma sacola para Bilbo. "Ha!", pensou ele, animando-se com seu novo emprego enquanto a retirava cuidadosamente, "é um começo!"

Era mesmo! As carteiras dos trols são o diabo, e essa não era exceção. "Ô, quem que é?", piou ela quando foi tirada do bolso; e William se virou na mesma hora e agarrou Bilbo pelo pescoço, antes que ele conseguisse se esquivar atrás da árvore.

"Diacho, Bert, olha só o que eu catei!", disse William.

"O que é?", disseram os outros, chegando perto.

"Eu que sei? O que cê é?"

"Bilbo Bolseiro, um gatun... um hobbit", disse o pobre Bilbo, tremendo inteirinho e imaginando como produzir sons de coruja antes que o esganassem.

"Um gatunobbit?", disseram eles, um tanto espantados. Trols são meio lerdos e muito desconfiados em relação a qualquer coisa que seja nova.[17]

"Que que um gatunobbit tem a ver com meu bolso, ué?", disse William.

"E dá pra gente cozinhar ele?", disse Tom.

"Dá pra tentar", disse Bert, pegando um espeto.

"Com ele só dava pra fazer um tira-gosto", disse William, que já tinha comido uma bela ceia, "do que sobrar depois que a gente esfolar e tirar os ossos."

"Vai que tem mais desses aí em volta, aí a gente fazia uma torta", disse Bert. "Olha aqui, tem mais da sua raça escondida

11 *1937:* "camp where they were. So far they had not camped before on this journey, and though they knew that they soon would have to camp regularly, when they were among the Misty Mountains and far from the lands of respectable people, it seemed a bad wet evening to begin on. They moved to a clump of trees" ["acampar onde estavam. Até então eles não haviam acampado antes nesta jornada, e embora soubessem que logo teriam de acampar regularmente, quando estivessem entre as Montanhas Nevoentas e longe das terras de gente respeitável, parecia uma péssima e úmida noite para começar. Foram para um aglomerado de árvores."] > *1966-Longmans/Unwin:* "camp where they were. They moved to a clump of trees." ["acampar onde estavam. Foram para um aglomerado de árvores"] (*1966-Ball* segue *1937*.)

A frase intermediária foi removida porque, nos termos da geografia de *O Senhor dos Anéis*, eles há muito haviam passado para além das terras de gente respeitável.

12 Aqui os anões acabaram de atravessar o Rio Fontegris e veem a luz da fogueira dos trols "a alguma distância", certamente uma distância muito curta. Isso traz à tona uma grande discrepância na geografia de *O Hobbit* quando comparada com a de *O Senhor dos Anéis*. Neste, Aragorn e os hobbits levam quase seis dias do momento em que atravessam o Fontegris até chegarem à clareira dos Trols. Tolkien estava consciente desta discrepância e, em sua reescrita abortada dos primeiros capítulos de *O Hobbit* em 1960, tentou resolver a questão. No entanto, quando veio a revisar o livro para a terceira edição de 1966, fez apenas pequenas mudanças, como o acréscimo da travessia da ponte de pedra (ver nota 9 a este capítulo) e não tentou dar conta da diferença geográfica.

13 *1937:* "Policemen never come so far, and the map-makers have not reached this country yet." ["Policiais nunca vêm tão longe, e os fazedores de mapas ainda não chegaram a esta região."] > *1966-Ball:* "Travellers seldom come this way now. The old maps are no use: things have changed for the worse and the road is unguarded." ["Viajantes quase não vêm por este caminho hoje em dia. Os mapas antigos não prestam: as coisas mudaram para pior, e a estrada não é protegida."]

A referência a "policiais" foi removida por conta de sua inadequação.

14 A menção ao rei provavelmente não foi feita aqui para se referir a um personagem de fato, mas, em vez disso, para evocar a ideia do rei como uma fonte teórica de justiça, lei e ordem.

15 Tolkien apresenta a fala dos Trols em um dialeto cômico, de classe baixa. Essa brincadeira linguística mostra uma percepção sobre linguagem semelhante à que Tolkien atribui a Geoffrey Chaucer em um longo trabalho apresentado à Philological Society [Sociedade Filológica], em Oxford, em 16 de maio de 1931. Este trabalho, intitulado "Chaucer as a Philologist: *The Reeve's Tale*" [Chaucer como filólogo: *O Conto do Feitor*], mostra como Chaucer fez uso do dialeto do inglês médio do norte como fonte de humor para seu público do sul (Londres). Muitas das opiniões expressas sobre Chaucer poderiam ser ditas também sobre Tolkien:

> Chaucer deliberadamente se apoia no riso fácil que é suscitado pelo "dialeto" nos ignorantes ou não filológicos. Mas ele não oferece meras ideias populares sobre "dialeto": ele oferece a coisa genuína, mesmo que seja cuidadoso em dar a seu público certas características óbvias que eles costumam considerar como engraçadas. Ele certamente foi inspirado aqui a valer-se dessa brincadeira fácil para o propósito do realismo dramático — e salvou o *O Conto do Feitor* com esse gesto. No entanto ele certamente não teria feito estas coisas, muito menos as teria feito tão bem, se não possuísse um interesse filológico íntimo, e igualmente um conhecimento sobre "dialeto" falado e escrito, maior do que o habitual em seus dias.
>
> Tais gracejos elaborados, tão plenamente realizados, são aqueles de um homem interessado pela linguagem e conscientemente atento a ela. É algo universal perceber excentricidades na fala dos outros, e rir das mesmas. [...] Muitos podem rir, mas poucos conseguem analisá-las ou registrá-las. (*Transactions of the Philological Society 1934* [Relatórios da Sociedade Filológica 1934], pp. 3–4)

nessas mata aqui, seu cueínho nojento", disse ele, vendo os pés peludos do hobbit; e com isso o pegou pelos dedos dos pés e o chacoalhou.

"Sim, montes", disse Bilbo, antes de lembrar que não devia entregar seus amigos. "Não, nenhum mesmo, nem unzinho", disse imediatamente depois.

"Que cê qué dizer?", perguntou Bert, segurando-o do lado certo, só que pelo cabelo dessa vez.

"O que acabei de dizer", disse Bilbo, sem fôlego. "E por favor, não me cozinhem, gentis senhores! Eu mesmo sou bom cozinheiro e sei cozinhar melhor do que cozinho, se percebem o que quero dizer. Cozinharei muito bem para vocês, um café da manhã perfeitamente lindo para vocês, se apenas não me comerem na ceia."

"Coitadinho do disgramado!", disse William. Ele já tinha comido tanto quanto conseguia engolir na ceia; e também tinha tomado muita cerveja.[18] "Coitadinho do disgramado! Deixa ele!"

"Não até ele explicar esse negócio de *montes* e *nem unzinho*", disse Bert. "Não quero ninguém me cortando a garganta quando eu dormir! Bota o pé dele na fogueira até ele falar!"

"De jeito nenhum", disse William. "Quem pegou ele fui eu."

"Cê é um gordo tonto, William," disse Bert, "igual eu disse hoje de noite."

"E cê é um tapado!"

"Eu que não vou aguentar essa, Bill Huggins", disse Bert, socando o olho de William.

Então houve uma briga linda. Bilbo teve exatamente o juízo necessário, quando Bert o deixou cair[19] no chão, para se safar dos pés deles, antes que começassem a lutar feito cachorros, chamando um ao outro de todos os tipos de nomes perfeitamente verdadeiros e aplicáveis, em voz muito alta. Logo estavam presos um nos braços do outro, quase rolando para cima da fogueira, chutando e pisoteando, enquanto Tom batia em ambos com um galho para fazê-los voltar a si — e isso, claro, só os deixou ainda mais doidos.

Essa seria a hora de Bilbo sair dali. Mas seus pobres pezinhos tinham sido amassados pela enorme pata de Bert, e ele não tinha fôlego nenhum no corpo, e sua cabeça estava girando; e assim, lá ficou ele por um tempo, arfando, na extremidade do círculo criado pela luz da fogueira.

Bem no meio da briga apareceu Balin. Os anãos tinham ouvido ruídos à distância e, depois de esperar por algum tempo que Bilbo voltasse, ou piasse como uma coruja, começaram, um a um, a se esgueirar na direção da luz do modo mais silencioso possível. Assim que Tom viu Balin à luz da fogueira, soltou um uivo horrível. Trols simplesmente

O HOBBIT ANOTADO

Bilbo roubando a carteira do Trol. Ilustração de Nada Rappensbergerová para a edição eslovaca de 1973.

Os Trols. Ilustração de Tornbjörn Zetterholm para a edição sueca de 1947.

Em agosto de 1938, Tolkien, usando vestes do século XIV, representou o papel de Chaucer e recitou de memória *O Conto do Padre da Freira* no Summer Diversions [Diversões de Verão] em Oxford, organizado por John Masefield e Nevill Coghill. No ano seguinte, Tolkien fez o mesmo para *O Conto do Feitor*, e seu texto foi impresso em um pequeno livreto de modo que o público pudesse acompanhar sua recitação.

16 É frequente, nas estórias de fadas, a representação de trols como tendo muitas cabeças. A ilustração acima, de Lancelot Speed (1860–1931), é do trol da história "O Castelo de Soria Moria", em *O Fabuloso Livro Vermelho* (1890), editado por Andrew Lang. *O Fabuloso Livro Vermelho* também contém uma das histórias favoritas da infância de Tolkien, a de Sigurd e o dragão Fafnir.

A abordagem de Bilbo para com os três trols, que estão assando carne em sua fogueira, lembra fortemente uma cena no conto dos Grimm "O caçador experiente", na qual o jovem caçador adentra uma floresta e, vendo o bruxulear de uma fogueira à distância, aproxima-se de três rudes gigantes que estão assando um boi. "O caçador experiente" ("Der gelernte Jäger") foi publicado no segundo volume da primeira edição de *Die Kinder- und Hausmärchen* [Contos maravilhosos infantis e domésticos] (1815).

17 Em 1926, Tolkien escreveu um longo poema sobre um trol, com a intenção de que fosse cantado com a melodia da tradicional canção folclórica inglesa "The Fox Went Out" [A raposa saiu] (A versão estadunidense da canção folclórica é bem diferente, tanto em termos de história como de melodia.) A primeira versão do poema de Tolkien é intitulada "Pēro & Pōdex" ("Boot and Bottom" [Bota & Traseiro]), e a versão seguinte, "The Root of the Boot" [A Raiz da Bota]. Esta versão (dada a seguir) foi impressa sob circunstâncias incomuns em 1936 em um livreto intitulado *Songs for the Philologists* [Canções para os filólogos]. (Para mais informações, ver *O Retorno da Sombra*, volume 6 da *História*, em que o texto impresso do poema inclui algumas revisões adicionais.) Uma versão mais tardia e menos sofisticada deste poema aparece no Capítulo 12 do Livro I de *O Senhor dos Anéis* e está republicada sob o título "O trol de pedra" em *As aventuras de Tom Bombadil*.

O próprio Tolkien pode ser ouvido cantando outra versão deste poema no disco de 1975 *J.R.R. Tolkien Reads and Sings His "The Hobbit" and "The Fellowship of the Ring"* [J.R.R. Tolkien lê e canta seus "O Hobbit" e "A Sociedade do Anel"] (Caedmon TC 1477), baseado em gravações feitas em agosto de 1952.

THE ROOT OF THE BOOT

A troll sat alone on his seat of stone,
And munched and mumbled a bare old bone;
And long and long he had sat there lone
   And seen no man nor mortal —
      Ortal! Portal!
And long and long he had sat there lone
   And seen no man nor mortal.

Up came Tom with his big boots on;
"Hallo!" says he, "pray what is yon?
It looks like the leg of me nuncle John
   As should be lying in the churchyard.
      Searchyard, Birchyard!
It looks like the leg of me nuncle John
   As should be lying in the churchyard."

"Young man," says the troll, "that bone I stole;
But what be bones, when mayhap the soul
In heaven on high hath an aureole
   As big and as bright as a bonfire?
      On fire, yon fire!

detestam ver anãos (que não estejam cozidos). Bert e Bill pararam de brigar imediatamente, e "Um saco, Tom, rápido!", disseram. Antes que Balin (o qual estava tentando adivinhar onde, no meio daquela comoção toda, estava Bilbo) soubesse o que estava acontecendo, colocaram um saco na cabeça dele, e ele foi ao chão.

"Tem mais vindo por aí", disse Tom, "ou tô muito inganado. Montes e nem unzinho, né", disse ele. "Nenhum gatunobbit, mas montes desses anãos. É o que tá parecendo!"

"Acho que cê tá certo," disse Bert, "então melhor a gente sair da luz."

E assim fizeram. Com sacos nas mãos, que usavam para carregar carne de cordeiro e outros tipos de butim, esperaram nas sombras. Conforme cada anão chegava e observava o fogo, e as canecas derramadas, e o cordeiro mastigado, de surpresa, *plop!* lá vinha um saco nojento e fedido por cima da cabeça dele, e ele ia ao chão. Logo Dwalin estava jogado ao lado de Balin, e Fili e Kili juntos, e Dori e Nori e Ori, todos num montinho, e Oin e Gloin e Bifur e Bofur e Bombur,[20] empilhados desconfortavelmente perto da fogueira.

"Assim eles aprende", disse Tom; pois Bifur e Bombur tinham dado muito trabalho, lutando feito doidos, como fazem os anãos quando estão encurralados.

Thorin chegou por último — e não foi pego desprevenido. Chegou esperando problemas e não precisou ver as pernas de seus amigos do lado de fora dos sacos para saber que as coisas não estavam bem. Ficou de fora, nas sombras, a certa distância, e disse: "O que é essa bagunça toda? Quem está batendo no meu povo?"

"São trols!", disse Bilbo, atrás de uma árvore. Tinham se esquecido completamente dele. "Estão se escondendo nos arbustos com sacos", acrescentou.

"Oh, estão, é?", disse Thorin, e deu um salto para a frente na direção da fogueira, antes que conseguissem pular em cima dele. Pegou um grande galho cuja ponta estava pegando fogo e enfiou aquela ponta no olho de Bert antes que o trol conseguisse se esquivar. Isso o colocou fora de combate por algum tempo. Bilbo fez o melhor que pôde. Agarrou a perna de Tom — do jeito que conseguiu, ela tinha a grossura do tronco de uma árvore jovem —, mas foi lançado, girando, para cima de alguns arbustos, quando Tom chutou fagulhas da fogueira na cara de Thorin.

Tom ganhou um galho nos dentes por isso e perdeu um dos da frente. Isso o fez uivar, posso lhe dizer. Mas, bem naquele momento, William veio por trás e enfiou o saco pela cabeça de Thorin, até os dedos dos pés dele. E assim a luta terminou. Em que bela enrascada tinham se enfiado: todos cuidadosamente amarrados dentro dos sacos, com três trols bravos (e dois com queimaduras e pancadas memoráveis) sentados ao lado deles, discutindo se deviam assá-los devagar, ou fatiá-los bem fininho e fervê-los, ou só sentar em cima deles, um por um, e amassá-los até virarem geleia; e Bilbo em cima de um arbusto, com suas roupas e sua pele rasgadas, sem ousar se mexer por medo de que o ouvissem.

Foi bem nessa hora que Gandalf voltou. Mas ninguém o viu. Os trols tinham acabado de decidir que assariam os anões agora para comê-los depois — Bert foi quem teve a ideia e, depois de muita discussão, todos tinham concordado com ela.

"Não adianta assar êis agora, ia levar a noite inteira", disse uma voz. Bert achou que era a de William.

"Não começa a discussão tudo de novo, Bill," disse ele, "ou *vai* levar a noite inteira."

"Quem que tá discutindo?", disse William, que achou que Bert é que tivesse falado.

"Você", disse Bert.

"Cê é um mentiroso", disse William; e assim a discussão começou de novo. No fim, decidiram fatiá-los bem fininho e fervê-los. Então pegaram uma grande panela preta e sacaram suas facas.

"Não dianta cozinhar eles! A gente num tem água, e o poço tá longe e tudo mais", disse uma voz. Bert e William acharam que era a de Tom.

"Calaboca!", disseram eles, "ou a gente não vai acabar nunca. E cê pode pegar água ocê mermo, se falar mais alguma coisa."

"Calaboca ocê!", disse Tom, que achou que tinha sido a voz de William. "Quem tá discutindo é ocê, do que eu tô vendo."

"Cê é um zé mané", disse William.

"Mané é ocê!", disse Tom.

E assim a discussão começou de novo e prosseguiu, mais forte do que nunca, até que enfim decidiram se sentar em cima dos sacos, um a um, amassar os anões e fervê-los mais tarde.

"Em cima de quem a gente senta primeiro?", disse a voz.

"Melhor sentar naquele último sujeito primeiro", disse Bert, cujo olho tinha sido ferido por Thorin. Ele achou que Tom estivesse falando.

"Para de falar sozinho!", disse Tom. "Mas se cê qué sentar no último, vai e senta. Qual que é?"

"O que tá de meia amarela", afirmou Bert.

"Que mané amarela, é o de meia cinza", disse uma voz parecida com a de William.

"Certeza que era amarela", teimou Bert.

"É amarela mesmo", disse William.

In heaven on high hath an aureole
 As big and as bright as a bonfire?"

Says Tom: "Oddsteeth" 'tis my belief,
If bonfire there be, 'tis underneath;
For old man John was as proper a thief
 As ever wore black on a Sunday —
  Grundy, Monday!
For old man John was as proper a thief
As ever wore black on a Sunday.

But I still doan't see what that is to thee,
With me kith and me kin a-makin' free:
So get to hell and ax leave o' he,
 Afore thou gnaws me nuncle!
  Uncle, Buncle!
So get to hell and ax leave o' he,
Afore thou gnaws me nuncle!"

In the proper place upon the base
Tom boots him right — but, alas!, that race
Hath a stonier seat than its stony face;
 So he rued that root on the rumpo,
  Lumpo, Bumpo!
Hath a stonier seat than its stony face;
 So he rued that root on the rumpo.

Now Tom goes lame since home he came,
And his bootless foot is grievous game;
But troll's old seat is much the same,
 And the bone he boned from its owner!
  Donor, Boner!
But troll's old seat is much the same,
 And the bone he boned from its owner!

A RAIZ DA BOTA

Trol senta sozinho na pedra do caminho,
Resmungando e roendo um osso magrinho;
Por muito tempo lá estava sozinho
 Sem ver homem nem mortal —
  Ortal! Portal!
Por muito tempo lá estava sozinho
 Sem ver homem nem mortal.

Lá vem o Tom com calçado do bom
"Alô", diz ao Troll em alto e bom som:
"É a perna, é sim, do meu velho tio João,
 Que devia estar lá no túmulo.
  Húmulo! Cúmulo!
É a perna, é sim, do meu velho tio João,
 Que devia estar lá no túmulo."

O Troll: "Ó rapaz, já peguei, muita calma,
Mas pra que osso, quem sabe a alma
Com auréola no céu se abre, se espalma,
  Como linda e grande fogueira?
Eira, Beira.
Com auréola no céu se abre, se espalma,
  Como linda e grande fogueira?"

Diz Tom: "Diacho! O que eu acho,
Se tem fogueira, é mais lá embaixo;
O velho João era o mais borracho
  Que já bebeu um brande —
Grande, mande!
O velho João era o mais borracho
  Que já bebeu um brande.

Mas não se vê como é que você
Vai pegando assim, sem razão nem porquê:
No inferno peça pra ele, não vê,
  Para roer meu tio!
Frio, tardio!
No inferno peça pra ele, não vê,
  Para roer meu tio!"

No lugar certeiro do seu traseiro
Tom assenta a bota — mas o troll matreiro
Tem o lombo duro e bem grosseiro;
  O Tom se lamenta depressa,
Essa, À beça!
Tem o lombo duro e bem grosseiro;
  O Tom se lamenta depressa.

Após esse tranco Tom de dor ficou branco,
E sem botas nos pés está lento, está manco;
O troll é o mesmo com tal solavanco,
  Com o osso roubado do dono.
Patrono! Abono!
O troll é o mesmo com tal solavanco,
  Com o osso roubado do dono.

(*As Aventuras de Tom Bombadil*. Tradução de Ronald Kyrmse. São Paulo: Martins Fontes — selo Martins, 2018, pp. 206–08.)

Na estrofe final, *boned* vem do verbo *bone*, roubar, fugir com.

.The Trolls.

Os Trols, de J.R.R. Tolkien, uma das ilustrações em preto e branco padrão presente em *O Hobbit* desde 1937. A ilustração aparece em *Artist* (n. 102) e em *Pictures* (n. 2, à esquerda). A versão colorida por H.E. Riddett apareceu pela primeira vez no *The Hobbit Calendar 1976* [Calendário *O Hobbit* 1976] (1975), e em *Pictures* (n. 2, à direita).

O desenho de Tolkien foi claramente modelado a partir da ilustração *Hansel and Grethel Sat Down by the Fire* [João e Maria sentados perto da fogueira], de Jennie Harbour (ao lado), que tem uma história levemente complicada. Ela apareceu pela primeira vez em *My Book of Favorite Fairy Tales* [Meu livro de contos de fadas prediletos] (1921), de Edric Vredenburg, publicado pela firma londrina Raphael Tuck e ilustrado a cores e em preto e branco por Harbour. Vredenburg (c. 1860–1943) foi por muitos anos editor na Tuck, firma que publicava predominantemente livros infantis, incluindo o popular *Father Tuck' Annual* [Anuário do Papai Tuck]. A Tuck frequentemente reciclava conteúdo de suas próprias publicações anteriores em novos formatos. Priscilla Tolkien lembra-se de ter tido diversos livros da Raphael Tuck quando criança.

O HOBBIT ANOTADO

Tolkien encontrou a ilustração de Harbour em *The Fairy Tale Book* [O livro dos contos de fadas], publicado pela Tuck em maio de 1934. *The Fairy Tale Book* contém oito das quinze histórias de *My Book of Favorite Fairy Tales*, mas os textos foram reescritos, as ilustrações rearranjadas, e, no caso da história "Hansel and Grethel", omitiu-se sua gravura colorida. Nenhum editor está creditado. (As reimpressões estadunidenses feitas nos anos 1990 tornam a questão mais complicada. *My Book of Favorite Fairy Tales*, publicado pela Derrydale Books em 1993, não credita Vredenburg e contém apenas dez contos, cujos textos foram reescritos uma vez mais, e as ilustrações de Harbour, quando incluídas, encontram-se reformatadas, por vezes cortadas e até mesmo incrementadas. A edição de 1998 da Derrydale é a mesma de 1993, mas está em formato menor.)

Ao comparar as duas ilustrações, Wayne G. Hammond e Christina Scull escrevem que a de Tolkien "é mais estruturada que a de Harbour, sua floresta mais ameaçadora, suas chamas e fumaça mais vivas. Seu desenho é também mais distintamente Art Nouveau, especialmente em sua fumaça sinuosa e estilizada e nos contrastes agudos de preto e branco. É uma ilustração tecnicamente brilhante" (*Artist*, p. 109).

Sabe-se muito pouco sobre Jennie Harbour, a não ser que ilustrou um pequeno número de livros, quase todos para a firma Raphael Tuck, incluindo *My Book of Mother Goose Nursery Rhymes* [Meu livro das canções de ninar da Mamãe Gansa] (1926) e *Hans Andersen's Stories* [Histórias de Hans Andersen], sendo o último talvez sua realização suprema, com doze gravuras coloridas impressionantes e por volta de 50 desenhos em preto e branco. A obra de Harbour é altamente valorizada por aqueles que a conhecem, mas de outro modo permanece pouco conhecida e subestimada.

18 *1937:* "said William (I told you he had already had as much supper as he could hold; also he had had lots of beer)." ["disse William (eu falei que ele já tinha comido tanto quanto conseguia engolir na ceia; e também tinha tomado muita cerveja)."] > *1966-Ball:* "said William. He had already had as much supper as he could hold; also he had had lots of beer." ["disse William. Ele já tinha comido tanto quanto conseguia engolir na ceia; e também tinha tomado muita cerveja."]

Tolkien removeu aqui uma das interpelações diretas ao leitor. Em 1967, Tolkien disse a um entrevistador: "*O Hobbit* foi escrito no que devo agora considerar como mau estilo, como se alguém estivesse falando a crianças. Não há nada que meus filhos detestassem mais. Eles me ensinaram uma lição. Qualquer coisa que de algum modo evidenciasse *O Hobbit* como para crianças em vez de apenas para pessoas os desagradava — instintivamente. A mim também, agora que penso nisso. Toda essa coisa de 'não vou te contar mais nada; você que pense sobre isso'. Ó não, eles detestavam isso; é horrível. Crianças não são uma classe. Elas são meramente seres humanos, em diferentes estágios de maturidade." (Philip Norman, "The Hobbit Man" [O Homem Hobbit], *Sunday Times Magazine*, Londres, 15 de janeiro de 1967; também publicado na mesma data na *New York Times Magazine* sob o título "The Prevalence of Hobbits" [A prevalência dos Hobbits].)

O *Oxford English Dictionary* nota que *blighter* [disgramado] é gíria para "uma pessoa desprezível ou desagradável; [usada] com frequência apenas como sucedâneo extravagante para *fellow* [camarada; companheiro]."

19 *1937:* "when they dropped him" ["quando o deixaram cair no chão"] > *1966-Ball:* "when Bert dropped him" ["quando Bert o deixou cair no chão"].

20 Quase todos os nomes de anão em *O Hobbit* foram derivados de uma lista de nomes de anão presente no poema do nórdico antigo "Voluspá" (Profecia da Vidente), que é parte de uma coletânea de poemas mitológicos e heroicos em nórdico antigo geralmente conhecida como *Edda Antiga* (ou *Poética*). As versões sobreviventes do poema proveram Tolkien dos seguintes nomes: Durin, Dwalin, Nain, Dain, Bifur, Bofur, Bombur, Nori, Thrain, Thorin, Thror, Fili, Kili, Fundin, Gloin, Dori, Nori e Ori. O epíteto de Thorin, Escudo-de--carvalho, é uma tradução do nome anânico Eikinskjaldi. O nome Gandalf também aparece e seria traduzido como "elfo-do-cajado" ou "elfo-feiticeiro" — logo, "mago". Bombur pode ser traduzido como "gorducho". Os únicos nomes de anão usados por Tolkien que não se encontram precisamente em "Voluspá" são Oin e Balin, mas cada um destes pode ser visto

"Então por que cê disse que era cinza?", retrucou Bert.

"Eu não. Foi o Tom que disse."

"Isso eu nunca falei!", disse Tom. "Foi você."

"Dois a um, então calaboca!", berrou Bert.

"Com quem cês tão falano?", disse William.

"Agora chega!", disseram Tom e Bert juntos. "A noite tá acabano, e tá amanhecendo cedo. Vamo logo com isso!"

"Que o amanhecer os leve e de vocês faça pedra!", disse uma voz que soava como a de William. Mas não era. Pois naquele exato momento a luz subiu pela colina, e ouviram-se muitos piados nos galhos. William não chegou a falar, pois tinha se transformado em pedra enquanto se agachava; e Bert e Tom estavam parados feito rochas, olhando para ele. E lá ainda estão até o dia de hoje, sozinhos, menos quando os passarinhos pousam neles; pois os trols, como você provavelmente sabe, precisam ir para debaixo da terra antes do amanhecer, ou retornam à matéria das montanhas da qual são feitos e nunca mais se mexem.[21] Foi isso o que tinha acontecido com Bert e Tom e William.

"Excelente!", disse Gandalf, enquanto saía detrás de uma árvore e ajudava Bilbo a descer de um arbusto espinhento. Então Bilbo entendeu tudo.[22] Tinha sido a voz do mago que mantivera os trols batendo boca e brigando, até que a luz do sol veio e pôs fim a eles.[23]

O próximo passo foi desamarrar os sacos e deixar os anãos saírem. Estavam quase sufocados e muito irritados: não tinham gostado de ficar lá deitados, escutando os trols fazendo planos de assá-los e amassá-los e fatiá-los. Tiveram de ouvir o relato de Bilbo sobre o que tinha acontecido a ele duas vezes até ficarem satisfeitos.

"Hora boba para praticar furtos[24] e afanar bolsos," disse Bombur, "quando o que queríamos era fogo e comida!"

"E isso é justamente o que vocês não iam conseguir com aqueles sujeitos sem luta, em todo caso", disse Gandalf. "De qualquer modo, agora vocês estão perdendo tempo. Não percebem que os trols devem ter uma caverna ou uma toca cavada em algum lugar aqui perto, onde se escondiam do sol? Temos de procurá-la!"

Vasculharam ao redor e logo encontraram as marcas das botas pedregosas dos trols afastando-se em meio às árvores. Seguiram a trilha morro acima, até que chegaram a uma grande porta de pedra, escondida por arbustos, que levava a uma caverna. Mas não conseguiram abri-la, mesmo com todos a empurrá-la, enquanto Gandalf tentava vários encantamentos.

"Será que isto aqui ajudaria?", perguntou Bilbo, quando eles já estavam ficando cansados e raivosos. "Encontrei no chão onde os trols estavam brigando." Mostrou uma chave das grandes, embora sem dúvida William a achasse muito pequena e discreta. Devia ter caído do bolso dele, por sorte antes que o trol virasse pedra.

"Por que raios você não mencionou isso antes?", gritaram. Gandalf agarrou a chave e a encaixou na fechadura. Então a porta de pedra se abriu para dentro depois de um único grande empurrão, e todos entraram. Havia ossos no piso e um cheiro nojento estava no ar; mas havia uma boa quantidade de comida amontoada sem cuidado em prateleiras e no chão, em meio a uma pilha desarrumada de butim, de todos os tipos, de botões de latão a potes cheios de moedas de ouro num canto. Havia muitas roupas também, penduradas nas paredes — pequenas demais para trols; temo que tivessem pertencido a vítimas — e entre elas havia diversas espadas de vários tipos, formas e tamanhos. Duas chamaram particularmente a atenção deles, por causa de suas belas bainhas e cabos com joias.

Gandalf e Thorin pegaram essas duas; e Bilbo pegou uma faca com uma bainha de couro. Para um trol seria apenas uma minúscula faca de bolso, mas para o hobbit era tão boa quanto uma espada curta.

"Essas aqui parecem ser boas lâminas", disse o mago, desembainhando-as parcialmente e as observando com curiosidade. "Não foram feitas por trol algum, nem por qualquer ferreiro entre os homens destas partes e destes dias; mas, quando conseguirmos ler as runas[25] nelas, havemos de saber mais."

"Vamos sair de perto desse cheiro horrível!", disse Fili. Assim, carregaram para fora os potes com moedas e o que havia de comida ainda intocada e que parecesse apropriada para comer, além de um barril de cerveja que ainda estava cheio. A essa altura, estavam querendo tomar o café da manhã e, como estavam com muita fome, não torceram o nariz para o que tinham conseguido na despensa dos trols. As provisões deles já estavam muito escassas. Agora tinham pão, e queijo, e cerveja de sobra, e bacon para tostar nas brasas da fogueira.

Depois disso foram dormir, pois a noite deles tinha sido conturbada; e não fizeram mais nada até a tarde. Trouxeram então seus pôneis e carregaram para longe os potes de ouro e os enterraram, no maior segredo, não muito longe da trilha à beira do rio, pondo sobre eles muitos feitiços, só para o caso de que algum dia terem a chance de voltar e recuperá-los. Depois que fizeram isso, todos montaram uma vez mais e continuaram pelo caminho que ia para o Leste.

"Para onde você tinha ido, se é que posso perguntar?", disse Thorin a Gandalf enquanto cavalgavam.

"Fui olhar adiante", disse ele.

"E o que o trouxe de volta na hora exata?"

como que rimando com nomes como Gloin e Dwalin.

A lista dos nomes de anão, ou "Dvergatál" (O Registro dos Anões), é geralmente entendida como uma seção interpolada no manuscrito. Na tradução de Henry Adams Bellows, *The Poetic Edda* [Edda Poética] (1923):

Then sought the gods   their assembly-seats,
The holy-ones,   and council held,
To find who should raise   the race of dwarfs
Out of Brimir's blood   and the legs of Blain.

There was Motsognir   the mightiest made
Of all the dwarfs,   and Durin next;
Many a likeness   of men they made,
The dwarfs in the earth,   as Durin said.

Nyi and Nithi,   Northri and Suthri,
Austri and Vestri,   Althjof, Dvalin,
Nar and Nain,   Niping, Dain,
Bifur, Bofur,   Bombur, Nori,
An and Onar,   Ai, Mjothvitnir.

Vigg and Gandalf,   Vindalf, Thrain,
Thekk and Thorin,   Thror, Vit and Lit,
Nyr and Nyrath, —   now have I told —
Regin and Rathsvith —   the list aright.

Fili, Kili,   Fundin, Nali,
Heptifili,   Hannar, Sviur,
Frar, Hornbori,   Frœg and Loni,
Aurvang, Jari,   Eikinskjaldi.

The race of the dwarfs   in Dvalin's throng
Down to Lofar   the list I must tell;
The rocks they left   and through wet lands
They sought a home   in the fields of sand.

There were Draupnir   and Dolgthrasir,
Hor, Haugspori,   Hlevang, Gloin,
Dori, Ori,   Duf, Andvari,
Skirfir, Virfir,   Skafith, Ai.

Alf and Yngvi,   Eikinskjaldi,
Fjalar and Frosti,   Fith and Ginnar;
So for all time   shall the tale be known,
The list of all   the forbears of Lofar.

*[E buscam os deuses   seus assentos,
Os numes,   e tomam conselho,
Quem há de reger   a raça anã
Do sangue e membros   de Brimir e Blain.
Havia Motsognir,   de maior mando
Dentre os anões,   e depois Durin;
À feição d'homens   figuras fizeram,
Os anões na terra,   tal Durin disse.*

*Nyi e Nithi,   Northri e Suthri,
Austri e Vestri,   Althjof, Dvalin,
Nar and Nain,   Niping, Dain,
Bifur, Bofur,   Bombur, Nori,
An e Onar,   Ai, Mjothvitnir.*

*Vigg e Gandalf,   Vindalf, Thrain,
Thekk e Thorin,   Thror, Vit e Lit,
Nyr e Nyrath, — nomes contei —
Regin e Rathsvith — lista correta.*

*Fili, Kili,   Fundin, Nali,
Heptifili,   Hannar, Sviur,
Frar, Hornbori,   Frœg e Loni,
Aurvang, Jari,   Eikinskjaldi.*

*A raça anã   do povo de Dvalin
Até Lofar   a lista eu sigo;
Trás as rochas,   por úmidas terras,
Casa buscam   nos campos de areia.*

*Havia Draupnir   e Dolgthrasir,
Hor, Haugspori,   Hlevang, Gloin,
Dori, Ori,   Duf, Andvari,
Skirfir, Virfir,   Skafith, Ai.*

*Alf e Yngvi,   Eikinskjaldi,
Fjalar e Frosti,   Fith e Ginnar;
Por todo o tempo   perdure o conto,
Lista completa   dos pais de Lofar.]*
(estrofes 9–16; pp. 6–8)

A maioria dos nomes de anão mencionados acima é exclusiva do "Dvergatál", e parte deles possuía presumivelmente alguma significação (por exemplo, Northri, Suthri, Austri e Vestri traduzem-se simplesmente como as direções Norte, Sul, Leste e Oeste), mas para muitos dos nomes quaisquer interpretações são problemáticas.

Os nomes dos anões podem vir da tradição nórdica antiga, mas aspectos de seu comportamento vêm diretamente de contos de fadas como "Branca de Neve" ("Schneewittchen"), da primeira edição de *Die Kinder- und Hausmärchen* (1812), dos Irmãos Grimm (mais

"Olhar para trás", respondeu.

"Exatamente!", exclamou Thorin; "mas poderia ser mais claro?"

"Fui espionar nossa rota. Ela logo vai se tornar perigosa e difícil. Além disso, também estava ansioso sobre como reabastecer nosso pequeno estoque de provisões. Não tinha ido muito longe, entretanto, quando encontrei alguns amigos meus de Valfenda."[26]

"Onde é isso?", perguntou Bilbo.

"Não me interrompa!", disse Gandalf. "Você vai chegar lá daqui a alguns dias, se tivermos sorte, e ficará sabendo tudo sobre o lugar. Como eu estava dizendo, encontrei dois membros do povo de Elrond. Estavam apressados por medo dos trols. Foram eles que me contaram que três dos monstros tinham descido das montanhas e se instalado nas matas não muito longe da estrada: tinham espantado todo mundo desse distrito e estavam emboscando viajantes.

"Imediatamente tive a sensação de que precisavam de mim. Olhando para trás, vi uma fogueira ao longe e fui na direção dela. Então agora vocês já sabem. Por favor, tenham mais cuidado da próxima vez, ou nunca havemos de chegar a lugar algum!"

"Obrigado!", disse Thorin.[27]

familiarmente conhecidos hoje como *Contos de Grimm*), e "Branca de Neve e Rosa Vermelha" ("Schneeweisschen und Rosenrot"), da terceira edição de 1837. "Branca de Neve", que conta a familiar história de Branca de Neve e os sete anões, também pode ser encontrada em *O Fabuloso Livro Vermelho* (1890), editado por Andrew Lang, onde aparece sob o título "Floco de Neve". "Branca de Neve e Rosa Vermelha" também pode ser encontrada em *O Fabuloso Livro Azul* (1889). Curiosamente, esta história inclui um homem-urso, lembrando ligeiramente Beorn, que acaba por ser um jovem príncipe amaldiçoado por um anão a vagar pelas matas como urso selvagem.

Na Seção I ("Os Idiomas e Povos da Terceira Era") do Apêndice F de *O Senhor dos Anéis*, Tolkien escreveu sobre os anões: "São na maior parte uma raça rija e obstinada, secreta, laboriosa, que guarda a lembrança das injúrias (e dos benefícios), apreciadores da pedra, das gemas, mais das coisas que assumem forma sob as mãos do artífice que daquelas que vivem por sua vida própria. Porém não são maus por natureza, e poucos jamais serviram ao Inimigo de livre vontade, não importa o que tenham alegado as histórias dos Homens."

Em *O Hobbit*, nenhum nome de anão é acentuado, e segui tal uso ao longo deste livro. Em *O Senhor dos Anéis*, no entanto, Tolkien acentuou alguns dos nomes dos anãos deste modo: Fíli, Kíli, Óin, Glóin, Thrór, Tráin, Dáin e Náin. Os acentos funcionam como ajuda para a pronúncia. Seguindo o "índice de pronúncia" para o nórdico antigo na tradução de *The Poetic Edda* feita por Bellows, um í (como em Fíli e Kíli) soa como o í em *machine* [ou *capim*, em português]; o ó como em *old* [ou *polvo*, em português] (portanto O´-in e Glo´-in), e o á como em *father* [ou *cabo*, em português] (logo Thra´-in etc.).

21 Em 16 de fevereiro de 1926, a amiga e colega de Tolkien Helen Buckhurst (1894–1963), *fellow* e tutora em St. Hugh's College, Oxford, de 1926 a 1930, leu um trabalho intitulado "Icelandic Folklore" [Folclore islandês] para a Viking Society for Northern Research [Sociedade Viking para Pesquisas Nórdicas]. O trabalho foi publicado posteriormente nos anais da organização, o *Saga-Book*, vol. 10 (cobrindo os anos 1919–27; publicado em 1928–29). O trabalho de Buckhurst relata integralmente algumas histórias interessantes do folclore islandês, incluindo alguns contos de trols, que ela descreve deste modo:

> Os Trols islandeses, retratados tanto nas Sagas como em contos mais recentes, são criaturas imensas, disformes, tendo alguma semelhança com a forma humana, mas sempre hediondamente feios. Fazem suas casas em meio às montanhas, vivendo geralmente em cavernas entre as rochas ou na lava. Possuem quase sempre uma disposição maligna, e descem com frequência durante a noite sobre fazendas remotas a fim de levar ovelhas e cavalos, crianças, ou mesmo homens e mulheres crescidos, para devorá-los em seus lares na montanha. (pp. 222–23)

Ela também observa que "algumas espécies de trols não possuem poder exceto durante a hora da escuridão; durante o dia devem permanecer ocultos em suas cavernas, pois os raios do sol os transformam em pedra" (229). Buckhurst dá um breve exemplo deste tipo de trol:

O TROL NOTURNO

Em certa fazenda sucedia que quem tinha de vigiar a casa na noite de Natal, enquanto o restante dos moradores estava na Missa do Galo, era encontrado morto ou transtornado na manhã seguinte. O povo estava atribulado com isso, e poucos estavam dispostos a ficar em casa na noite de Natal. Certo ano, uma garota voluntariou-se para tomar conta da casa, o que deixou os outros contentes, e foram à igreja. A garota sentou-se no banco na sala de estar, falando e cantarolando para uma criança que estava em seus joelhos. Durante a noite, uma Coisa veio à janela, e disse:

"Fair in my sight is that hand of thing —
My brisk one, my brave one, sing dillido!"

Then she sang:
"Filth has it never swept from the floor
Foul fiend Kári, sing korriro!"

Then said the Thing at the window:
"Fair in my sight is that eye of thing —
My brisk one, my brave one, sing dillido!"

Then sang she:
"Evil it has never lookéd upon,
Foul fiend Kári, sing korriro!"

Then said the Thing at the window:
"Fair in my sight is that foot of thing,
My brisk one, my brave one, sing dillido!"

Then sang she:
"Nought unclean has it trodden upon,
Foul fiend Kári, sing korriro!"

Then said the Thing at the window:
"Day now dawns in the eastern sky,
My brisk one, my brave one, sing dillido!"

Then she sang:
"Dawn now hath caught thee, a stone shalt thou be,

And no man henceforth shall be harméd by thee,
Foul fiend Kári, sing korriro!"

"Belo a meu ver é a mão da coisa —
Moça vivaz, valente, canta dillido!"
Cantou ela:

"Sujeira do chão jamais varreu,
Demo imundo Kári, canta korriro!

Disse a Coisa à janela:
"Belo a meu ver é o olho da coisa —
Moça vivaz, valente, canta dillido!"

Cantou ela:
"Com ele o mal jamais fitou,
Demo imundo Kári, canta korriro!"

Disse a Coisa à janela:
"Belo a meu ver é o pé da coisa,
Moça vivaz, valente, canta dillido!"

Cantou ela:
"Nada de impuro jamais pisou,
Demo imundo Kári, canta korriro!"

Disse a Coisa à janela:
"O dia desponta no leste,
Moça vivaz, valente, canta dillido!"

Cantou ela:
"O dia flagrou-te, pedra tu serás,
E doravante ninguém machucarás,
Demo imundo Kári, canta korriro!"

Então o espectro esvaiu-se da janela; e quando a gente da casa veio pela manhã, viram uma grande pedra postada entre as cumeeiras do telhado; e lá está postada desde então. A garota lhes contou o que ouvira; mas sobre como era o trol ela nada podia dizer, pois jamais olhara em direção à janela. (pp. 229–31)

Buckhurst não cita, mas sua fonte para o conto foi o primeiro volume de *Islenzkar þjódsögur og Æfintyri* (1862), de Jón Árnason. Uma seleta da coleção em dois volumes de Árnason foi traduzida por George E.J. Powell e Eiríkur Magnússon e publicada sob o título *Iceland Legends* [Lendas da Islândia] (1864), mas o volume não contém esta história.

Nos contos folclóricos noruegueses, trols pegos à luz do sol explodem em pedaços.

The Three Trolls are turned to Stone [Os três trols transformam-se em pedra], de J.R.R. Tolkien. Essa ilustração não foi usada na edição original de *O Hobbit*, provavelmente porque a técnica de aguada que Tolkien aplicara aos trols (e ao manto de Gandalf) não seria reproduzida com qualidade por meio de clichê de retícula (ver *Artist*, p. 108). Fora isso, é o único desenho finalizado por Tolkien a retratar Gandalf e a mostrar o rosto de Bilbo de frente. Quanto aos trols, a figura à direita, inclinando-se em seus joelhos, é aparentemente William, com Bert e Tom encarando-o. A "grande panela preta" em primeiro plano não parece capaz de comportar muitos anãos para a fervura.

Essa ilustração foi publicada em sua forma original pela primeira vez em 1979, em *Pictures* (n. 3, à esquerda); ela também apareceu em *Artist* (n. 100). Uma versão colorida por H.E. Riddett apareceu pela primeira vez em *The J.R.R. Tolkien Calendar 1979* [Calendário J.R.R. Tolkien 1979] (1978) e em *Pictures* (n. 3, à direita).

22 *1937:* "he stepped from behind the bushes, and helped Bilbo to climb down out of a thorn-tree." ["saía detrás dos arbustos e ajudava Bilbo a descer de uma árvore espinhenta"] > *1966: Ball:* "he stepped from behind a tree, and helped Bilbo to climb down out of a thorn-bush." ["saía detrás de uma árvore e ajudava Bilbo a descer de um arbusto espinhento"]

Esta passagem pode ter sido revisada a fim de alinhar o texto com a afirmação na p. 81 de que Bilbo estava "up in a bush" ["em cima de um arbusto"]. Além disso, esta revisão faz o texto coincidir com os detalhes do desenho de Tolkien *The Three Trolls are turned to Stone*.

23 O ardil de Gandalf para manter os trols em desavença lembra o do conto dos Grimm "O alfaiate valente", no qual o personagem-título mantém dois gigantes brigando ao arremessar pedras contra eles de modo que cada gigante pense que o outro é o responsável. "O alfaiate valente" ("*Das tapfere Schneiderlein*") foi publicado na primeira edição de *Die Kinder- und Hausmärchen* (1812). Além das inúmeras traduções para o inglês dos contos dos Grimm, uma tradução de "O alfaiate valente" aparece em *O Fabuloso Livro Azul* (1889), editado por Andrew Lang.

Uma passagem similarmente análoga ocorre em "Puss-cat Mew" [Gatinha Miau], de E.H. Knatchbull-Hugessen. Em uma carta de 8 de janeiro de 1971, Tolkien comenta que antes de 1900 costumavam ler para ele uma antiga coleção que "continha uma história que na época eu gostava muito, chamada 'Puss Cat Mew' [Gatinha Miau]" (*Cartas*, n. 319). O livro certamente é *Stories for My Children* [Histórias para meus filhos] (1869), uma coleção de E.H. Knatchbull-Hugesson. Na história "Puss Cat Mew", um jovem chamado Joe Brown viaja por uma floresta vasta e sombria, onde ogros, anões e fadas habitam. Os anões (com nomes como Juff [Jufo], Jumper [Saltador] e Gandleperry [Gandopero]) estão aliados com os sinistros e gigantescos ogros (com nomes como Munchemup [Mastigão], Mumblechumps [Resmúpido] e Grindbones [Triturossos]) no desejo de capturar Joe e outros mortais a fim de comê-los. As fadas são suas inimigas, e assim uma delas, sob a forma de um gato encantado chamado Puss-cat Mew, auxilia Joe.

Em certo ponto de sua aventura, quando buscava resgatar Puss-cat Mew, Joe usa uma luva em sua mão esquerda que o torna invisível:

Ele não tinha ido longe antes de ouvir passos, e, olhando em volta, tendo primeiro calçado sua luva, percebeu o Anão Jufo, com dois dos Ogros, conversando avidamente.

"Por que ele não come ela?", disse o Anão.

"Seu calo minúsculo de dedão!", rosnou um dos Gigantes, "você não pode comer uma Fada, você sabe, ou ele só teria dado uma beliscada. Mas se ele pegar aquele Mortal tolo de quem ela tanto gosta, ele pode comer *ele*, e então ele vai ter direito de casar com ela. Mas sei de uma coisa – não casaria com aquela Gata gritadeira nem por nove-pence-e-meio-pêni. O barulho que ela faz por aquele Joe! Queria ter ele aqui! Iria deixar ele de joelhos! Não faria o mesmo, Resmúpido?"

"Sim", respondeu o outro Ogro, a quem ele tinha dito; "sim, irmão Mastigão, acho que a gente podia mostrar para ele um ou dois truques que valem a pena."

"Por que não faz isso então?", disse uma voz alta próxima deles; e Joe, com sua luva calçada, acertou Jufo com tal pancada na cabeça que o patifezinho saiu rolando feito bola de boliche.

"Ajudem, ó, me ajudem!", rugiu ele em agonia, quando Joe dava-lhe outro golpe; mas os Ogros não podiam ver ninguém, portanto nada fizeram, enquanto Jufo lá jazia a berrar.

No entanto, Joe, percebendo quão bem escondido estava por sua luva, e estando altamente indignado com o Ogro Mastigão, que havia falado tão desrespeitosamente de Gatinha Miau, deu-lhe um golpe nas canelas com seu cajado que o fez pular.

"O que você quer dizer ao me chutar, Resmúpido?"

"Eu não toquei em você", respondeu o outro, a quem Joe aplicara ao mesmo tempo golpe semelhante.

"Mas eu não vou ficar sendo chutado por você", e quando Joe deu outro golpe em cada um, os dois monstros se atacaram furiosamente, cada um acreditando que o amigo lhe havia agredido.

Joe se afastou e assistiu à briga com interesse, até um golpe de Resmúpido derrubar Mastigão no chão, onde ele caiu sem sentidos. (pp. 50–1)

Com sua adaga de aço, Joe então dá cabo dos dois ogros e do anão.

Edward Hugessen Knatchbull-Hugessen (1829–1893), sobrinho-neto de Jane Austen, foi membro do Parlamento por 23 anos. Em 1880 foi elevado à Câmara dos Lordes como o primeiro Barão Brabourne. Entre 1869 e 1886, publicou 13 coleções de estórias de fadas, das quais *Stories for My Children* foi a primeira.

Há algumas outras similaridades com Tolkien encontradas em "Puss-cat Mew". A certa altura, quando um ogro sente que fora ludibriado pelas fadas, ele diz: "Splificate those fairies" ["Que embuste aquelas fadas!"], que lembra a observação aborrecida de Bilbo na p. 54: "Confusticate and bebother these dwarves!" ["Que embrulhada e que apoquentação são esses anões!"]

Mais significativa é uma ilustração não assinada (ao lado) para esta história que mostra um ogro esperando em sua vestimenta de carvalho a fim de capturar um Mortal, que prenuncia os Ents de Tolkien, as criaturas-árvore em *O Senhor dos Anéis*. Segue o texto que acompanha a ilustração, tendo Joe Brown acabado de adentrar na floresta:

> Por fim, entretanto, chegara a um espaço um tanto aberto, quando viu imediatamente à sua frente, a cerca de trinta ou quarenta jardas de distância, um velho Carvalho morto, com dois grandes ramos, com escassas folhas sobre eles, espalhando-se à direita e à esquerda. Quase no mesmo instante em que notara a Árvore, ele percebeu, para sua imensa surpresa, que ela estava visivelmente agitada e tremia por inteiro. Gradualmente, enquanto permanecia imóvel com espanto, este tremor rapidamente ampliou-se, a casca da árvore parecia ter se tornado pele de corpo vivente, os dois membros mortos, gigantescos braços de homem; uma cabeça surgiu do tronco, e um enorme Ogro postou-se ante o viajante atônito. Postou-se, mas apenas por um instante; pois, brandindo um galho do tamanho de uma jovem árvore, deu um passo à frente, proferindo naquele momento tal rugido medonho que subjugou o cantar de todas as aves e fez toda a floresta reecoar com o som terrível. (pp. 15–6)

Joe é salvo pelas Fadas, que o transformam temporariamente em um Espinheiro.

"Puss-cat Mew" pode ter igualmente inspirado Tolkien de outro modo, pois conta a história por trás da rima infantil de mesmo título, um exercício que Tolkien também fizera em seus dois poemas do "Homem da Lua", coletados em *As aventuras de Tom Bombadil* como "O Homem da Lua foi dormir muito tarde" e "O Homem da Lua desceu cedo demais". Ambos os poemas datam da segunda metade dos anos 1910.

"O Homem da Lua foi dormir muito tarde", que conta a história por trás da rima infantil "Hey diddle diddle, the cat and the fiddle" [Ei diddle diddle, o gato e a rabeca], foi (de acordo com uma nota no manuscrito mais antigo) escrito em "Oxford 1919–20". Foi publicado primeiramente em *Yorkshire Poetry*, outubro–novembro de 1923 (2, n. 19), sob o título "The Cat and the Fiddle: A Nursery Rhyme Undone and Its Scandalous Secret Unlocked" [O gato e a rabeca: um poema infantil desfeito e seu escandaloso segredo revelado]. Tolkien revisou o poema e fez uso dele como a canção de Frodo em Bri em *O Senhor dos Anéis*. Uma versão do poema, intimamente relacionada (sendo o texto proveniente de um manuscrito anterior), aparece no volume 6 da *História, O Retorno da Sombra*.

"O Homem da Lua desceu cedo demais" (que conta a história por trás da rima infantil de mesmo nome) foi escrito em 10–11 de março de 1915, e sua versão inicial, intitulada "Why the Man in the Moon Came Down to Soon" [Por que o Homem da Lua desceu cedo demais] aparece no pequeno livro *A Northern Venture: Verses by Members of the Leeds University English School Association* [Uma empresa nórdica: poemas dos membros da Associação da Escola de Inglês da Universidade de Leeds], publicado em Leeds em junho de 1923. Esta versão inicial, com leves diferenças, aparece no primeiro volume da *História, O Livro dos Contos Perdidos, Parte Um*].

O Homem da Lua também aparece como personagem em "O Conto do Sol e da Lua", em *O Livro dos Contos Perdidos, Parte Um*; em *Roverando*, escrito por volta de 1927, mas não publicado até 1998; e na carta do Papai Noel de 1927, publicada no expandido *Letters from Father Christmas* [*Cartas do Papai Noel*] (1999), mas não no original *Father Christmas Letters* [*As Cartas do Papai Noel*] (1976). "The Man in the Moon: Structural Depth in Tolkien" [O Homem da Lua: profundidade estrutural em Tolkien], de Thomas Honneger, publicado em *Root and Branch: Approaches Towards Understanding Tolkien* [Raiz e ramo: abordagens para o estudo de Tolkien] (1999), organizado por Honneger, é um estudo muito interessante sobre as tradições do Homem da Lua na Europa ocidental e o uso que Tolkien faz do personagem.

24 *1937:* "practising burglary" ["praticar gatunagem"] > *1966-Ball:* "practicing pinching" ["praticar furtos"].

25 *1937:* "if we can read the runes" ["se conseguirmos ler as runas"] > *1966-Ball:* "when we can read the runes" ["quando conseguirmos ler as runas"].

26 Em seu guia para tradutores, "Nomenclature of *The Lord of the Rings*", Tolkien observou que Rivendell [Valfenda] ou "Cloven-dell" [Vale-fendido] é "uma tradução na fala comum para *Imladris(t)*, 'deep dale of the cleft' ['vale profundo da fenda']". Imladris é élfico sindarin, mas o nome não é usado em *O Hobbit*, aparecendo pela primeira vez em *O Senhor dos Anéis*.

27 Em um discurso para a Tolkien Society na Inglaterra em 1977, o segundo filho de Tolkien, Michael, disse que quando crianças ele, seus dois irmãos e sua irmã, cada um por vez, em algum ponto de seu desenvolvimento, considerou o capítulo dos Trols como o melhor capítulo do livro. "Pensávamos que havia algo de agradável sobre os Trols, e era uma pena que tivessem de se tornar pedra afinal", continuou ele.

3

UM POUCO DE DESCANSO

Eles não cantaram ou contaram histórias naquele dia, embora o tempo tivesse melhorado; nem no dia seguinte, nem no dia depois desse. Estavam começando a sentir que o perigo não estava longe, mas por todos os lados. Acamparam sob as estrelas, e seus cavalos tinham mais comida do que eles próprios; pois havia grama à vontade, mas quase nada nas bolsas deles, mesmo com o que tinham obtido dos trols. Certa manhã, vadearam um rio[1] num trecho largo e raso, cheio do barulho de pedras e espuma. A outra margem era íngreme e escorregadia. Quando chegaram ao alto dela, conduzindo os pôneis, viram que as grandes montanhas agora estavam muito perto deles. Já pareciam estar a apenas um dia fácil de viagem dos sopés da mais próxima. Escura e desolada era a aparência dela, embora houvesse pedaços de luz do sol em suas laterais amarronzadas, e, atrás de suas encostas, as pontas de picos nevados brilhavam.

"Essa aí é *A* Montanha?", perguntou Bilbo com voz solene, olhando para ela com olhos arregalados. Nunca tinha visto uma coisa que parecesse tão grande antes.

"Claro que não!", disse Balin. "Esse é só o começo das Montanhas Nevoentas, e temos de passar por elas, ou por cima, ou por baixo, de algum modo, antes de conseguirmos chegar às Terras-selváticas[2] mais além. E é um longo caminho, mesmo chegando ao outro lado delas, até a Montanha Solitária no Leste, onde Smaug se deita sobre nosso tesouro."

"Oh!", disse Bilbo, e naquele exato momento se sentiu mais cansado do que jamais lembrara de se sentir antes. Estava pensando mais uma vez na sua cadeira confortável, diante do fogo em sua sala de estar favorita da toca de hobbit e na chaleira cantando. Não foi a última vez!

Agora Gandalf os conduzia. "Não podemos perder a estrada, ou estaremos em maus lençóis", disse ele. "Precisamos

---

1 *1937:* "One afternoon they forded the river" ["Certa tarde, vadearam o rio"] > *1966-Ball:* "One morning they forded a river" ["Certa manhã, vadearam um rio"].

Esta ligeira mudança alinha a geografia de *O Hobbit* com a de *O Senhor dos Anéis*, fazendo deste rio o segundo atravessado em vez do primeiro. Este rio é chamado Ruidoságua (uma tradução do nome élfico *Bruinen*). Ele não possui uma ponte aqui na Estrada, mas é atravessado no Vau do Bruinen, também chamado de Vau de Valfenda.

2 Em seu guia para tradutores, "Nomenclature of *The Lord of the Rings*", Tolkien descreveu a palavra *Wilderland* [Terras-selváticas] como "uma invenção (não encontrada de fato em inglês), baseada em *wilderness* [selva] (com o sentido original de região de criaturas selvagens, não habitada por Homens), mas com uma referência implícita aos verbos *wilder* [errar] 'wander astray' [desviar-se] e *bewilder* [desorientar]."

Bilbo pensa outra vez em sua casa. Ilustração de Mirna Pavlovec para a edição eslovena de 1986. Pavlovec (1953–) também ilustrou a tradução eslovena de *Em busca de Watership Down* (1987), de Richard Adams. Outra ilustração de Pavlovec aparece na p. 103.

Valfenda, de J.R.R. Tolkien, uma das ilustrações coloridas padrão para *O Hobbit*. Essa ilustração foi publicada pela primeira vez na segunda impressão da primeira edição inglesa de 1937 e na edição estadunidense de 1938 (na qual a borda decorada e o título de Tolkien foram removidos). Nos dois casos deu-se à ilustração a legenda impressa "The Fair Valley of Rivendell" ["O Belo Vale de Valfenda"]. Essa ilustração aparece em *Artist* (n. 108) e *Pictures* (n. 6).

No texto de *O Hobbit* (assim como em *O Senhor dos Anéis*), descreve-se muito pouco a forma e o estilo da casa de Elrond. Essa ilustração oferece as únicas pistas de sua aparência exterior.

Marie Barnfield, em seu artigo "The Roots of Rivendell; or, Elrond's House Now Open as a Museum" [As raízes de Valfenda; ou a casa de Elrond agora aberta como museu] em *þe Lyfe ant þe Auncestrye*, primavera de 1996 (n. 3), discute as estreitas semelhanças entre a pintura *Valfenda* e a área ao redor de Lauterbrunnen, na Suíça, visitada por Tolkien em sua excursão a pé no verão de 1911. O artigo inclui fotografias da área, e a autora conclui que a posição da casa de Elrond em relação ao vale e às montanhas corresponde de modo similar à posição do Velho Moinho em Lauterbrunnen e da área que o circunda. O Velho Moinho é agora o museu da cidade.

3 A Borda do Ermo está claramente desenhada no mapa das "Terras-selváticas" de Tolkien. O autor também observou cuidadosamente esta Borda quando Bilbo a atravessa novamente em sua viagem de volta (ver p. 312: "Chegaram ao rio que marcava a exata margem da terra fronteiriça do Ermo").

4 *1937:* "That sounded nice and comforting, and I daresay you think it ought to have been easy to make straight for the Last Homely House" ["O nome soava gentil e reconfortante, e ouso dizer que você pensaria ter sido fácil ir direto para a Última Casa Hospitaleira"] > *1966-Ball:* "That sounded nice and comforting, but they had not got there yet, and it was not so easy as it sounds to find the Last Homely House" ["O nome soava gentil e reconfortante, mas ainda não tinham chegado lá, e não é tão fácil assim achar a Última Casa Hospitaleira"].

Ao descrever a casa de Elrond como *homely* [hospitaleira], Tolkien refere-se ao que o *Oxford English Dictionary* descreve como "característico do lar [*home*] como lugar onde se recebe tratamento gentil; gentil, gentilmente."

5 *1937:* "The afternoon sun shone down; but in all the silent waste there was no sign of any dwelling. They rode on for a while, and they soon saw that that the house might be hidden" ["O sol da tarde brilhava; mas, em todo o deserto silencioso, não havia sinal de qualquer morada. Seguiram cavalgando por um tempo, e logo viram que a casa podia estar escondida"] > *1966-Longmans/Unwin:* "Morning passed, afternoon came; but in all the silent waste there was no sign of any dwelling. They were growing anxious, for they saw now that the house might be hidden" ["A manhã passou, a tarde chegou; mas, em todo o deserto silencioso, não havia sinal de qualquer morada. Estavam ficando ansiosos, pois viam agora que a casa podia estar escondida" (*1966-Ball* segue *1966-Longmans/Unwin*, mas com a leitura errônea "for they now saw" ["pois agora viam"] em vez de "for they saw now" ["pois viam agora"]. A cópia de conferência de Tolkien de 1954 possui uma oração adicional: "They rode on for a while, *but soon they had to dismount and lead their ponies*; for they..." ["Seguiram cavalgando por um tempo, *mas logo tiveram de desmontar e conduzir seus pôneis*; pois eles..."] Esta oração foi provavelmente descartada com a remoção da referência a cavalgar e com a mudança da abertura da frase para "They were growing anxious" ["Estavam ficando ansiosos"].)

6 *1937:* "They still seemed to have gone only a little way, carefully following the wizard, whose head and beard wagged this way and that as he searched for the path, when the day began to fail." ["Ainda parecia que haviam percorrido apenas uma pequena distância, seguindo cuidadosamente o mago, cuja cabeça e barba balançavam de cá para lá enquanto ele buscava o caminho, quando o dia estava terminando." > *1966-Longmans/Unwin:* "His head and beard wagged this way and that as he looked for the stones, and they followed his lead, but they seemed no nearer to the end of the search when the day began to fail." ["A cabeça e a barba do mago balançavam de cá para lá enquanto ele procurava as pedras, e eles o seguiam, mas não pareciam ter chegado mais perto do fim da busca quando o dia estava terminando."] (*1966-Ball* segue *1966-Longmans/Unwin*, exceto pela leitura errônea "followed his head" ["e eles a seguiam"].)

de comida, pra começar, *e* de um descanso razoavelmente seguro — e também é muito necessário enfrentar as Montanhas Nevoentas pelo caminho correto, ou do contrário vocês vão se perder nelas e terão de voltar e principiar do começo de novo (se é que vão conseguir voltar)."

Perguntaram a ele aonde estava tentando chegar, e ele respondeu: "Vocês acabam de chegar à própria borda do Ermo,[3] como alguns de vocês talvez saibam. Escondido em algum lugar à nossa frente está o belo vale de Valfenda, onde Elrond vive na Última Casa Hospitaleira. Enviei uma mensagem por meio de meus amigos, e estamos sendo esperados."

O nome soava gentil e reconfortante, mas ainda não tinham chegado lá, e não é tão fácil assim achar a Última Casa Hospitaleira[4] a oeste das Montanhas. Não parecia haver nenhuma árvore, nenhum vale e nenhuma colina interrompendo a paisagem na frente deles, apenas uma única vasta encosta subindo e subindo devagar até se encontrar com os sopés da montanha mais próxima, uma terra larga da cor de urze e de rocha esfarelada, com pedaços e traços de verde-grama e verde-musgo indicando onde talvez houvesse água.

A manhã passou, a tarde chegou; mas, em todo o deserto silencioso, não havia sinal de qualquer morada. Estavam ficando ansiosos, pois viam agora que a casa podia estar escondida[5] em quase qualquer lugar entre eles e as montanhas. Chegaram a vales inesperados, estreitos e com encostas íngremes, que se abriam de repente a seus pés, e olhando para baixo, surpresos, viram árvores abaixo deles, e água corrente no fundo. Havia gargantas que quase podiam atravessar saltando, mas que eram muito profundas, com quedas d'água dentro delas. Havia ravinas escuras que não podiam ser saltadas nem escaladas. Havia charcos, alguns deles eram lugares verdes e agradáveis de se olhar, com flores crescendo neles, luzentes e altas; mas um pônei que ali andasse com carga em seu lombo nunca conseguiria sair.

Era de fato uma terra muito mais vasta, do vau até as montanhas, do que alguém jamais poderia imaginar. Bilbo estava espantado. O único caminho que havia estava marcado com pedras brancas, algumas das quais eram pequenas, enquanto outras estavam cobertas com musgo ou urze. De todo modo, era um trabalho muito lento seguir a trilha, mesmo guiados por Gandalf, que parecia conseguir achar o caminho bastante bem.

A cabeça e a barba do mago balançavam de cá para lá enquanto ele procurava as pedras, e eles o seguiam, mas não pareciam ter chegado mais perto do fim da busca quando o dia estava terminando.[6] A hora do chá tinha passado fazia tempo e parecia que a hora da ceia logo passaria também. Havia mariposas voejando em volta deles, e a luz já estava muito fraca, pois a lua ainda não nascera. O pônei de Bilbo começou a tropeçar em raízes e pedras. Chegaram à beira de uma descida íngreme do solo tão de repente que o cavalo de Gandalf quase escorregou encosta abaixo.

"Lá está enfim!", gritou ele, e os outros se reuniram ao seu redor e olharam pela beirada. Viram um vale lá embaixo. Podiam ouvir a voz da água apressada num leito rochoso no fundo; o perfume das árvores estava no ar; e havia uma luz na encosta do vale, do outro lado da água.

Bilbo nunca esqueceu a maneira como eles deslizaram e escorregaram no lusco-fusco, descendo o caminho íngreme em zigue-zague que levava ao vale secreto de Valfenda. O ar ficou mais cálido conforme iam descendo, e o cheiro dos pinheiros o deixou sonolento, de modo que, de vez em quando, ele cochilava e quase caía, ou batia seu nariz no pescoço do pônei. O ânimo deles se elevava conforme desciam cada vez mais. As árvores mudaram e apareceram faias e carvalhos, e havia uma sensação confortável no crepúsculo. Os últimos tons de verde tinham quase sumido da relva quando chegaram finalmente a uma clareira não muito acima das barrancas do riacho.

"Hmmm! Isso me cheira a elfos!", pensou Bilbo, e ele olhou para o alto, para as estrelas. Elas ardiam luzentes e azuladas. Nesse exato momento, veio uma explosão de canção semelhante a risos nas árvores:

> *Oh! O que estão fazendo,*
> *Aonde vão descendo,*
> *Os seus pôneis trazendo*
> *Ao ribeiro correndo?*
> *Oh! Trá-lá-lá-láli*
> *aqui embaixo no vale!*
>
> *Oh! O que estão buscando,*
> *Aqui perambulando?*
> *A lenha está queimando,*
> *Os pãezinhos assando!*[7]
> *Oh! Tri-li-li-lóli*
> *viver no vale é mole,*
> *ha! ha!*
>
> *Oh! Pra onde andando*
> *Com barbas balançando?*
> *Vamos imaginando*
> *O que será que traz*
> *O Bolseiro, e lhe apraz*
> *aqui no nosso vale*
> *no verão?*
> *ha! ha!*

7 "Faggot" [aqui traduzido por "lenha"] é um feixe de galhos secos ou ramos. *Bannock* [pãezinhos], de acordo com o *Oxford English Dictionary*, é "o nome, na Escócia e no norte da Inglaterra, de uma forma em que o pão caseiro é feito; geralmente sem fermento, grande em tamanho, de forma redonda ou oval, e achatado."

8 Quase todos os poemas em *O Hobbit* foram aparentemente escritos em sequência junto com o manuscrito do livro. Assim, no contexto da presente afirmação de que os elfos "começaram outra canção, tão ridícula quanto a que transcrevi na íntegra", é muito interessante descobrir um poema inédito identificado, no topo de um dos dois manuscritos, como "Elvish Song in Rivendel" ["Canção élfica em Valfenda"]. A versão sem título é provavelmente a mais antiga, e é a versão posterior (na qual o título é uma adição tardia) que está publicada a seguir.

O manuscrito da versão inicial está escrito em uma página que também contém uma versão (igualmente não intitulada) do poema "Shadow-Bride" ["Noiva de Sombra"], publicado mais tarde em *As aventuras de Tom Bombadil*. Tanto "Noiva de Sombra" quando "Canção Élfica em Valfenda" parecem datar do início dos anos 1930, contemporâneos da escrita de *O Hobbit*. (Uma versão de "Noiva de Sombra" foi supostamente publicada no início dos anos 1930 em algo chamado "Abingdon Chronicle", mas essa publicação tem até agora despistado os pesquisadores.)

ELVISH SONG IN RIVENDELL

Come home, come home, ye merry folk!
The sun is sinking, and the oak
  In gloom has wrapped his feet.
Come home! The shades of evening loom
Beneath the hills, and palely bloom
  Night-flowers white and sweet.

Come home! The birds have fled the dark,
And in the sky with silver spark
  The early stars now spring.
Come home! The bats begin to flit,
And by the hearth 'tis time to sit.
  Come home, come home and sing!

Sing merrily, sing merrily, sing all together!
  Let the song go! Let the sound ring!
The moon with his light, the bird with his
  feather:
  Let the moon sail, let the bird wing!
The flower with her honey, the tree with his
  weather:
  Let the flower blow, let the tree swing!
Sing merrily, sing merrily, sing all together!

[CANÇÃO ÉLFICA EM VALFENDA

Ao lar, ao lar, alegre gente!
Baixa a sol e o carvalho sente
  Em treva os pés cobrir.
Ao lar! Sombras da noite velam
Sob montes, e as flores revelam
  Doce e alvo florir.

Ao lar! Aves o escuro evitam,
E no céu em prata saltitam
  Estrelas a brilhar.
Ao lar! Esvoaça o morcego,
E ao pé do fogo há achego.
  Ao lar, cantai ao lar!

Cantai com alegria, uma só cantilena!
  Que a canção soe! Que o som avance!
O lua e sua luz, a ave e sua pena:
  Que o lua singre, a ave se lance!
A flor com seu mel, e a árvore plena:
  Que a flor viceje, a árvore dance!
Cantai com alegria, uma só cantilena!]

O terceiro verso da segunda estrofe lia-se originalmente "The earliest star doth swing" [A mais antiga estrela a dançar]. Isto foi corrigido para a leitura aqui apresentada na mesma ocasião em que o título "Elvish Song in Rivendell" foi adicionado.

9 Sobre Elrond e o desenvolvimento posterior de seu personagem em *O Senhor dos Anéis*, Tolkien escreveu a Christopher Bretherton em uma carta de 16 de julho de 1964: "A passagem no Cap. 3 que o relaciona aos Meio-Elfos da mitologia foi um feliz acidente, devido à dificuldade de constantemente inventar bons nomes para novos personagens. Dei-lhe o nome Elrond casualmente, mas como este vem da mitologia [...] tornei-o meio-elfo." (*Cartas*, n. 257)

Oh! Vocês vão ficando
Ou já vão nos deixando?
Olha os pôneis zanzando!
O dia está acabando!
Ir embora é bobeira
Se a tarde é prazenteira
Venham cá escutar
Até a lua deitar
  a canção
  ha! Ha! [a]

Assim eles riam e cantavam nas árvores: e uma bela de uma maluquice é o que imagino que você tenha achado dessa canção. Não que eles se importassem; só ririam mais ainda se você dissesse isso a eles. Logo Bilbo começou a vislumbrá-los, conforme a escuridão aumentava. Ele adorava elfos, embora raramente os encontrasse; mas também tinha um pouco de medo deles. Anãos não se dão bem com elfos. Até anãos bastante decentes, como Thorin e seus amigos, acham-nos tolos (o que é uma coisa muito tola de se achar), ou ficam irritados com eles. Pois alguns elfos os provocam e riem deles, principalmente das barbas.

"Ora, ora!", disse uma voz. "Veja só! Bilbo, o hobbit, num pônei, minha nossa! Não é sensacional?"

"Incrivelmente maravilhoso!"

E lá começaram outra canção, tão ridícula quanto a que transcrevi na íntegra.[8] Por fim um deles, um rapaz alto, saiu das árvores e se inclinou diante de Gandalf e Thorin.

"Bem-vindos ao vale!", disse.

"Obrigado", disse Thorin, meio mal-humorado; mas Gandalf já tinha descido do cavalo e se misturara aos elfos, conversando alegremente com eles.

"Vocês estão um pouco fora do caminho", disse o elfo; "quer dizer, se estão tentando chegar ao único caminho que atravessa a água e chega à casa do outro lado. Vamos corrigir o seu curso, mas é melhor vocês continuarem a pé até atravessarem a ponte. Vão ficar um pouco e cantar conosco ou vão seguir direto? A ceia está sendo preparada por lá",

---

[a] *O! What are you doing, / And where are you going? / Your ponies need shoeing! / The river is flowing! / O! tra-la-la-lally / here down in the valley! / O! What are you seeking, / And where are you making? / The faggots are reeking, / The bannocks are baking! / O! tril-lil-lil-lolly / the valley is jolly, / ha! ha! O! Where are you going / With beards all a-wagging? / No knowing, no knowing / What brings Mister Baggins / And Balin and Dwalin / down into the valley / in June / ha! ha! O! Will you be staying, / Or will you be flying? / Your ponies are straying! / The daylight is dying! / To fly would be folly, / To stay would be jolly / And listen and hark / Till the end of the dark / to our tune / ha! ha!*

contou ele. "Consigo sentir o cheiro da madeira queimando na cozinha."

Cansado como estava, Bilbo teria gostado de ficar um pouco. Cantares élficos não são algo que se possa perder, ainda mais no verão e sob as estrelas — não se você aprecia tais coisas. E ele também teria gostado de ter uma palavrinha em particular com essa gente que parecia saber seus nomes e tudo a seu respeito, embora nunca os tivesse visto antes. Achou que a opinião deles sobre sua aventura poderia ser interessante. Elfos sabem muita coisa e são uma gente incrível no que diz respeito a notícias; ficam sabendo do que está acontecendo entre os povos da terra com a mesma rapidez com que a água corre, ou mais rápido.

Mas os anãos só queriam saber de ceiar o mais rápido possível naquele momento e não desejavam ficar. Lá se foram todos eles, conduzindo seus pôneis, até serem levados a uma boa trilha e assim, afinal, à beirada do rio. A água corria rápida e barulhenta, como fazem os riachos de montanha num anoitecer de verão, quando o sol brilhou o dia todo sobre a neve nas alturas. Havia apenas uma ponte estreita de pedra sem parapeito, com a largura exata para que um só pônei andasse por ela com calma; e por essa ponte é que tiveram de passar, lentamente e com cuidado, um a um, cada qual conduzindo seu pônei pelas rédeas. Os elfos tinham trazido lanternas brilhantes para a outra margem e cantavam uma canção alegre, conforme o grupo atravessava.

"Não molhe a barba na espuma, papai!", gritaram para Thorin, que tinha inclinado o corpo quase até ficar de quatro. "Ela já é bem comprida quando não está aguada."

"Não deixem Bilbo comer todos os bolos!", berraram. "Ele ainda está muito gordo para conseguir passar pelo buraco da fechadura!"

"Quietos, quietos, Boa Gente! E boa noite!", disse Gandalf, que passou por último. "Os vales têm ouvidos, e alguns elfos têm línguas alegres demais. Boa noite!"

E assim, afinal, chegaram à Última Casa Hospitaleira e encontraram suas portas escancaradas para eles.

Ora, é uma coisa estranha, mas coisas que são boas de aproveitar e dias que são bons de passar a gente acaba descrevendo rápido e não é grande coisa ouvir sobre eles; enquanto coisas que são desconfortáveis, palpitantes, ou mesmo sanguinolentas podem acabar virando uma boa história e, de qualquer jeito, precisam de um tempão para ser contadas. Eles ficaram muito tempo naquela boa casa, catorze dias pelo menos, e acharam difícil deixá-la. Bilbo teria ficado contente por lá para todo o sempre — mesmo supondo que bastasse desejar para que fosse transportado diretamente de volta à

Elrond apareceu pela primeira vez no legendário no "Esboço da Mitologia" de Tolkien, de 1926, que é a primeira versão do "Silmarillion". Ele foi publicado no volume 4 da *História, A Formação da Terra-média*. Elrond é introduzido com o filho de Eärendel (ele mesmo meio-elfo) e Elwing (de ancestralidade mista, incluindo élfica, humana e sangue divino): "O filho deles (Elrond), que é meio-mortal e meio-élfico, uma criança, foi salvo, entretanto, por Maidros. Quando, mais tarde, os Elfos retornam para o Oeste, preso à sua metade mortal, ele escolhe ficar na terra. Por meio dele, o sangue de Húrin (seu tio-avô) e o dos Elfos ainda se encontram entre os Homens, e ainda são vistos em valor e em beleza e em poesia".

10 *1937:* "their bruises their tempers and their hopes." ["seus arranhões seus ânimos e suas esperanças."] > *1966-Ball:* "their bruises, their tempers and their hopes" ["seus arranhões, seus ânimos e suas esperanças."] (*1966-A&U* e *1967-HM* seguem *1937*.)

11 *1937:* "swords of the elves that are now called Gnomes" ["espadas dos elfos que agora são chamados Gnomos"] > *1966-Ball:* "swords of the High Elves of the West, my kin" ["espadas {...} dos Altos Elfos do Oeste, que eram minha gente"].

O nome *gnomos* foi originalmente usado para um dos povos dos *elfos*, os Noldor (quenya, "os que sabem"). Em uma carta para a Allen & Unwin datada de 20 de julho de 1962, Tolkien escreveu que "a palavra foi usada como uma tradução do nome real, de acordo com minha mitologia, do povo alto-élfico do Oeste. Pedantemente, associando-o com o grego *gnome* "pensamento, inteligência". Mas o abandonei, uma vez que é por demais impossível dissociar o nome das associações populares do *gnomus = pygmaeus* paracelsiano" (*Cartas*, n. 239). Gnomos, de acordo com Paracelso (1493–1531), eram criaturas elementares da terra, que viviam no subterrâneo e eram capazes de se mover através da terra como se ela fosse ar. Na tradição popular, gnomos têm sido frequentemente equiparados aos anãos ou gobelins.

UM POUCO DE DESCANSO

Elrond descobre as letras-da-lua. Ilustração de Maret Kernumees para a edição estoniana de 1977. Kernumees (1934–1997) foi uma prolífica ilustradora de livros infantis estonianos. Ela também ilustrou traduções estonianas das obras de Hans Christian Andersen e dos Irmãos Grimm. Suas ilustrações para *O Hobbit* capturam verdadeiramente o encanto de estória de fadas da narrativa. Outras oito ilustrações de Kernumees podem ser encontradas nas pp. 111, 119, 160, 184, 268, 291 e 302.

12 Os nomes das espadas estão ambos em élfico sindarin: *Orcrist*, significando "Corta-gobelim", e *Glamdring*, que significa "Martelo-do-inimigo".

A história da fortaleza élfica de Gondolin foi escrita pela primeira vez por volta de 1916–17 e é uma das histórias mais antigas do legendário de Tolkien. O conto essencial aparece em diversas outras formas, mas é provavelmente mais conhecido pelo Capítulo 23, "De Tuor e da Queda de Gondolin", em *O Silmarillion*.

sua toca de hobbit sem incômodos. Contudo, há pouco a contar sobre a estadia deles ali.

O mestre da casa era um amigo-dos-elfos — um daquele povo cujos pais fizeram parte das estranhas histórias antes do princípio da História, as guerras dos gobelins malignos contra os elfos e os primeiros homens no Norte. Naqueles dias de nossa história ainda havia algumas pessoas que tinham tanto elfos quanto heróis do Norte entre seus ancestrais, e Elrond,[9] o mestre da casa, era o principal deles.

Ele era tão nobre e belo de rosto quanto um senhor-élfico, tão forte quanto um guerreiro, tão sábio quanto um mago, tão venerável quanto um rei dos anãos e tão gentil quanto o verão. Ele aparece em muitas histórias, mas seu papel na história da grande aventura de Bilbo é bem pequeno, ainda que importante, como você verá, se chegarmos mesmo ao fim dela. Sua casa era perfeita, não importa se você gostasse de comer, de dormir, de trabalhar, de contar histórias, de cantar, ou de apenas se sentar e pensar melhor no que fazer, ou de uma mistura agradável de tudo isso. Coisas malignas não entravam naquele vale.

Queria ter tempo para lhe contar só algumas das histórias, ou uma ou duas das canções que eles ouviram naquela casa. Todos eles — os pôneis também — ficaram recuperados e fortes após poucos dias ali. Suas roupas foram emendadas, assim como seus arranhões, seus ânimos e suas esperanças.[10] Suas bolsas se encheram de comida e provisões leves de carregar, mas duráveis o suficiente para que conseguissem atravessar os passos das montanhas. Seus planos foram corrigidos

À esquerda: Elrond descobre as letras-da-lua. Ilustração de Ryûichi Terashima para a edição japonesa de 1965. Terashima (1918–2001) também ilustrou a tradução japonesa de *O Senhor dos Anéis* (1972), que, como *O Hobbit*, foi traduzido por Teiji Seta (1916–1979), um tradutor, editor e escritor de livros infantis bastante conhecido. Seta e Terashima trabalharam juntos em alguns outros projetos além de Tolkien. Terashima também pintava retratos, especializando-se nos de mulheres exóticas. Os muitos livros infantis que ele ilustrou incluem traduções de *Sequestrado* (1972) e *A ilha do tesouro* (1976), de Robert Louis Stevenson, *A pedra encantada de Brisingamen* (1969) e *A lua de Gomrath* (1969), de Alan Garner, e obras de Kenneth Grahame, Arthur Ransome e John Masefield. Ele também ilustrou muitos livros infantis de origem japonesa.

As ilustrações de Terashima para *O Hobbit* mostram que ele estudou de muito perto as próprias ilustrações de Tolkien, permitindo que as concepções do autor influenciassem seus próprios desenhos. Clyde S. Kilby escreveu em seu livro de memórias, *Tolkien and The Silmarillion* (1976), que Tolkien "estava contente com a tradução japonesa de *O Hobbit*, e me mostrou com particular satisfação o frontispício que retratava Smaug caindo convulsivamente" sobre a Cidade-do-lago. Outras sete ilustrações de Terashima podem ser encontradas nas pp. 107, 122, 168, 189, 214, 239 e 265.

com os melhores conselhos. Assim chegou o dia da véspera do meio-do-verão, e eles se prepararam para continuar a jornada com o sol nascente do dia seguinte.

Elrond sabia tudo sobre runas de todo tipo. Naquele dia, observou as espadas que eles tinham trazido do covil dos trols e disse: "Estas aqui não foram feitas por trols. São espadas antigas, espadas muito antigas dos Altos Elfos do Oeste, que eram minha gente.[11] Foram feitas em Gondolin para as Guerras-gobelins. Devem ter vindo do tesouro de um dragão ou do butim de gobelins, pois dragões e gobelins destruíram aquela cidade há muitas eras. Esta, Thorin, as runas dizem ser Orcrist, a Corta-gobelim, na antiga língua de Gondolin; era uma lâmina famosa. Esta, Gandalf, era Glamdring, Martelo-do-inimigo, que o rei de Gondolin certa vez usou.[12] Guardem-nas bem!"

"Onde será que os trols as pegaram?", disse Thorin, olhando para sua espada com novo interesse.

"Eu não saberia dizer", respondeu Elrond, "mas pode-se imaginar que os seus trols tinham saqueado outros saqueadores, ou descoberto os restos de antigos roubos em algum esconderijo nas montanhas. Ouvi dizer que ainda há tesouros esquecidos de outrora, a serem descobertos[13] nas cavernas desertas das minas de Moria, desde a guerra entre anãos e gobelins."

Thorin sopesou essas palavras. "Guardarei essa espada com honra", disse ele. "Que ela possa cortar gobelins uma vez mais!"

"Um desejo que provavelmente vai ser atendido muito em breve nas montanhas!", disse Elrond. "Mas mostre-me agora o seu mapa!"

Pegou-o e o fitou longamente e balançou a cabeça; pois, se não aprovava de todo os anãos e seu amor pelo ouro, ele odiava dragões e sua perversidade cruel, e se entristecia ao recordar a ruína da cidade de Valle e seus sinos alegres, e as encostas queimadas do luzente Rio Rápido. A lua estava brilhando com um largo crescente prateado. Ele ergueu o mapa, e a luz branca brilhou através dele. "O que é isto?", disse. "Há letras-da-lua aqui, ao lado das runas normais, que dizem 'Cinco pés de altura a porta, e três podem entrar lado a lado.'"

"O que são letras-da-lua?", perguntou o hobbit, cheio de empolgação. Ele adorava mapas, como eu já contei a você antes; e também gostava de runas e letras e caligrafia habilidosa, embora, quando ele próprio escrevia, a letra saísse meio fina e enrolada.

"Letras-da-lua são runas, mas não é possível vê-las," disse Elrond, "não quando você olha diretamente para elas. Só podem ser vistas quando a lua brilha detrás delas e,

13 *1937:* "in some hold in the mountains of the North. I have heard that there are still forgotten treasures to be found" ["em algum esconderijo nas montanhas do Norte. Ouvi dizer que ainda há tesouros escondidos a serem descobertos"] > *1966-Longmans/Unwin:* "in some hold of the mountains. I have heard that there are still forgotten treasures of old to be found" ["em algum esconderijo nas montanhas. Ouvi dizer que ainda há tesouros esquecidos de outrora, a serem descobertos"] (*1966-Ball* segue *1937*, com a ligeira mudança para "treasures of old" ["tesouros de outrora"]. Em *1966-A&U* lê-se erroneamente: "in some hole [*sic*, for *hold*] in the mountains of old. I have heard that there are forgotten treasures to be found" ["em algum buraco {*sic*, para *esconderijo*} nas montanhas de outrora. Ouvi dizer que há tesouros esquecidos, a serem descobertos"]. Em *1967-HM* lê-se erroneamente: "in some hole [*sic*, for *hold*] in the mountains of old. I have heard that there are still forgotten treasures of old to be found" ["em algum buraco {*sic*, para *esconderijo*} nas montanhas de outrora. Ouvi dizer que ainda há tesouros esquecidos de outrora, a serem descobertos"]. Na edição de 1988 de *O Hobbit Anotado*, a leitura sugerida era: "in some hold in the mountains of old. I have heard that there are still forgotten treasures to be found." ["em algum esconderijo nas montanhas de outrora. Ouvi dizer que ainda há tesouros esquecidos, a serem descobertos"]. A leitura correta, claramente inserida na cópia de conferência de Tolkien de 1954, é a publicada no texto de *1966-Longmans/Unwin:* "in some hold in the mountains. I have heard that there are still forgotten treasures of old to be found." ["em algum esconderijo nas montanhas. Ouvi dizer que ainda há tesouros esquecidos de outrora, a serem descobertos."])

UM POUCO DE DESCANSO

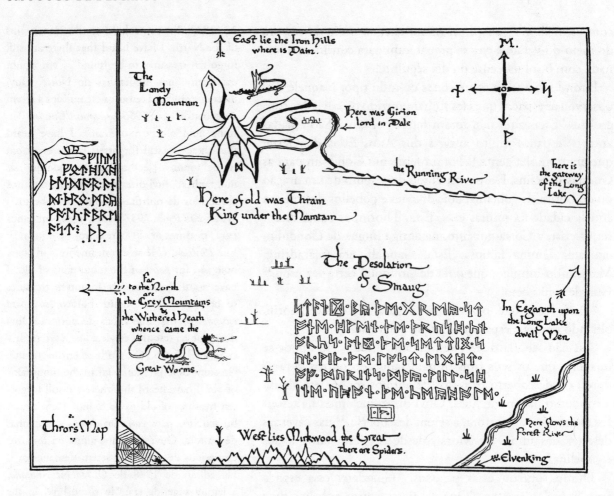

O *Mapa de Thror* de J.R.R. Tolkien, com as letras-da-lua visíveis. Transcritas (com os pares de letras representados por um único caractere nas runas sublinhados, as runas dizem: STAND BY THE GREY ST / ONE HWEN THE THRUSH KN / OCKS AND THE SETTING S / UN WITH THE LAST LIGHT / OF DURINS DAY WILL SH / INE UPON THE KEYHOLE / TH. [FIQUE AO LADO DA PEDRA / CINZENTA QUANDO O TOR / DO BATER, E O SOL POE / NTE, COM A ÚLTIMA LUZ D / O DIA DE DURIN, BRILHAR / Á SOBRE A FECHADURA / TH.] A grafia *hwen* para *when* na segunda linha reflete o uso anglo-saxão.

14 *1937:* "Stand by the grey stone where the thrush knocks" ["Fique ao lado da pedra cinzenta onde o tordo bater"] > *1951:* "Stand by the grey stone when the thrush knocks" ["Fique ao lado da pedra cinzenta quando o tordo bater"].

Tolkien escreveu a seu ex-aluno G.E. Selby em 14 de dezembro de 1937: "*Onde* por *quando* p. 64 é apenas um erro, e vou corrigi-lo de bom grado."

ademais, no caso do tipo mais sofisticado, é preciso que seja uma lua da mesma forma e estação do dia em que elas foram escritas. Os anãos as inventaram e escreviam-nas com penas de prata, como seus amigos podem lhe contar. Estas aqui devem ter sido escritas em uma véspera de meio-do-verão com lua crescente, muito tempo atrás."

"O que elas dizem?", perguntaram Gandalf e Thorin juntos, um pouco vexados, talvez, pelo fato de Elrond ter descoberto isso primeiro, embora na verdade eles não tivessem tido uma oportunidade como essa antes, e sabe-se lá quando teria surgido outra.

"Fique ao lado da pedra cinzenta quando o tordo bater,"[14] leu Elrond, "e o sol poente com a última luz do Dia de Durin brilhará sobre o buraco da fechadura."

"Durin, Durin!", disse Thorin. "Ele era o pai dos pais da raça mais antiga dos anãos,[15] os Barbas-longas, e meu primeiro ancestral: sou o herdeiro dele."[16]

"Então o que é o Dia de Durin?", perguntou Elrond.

"O primeiro dia do Ano Novo dos anãos", disse Thorin, "é, como todos deviam saber,[17] o primeiro dia da última lua de Outono, no limiar do Inverno. Ainda chamamos esse evento de Dia de Durin, quando a última lua do Outono e

15 Durin é o nome do mais antigo dos Sete Pais da raça dos Anãos. Em *Os Povos da Terra-média*, volume 12 da *História*, em alguns escritos originalmente planejados como parte do Apêndice A de *O Senhor dos Anéis*, aprendemos que as sete casas dos Anãos são os Barbas-longas, Barbas-de-fogo, Vigas-largas, Punhos-de-ferro, Barbas-rijas, Cachos-negros e Pés-de-pedra. Em *O Hobbit*, conta-se que Bifur, Bofur e Bombur são de uma linhagem diversa da de Durin, mas não se especifica qual linhagem seria esta.

A distinção em Sete Casas é uma concepção tardia, mencionada pela primeira vez no Apêndice A da primeira edição de *O Senhor dos Anéis*. Na edição original de *O Hobbit*, a linhagem de Durin representa uma de apenas duas raças dos Anãos. Essa afirmação permaneceu inalterada até as revisões feitas por Tolkien em 1966.

Para a história da criação dos Anãos por Aulë, ver o Capítulo 2 de *O Silmarillion*. Ao chamar os Anãos de Barbas-longas [Longbeards], Tolkien está provavelmente evocando os Lombardos ("Long-beards" [Barbas-longas], inglês antigo *Longbeardan*), um povo germânico renomado por sua ferocidade. (Ver o volume 5 da *História*, *A Estrada Perdida*.)

16 *1937:* "He was the father of the fathers of one of the two races of dwarves, the Longbeards, and my grandfather's ancestor" ["Ele era o pai dos pais de uma das duas raças dos anãos, os Barbas-longas, e ancestral de meu avô"] > *1966-Ball:* "He was the father of the fathers of the eldest race of Dwarves, the Longbeards, and my first ancestor: I am his heir" ["Ele era o pai dos pais da raça mais antiga dos anãos, os Barbas-longas, e meu primeiro ancestral: sou o herdeiro dele"].

17 *1937:* "as everyone knows" ["como todo mundo sabe"] > *1966-Ball:* "as all should know" ["como todos deviam saber"].

18 A referência aqui ao meio-do-verão é ambígua. Ela pode significar o solstício de verão, por volta de 21 de junho, ou pode significar 24 de junho, que é tradicionalmente o [Primeiro] Dia de Verão, a festa de São João Batista. Ambas as datas se sustentam de acordo com o *Oxford English Dictionary*.

Karen Wynn Fonstad, em sua cronologia de *O Hobbit* publicada na edição revista de *O Atlas da Terra-média* (1991), interpretou a referência ao meio-do-verão como sinônima do solstício de verão e também como equivalente ao Dia do Meio-do-Ano do Calendário do Condado no Apêndice D de *O Senhor dos Anéis*. Esta última correspondência apoia-se na afirmação presente no Apêndice A de que Aragorn e Arwen se casaram "no Meio-do-Verão do ano da Queda de Sauron", e no Apêndice B, "O Conto dos Anos", em que o casamento está especificado como tendo ocorrido no "Dia do Meio-do-Ano". Entretanto, no Apêndice D está escrito que "Parece, porém, que se pretendia que o Dia do Meio-do-Ano correspondesse tanto quanto possível com o solstício de verão" — o que sugere que ele pode não ter ocorrido necessariamente no dia do solstício.

o sol estão juntos no céu. Mas isso não vai nos ajudar muito, temo eu, pois está acima do nosso engenho, nestes dias, adivinhar quando tal momento virá de novo."

"Isso é o que veremos", disse Gandalf. "Há mais alguma escrita?"

"Nenhuma que possa ser vista nesta lua", disse Elrond, e ele devolveu o mapa a Thorin; e então eles desceram até a água para ver os elfos dançarem e cantarem na véspera do meio-do-verão.

A manhã seguinte foi uma manhã de meio-do-verão[18] tão bonita e fresca quanto se podia sonhar: céu azul sem nem uma nuvenzinha, com o sol dançando sobre a água. Então foram embora cavalgando em meio a canções de despedida e boa viagem, com seus corações prontos para mais aventura e com bom conhecimento da estrada que deviam seguir, através das Montanhas Nevoentas, até a terra além delas.

UM POUCO DE DESCANSO

Rivendell looking East [Valfenda voltada para o Leste], de J.R.R. Tolkien. Este esboço colorido foi publicado pela primeira vez no *The Lord of the Rings 1977 Calendar* [Calendário O Senhor dos Anéis 1977] (1976), e aparece em *Pictures* (n. 5) e em *Artist* (n. 106). A casa de Elrond aparece aqui ligeiramente diferente do que na pintura colorida *Valfenda* (ver p. 93) que geralmente acompanha o livro, e a ponte em primeiro plano possui três vãos, diferente da ilustração finalizada, que possui um único vão. O próprio texto a descreve apenas como "uma ponte estreita de pedra sem parapeito" (p. 97).

Algumas das outras tentativas de Tolkien em retratar Valfenda também foram publicadas. *Riding Down into Rivendell* [Descendo a cavalo para Valfenda] (ver *Artist*, n. 104) é provavelmente a mais antiga, pois o vale não é tão profundo como descrito no texto e como aparece em todas as outras ilustrações. Gandalf é visto cavalgando um pônei e ostentando um manto vermelho (enquanto no texto, na p. 47, ele é descrito como vestindo "um longo manto cinzento"). A presença do manto vermelho pode refletir a origem de Gandalf na pintura do cartão-postal *Der Berggeist*, de Josef Madlener (ver nota 14 ao Capítulo 1), na qual a figura com ares de mago possui um longo manto vermelho.

Outra ilustração inacabada tem por título *Rivendell looking West* [Valfenda voltada para o Oeste], e foi publicada pela primeira vez no *The Lord of the Rings 1977 Calendar* (1976). Ela pode ser vista em *Pictures* (n. 4) e *Artist* (n. 105). Nesta ilustração, as palavras no título *looking West* [voltada para o Oeste] podem ser vistas como uma adição, feita em algum momento posterior ao da escrita da palavra *Rivendell*, muito maior. A perspectiva do desenho é também confusa, pois esboços dos contornos da Casa de Elrond aparecem em dois lugares, de cada lado do rio. Além disso, o rio é retratado como descendo das montanhas, logo a perspectiva da ilustração deve ser voltada para o leste, não para o oeste, e o acréscimo da direção no título está, portanto, incorreto. Um terceiro esboço inacabado intitulado simplesmente *Rivendell* [Valfenda] aparece apenas em *Artist* (n. 107).

4

Sobre Monte e Sob Monte

Bilbo vai embora do vale, deixando Valfenda para trás. Ilustração de Mirna Pavlovec para a edição eslovena de 1986.

1 Em uma carta começada em 1967, mas extraviada durante uma mudança e não completada antes do final de 1968, Tolkien escreveu a seu filho Michael:

> A viagem do hobbit (de Bilbo) de Valfenda ao outro lado das Montanhas Nevoentas, incluindo a descida pela encosta nevada e de pedras escorregadias até o bosque de pinheiros, é baseada em minhas aventuras [na Suíça] em 1911 [...]. Nossas andanças, principalmente a pé, em um grupo de 12 agora não estão nítidas em sequência, mas deixam muitas imagens vívidas tão claras como se tivessem ocorrido ontem [...]. Fomos a pé carregando grandes mochilas [...]. Dormíamos de maneira rústica — os homens —, frequentemente em celeiros de feno ou estábulos de vacas, uma vez que estávamos caminhando de acordo com um mapa e evitando estradas e jamais fazendo reservas em hotéis e, após um parco café da manhã, alimentávamo-nos ao ar livre [...]. Um dia saímos em uma longa marcha com guias geleira Aletsch acima — quando cheguei perto de perecer. Tínhamos guias, mas ou os efeitos do verão quente estavam além da experiência deles, ou eles não se importavam muito, ou demoramos para partir. De qualquer modo, à tarde estávamos amarrados em fila ao longo de uma trilha estreita com uma encosta nevada à direita que se erguia até o horizonte e à esquerda precipitava-se em uma ravina. O verão daquele ano derretera muita neve, e pedras e rochas que (suponho) normalmente ficavam cobertas ficaram expostas. O calor do dia deu prosseguimento ao derretimento

Havia muitas trilhas que levavam àquelas montanhas, e muitos passos que as atravessavam. Mas a maioria das trilhas era falha e enganosa e não levava a lugar nenhum, ou a maus fins; e a maioria dos passos estava infestada de coisas malignas e perigos terríveis. Os anãos e o hobbit, ajudados pelos conselhos sábios de Elrond e pelo conhecimento e pela memória de Gandalf, tomaram a estrada certa para o passo certo.

Longos dias depois que tinham escalado o caminho para fora do vale e deixado a Última Casa Hospitaleira milhas atrás, ainda estavam subindo e subindo e subindo. Era uma trilha dura e uma trilha perigosa, um caminho tortuoso e solitário e comprido. Agora podiam olhar para trás e ver as terras que tinham deixado, dispostas diante deles bem lá embaixo. Longe, muito longe no Oeste, onde as coisas pareciam azuladas e tênues, Bilbo sabia que ficava seu próprio país, cheio de coisas seguras e confortáveis, e sua pequena toca de hobbit. Ele estremeceu. Estava fazendo um frio amargo ali em cima, e o vento passava sibilando pelas rochas. Pedras, além disso, às vezes vinham galopando pelas encostas da montanha, desprendidas pelo sol do meio-dia em cima da neve, e passavam no meio deles (o que era uma sorte) ou por cima de suas cabeças (o que era alarmante).[1] As noites não tinham conforto e eram geladas, e eles não ousavam cantar nem falar muito alto, pois os ecos eram fantasmagóricos, e o silêncio parecia não gostar de ser quebrado — exceto pelo barulho da água, e pelos gemidos do vento, e pelo estalar da pedra.

e ficamos alarmados ao ver muitas delas começando a rolar encosta abaixo em crescente velocidade: do tamanho de laranjas a grandes bolas de futebol, e algumas muito maiores. Passavam assobiando por nosso caminho e caíam na ravina. "Caminhada firme", senhoras e senhores. Começaram devagar, e depois geralmente mantiveram uma linha reta de descida, mas o caminho era acidentado e também era necessário ficar de olho onde se pisava. Lembro que o membro do grupo logo à minha frente (uma professora idosa) deu um grito repentino e pulou para frente no momento em que um grande bloco de rocha lançava-se entre nós. No máximo cerca de um pé a frente de meus frágeis joelhos. (*Cartas*, n. 306)

A excursão a pé de Tolkien pela Suíça ocorreu entre agosto e o início de setembro de 1911. Consistia em um grupo com aproximadamente uma dúzia de pessoas, incluindo Tolkien, seu irmão caçula Hilary, e a tia deles, Jane Neave. Ela teve início em Interlaken e seguiu para o sul rumo a Lauterbrunnen e Mürren, e então para o nordeste rumo a Grindelwald e Meiringen, sudeste através do Passo de Grimsel, e finalmente sudoeste em direção ao Matterhorn, alcançando enfim Sion.

Em seus desenhos, as montanhas de Tolkien são geralmente alpinas em aparência e forma. A fotografia abaixo do Grindelwald e do Wetterhorn foi tirada por E. Elliot Stock e publicada no seu *Scrambles in Storm and Sunshine* [Passeios sob sol e tempestade] (1910), um relato sobre as viagens do próprio Stock nos Alpes Suíços, publicado um ano antes da expedição de Tolkien.

"O verão está continuando lá embaixo," pensou Bilbo, "e estão preparando feno e fazendo piqueniques. Vão fazer a colheita e catar amoras antes que nós comecemos a descer pelo outro lado, neste ritmo." E os outros estavam pensando pensamentos igualmente sombrios, embora quando disseram adeus a Elrond, com as altas esperanças de uma manhã de meio-do-verão, tivessem falado alegremente da passagem das montanhas e cavalgado velozes pelas terras além de Valfenda. Tinham pensado em chegar à porta secreta na Montanha Solitária, talvez na última lua de Outono seguinte[2] — "e talvez seja o Dia de Durin", tinham dito. Só Gandalf balançara a cabeça e não dissera nada. Os anões não tinham passado por aquele caminho por muitos anos, mas Gandalf tinha, e ele sabia como o mal e o perigo tinham crescido e vicejado no Ermo, desde que os dragões tinham varrido os homens daquelas terras e os gobelins tinham se espalhado em segredo depois da batalha das Minas de Moria.[3] Até os bons planos de magos sábios como Gandalf e de bons amigos como Elrond dão errado às vezes, quando você parte para aventuras perigosas do outro lado da Borda do Ermo; e Gandalf era um mago sábio o suficiente para perceber isso.

Ele sabia que algo inesperado poderia acontecer e nem ousava ter esperanças de que passariam sem aventuras assustadoras por aquelas enormes e elevadas montanhas com picos solitários e vales onde nenhum rei era soberano. E não passaram. Tudo estava bem, até que um dia toparam com uma tempestade de trovões — mais do que uma tempestade de trovões, uma batalha de trovões.[4] Você sabe como pode ser terrível uma tempestade de trovões realmente grande em terras baixas e no vale de um rio; especialmente nas vezes em que duas grandes tempestades de trovões se encontram e se enfrentam. Mais terrível ainda são trovão e relâmpago nas montanhas à noite, quando tempestades sobem do Leste e do Oeste e fazem guerra uma contra a outra. O relâmpago se estilhaça nos picos, e as rochas tremem, e grandes pancadas racham o ar e vão descendo e desabando por cada caverna e buraco; e a escuridão fica repleta de som avassalador e luz repentina.

The Mountain-path

Bilbo nunca tinha visto ou imaginado nada do tipo. Estavam bem alto, num lugar estreito, com uma queda terrível que dava para um vale escuro de um lado deles. Lá estavam se abrigando, debaixo de uma rocha que se projetava, durante a noite, e ele estava deitado debaixo de um cobertor e tremia da cabeça aos pés. Quando espiou os clarões dos relâmpagos, viu que, do outro lado do vale, os gigantes-de-pedra[5] tinham saído de casa, e estavam brincando de arremessar rochas um para o outro, e as pegavam, jogando-as na escuridão, onde amassavam as árvores lá embaixo ou se quebravam em pedacinhos com estrondo. Então veio vento e chuva, e o vento chicoteou a chuva e o granizo para todas as direções, de modo que a rocha acima deles não era proteção nenhuma. Logo estavam ficando encharcados, e seus pôneis ficaram de cabeça abaixada e rabos entre as pernas, e alguns estavam relinchando de susto. Podiam ouvir os gigantes gargalhando e gritando pelas encostas das montanhas.

"Isso aqui não vai dar certo!", disse Thorin. "Se não formos derrubados, ou nos afogarmos, ou formos atingidos por

A trilha da Montanha, de J.R.R. Tolkien, uma das ilustrações em preto e branco padrão presente em *O Hobbit* desde 1937.

Esta ilustração aparece em *Artist* (n. 109) e *Pictures* (n. 7, à esquerda). Uma versão colorida por H.E. Riddett apareceu primeiramente em *The Hobbit Calendar 1976* (1975) e em *Pictures* (n. 7, à direita). A versão colorida foi também usada na capa da primeira edição norte-americana de *O Silmarillion* (1977).

2 *1937:* "that very next first moon of Autumn" ["na primeira lua de Outono seguinte"] > *1995:* "that very last moon of Autumn" ["na última lua de Outono seguinte"].

Esta mudança não possui autoridade autoral e é a correção do que parece ser um erro que Tolkien jamais notou. Nas pp. 100–1, o Dia de Durin é definido como primeiro dia do Ano Novo dos anãos, e mais especificamente como "o primeiro dia da última lua de Outono, no limiar do Inverno […] quando a última lua do Outono e o sol estão juntos no céu". Na p. 238, com os anãos na soleira da porta de trás da Montanha Solitária, Thorin observa: "Amanhã começa a última semana de outono". Na noite seguinte, com uma tênue lua nova acima da borda da terra, a luz do sol poente desvela a fechadura, combinação cuja ocorrência dá-se unicamente no Dia de Durin. Deste modo, a mudança aqui destacada parece estar correta, mesmo que o próprio Tolkien jamais tenha percebido a discrepância.

3 *1937:* "after the sack of the mines of Moria" ["depois do saque das minas de Moria"] > *1966-Ball:* "after the battle of the Mines of Moria" ["depois da batalha das Minas de Moria"].

Esta mudança fez-se necessária quando Tolkien ampliou sua concepção da guerra entre anãos e gobelins (mencionada por Elrond na p. 99 e por Bilbo na p. 290). A palavra *sack* [saque] implica devastação e uma pilhagem de Moria, enquanto *battle* [batalha] é um termo bem mais geral para o conflito.

4 Tolkien escreveu a Joyce Reaves, em 4 de novembro de 1961, que a batalha de trovões em *O Hobbit* foi baseada em uma noite difícil durante sua excursão a pé pelas montanhas suíças, tal como descrita na nota 1 a este capítulo. Ele acrescentou: "nos perdemos e dormimos em um estábulo" (*Cartas*, n. 232).

SOBRE MONTE E SOB MONTE

Pauline Baynes retratou a subida do grupo pelas montanhas na ilustração para a capa da edição de *O Hobbit* publicada pela Puffin Books em 1961. A pintura original está exposta no Centro Marion E. Wade, Wheaton College, em Wheaton, Illinois. O Centro Wade também a publicou como cartão-postal. Em carta a seu editor datada de 13 de março de 1961, Tolkien escreveu sobre a ilustração: "Pessoalmente, gosto muito dela."

Pauline Baynes (1922–2008) é uma ilustradora bastante conhecida e muito admirada. Possui vínculo antigo com Tolkien, tendo ilustrado *Lavrador Giles de Ham* (1949), *As aventuras de Tom Bombadil* (1962), *Ferreiro de Bosque Grande* (1967), *Poems and Stories* [Poemas e Estórias] e *A Última Canção de Bilbo* (1990), sendo este último um livro-álbum baseado em um poema de 24 versos. Para essa obra Baynes forneceu ilustrações coloridas para cada par de versos do poema, bem como uma sequência de ilustrações que mostram um sonolento Bilbo relembrando sua vida, retratando assim a história de *O Hobbit*. Baynes também forneceu ilustrações para capas de várias edições dos livros de Tolkien e decorou alguns pôsteres e mapas. Suas ilustrações para os sete volumes de *As Crônicas de Nárnia* (1950–56), do amigo de Tolkien, C.S. Lewis, são também muito populares. Baynes recebeu a Medalha Kate Greenaway por suas ilustrações para *A Dictionary of Chivalry* [Dicionário de Cavalaria] (1968), de Grant Uden.

5 Os gigantes-de-pedra são mencionados apenas em *O Hobbit*. Parece verossímil interpretá-los como um tipo de trol. Ambos são seres grandes e aparentemente maliciosos, e, no Apêndice F de *O Senhor dos Anéis*, Tolkien menciona como um tipo de trol os Trols-de-Pedra das Terras Ocidentais, que se expressam em uma forma degradada da fala comum, descrição esta que certamente se aplica a Bert, Tom e William Huggins. Talvez seja relevante notar que os trols provêm de um lugar ao norte de Valfenda chamado de Charneca Etten ou Vales Etten. Na sua "Nomenclature of *The Lord of the Rings*", Tolkien observa no verbete "Ettendales" [Vales Etten] que ele "deve ser um nome da fala comum (e não do élfico), embora contenha o elemento obsoleto *eten* 'trol, ogro'". O termo em inglês antigo *eoten*, e em inglês médio *eten*, é geralmente traduzido como "gigante, monstro". E a forma *etayn* aparece duas vezes (versos 140 e 723) em *Sir Gawain*

relâmpagos, algum gigante vai nos pegar e nos chutar até o céu, como se fôssemos bola de futebol."

"Bem, se você conhece algum lugar melhor, leve-nos até lá!", disse Gandalf, que estava se sentindo muito mal-humorado e estava longe de se sentir feliz com os gigantes em volta.

O fim da discussão deles foi a decisão de enviar Fili e Kili para procurar um abrigo melhor. Eles tinham olhos muito aguçados e, sendo os mais jovens dos anãos por uma margem de uns cinquenta anos, geralmente ficavam com esse tipo de serviço (quando todo mundo percebia que era absolutamente inútil enviar Bilbo). Não há nada como olhar, se você quer achar alguma coisa (ou assim disse Thorin aos jovens anãos). Você certamente acaba achando alguma coisa, se olhar, mas nem sempre é a "alguma coisa" que você estava procurando. Assim foi nessa ocasião.

Logo Fili e Kili voltaram rastejando, agarrando-se às rochas naquele vento. "Achamos uma caverna seca", disseram, "não muito longe, fazendo aquela curva; e os pôneis e todos os demais podem entrar nela."

"Vocês a exploraram *cuidadosamente*?", disse o mago, que sabia que cavernas no alto das montanhas raramente estão desocupadas.

"Sim, sim!", disseram, embora todo mundo soubesse que não havia como eles terem gastado muito tempo com isso; tinham voltado rápido demais. "Ela não é tão grande e não vai muito para o fundo."

Essa, claro, é a parte perigosa das cavernas: você não sabe quão fundas elas são, às vezes, ou para onde uma passagem pode levar, ou o que está esperando por você lá dentro. Mas naquele momento as notícias de Fili e Kili pareciam boas o suficiente. Assim, todos se levantaram e se prepararam para mudar de lugar. O vento estava uivando, e o relâmpago, ainda rugindo, e deu um trabalhão saírem dali junto com seus pôneis. Ainda assim, não era muito longe, e não demorou muito para que chegassem a uma grande rocha postada no caminho. Se você desse a volta nela, acharia um arco baixo na encosta da montanha. Só havia espaço para que os pôneis entrassem apertados, uma vez libertos de suas bagagens e selas. Quando passaram sob o arco, gostaram de ouvir o vento e a chuva do lado de fora, em vez de à volta deles, e de se sentir protegidos dos gigantes e de suas rochas. Mas o mago não queria correr riscos. Acendeu seu cajado — tal como fez naquele dia na sala de jantar de Bilbo, que parecia ter sido tanto tempo atrás, caso você se lembre —, e, à luz dele, exploraram a caverna de ponta a ponta.

Parecia ter um belo de um tamanho, mas não era grande nem misteriosa demais. Tinha um chão seco e alguns cantos confortáveis. Numa ponta havia espaço para os pôneis; e lá ficaram eles (um bocado felizes com a mudança) soltando vapor e mastigando em seus bornais. Oin e Gloin queriam acender um fogo na entrada para secar suas roupas, mas Gandalf não queria nem ouvir falar disso. Então espalharam suas coisas molhadas no chão e pegaram outras secas de suas trouxas; depois arrumaram suas cobertas de um jeito confortável, aprumaram seus cachimbos e começaram a soprar anéis de fumaça, aos quais Gandalf dava cores diferentes e fazia dançar no alto da caverna para diverti-los. Conversaram e conversaram, e se esqueceram da tempestade, e discutiram o que cada um faria com sua porção do tesouro (quando o obtivessem, o que, naquele momento, não parecia tão impossível); e assim foram dormindo um a um. E essa foi a última vez que usaram os pôneis, os pacotes, as bagagens, as ferramentas e a parafernália que tinham trazido consigo.

Naquela noite acabou valendo a pena terem trazido o pequeno Bilbo com eles, afinal de contas. Pois, por algum motivo, ele não conseguiu ir dormir por um bom tempo; e, quando acabou dormindo, teve sonhos muito ruins. Sonhou que uma rachadura na parede na parte de trás da caverna ficava cada vez maior e se abria mais e mais, e ele ficou com muito medo, mas não conseguia gritar nem fazer nada além de ficar deitado e observar. Então sonhou que o chão da caverna estava se abrindo e que ele estava escorregando — começando a cair para baixo, para baixo, sabe-se lá para onde.

Com isso ele acordou com um susto horrível — e descobriu que parte de seu sonho era verdade. Uma rachadura tinha se aberto na parte de trás da caverna e já havia uma passagem bem larga. Só teve tempo de ver a cauda do último dos pôneis desaparecendo dentro dela. É claro que deu um berro muito

e o *Cavaleiro Verde*; na edição de Tolkien e Gordon de 1925, o termo está glosado como "ogro, gigante". Em *Beowulf*, o monstro Grendel é claramente derivado de uma tradição de trols das cascatas, mas é também referido como um *eoten* (verso 761).

A Trilha da Montanha. Ilustração de Ryûichi Terashima para a edição japonesa de 1965.

6 A ideia de gobelins passando por uma rachadura pode ter sido inspirada pela peça infantil *Through the Crack* [Através da Rachadura], de Algernon Blackwood e Violet Pearn, representada pela primeira vez em dezembro de 1920 e que teve seu roteiro publicado em 1925. Era uma constante favorita das companhias amadoras e profissionais na Inglaterra dos anos 1920. A peça foi baseada em seções de dois romances de Blackwood, *The Education of Uncle Paul* [A educação do tio Paul] (1909) e *The Extra Day* [O dia extra] (1915), mas nenhum dos dois apresenta o elemento gobelim, que foi provavelmente introduzido na peça por Pearn. Na peça, algumas crianças atravessam A Rachadura entre o ontem e o amanhã e precisam ter cautela com os gobelins cantores que tentam capturar pessoas e arrastá-las para o subterrâneo a fim de convertê-las em uma festiva janta gobelim.

Blackwood (1869–1951) foi um prolífico escritor de ficção sobrenatural, e muitos de seus trabalhos tratam de crianças e suas aventuras em diversos mundos de espíritos e terras feéricas. Tolkien aparentemente conhecia um pouco do trabalho de Blackwood, pois em uma nota ao verbete "Crack of Doom" [Fenda da Perdição] (omitida na versão publicada) no seu "Nomenclature of *The Lord of the Rings*", ele escreveu sobre o uso de *crack* [rachadura, fenda] com o sentido de *fissure* [fissura]: "Penso que no fundo esse uso é derivado de Algernon Blackwood, que, como minha memória parece recordar, fez uso desse modo em um de seus livros lido muitos anos atrás." Esse uso em Blackwood, no entanto, tem despistado os pesquisadores até o momento.

Uma fenda de gobelim é também mencionada na carta do Papai Noel de 1932 que Tolkien escreveu para os filhos. Esta carta introduz gobelins na mitologia do Papai Noel de Tolkien, uma vez que o Papai Noel precisa viajar através de algumas cavernas de gobelins para poder encontrar o Urso Polar do Norte, que nelas se perdeu. A carta de 1933 segue com um relato do pior ataque gobelim em séculos. Na sequência de suas aventuras nas cavernas, o Urso Polar inventa um alfabeto utilizando as marcas gobelins presentes nas paredes. Ele envia uma breve carta com elas e mais tarde envia o próprio alfabeto. Partes dessas cartas, junto com as maravilhosas ilustrações que as acompanham, foram publicadas pela primeira vez em *The Father Christmas Letters* [As Cartas do Papai Noel] (1976), editadas por Baillie Tolkien.

alto, um berro tão alto quanto um hobbit consegue dar, o qual é surpreendentemente forte para o tamanho deles.

Eis que saltaram os gobelins, grandes gobelins, enormes gobelins feiosos, montes de gobelins, antes que você conseguisse dizer *rochas e tochas*. Havia seis para cada anão, pelo menos, e dois só para Bilbo; e todos foram agarrados e carregados para o outro lado da rachadura,[6] antes que você conseguisse dizer *fio e pavio*. Mas não Gandalf. O berro de Bilbo tinha servido para isso, pelo menos. O barulho o acordou de vez num só segundo e, quando os gobelins vieram agarrá-lo, houve um clarão terrível, feito um relâmpago, na caverna, um cheiro semelhante a pólvora, e vários deles caíram mortos.

A rachadura fechou com um estalo, e Bilbo e os anãos estavam do lado errado dela! Onde estava Gandalf? Disso nem eles nem os gobelins tinham ideia, e os atacantes não esperaram para descobrir. Pegaram Bilbo e os anãos e se puseram a empurrá-los. Era um lugar fundo, fundo, escuro de tal modo que só os gobelins que se acostumaram a viver no coração das montanhas conseguiriam enxergar. As passagens ali eram encruzilhadas e enroladas em todas as direções, mas os gobelins conheciam o caminho tão bem quanto você conhece o que vai até a agência dos correios mais próxima; e o caminho descia e descia e era o mais horrivelmente abafado possível. Os gobelins foram muito grossos, e beliscavam suas vítimas sem misericórdia, e gargalhavam, e riam com suas horríveis vozes pedregosas; e Bilbo estava ainda mais infeliz do que quando o trol o tinha pegado pelos dedos dos pés. Desejou de novo e de novo estar em sua gostosa e iluminada toca de hobbit. Não pela última vez.

Então surgiu um bruxuleio de luz vermelha diante deles. Os gobelins começaram a cantar, ou grasnar, marcando o ritmo com a batida de seus pés chatos na pedra e chacoalhando seus prisioneiros também.

> *Bate! Late! a terra parte!*
> *Pega, aperta! A cara acerta!*
> *Fundo, fundo, ao nosso mundo*
>   *Cê vai, rapaz!*
>
> *Tromba, arromba! Joga a bomba!*
> *Sempre a malhar! Gongo a soar!*
> *Martela a fundo o submundo!*
>   *Ho, ho! rapaz!*
>
> *Manda o chute! Olha o açoite!*
> *Esmurra e espanca! Berro arranca!*
> *Rala, rala! Nem mesmo fala,*
> *Pra gobelim rir e escarnir*

Os Gobelins passam pela rachadura. Ilustração de Livia Rusz para a edição romena de 1975.

*Ao nauseabundo submundo
Desceu, rapaz!*[a]

Aquilo soava verdadeiramente aterrorizante. Os muros ecoavam com o *bate, late!*, e com o *tromba, arromba!*, e com o riso feioso do *ho, ho! rapaz!* deles. O sentido geral da canção estava claro até demais; pois os gobelins tinham pegado chicotes e batido neles com um *olha o açoite!*, fazendo-os correr tão rápido quanto conseguiam na frente; e já estavam arrancando muitos berros de mais de um dos anãos quando entraram tropeçando numa grande caverna.

Estava iluminada por um grande fogo vermelho bem no meio, e por tochas ao longo das paredes, e estava cheia de gobelins. Todos eles riram, bateram os pés e aplaudiram quando os anãos (com o pobrezinho do Bilbo atrás deles sendo o mais próximo dos chicotes) entraram correndo, enquanto os condutores gobelins gritavam e estalavam seus chicotes. Os pôneis já estavam lá, amontoados num canto; e lá estavam todas as bagagens e todos os pacotes jogados no chão, abertos e sendo vasculhados por gobelins, e cheirados por gobelins, e fuçados por gobelins, e disputados por gobelins.

---

[a]*Clap! Snap! the black crack! / Grip, grab! Pinch, nab! / And down down to Goblin-town / You go, my lad! / Clash, crash! Crush, smash! / Hammer and tongs! Knocker and gongs! / Pound, pound, far underground! / Ho, ho! my lad! / Swish, smack! Whip crack! / Batter and beat! Yammer and bleat! / Work, work! Nor dare to shirk, / While Goblins quaff, and Goblins laugh, / Round and round far underground / Below, my lad!*

7 Os gobelins de Tolkien lembram aqueles em *A Princesa e o Goblin* (1872), de George MacDonald, com algumas diferenças notáveis. Os gobelins de MacDonald possuem pés macios e demasiado vulneráveis. Em carta a Naomi Mitchison, datada de 25 de abril de 1954, Tolkien escreveu que seus gobelins devem, "suponho [...] boa parte à tradição gobelim [...] especialmente conforme aparece em George MacDonald, exceto pelos pés macios nos quais nunca acreditei" (*Cartas*, n. 144). E, ao passo que os gobelins de MacDonald fogem ao som de poesia, os gobelins de Tolkien entoam poesias do mesmo tipo rítmico e exclamatório que os gobelins de MacDonald tanto destestavam.

George MacDonald (1824–1905) foi um clérigo de linhagem escocesa e um prolífico escritor de romances e histórias infantis, como *At the Back of the North Wind* [Nas costas do vento norte] (1871), *A Princesa e o Goblin* (1872), e sua sequência, *The Princess and Curdie* [A Princesa e Curdie] (1883). Seus contos de fadas, incluindo o bastante conhecido "A chave dourada", foram reunidos pela primeira vez em *Dealings with the Fairies* [Lidando com as fadas] (1867). Seus romances de fantasia para adultos incluem *Phantastes* (1858) e *Lilith* (1895).

Os sentimentos de Tolkien sobre George MacDonald alteraram-se com o passar dos anos. No ensaio "Sobre Estórias de Fadas", originalmente ministrado como palestra em 8 de março de 1939, e bastante ampliado por volta de quatro anos mais tarde, ao referir-se como uma estória de fadas pode ser transformada em veículo para o Mistério, Tolkien afirmou: "Isso, pelo menos, é o que George MacDonald tentou, conseguindo estórias de poder e beleza quando teve sucesso, como em *A chave dourada* (que ele chamava de conto de fadas); e mesmo quando falhou parcialmente, como em *Lilith* (que ele chamava de romance)." No entanto, em janeiro de 1965, depois de ter aceitado escrever um prefácio para uma edição ilustrada de *A chave dourada* a ser publicada por uma editora estadunidense, Tolkien releu a história e achou-a "mal escrita, incoerente e ruim, a despeito de alguns trechos memoráveis" (*Biografia*, p. 328). Tolkien começou a escrever o prefácio, mas, em vez disso, ficou inspirado por uma ideia para uma estória de fadas, que ele havia começado a usar como exemplo no prefácio. Por fim, o prefácio foi abandonado, mas a estória de fadas de Tolkien veio a se tornar *Ferreiro de Bosque Grande* (1967). Em uma entrevista para a Rádio BBC gravada em janeiro de 1965, Tolkien comentou: "Vejo agora que não suporto os livros de George MacDonald de forma alguma." E Clyde S. Kilby, que auxiliou Tolkien no verão de 1966, recorda em seu livro de memórias *Tolkien and The Silmarillion* (1976) que, "embora tenha falado alhures de George MacDonald com verdadeiro apreço, na época em que visitei Tolkien ele o atacava de forma frequente e indiscriminada. Ele o chamava de 'velha avó' que pregava em vez de escrever" (p. 31).

Acima temos uma ilustração de uma família gobelim feita por Arthur Hughes (1832–1915), extraída da edição original de *A Princesa e o Goblin*. Hughes ilustrou muitos livros de George MacDonald.

Temo que essa tenha sido a última vez que viram aqueles excelentes poneizinhos, entre os quais um cavalinho branco, robusto e alegre que Elrond tinha emprestado a Gandalf, já que seu cavalo não era adequado para os passos das montanhas. Pois gobelins comem cavalos e pôneis e jumentos (e outras coisas muito mais desagradáveis) e estão sempre com fome. Naquele momento, entretanto, os prisioneiros estavam pensando apenas em si mesmos. Os gobelins algemaram as mãos deles atrás das costas e os acorrentaram todos numa fila e os arrastaram até o outro lado da caverna, com o pequeno Bilbo sendo puxado no fim da corrente.

Ali, nas sombras, em cima de uma grande pedra plana, sentava-se um tremendo gobelim com uma cabeça enorme, e gobelins armados estavam de pé ao redor dele, carregando os machados e as espadas curvas que usam.[7] Ora, os gobelins são cruéis, perversos e de mau coração. Não fabricam coisas bonitas, mas fabricam muitas coisas engenhosas. Conseguem abrir túneis e minas tão bem quanto qualquer um, com exceção dos anões mais habilidosos, quando se dão ao trabalho, embora os seus em geral sejam bagunçados e sujos. Martelos, machados, espadas, adagas, picaretas, tenazes e também instrumentos de tortura eles sabem fazer muito bem, ou forçam outras pessoas a fazer segundo suas ordens, prisioneiros e escravos que têm de trabalhar até morrer por falta de ar e luz. Não é improvável que tenham inventado algumas das máquinas que desde então atormentaram o mundo, especialmente os aparatos engenhosos para matar grandes números de pessoas de uma vez, pois engrenagens e motores e explosões sempre os deleitaram, e também a ideia de não trabalhar com as próprias mãos mais do que precisassem; mas naqueles dias e naquelas partes selvagens eles não tinham avançado (como se diz) tanto assim. Não odiavam os anões de modo especial, não mais do que odiavam todo mundo e todas as coisas e, particularmente, a gente ordeira e próspera; em alguns lugares, anões perversos até fizeram alianças com eles. Mas tinham uma rixa especial com o povo de Thorin, por causa da guerra que você ouviu ser mencionada, mas que não entra nesta história; e, de qualquer modo, os gobelins não se importam com quem eles pegam, contanto que seja feito de modo esperto e furtivo, e que os prisioneiros não sejam capazes de se defender.

"Quem são essas pessoas desgraçadas?", disse o Grande Gobelim.

"Anões, e este aqui", disse um dos condutores, puxando a corrente de Bilbo de modo que ele caiu para a frente, de joelhos. "Nós os achamos abrigados em nossa Varanda da Frente."

O Grande Gobelim. Ilustração de Klaus Ensikat para a edição alemã de 1971.

"Por que estavam lá?", disse o Grande Gobelim, voltando-se para Thorin. "Sem nenhuma boa intenção, garanto! Espionando os negócios privados do meu povo, creio eu! Ladrões, eu não ficaria surpreso em descobrir! Assassinos e amigos de elfos, muito provavelmente! Vamos! O que tem a dizer?"

"Thorin, o anão, a seu serviço!", respondeu ele — era só uma bobagem educada. "Das coisas de que você suspeita e que imagina não tínhamos ideia alguma. Nós nos abrigamos de uma tempestade no que parecia ser uma caverna conveniente e não usada; nada estava mais longe de nossos pensamentos do que causar inconveniências a gobelins de qualquer modo possível." Isso era bem verdade!

"Hum!", disse o Grande Gobelim. "É o que você diz! Posso perguntar o que estavam fazendo no alto das montanhas, aliás, e de onde estavam vindo, e para onde estavam indo? De fato, gostaria de saber tudo sobre vocês. Não que isso vá lhe fazer muito bem, Thorin Escudo-de-carvalho, já sei demais sobre o seu povo; mas que venha a verdade, ou prepararei algo particularmente desconfortável para vocês!"

"Estávamos viajando para visitar nossos parentes, nossos sobrinhos e nossas sobrinhas, e primos de primeiro, segundo e terceiro graus, e os outros descendentes de nossos avós, que vivem do lado Leste destas montanhas verdadeiramente hospitaleiras", disse Thorin, sem saber muito bem o que dizer de pronto naquele momento, quando obviamente a verdade exata não ia prestar de jeito nenhum.

Thorin e o Grande Gobelim. Ilustração de Maret Kernumees para a edição estoniana de 1977.

"Ele é um mentiroso, ó chefe verdadeiramente tremendo!", disse um dos condutores. "Vários de nosso povo foram feridos por relâmpagos na caverna quando convidamos essas criaturas a vir para baixo; e estão mortos feito pedras. Além do mais, ele não explicou isto!" Levantou a espada que Thorin tinha usado, a espada que viera do covil dos trols.

8 *1937:* "and rushed himself at Thorin" ["e ele próprio avançou contra Thorin"] > *1966-Ball:* "and himself rushed at Thorin" ["e avançou ele próprio contra Thorin"].

9 O termo *skriking* [bramido] vem de *skrike* [bramir], "a shirl cry, a screeching" ["um grito estridente, um guincho"]. Seu uso agora é mormente dialetal, mas a segunda edição (1989) do *Oxford English Dictionary* cita como exemplo de uso as palavras de Tolkien aqui mencionadas. Em *A New Glossary of the Dialect of the Huddersfield District*, Walter E. Haigh de fato lista a palavra sob *skrāuk, skrīk*, "to screech, shriek" [guinchar, gritar], que Haigh relaciona ao inglês médio *scrīken* e ao nórdico antigo *skrækja, skrīkja,* "to shriek" [gritar].

Tolkien faz uso de uma lista similar de ruídos para descrever os vários tipos de latido em *Roverando*: "latidos e ladridos, urros e uivos, resmungos e rugidos, lamúrias e lamentos, relinchos e rosnados, ganidos e grunhidos, e uma enorme ululação" (p. 44).

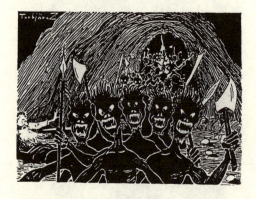

Os Gobelins capturam os Anãos. Ilustração de Torbjörn Zetterholm para a edição sueca de 1947.

O Grande Gobelim soltou um uivo verdadeiramente horrendo de fúria quando olhou para a espada, e todos os seus soldados rangeram os dentes, golpearam seus escudos e bateram os pés. Reconheceram a espada na hora. Tinha matado centenas de gobelins em seu auge, quando os belos elfos de Gondolin os caçavam nos montes ou os enfrentaram em batalha diante de suas muralhas. Tinham-na chamado de Orcrist, Corta-gobelim, mas os gobelins a chamavam simplesmente de Mordedora. Odiavam-na e odiavam ainda mais qualquer um que a carregasse.

"Assassinos e amigos-dos-elfos!", berrou o Grande Gobelim. "Cortem-nos! Batam neles! Mordam-nos! Mastiguem-nos! Levem-nos para buracos escuros cheios de cobras e nunca mais deixem que vejam a luz!" Estava com tanta fúria que saltou de seu assento e avançou ele próprio contra Thorin,[8] de boca aberta.

Bem naquele momento todas as luzes da caverna se apagaram, e o grande fogo fez puf! e virou uma torre de fumaça azul brilhante, chegando até o teto, que espalhava fagulhas de um branco penetrante em meio aos gobelins.

Os berros e a tagarelice, os grasnidos, a balbúrdia e a algazarra; os uivos, urros e xingamentos; os brados e os bramidos[9] que se seguiram estavam além de qualquer descrição. Várias centenas de gatos-selvagens e lobos sendo assados vivos lentamente ao mesmo tempo não seriam comparáveis àquele barulho. As fagulhas estavam abrindo buracos nos gobelins, e a fumaça que agora estava caindo do teto fez com que o ar ficasse espesso demais até para os olhos deles. Logo estavam se jogando um em cima do outro e rolando embolados no chão, mordendo e chutando e lutando como se todos tivessem ficado doidos.

De repente, uma espada brilhou com luz própria. Bilbo a viu atravessar o corpo do Grande Gobelim enquanto ele estava de pé, todo confuso em meio à sua fúria. Caiu morto, e os soldados gobelins fugiram diante da espada, gritando na escuridão.

A espada voltou à sua bainha. "Sigam-me rápido!", disse uma voz bravia e baixa; e, antes que Bilbo entendesse o que tinha acontecido, estava trotando de novo, o mais rápido que podia trotar, no fim da fila, descendo mais passagens escuras com os urros do salão dos gobelins ficando cada vez mais fracos atrás dele. Uma luz pálida estava guiando o grupo.

"Mais rápido, mais rápido!", disse a voz. "As tochas logo serão reacendidas."

"Meio minuto!", disse Dori, que estava no final do grupo, perto de Bilbo, e era um camarada decente. Fez o hobbit subir nos seus ombros do melhor jeito que pôde com as mãos amarradas, e, então, lá se foram todos correndo, com um clinque-clinque de correntes e vários tropeços, já que não tinham como usar as mãos para se equilibrar. Demorou muito até conseguirem parar, e naquela altura deviam estar bem no coração da montanha.

Então Gandalf acendeu seu cajado. É claro que era Gandalf; mas num momento daqueles estavam ocupados demais para perguntar como ele tinha chegado lá. Desembainhou sua espada de novo, e de novo ela brilhou no escuro por si só. Ardia com uma fúria que a fazia chamejar se gobelins estivessem por perto; agora estava brilhante, feito chama azul, pelo deleite de ter matado o grande senhor da caverna. Não teve problema algum em cortar as correntes dos gobelins e libertar todos os prisioneiros o mais rapidamente possível. O nome dessa espada era Glamdring, o Martelo-do--inimigo, caso você não se lembre. Os gobelins a chamavam simplesmente de Batedora e a odiavam ainda mais do que a Mordedora, se é que isso era possível. Orcrist também tinha sido salva; pois Gandalf a trouxera consigo, arrancando-a das mãos de um dos guardas aterrorizados. Gandalf pensava em quase tudo; e, embora não pudesse fazer tudo, podia fazer muita coisa por amigos que estivessem num aperto.

"Estamos todos aqui?", disse ele, devolvendo a espada de Thorin com uma reverência. "Deixe-me ver: um — este é Thorin; dois, três, quatro, cinco, seis, sete, oito, nove, dez, onze; onde estão Fili e Kili? Aqui estão eles! doze, treze — e aqui está o Sr. Bolseiro: catorze! Bem, bem! poderia ser pior, e também poderia ser bem melhor. Nada de pôneis, nada de comida, e nada de saber direito onde estamos, e hordas de gobelins raivosos bem atrás de nós! Vamos em frente!"

E foram em frente. Gandalf estava bastante correto: começaram a ouvir barulhos de gobelins e gritos horríveis lá atrás, nas passagens por onde tinham vindo. Isso os fez seguir mais rápido do que nunca e, como o pobre Bilbo não teria como seguir nem com a metade daquela velocidade — pois os anãos conseguem sair rolando num passo tremendo, posso lhe dizer, quando precisam — começaram a se revezar para carregá-lo nas costas.

Ainda assim, gobelins correm mais rápido do que anãos, e esses gobelins conheciam melhor o caminho (eles mesmos tinham aberto as trilhas) e estavam loucos de raiva; de modo que, fizessem o que fizessem, os anãos passaram a ouvir os gritos e uivos ficando mais e mais próximos. Logo podiam ouvir até as batidas dos pés dos gobelins, muitos e muitos pés, que pareciam estar logo atrás da última virada.[10] O bruxuleio das tochas vermelhas podia ser visto atrás deles no túnel que estavam seguindo; e estavam ficando mortalmente cansados.

"Por que, ó, por que fui deixar minha toca de hobbit!", dizia o pobre Sr. Bolseiro, sacolejando nas costas de Bombur.

10 Em seus anos de graduação, Tolkien teve opiniões muito diversas sobre a natureza dos gobelins e os sentimentos instilados no coração de alguém pelos abafados pés dos gobelins. Gobelins eram pequenas criaturas semelhantes a duendes, e o som de suas canções e danças era mágico. Tolkien escreveu sobre tais criaturas em um poema chamado "Pés de Gobelim", que foi seu primeiro trabalho publicado digno de nota. Foi escrito em 27–28 de abril de 1915, e apareceu no volume anual de *Oxford Poetry*, publicado em dezembro de 1915. O poema foi republicado em *Book of Fairy Poetry* [Livro de Poesia Feérica] (1920), de Dora Owen, uma coleção abrangente e suntuosa com 16 gravuras coloridas e um grande número de desenhos à caneta feitos por Warwick Goble (1862–1943), que é lembrado sobretudo por suas aquarelas para *gift books* como *Green Willow and Other Japanese Fairy Tales* [O salgueiro verde e outros contos de fada japoneses] (1910), de Grace James. O poema de Tolkien era acompanhado por uma ilustração deliciosamente excêntrica de Goble (acima), que, ao que consta, é a primeira arte (de um artista além do próprio Tolkien) baseada em seus escritos.

GOBLIN FEET

I am off down the road
Where the fairy lanterns glowed
And the pretty little flittermice are flying:
A slender band of grey
It runs creepily away
And the hedges and the grasses are a-sighing.
The air is full of wings,
And of blundering beetle-things
That warn you with their whirring and their humming.
O! I hear the tiny horns
Of enchanted leprechauns
And the padding feet of many gnomes a-coming!

O! the lights: O! the gleams: O! the little tinkly sounds:
O! the rustle of their noiseless little robes:
O! the echo of their feet — of their little happy feet:
O! their swinging lamps in little starlit globes.

I must follow in their train
Down the crooked fairy lane
Where the coney-rabbits long ago have gone,
And where silverly they sing
In a moving moonlit ring
All a-twinkle with the jewels they have on.
They are fading round the turn
Where the glow-worms palely burn
And the echo of their padding feet is dying!
O! it's knocking at my heart —
Let me go! O! let me start!
For the little magic hours are all a-flying.

O! the warmth! O! the hum! O! the colours in the dark!
O the gauzy wings of golden honey-flies!
O! the music of their feet – of their dancing goblin feet!
O! the magic! O! the sorrow when it dies!

[*PÉS DE GOBELIM*

Sigo abaixo pela estrada
Com as candeias de fada
Onde lindos morceguinhos então se alam:
Delgado bando gris
Esvai-se sem cicatriz
E as cercas-vivas e as pastagens exalam.

"Por que, ó, por que fui trazer um coitado de um hobbit numa caça ao tesouro", dizia o pobre Bombur, que era gordo e ia tropeçando, com o suor pingando em seu nariz por causa do calor e do terror que sentia.

Nesse ponto, Gandalf foi para trás e Thorin foi com ele. Fizeram uma curva acentuada. "Meia-volta!", gritou o mago. "Saque sua espada, Thorin!"

Não havia mais nada a ser feito; e os gobelins não gostaram nada daquilo. Vieram zanzando pela curva gritando a plenos pulmões, e encontraram Corta-gobelim e Martelo-do-inimigo brilhando, frias e luzentes, bem na frente de seus olhos espantados. Os da frente derrubaram suas tochas e deram um berro antes de serem mortos. Os de trás berraram ainda mais e saltaram para trás, derrubando aqueles que estavam correndo às costas deles. "Mordedora e Batedora!", guincharam; e logo todos estavam em confusão, e a maioria estava se arrastando de volta pelo caminho por onde tinha vindo.

Demorou um bocado de tempo antes que qualquer um deles ousasse fazer aquela curva. A essa altura, os anãos tinham seguido em frente, andando uma distância muito, muito longa nos túneis escuros do reino dos gobelins. Quando os gobelins descobriram isso, apagaram suas tochas, colocaram calçados leves e separaram seus corredores mais rápidos, com os ouvidos e olhos mais aguçados. Estes saíram correndo na frente, tão velozes quanto doninhas no escuro, e fazendo quase tão pouco barulho quanto morcegos.

Foi por isso que nem Bilbo, nem os anãos, nem mesmo Gandalf os ouviram chegando. Nem os viram. Mas o grupo foi visto pelos gobelins que corriam silenciosamente atrás deles, pois Gandalf fizera com que seu cajado emitisse uma luz fraca para ajudar os anãos a seguir em frente.

Muito de repente, Dori, agora de novo no fim da fila, carregando Bilbo, foi agarrado por trás no escuro. Deu um grito e caiu; e o hobbit saiu rolando de seus ombros pelo negrume, bateu a cabeça na rocha dura e não se lembrou de mais nada.

Está o ar de asas cheio
De besouros sem refreio
Que dão aviso ao zunir e ao zumbir.
    Ó! Das trompinhas o canto
    De duendes sob encanto
E os abafados pés dos gnomos a surgir!

As luzes! Os clarões! Os pequenos sons tilintantes:
    O farfalho das pequenas vestes silentes:
O eco de seus pés — de seus pequenos ledos pés:
    Os lumes a pender em globos refulgentes.

    Devo lhes seguir o séquito
    Por álea de turvo aspecto
Para onde os coelhos há muito não voltam,
    E onde argênteo canto lançam
    Em luarento anel avançam,
Um só cintilar com as joias que não soltam.
    Eis que na curva eles somem,
    Pirilampos se consomem
E o eco dos pés abafados aquiece!
    Ó! Meu peito a saltar —
    Deixem-me ir! Começar!
Pois a breve magia das horas decresce.

O ardor! O zumbir! As cores na escuridão!
    As vítreas asas de abelhas de tom dourado!

O som dos pés enfim — dançantes pés de gobelim!
    A magia! O pesar, com tudo terminado!]

Os *flittermice* [traduzidos como "morceguinhos"] referidos no terceiro versos são morcegos. Os duendes, gnomos e gobelins deste poema parecem ser tipos familiares de fadas dos contos de ninar.

No volume 1 da *História*, *O Livro dos Contos Perdidos, Parte Um*, Christopher Tolkien observa o que seu pai disse em 1971 sobre "Pés de Gobelim": "desejo que a pequena coisa infeliz, representando tudo que vim (quase de imediato) a desgostar com fervor, possa ser enterrada para sempre". Mas o "quase de imediato" de Tolkien precisa ser considerado com cuidado, pois tão tardiamente quanto em meados de 1930, Tolkien o incluiu em uma coletânea de poemas que estava planejando (a coletânea não chegou a ser publicada), e elementos mostrando a extravagância dos elfos dançantes aparecem de fato em *O Hobbit*. Parece que o desapreço de Tolkien por este poema e pelo tipo de seres que descreve data provavelmente de meados de 1930 ao final da década, por volta da época da primeira publicação de *O Hobbit* e de quando Tolkien estava começando a trabalhar em *O Senhor dos Anéis*.

5

ADIVINHAS NO ESCURO

Quando Bilbo abriu os olhos, ficou pensando se os abrira mesmo; pois estava tão escuro quanto se ficassem fechados. Não havia ninguém por perto. Imagine só o pavor dele! Não conseguia ouvir nada, ver nada, nem sentir nada, exceto o chão de pedra.

Bem devagar, levantou-se e pôs-se a tatear de quatro, até que tocou a parede do túnel; mas nem acima nem abaixo dela conseguia achar algo: nada de nada, nenhum sinal dos gobelins, nenhum sinal dos anãos. Sua cabeça estava girando, e ele estava muito longe de ter certeza até mesmo da direção em que estavam indo quando levou o tombo. Tentou adivinhar da melhor maneira que podia e rastejou adiante por um bom pedaço, até que de repente sua mão topou com o que parecia ser um minúsculo anel de metal frio caído no chão do túnel. Era uma grande virada em sua carreira, mas ele ainda não sabia disso. Colocou o anel em seu bolso quase sem pensar; decerto não parecia ser algo particularmente útil no momento. Não foi muito avante, mas se sentou no chão frio e se entregou aos sentimentos mais miseráveis por um bom tempo. Pensou em si mesmo fritando bacon e ovos em sua própria cozinha, em casa — pois podia sentir lá dentro que já era hora de alguma refeição; mas isso só o fez se sentir ainda mais miserável.

Não conseguia imaginar o que fazer; nem conseguia imaginar o que tinha acontecido; ou por que tinha sido deixado para trás; ou por que, se tinha sido deixado para trás, os gobelins não o tinham capturado; ou mesmo por que sua cabeça estava tão dolorida. A verdade é que tinha ficado deitado quieto, longe da vista e longe do pensamento, num canto muito escuro, por um longo período.

Depois de algum tempo, procurou seu cachimbo. Não estava quebrado, e isso já era alguma coisa. Depois procurou seu bornal, e havia algum tabaco dentro dele, e isso já era alguma coisa a mais. Então procurou fósforos,[1] e não conseguiu achar nenhum, o que destroçou completamente suas esperanças. Melhor assim, assentiu logo que se recuperou do choque. Sabe-se lá o que o riscar de fósforos e o cheiro de tabaco teria atraído sobre ele, vindo de buracos escuros, naquele lugar horrível. Mesmo assim, no momento, sentia-se

1 Os fósforos de Bilbo parecem anacrônicos para a maioria dos leitores. Os Anãos, ficamos sabendo na p. 154, jamais se habituaram a usar fósforos, utilizando caixas de pederneira em seu lugar. Em "A Floresta Velha", Capítulo 6 do Livro I de *O Senhor dos Anéis*, Sam acende uma fogueira com uma caixa de perderneira, e mais tarde, em *As Duas Torres*, ele é mencionado outra vez como portando uma pequena caixa de pederneira junto de seu equipamento. O estudo de Anders Stenström sobre o uso de fósforos e pederneiras em Tolkien, "Striking Matches" [Acendendo *fósforos*], encontra-se em *Arda 1985*, vol. 5 (1988).

muito chateado. Mas, ao vasculhar todos os bolsos e tatear o corpo em busca de fósforos, sua mão tocou o cabo de sua pequena espada — a pequena adaga que tomara dos trols, da qual tinha quase se esquecido; nem, por sorte, os gobelins a tinham notado,[2] já que a carregava dentro das calças.

Então a desembainhou. Ela brilhou, pálida e fraca, diante de seus olhos. "Então é uma arma élfica também", pensou; "e os gobelins não estão muito perto, e mesmo assim não estão longe o suficiente."

Mas, de algum modo, aquilo o reconfortou. Até que era bastante esplêndido estar usando uma espada forjada em Gondolin para as guerras gobelins cantadas em tantas canções; e ele também tinha notado que tais armas causavam grande impressão em gobelins que topavam com elas de repente.

"Voltar?", pensou. "Não adianta nada! Andar de lado? Impossível! Ir em frente? Única coisa a fazer! Vamos lá!" Assim, lá se foi ele, trotando e segurando na frente a espadinha, uma mão tateando a parede, com o coração todo palpitando e pulando.

Ora, certamente Bilbo estava naquilo que a gente costuma chamar de um aperto. Mas você precisa se lembrar de que não era tão apertado para ele quanto seria para mim ou para você. Os hobbits não são exatamente como as pessoas normais; e, afinal, ainda que as tocas deles sejam lugares limpinhos e alegres e apropriadamente arejados, bem diferentes dos túneis dos gobelins, ainda assim eles estão mais acostumados com túneis do que nós, e não perdem facilmente seu senso de direção debaixo da terra — não quando suas cabeças já se recuperaram de uma pancada. Além disso, conseguem se movimentar em extremo silêncio, e se esconder facilmente, e se recuperar maravilhosamente bem de quedas e arranhões, e eles possuem um tesouro de sabedoria e ditos sábios que os homens, em sua maioria, nunca ouviram ou esqueceram muito tempo atrás.

Eu não gostaria de estar no lugar do Sr. Bolseiro, mesmo assim. O túnel parecia não ter fim. Tudo o que ele sabia é que o caminho ainda estava descendo de modo contínuo e seguia na mesma direção, apesar de uma ou duas curvas e viradas. Havia passagens que saíam pelos lados de vez em quando, o que ele sabia graças ao brilho de sua espada, ou conseguia sentir com sua mão na parede. A isso ele não dava atenção, exceto ao se apressar adiante por medo dos gobelins ou de coisas escuras meio imaginadas que pudessem sair das passagens. Seguia sempre em frente e sempre para baixo; e ainda não ouvia som nenhum, exceto o sibilar de um morcego perto de seus ouvidos, que o assustou no começo, até

2 *1937:* "nor do the goblins seem to have noticed it" ["nem os gobelins pareciam tê-la notado"] > *1966 Longmans / Unwin:* "not fortunately had the goblins noticed it" ["nem, por sorte, os gobelins a tinham notado"] (*1966-Ball* segue *1937*).

3 A visão do interior de uma montanha tal como expressa aqui é muito sombria. Compare-a com a de George MacDonald no seu *The Princess and Curdie*, a continuação de *A Princesa e o Goblin*. O primeiro capítulo, "The Mountain" ["A montanha"], começa com uma descrição bastante longa e mitopoética de uma montanha, primeiro do lado de fora e então do lado de dentro:

> Mas o interior, quem poderá dizer o que lá se encontra? Cavernas da mais terrível solidão, paredes com espessura de milhas, rebrilhando com minérios de ouro ou prata, cobre ou ferro, estanho ou mercúrio, adornados porventura com pedras preciosas — porventura um regato, com peixes sem olhos, correndo, correndo incessantemente, frio e balbuciante, em meio a margens incrustadas com carbúnculos e topázios dourados, ou sobre o cascalho do qual algumas pedras são rubis e esmeraldas, porventura diamantes e safiras — quem pode dizer?

4 Em agosto de 1952, Tolkien visitou seu amigo George Sayer em Malvern, onde realizou uma gravação de grande parte deste capítulo, começando com a frase iniciada por "Deep down there by the dark water..." ["Ali, naquelas profundezas à beira da água escura..."]. Em 1975, esta gravação foi relançada como *J.R.R. Tolkien Reads and Sings His "The Hobbit" and "The Fellowship of the Ring"* (Caedmon TC 1477). A performance de Tolkien é maravilhosa, e sua voz torpe, aguda e chiada para Gollum é muito eficaz.

5 *1937:* "lived old Gollum. I don't know where" ["vivia o velho Gollum. Não sei de onde"] > *1966-Ball:* "lived old Gollum, a small slimy creature. I don't know where" ["vivia o velho Gollum, uma criatura pequena e escorregadia. Não sei de onde"].

Esta revisão foi feita provavelmente em resposta direta às edições estrangeiras ilustradas de *O Hobbit* publicadas antes de 1966. Na maioria delas, Gollum é retratado como uma criatura demasiado grande. Na edição sueca de 1947, ele foi desenhado como uma rocha grande, escura, com aproximadamente quatro vezes o tamanho de Bilbo, e na edição alemã de 1957 ele é muitas vezes maior do que Bilbo (suas pernas, pendentes sobre o barco, *são elas mesmas mais*

que se tornou frequente demais para incomodar. Não sei quanto tempo ele continuou desse jeito, odiando seguir em frente, não ousando parar, sempre adiante, até que ficou mais cansado que o cansaço. Parecia estar caminhando até amanhã e depois de amanhã, rumo aos dias além.[3]

De repente, sem aviso algum, trotou chapinhando na água. Ai! Estava fria, gelada. Isso o fez dar uma boa acordada. Não sabia se era só uma poça no caminho, ou a beira de um riacho debaixo da terra que cruzava a passagem, ou a margem de um lago subterrâneo profundo e escuro. A espada mal estava brilhando. Parou e conseguiu ouvir, quando se esforçava para escutar, gotas pinga-pinga-pingando, de um teto que não conseguia ver, na água embaixo delas; mas não parecia haver nenhum outro tipo de som.

"Então é uma lagoa ou um lago, e não um rio debaixo da terra", pensou. Mesmo assim, não ousava colocar os pés n'água naquela escuridão. Não sabia nadar; e também ficou pensando em coisas nojentas e cheias de muco, com grandes olhos inchados e cegos, retorcendo-se na água. Há coisas estranhas que vivem nas lagoas e lagos no coração das montanhas: peixes cujos pais entraram lá nadando, sabe-se lá quantos anos atrás, e nunca nadaram pra fora, enquanto seus olhos foram ficando cada vez maiores e maiores e maiores, tentando enxergar no negrume; e também há outras coisas mais viscosas que peixes. Mesmo nos túneis e cavernas que os gobelins fizeram para si há outras coisas vivendo, desconhecidas deles, que vieram se esgueirando do lado de fora para se esconder no escuro. Algumas dessas cavernas também remontam, em seus inícios, a eras anteriores aos gobelins, os quais apenas as alargaram e as uniram com passagens, e os donos originais das grutas ainda estão lá em certos cantos, rastejando e espreitando.

Ali, naquelas profundezas à beira da água escura,[4] vivia o velho Gollum, uma criatura pequena e escorregadia. Não sei de onde[5] veio, nem quem ou o que era. Ele era Gollum — tão escuro quanto a escuridão, exceto pelos dois grandes olhos redondos e pálidos em seu rosto magro.[6] Tinha um barquinho,[7] e ficava remando bem quieto no lago; pois era um lago extenso, e fundo, e mortalmente frio. Movimentava o barco com pés enormes que ficavam pendurados na amurada, mas nunca fazia nem sequer uma onda. Não mesmo. Ficava observando, com seus olhos pálidos semelhantes a lâmpadas, se apareciam peixes cegos, que ele agarrava com seus dedos compridos, rápidos feito pensamento. Gostava de carne também. Gobelim ele achava gostoso, quando conseguia pegar algum; mas tomava cuidado para que nunca o achassem. Aproveitava para esganá-los por trás, quando desciam sozinhos para perto da beira da água, quando ele estava à espreita. Raramente apareciam, pois tinham a sensação de que alguma coisa desagradável estava escondida lá embaixo, nas próprias raízes da montanha. Tinham chegado ao lago quando estavam abrindo os túneis, muito tempo antes, e descobriram que não dava para continuar; assim, a estrada deles terminava ali naquela direção, e não havia razão de ir por aquele caminho — a menos que o Grande Gobelim os enviasse até lá. Às vezes ele ficava com vontade de comer peixe do lago, e às vezes nem gobelim nem peixe voltavam.

Na verdade, Gollum vivia numa ilha de pedra coberta de limo no meio do lago. Agora ele estava observando Bilbo à distância, com seus olhos pálidos feito telescópios. Bilbo não conseguia vê-lo, mas ele estava muito curioso a respeito de Bilbo, pois podia ver que ele não era nenhum gobelim.

Gollum subiu em seu barco e saiu apressado da ilha, enquanto Bilbo estava sentado na margem, totalmente desacorçoado, no fim da linha e sem mais nenhuma ideia. De repente, eis que apareceu Gollum, que sussurrou e sibilou:

"Bença e sabença, meu preciosssso! Acho que é um banquete daqueles; pelo menos seria um bocado gostoso para nós, gollum!" E, quando dizia *gollum*, ele fazia um barulho de engolir horrível na garganta. Foi assim que ele ganhou seu nome, embora sempre chamasse a si mesmo de "meu precioso".[8]

O hobbit quase pulou até o teto quando o sibilo chegou a seus ouvidos e, de repente, viu os dois olhos pálidos se projetando na sua direção.

"Quem é você?", disse, colocando a adaga na frente do corpo.

"O que é ele, meu preciosso?", sussurrou Gollum (que sempre falava consigo mesmo por não ter ninguém mais com quem falar). Era isso o que ele tinha vindo descobrir, pois na verdade não estava com muita fome no momento, apenas com curiosidade; do contrário, teria agarrado primeiro e sussurrado depois.

"Sou o Sr. Bilbo Bolseiro. Perdi os anãos e perdi o mago e não sei onde estou; e não quero nem saber, desde que consiga sair daqui."

"O que ele tem nas suas mãoses?", disse Gollum, olhando para a espada, da qual não estava gostando muito.

"Uma espada, uma arma que veio de Gondolin!"

"Sssss", fez Gollum, ficando muito educado. "Talvêiz cê se senta aqui e conversa com ele um pouquim, meu preciossso. Ele gosta de adivinhas,[9] talvêiz ele gosta, né?"[10] Estava ansioso para parecer amigável, por enquanto pelo menos, e até que descobrisse mais sobre a espada e o hobbit, se ele estava mesmo sozinho, se era bom de comer e se ele, Gollum, estava realmente com fome. Adivinhas eram a única coisa em que ele conseguia pensar. Propô-las, e às vezes respondê-las, tinha sido

compridas do que Bilbo). Na edição portuguesa de 1962 ele aparece como uma figura barbada e alarmante de se ver, o dobro do tamanho de Bilbo, enquanto na edição japonesa de 1965 ele é como um grande réptil, com provavelmente três vezes o tamanho de Bilbo.

Gollum. Esboço a lápis de Allan Lee, para sua edição ilustrada de *O Hobbit* de 1997. Lee (1947–) nasceu em Middlesex, Inglaterra, e estudou na Ealing School of Art. Ilustrou diversos livros, incluindo *Fairies* [Fadas] (com Brian Froud; 1978), *The Mabinogion* [O Mabinogion] (1982), *Castles* [Castelos] (1984), *Merlin Dreams* [Sonhos de Merlin] (1988), e as versões da *Ilíada* e da *Odisseia* feitas por Rosemary Sutcliff, *Black Ships Before Troy* [Negros navios diante de Troia] (1993) e *The Wanderings of Odysseus* [As andanças de Odisseu] (1995).

Sua edição de *O Hobbit*, publicada em função do aniversário de 60 anos do livro, contém 26 ilustrações coloridas de página inteira e mais de três *dezenas* de esboços. Lee também contribuiu para a edição centenária de *O Senhor dos Anéis* com 50 ilustrações coloridas de página inteira. Ele atuou como artista conceitual e designer cênico para os três filmes de *O Senhor dos Anéis* de Peter Jackson. Dois outros esboços a lápis feitos por Lee aparecem nas pp. 136 e 279.

Gollum. Ilustração de Maret Kernumees para a edição estoniana de 1977.

6 Nos escritos de Tolkien, o antecedente de Gollum era uma criatura viscosa chamada Glip, que aparece em um poema com tal nome. "Glip" pertence a uma série de poemas chamada "Tales and Songs of Bimble Bay" ["Contos e canções da Baía Bimble"], e embora não esteja datado, foi provavelmente escrito por volta de 1928. Ele sobrevive em duas versões quase idênticas, sendo ambas manuscritos passados a limpo com tinta verde.

GLIP

Under the cliffs of Bimble Bay
  Is a little cave of stone
With wet walls of shining grey;
  And on the floor a bone,
A white bone that is gnawed quite clean
  With sharp white teeth.
But inside nobody can be seen —
  He lives foar underneath,
Under the floor, down a long hole
  Where the sea gurgles and sighs.
Glip is his name, as blind as a mole
  In his two round eyes
While daylight lasts; but when night falls
  With a pale gleam they shine
Like green jelly, and out he crawls
  All long and wet with slime.
He slinks through weeds at highwater mark
  To where the mermaid sings,
The wicked mermaid singing in the dark
  And threading golden rings
On wet hair; for many ships
  She draws to the rock to die.
And Glip listens, and quietly slips
  And lies in shadow by.
It is there that Glip steals his bones.
  He is a slimy little thing
Sneaking and crawling under fishy stones,
  And slinking home to sing
A gurgling song in his damp hole;
  But after the last light
Thera are darker and wickeder things that prowl
  On Bimble rocks at night.

[GLIP

Sob os penhascos da Baía
  Há uma pequena, pétrea cava
Cujo brilho gris irradia:
  E um osso no chão estava,

o único jogo que ele jogara com outras criaturas engraçadas sentadas em suas tocas muito, muito tempo atrás, antes que ele perdesse todos os seus amigos e fosse expulso, sozinho, e rastejasse para o fundo, para o escuro sob as montanhas.¹¹

"Muito bem", disse Bilbo, que estava ansioso para concordar, até que descobrisse mais sobre a criatura, se estava mesmo sozinha, se era feroz ou estava com fome, e se era amiga dos gobelins.

"Você pergunta primeiro", sugeriu, porque não tinha tido tempo de pensar numa adivinha.

Assim, Gollum sibilou:

> *O que tem raiz mas ninguém vê,*
> *Sobe a não mais poder,*
>   *Vence a árvore mais alta,*
>   *Mas o crescer lhe falta?*ª

"Fácil!", disse Bilbo. "Montanha, suponho."

"Esse aí adivinha fácil? Esse aí tem de fazer uma competição com nós, meu preciosso! Se o precioso perguntar e ele não responder, nós come ele, meu preciossso. Se ele perguntar e nós não responder, então nós faz o que ele quiser, hein? Nós mostra o caminho da saída, sim!"¹²

"Tudo bem!", disse Bilbo, não ousando discordar e quase explodindo o cérebro para pensar em adivinhas que pudessem salvá-lo de ser comido.

> *Trinta pôneis brancos num morro vermelho,*
>   *Primeiro mordiscam,*
>   *Depois eles ciscam,*
> *Depois param sem relho.*ᵇ ¹³

Isso foi a única coisa que lhe ocorreu perguntar — a ideia de comer não saía da cabeça dele. Essa era velha, aliás, e Gollum sabia a resposta tão bem quanto você.

"Moleza, moleza",¹⁴ sibilou ele. "Dentes! Dentes, meu preciossso; mas nós só tem seis!" Então declamou sua segunda adivinha:

> *Sem voz geme,*
> *Sem asa adeja,*
> *Sem dente range,*
> *Sem boca murmureja.*ᶜ ¹⁵

ª*What has roots as nobody sees, / Is taller than trees, / Up, up it goes, / And yet never grows?*
ᵇ*Thirty white horses on a red hill, / First they champ, / Then they stamp, / Then they stand still.*
ᶜ*Voiceless it cries, / Wingless flutters, / Toothless bites, / Mouthless mutters.*

"Só um momentinho!", gritou Bilbo, que ainda estava pensando, para seu desconforto, em comer. Por sorte, tinha ouvido antes alguma coisa bastante parecida e, recuperando o raciocínio, conseguiu pensar na resposta. "Vento, vento, é claro", disse, e ficou tão contente que inventou uma adivinha na hora. "Esta aqui vai quebrar a cabeça dessa criatura subterrânea nojenta", pensou:

> *Um olho num rosto azulado*
> *Viu um olho num rosto esverdeado.*
> *"Esse olho é como este olho",*
> *Disse o primeiro olho,*
> *"Mas em lugar rebaixado,*
> *Não em lugar elevado."*ᵈ ** ¹⁶

"Ss, ss, ss", fez Gollum. Fazia muito, muito tempo que ele estava debaixo da terra e já estava esquecendo esse tipo de coisa. Mas, justo quando Bilbo estava começando a ter esperança de que o desgraçado não seria capaz de responder,¹⁷ Gollum relembrou memórias de eras e eras e eras anteriores, quando ele vivia com sua avó numa toca na encosta de um rio. "Sss, sss, meu precioƨƨo", disse. "Sol nas margaridas significa, sim."

Mas essas adivinhas comuns, sobre coisas do dia a dia acima do chão, eram cansativas para ele. Também o faziam recordar os dias quando tinha sido menos solitário e traiçoeiro e nojento, e aquilo o tirava do sério. Além do mais, faziam-no ficar faminto; então, dessa vez, tentou algo um pouco mais difícil e desagradável:

> *Não pode ser visto nem sentido,*
> *Tampouco cheirado nem ouvido.*
> *Vai dentro de monte e atrás de estrela,*
> *Na cava a preenchê-la.*
> *Vem primeiro e depois sem aviso,*
> *Finda a vida, mata o riso.*ᵉ ¹⁸

Infelizmente para Gollum, Bilbo tinha ouvido aquele tipo de coisa antes; e a resposta estava o tempo todo à volta dele, de qualquer jeito. "O escuro!", disse, sem nem mesmo coçar a cabeça ou colocar seu chapéu de pensar.

> *Caixinha sem fecho ou tampa justa,*
> *Mas nela o farto ouro se oculta,*ᶠ¹⁹

ᵈ*An eye in a blue face / Saw an eye in a green face. / "That eye is like to this eye" / Said the first eye, / "But in low place / Not in high place."*
ᵉ*It cannot be seen, cannot be felt, / Cannot be heard, cannot be smelt. / It lies behind stars and under hills, / And empty holes it fills. / It comes first and follows after, / Ends life, kills laughter.*
ᶠ*A box without hinges, key, or lid, / Yet golden treasure inside is hid,*

> *Branco osso todo roído*
> *Por alvo dente afiado.*
> *Mas dentro não há um ruído —*
> *Vive muito enfiado*
> *No solo, funda buraqueira*
> *Onde o mar vem em murmúrios.*
> *Glip, seu nome, feito toupeira*
> *Os olhos tendo espúrios*
> *Sob o sol; quando a noite enseja*
> *Têm fulgor pálido, brilhoso,*
> *Verde geleia que rasteja,*
> *Sai todo comprido, limoso.*
> *No alto da maré algas fendeu*
> *Rumo aonde canta a sereia,*
> *Ímpia sereia cantando no breu,*
> *Dourados anéis ondeia*
> *Nos aquosos fios; naus sem fim*
> *Atrai à mortal penedia,*
> *Escuta Glip, sai quieto enfim*
> *E na sombra então se fia.*
> *É lá que dos ossos se abeira.*
> *Criaturinha visguenta,*
> *Sob pedras piscosas se esgueira,*
> *À úmida casa se ausenta,*
> *A cantar canções borbulhantes;*
> *Mas após a luz fenecer*
> *Há coisas sombrias, espreitantes*
> *Em Bimble ao anoitecer.*]

7 *1937*: "round pale eyes. He had a boat." ["olhos redondos e pálidos. Tinha um barco"] > *1966-Ball*: "round pale eyes in his thin face. He had a little boat." ["grandes olhos redondos e pálidos em seu rosto magro. Tinha um barquinho"].

8 Na primeira edição de *O Hobbit* (1937), Gollum usa a expressão "my precious" ["meu precioso"] para referir-se unicamente a si mesmo. Na segunda edição (1951), na qual o papel de Gollum foi significativamente alterado (ver nota 25 a este capítulo), a expressão pode ser entendida como referente ao anel, como é frequentemente o caso em *O Senhor dos Anéis*.

A palavra em nórdico antigo *gull* significa "gold" [ouro]. Nos manuscritos mais antigos ela está escrita como *goll*. Uma forma flexionada seria *gollum*, "ouro, tesouro, algo precioso". Pode também significar "anel", como se encontra na palavra composta *fingr-gull*, "finger-ring" [anel de dedo] — aspectos que devem ter ocorrido a Tolkien.

9 *1937:* "It likes riddles" ["Ele gosta de adivinhas"] > *1951:* "It like riddles" ["Ele gosta de adivinhas *{sic}*"].

Tolkien notou esse erro em uma carta a Rayner Unwin de 30 de dezembro de 1961: "Acho que esse acabou aparecendo na 6ª imp. Não que Gollum fosse perder a chance de uma sibilante!" (*Cartas*, n. 236). No entanto, o erro permaneceu em *1966-Ball, 1966-Longmans/Unwin, 1966-A&U, 1967-HM*, e na quarta edição de 1978 pela Allen & Unwin.

10 Em uma carta publicada no jornal londrino *The Observer* em 20 de fevereiro de 1938, Tolkien escreveu sobre as adivinhas usadas em *O Hobbit*: "Há trabalho para ser feito aqui a respeito das fontes e analogias. Eu não ficaria de todo surpreso em descobrir que tanto o hobbit como Gollum verão sua afirmação de terem inventado qualquer uma delas invalidada" (*Cartas*, n. 25).

As Adivinhas. Ilustração de Ryûichi Terashima para a edição japonesa de 1965.

11 *1937:* "before the goblins came, and he was cut off from his friends far under under [*sic*] the mountains" > ["antes que os gobelins viessem, e ele fosse apartado de seus amigos muito fundo fundo [*sic*] sob as montanhas"] > *1951:* "before he lost all his friends and was

Perguntou para ganhar tempo, até que conseguisse pensar em alguma realmente difícil. Essa ele achou que era moleza, terrivelmente fácil, embora não a tivesse formulado com as palavras costumeiras. Mas acabou se mostrando jogo duro para Gollum. Ele sibilou para si mesmo, mas, mesmo assim, não respondeu; sussurrou e balbuciou.

Depois de algum tempo, Bilbo ficou impaciente. "Bem, o que é?", ele disse. "A resposta não é um bule fervendo até transbordar, como você parece pensar pelo barulho que está fazendo."

"Dê-nos uma chance; que esse aí nos dê uma chance, meu preciosso — ss — ss."

"Bem", disse Bilbo, depois de lhe dar uma chance comprida, "e o seu palpite?"[20]

Mas de repente Gollum se lembrou de roubar ninhos muito tempo antes, e de se sentar na beira do rio ensinando sua avó, ensinando sua avó a chupar...

"Óvosos",[21] sibilou. "Óvosos é o que é!" Então perguntou:

Vivo, não respira,
De frio não expira;
Sem sede vai bebendo,
De couraça, não rangendo.[g][22]

Ele também, por sua vez, achou que essa era terrivelmente fácil, porque estava sempre pensando na resposta. Mas não conseguia se lembrar de nada melhor no momento, já que tinha ficado tão irritado com a adivinha dos ovos. Mesmo assim, aquela era jogo duro para o pobre Bilbo, que nunca chegava nem perto da água se pudesse evitar. Imagino que você saiba a resposta, é claro, ou consiga adivinhar com a mesma facilidade que consegue piscar, já que está sentado confortavelmente em casa e não corre o perigo de ser comido, o que ia atrapalhar o seu raciocínio. Bilbo se sentou e limpou a garganta uma ou duas vezes, mas nenhuma resposta saiu.

Depois de um tempo, Gollum começou a sibilar de prazer para si mesmo: "Será que ele é gostoso, meu preciossso? É suculento? É deliciosamente crocante?" Começou a encarar Bilbo da escuridão.

"Um momentinho", disse o hobbit, estremecendo. "Eu lhe dei uma bela de uma chance bem comprida agora há pouco."

"Esse aí precisa ter pressa, pressa!", disse Gollum, começando a sair do seu barco para ir à margem atrás de Bilbo. Mas, quando pôs seus pés compridos e palmados na água, um peixe saltou para fora, assustado, e caiu nos dedos dos pés de Bilbo.

---

[g] *Alive without breath, / As cold as death; / Never thirsty, ever drinking, / All in mail never clinking.*

"Ai!", disse ele, "está frio e pegajoso!" — e assim adivinhou. "Peixe! Peixe!", gritou. "É peixe!"

Gollum ficou terrivelmente desapontado; mas Bilbo propôs outra adivinha, o mais rapidamente possível, para que Gollum tivesse de voltar ao seu barco e pensar.

Sem-pernas deitou em uma-perna, duas-pernas se sentou em três-pernas, quatro-pernas ganhou um pouco.[h] [23]

Não era realmente a hora certa para essa adivinha, mas Bilbo estava com pressa. Gollum poderia ter tido algum trabalho para responder, se lhe perguntassem isso em outra hora. Do jeito que foi, falando de peixe, "sem-pernas" não era tão difícil, e depois disso o resto foi fácil. "Peixe numa mesinha, homem à mesa sentado numa banqueta, o gato ganhou os ossos" — essa, é claro, é a resposta, e Gollum logo a deu. Então achou que tinha chegado a hora de perguntar algo difícil e horrível. Isto foi o que ele disse:

Esta coisa a tudo devora:
Aves, feras, flores lança fora;
Rói ferro, morde aço;
De pedra faz bagaço;
Mata rei, vila arruína,
Vira montanha em terra fina.[i] [24]

O pobre Bilbo se sentou no escuro, pensando em todos os nomes horríveis de todos os gigantes e ogros dos quais já tinha ouvido falar em histórias, mas nem um só deles tinha feito todas essas coisas. Tinha a sensação de que a resposta era bem diferente e que ele devia saber qual era, mas não conseguia adivinhar. Começou a ficar assustado, e isso é ruim para o pensamento. Gollum começou a sair de seu barco. Botou os pés n'água e remou até a margem; Bilbo podia ver seus olhos vindo na direção dele. Sua língua parecia ter grudado na boca; ele queria gritar bem alto: "Dê-me mais tempo! Dê-me mais tempo!" Mas tudo o que saiu, com um guincho repentino, foi:

"Tempo! Tempo!"

Bilbo foi salvo por pura sorte. Pois aquela, claro, era a resposta.

Gollum ficou desapontado mais uma vez; e agora estava ficando raivoso, e também cansado do jogo. Aquilo o tinha

---

[h] *No-legs lay on one-leg, two-legs sat near on three-legs, fou-legs got some.*
[i] *This thing all things devours: / Birds, beasts, trees, flowers; / Gnaws iron, bites steel; / Grinds hard stones to meal; / Slays king, ruins town, / And beats high mountain down.*

driven away, alone, and crept down, down, into the dark under the mountains" ["antes que ele perdesse todos os seus amigos e fosse expulso, sozinho, e rastejasse para o fundo, para o escuro sob as montanhas"].

12 *1937:* "and we doesn't answer, we gives it a present, gollum!" ["e nós não responder, nós dá um presente pra ele, gollum!"] > *1951:* "and we doesn't answer, then we does what it wants, eh? We shows it the way out, yes!" ["e nós não responder, então nós faz o que ele quiser, hein? Nós mostra o caminho da saída, sim!"]

13 Tolkien resvalou aqui em uma adivinha bastante comum, a de n. 229 no *Oxford Dictionary of Nursery Rhymes* [Dicionário Oxford de rimas infantis] (1951), de Iona e Peter Opie:

Thirty white horses
Upon a red hill,
Now they tramp,
Now they champ,
Now they stand still.

[*Trinta pôneis brancos*
Sobre um morro vermelho,
Agora repisam
Agora mordiscam
Agora param sem relho.]

14 O uso feito por Gollum de *chestnut* [a rigor, "castanha", traduzida aqui por "moleza"] é uma gíria, significando uma piada ou história antiga e muito conhecida, que é particularmente o caso dessa adivinha.

15 Não consigo encontrar para esta adivinha um análogo único comparável. No entanto, adivinhas tradicionais sobre vento frequentemente apresentam variações frasais dos elementos "flying without wings" ["voando sem asas"] e "speaking without a mouth" ["falando sem boca"].

16 Essa adivinha expressa de modo perspicaz a etimologia da palavra *daisy* [margarida] em forma de adivinha. O nome da flor provém do anglo-saxão *dæges éage* ("day's eye" [olho do dia]), que alude às pétalas da flor se abrindo pela manhã (revelando o centro amarelo) e se fechando ao entardecer. Portanto, ela é o "eye of day" ou "day's eye" – o moderno *daisy*.

Tolkien usou esta expressão de forma similar em "A Balada dos Filhos de Húrin", um poema inacabado no metro aliterante anglo-saxão no qual trabalhou no início dos anos 1920. Ele foi publicado em *As Baladas de Beleriand*, terceiro volume da *História*:

> but Beleg yet breathed   in blood drenchéd
> aswoon, till the sun   to the South hastened,
> and the eye of day   was opened wide.

> [suspira Beleg   em sangrenta síncope
> pasmado, 'té o Sol   ao Sul se apressar,
> e o olho do dia   amplo a se abrir.]
>   (versos 716–18)

17 *1937:* "Bilbo was beginning to wonder what Gollum's present would be like" ["Bilbo estava começando a indagar como seria o presente de Gollum"] > *1961* (Puffin): "Bilbo was beginning to hope that he would not be able to answer" ["Bilbo estava começando a ter esperança de que ele não seria capaz de responder"] > *1966-Ball:* "Bilbo was beginning to hope that the wretch would not be able to answer" ["Bilbo estava começando a ter esperança de que o desgraçado não seria capaz de responder"] (*1951* segue *1937*. A versão intermediária na edição de 1961 da Puffin foi comunicada diretamente por Tolkien àquele editor em uma carta de abril de 1961).

Essa passagem foi negligenciada quando, em 1951, Tolkien publicou uma revisão de monta do capítulo "Adivinhas no Escuro", alterando a promessa feita por Gollum de um presente para Bilbo se este vencesse a disputa de adivinhas para Gollum mostrando a saída a Bilbo. Essa alteração alinha a passagem com a versão revisada da história.

18 Em seu exemplar da primeira edição de *O Hobbit Anotado* (agora na coleção Tolkien da Universidade Marquette), o falecido tolkienista Taum Santoski observou uma adivinha análoga em *Ízlenzkar Gátur* (1887), de Jón Árnason, uma coleção de aproximadamente 1.200 adivinhas islandesas:

> It will soon cover the roof of a high house.
> It flies higher than the mountains
> and causes the fall of many a man.

deixado muito faminto, de fato. Dessa vez, não voltou ao barco. Sentou-se no escuro ao lado de Bilbo. Isso fez o hobbit se sentir muitíssimo e terrivelmente desconfortável, e bagunçou seu raciocínio.

"Esse aí tem de noss fazer uma pergunta, meu preciosso, sim, ssim, sssim. Ssó mais uma pergunta para adivinhar, sim, ssim", disse Gollum.

Mas Bilbo simplesmente não conseguia pensar em pergunta nenhuma com aquela coisa nojenta, molhada e fria sentada ao seu lado, mexendo nele e o cutucando. Coçou-se, beliscou-se; ainda assim, não conseguia pensar em nada.

"Pergunta para nós! Pergunta para nós!", disse Gollum.

Bilbo se beliscou e se deu um tapa; apertou o cabo de sua pequena espada; até tateou o bolso com a outra mão. Ali achou o anel que tinha pegado na passagem e do qual se esquecera.

"O que tem no meu bolso?", disse em voz alta. Estava falando consigo mesmo, mas Gollum achou que fosse uma adivinha e ficou horrivelmente contrariado.

"Não justo! Não justo!", sibilou ele, "não é justo, meu precioso, perguntar para nós o que esse aí tem nos seus bolsossozinhos ssujos!"

Bilbo, vendo o que tinha acontecido e não tendo nada melhor para perguntar, manteve a pergunta. "O que tem no meu bolso?", disse mais alto.

"S-s-s-s-s", sibilou Gollum. "Esse aí tem que dar para nós três chanceses, meu preciosso, três chanceses."

"Muito bem! Tente adivinhar!", disse Bilbo.

"Mãoses!", disse Gollum.

"Errado", disse Bilbo, que, por sorte, tinha acabado de tirar a mão do bolso. "Tente de novo!"

"S-s-s-s-s", disse Gollum, mais contrariado do que nunca. Ele pensou em todas as coisas que guardava em seus próprios bolsos: ossos de peixe, dentes de gobelins, conchas molhadas, um pedaço de asa de morcego, uma pedra afiada para amolar seus caninos e outras coisas nojentas. Tentou pensar no que outras pessoas guardavam em seus bolsos.

"Faca!", disse por fim.

"Errado!", disse Bilbo, que tinha perdido a sua fazia algum tempo. "Última chance!"

Agora Gollum estava num estado muito pior do que quando Bilbo tinha feito a pergunta do ovo. Sibilou, e balbuciou, e se balançou para trás e para frente, e bateu os pés no chão, e se retorceu e remexeu; mas ainda não ousava gastar sua última chance.

"Vamos lá!", disse Bilbo. "Estou esperando!" Tentou soar desafiador e alegre, mas não tinha certeza nenhuma sobre como o jogo ia acabar, com Gollum adivinhando certo ou não.

"O tempo acabou!", disse.

"Corda, ou nada!", berrou Gollum, o que não era muito justo — dando dois chutes de uma vez só.

"Ambos errados", gritou Bilbo, muitíssimo aliviado; e ficou de pé de um salto na hora, encostou-se na parede mais próxima e levantou sua espadinha.[25] Ele sabia, é claro, que o jogo de adivinhas era sagrado e de imensa antiguidade,[26] e mesmo criaturas perversas tinham medo de trapacear quando o jogavam. Mas sentia que não podia ter confiança de que aquela coisa gosmenta fosse manter qualquer promessa na hora do aperto. Qualquer desculpa seria suficiente para que ele se livrasse dela. E, afinal, aquela última pergunta não tinha sido uma adivinha genuína, de acordo com as leis antigas.[27]

Mas, de qualquer modo, Gollum não o atacou de imediato. Conseguia ver a espada na mão de Bilbo. Continuou sentado, tremendo e murmurando. Por fim, Bilbo não conseguiu mais esperar.

"Bem?", disse. "E quanto à sua promessa? Quero ir embora. Você tem de me mostrar o caminho."

"Nós disse isso, precioso? Mostrar a saída para o ssujo do pequeno Bolseiro, sim, sim. Mas o que esse aí tem nos seus bolsossos, hein? Não é corda, precioso, mas também não é nada. Oh, não! Gollum!"

"Não é da sua conta", disse Bilbo. "Uma promessa é uma promessa."

"Está zangado, impaciente, precioso", sibilou Gollum. "Mas tem de esperar, sim, tem. Nós não pode sair andando pelos túneis assim com pressa. Nós precisa ir pegar algumas coisas primeiro, sim, coisas para ajudar nós."

"Bem, apresse-se!", disse Bilbo, aliviado ao pensar em Gollum indo embora. Pensou que ele só estava dando uma desculpa e não pretendia voltar. Do que Gollum estava falando? Que coisa útil ele poderia guardar no lago escuro? Mas estava errado. Gollum de fato pretendia voltar. Estava com raiva agora e faminto. E ele era uma criatura miserável e perversa e já tinha um plano.

Não muito longe dali ficava sua ilha, sobre a qual Bilbo nada sabia, e lá, em seu esconderijo, ele guardava alguns cacarecos horríveis e uma única coisa muito bela, muito bela, muito maravilhosa. Ele tinha um anel, um anel dourado, um anel precioso.

"Meu presente de aniversário!", murmurou para si mesmo, como fizera com frequência nos intermináveis dias escuros. "É isso que nós quer agora, sim; nós quer ele!"

Ele o queria porque era um anel de poder e, se você colocasse esse anel em seu dedo, ficava invisível; só na plena luz do dia você poderia ser visto, e mesmo assim só pela sua sombra, e essa ficaria trêmula e tênue.

Everyone can see it, but no one can fetter it.
It can stand both blows and the wind,
and it is not harmful.

[*Logo há de cobrir o teto de uma casa alta.*
Voa mais alto que as montanhas
e leva à queda de homens muitos.
Todos conseguem ver, mas ninguém pode agrilhoar.
Resiste tanto a golpes como ao vento,
e não é nocente.]
(n. 352, p. 52. Resposta: escuridão)

19 Em uma carta para seu editor datada de 20 de setembro de 1947, Tolkien chamou esta adivinha de "redução para um dístico (meu) de uma adivinha literária mais longa que aparece em alguns livros de 'Cantigas Infantis'" (*Cartas*, n. 110). A adivinha literária mais longa é certamente esta:

In marble halls as white as milk,
Lined with a skin as soft as silk,
Within a fountain crystal-clear,
A golden apple doth appear.
No doors there are to this stronghold,
Yet thieves break in and steal the gold.

[*Em marmóreos salões de alvo leite,*
De seda forrados, macio deleite,
Em uma fonte de água tão pura
Uma maçã de ouro se mistura.
Não há portas para esta fortaleza,
Mas intrusos lhe tomam a riqueza.]

Em Leeds, Tolkien retrabalhou essa adivinha em anglo-saxão. Em 26 de junho de 1922, ele a enviou em um cartão-postal para Henry Bradley, que era responsável pelo *Oxford English Dictionary* quando Tolkien estivera na equipe em 1918–20. Tolkien publicou-a, junto de outra adivinha similarmente recomposta, em *A Northern Venture: Verses by Members of the Leeds University English School Association* (1923). O título sob o qual as duas adivinhas estão dispostas é traduzido como "Two Saxon Riddles Recently Discovered" [Duas adivinhas saxãs recém-descobertas]. As versões de Tolkien não são apenas traduções, mas composições originais baseadas em adivinhas tradicionais.

ADIVINHAS NO ESCURO

"Enigmata Saxonica Nuper Inventa Duo"

I.
*Meolchwitum sind marmanstane
wagas mine wundrum frætwede;
is hrægl ahongen hnesce on-innan,
seolce gelicost; siththan on-middan
is wylla geworht, waeter glaes-hluttor;
Thær glisnath gold-hladen on gytestreamum
æppla scienost. Infær nænig
nah min burg-fæsten; berstath hwæthre
thriste theofas on thrythærn min,
ond thæt sinc reafiath — saga hwæt ic hatte!*

II.
*Hæfth Hild Hunecan hwite tunecan,
ond swa read rose hæfth rudige nose;
the leng heo bideth, the læss heo wrideth;
hire tearas hate on tan blate
biernende dreaosath ond bearhtme freosath;
hwæt heo sie saga, searothancla maga.* (p. 20)

A segunda adivinha, traduzida de volta para o inglês, seria:

*Hild Hunic has a white tunic
And like a red rose, a ruddy nose.
The longer she bides, the less she thrives.
On the pale branch her tears blanch,
Their heat leaves as they freeze.
What she may be say, wise lad if you may.*

[*Hilda Húnica tem branca túnica,
tal rosa carmim, nariz carmesim.
Quanto mais espera, menos prospera.
No ramo alvadio, lágrimas a fio,
Seu calor acabado, enregelado.
Moço, o que é diga, caso consiga.*]

A versão de Tolkien é uma expansão imaginativa de uma adivinha familiar que sobrevive em muitas variações:

*Little Nancy Etticoat
In a white petticoat
And a red nose;
The longer she stands
The shorter she grows.*

[*Pequena Nancy Nágua
Em sua branca anágua
E rubro nariz;
Quanto mais perdura
Menor seu cariz.*]

A resposta é uma vela.

"Meu presente de aniversário! Ele veio até mim no meu aniversário, meu precioso." Assim ele sempre dissera a si mesmo. Mas quem sabe como Gollum topou com aquele presente, eras atrás, nos dias antigos, quando tais anéis ainda podiam ser achados no mundo? Talvez nem mesmo o Mestre[28] que os regia pudesse dizer. Gollum costumava usá-lo no começo, até que isso o deixou cansado; e então o guardou numa bolsa colada à sua pele, até que isso o irritou; e agora geralmente o escondia num buraco na pedra em sua ilha, e estava sempre voltando para dar uma olhada nele. E ainda, às vezes, colocava-o no dedo, quando não suportava mais ficar separado dele, ou quando estava com muita, muita fome, e cansado de peixe. Então se esgueirava por passagens escuras procurando gobelins desgarrados. Podia até se aventurar em lugares onde as tochas estavam acesas e faziam seus olhos piscarem e coçarem; pois estaria seguro. Oh, sim, bem seguro. Ninguém havia de vê-lo, ninguém notaria a sua presença, até que seus dedos estivessem na garganta da vítima. Apenas algumas horas antes ele o tinha usado e agarrara uma pequena cria de gobelim. Como ele guinchou! Ainda tinha sobrado um osso ou dois para roer, mas ele queria algo mais macio.

"Bem seguro, sim", murmurou para si mesmo. "Ele não vai ver nós, vai, meu precioso? Não. Não vai ver nós, e sua espadinha ssuja vai ser inútil, sim, verdade."

Era isso o que passava pela sua cabecinha perversa quando ele saiu de repente de perto de Bilbo, e bateu os pés de volta até seu barco, e se foi no escuro. Bilbo achou que tinha ouvido a criatura pela última vez. Mesmo assim, esperou um pouco; pois não tinha ideia de como achar a saída sozinho.

De repente, ouviu um ganido. Aquilo fez um arrepio lhe descer pela espinha. Gollum estava maldizendo e gemendo na treva, não muito longe dali, pelo som. Estava em sua ilha, cutucando aqui e ali, procurando e buscando em vão.

"Onde esstá? Onde esstá?", Bilbo o ouviu gritando. "Esstá perdido, meu precioso, perdido, perdido! Maldito e desdito, meu precioso está perdido!"

"Qual o problema?", gritou Bilbo. "O que você perdeu?"

"Não é pra perguntar pra nós", berrou Gollum. "Não da conta dele, não, gollum! Esstá perdido, gollum, gollum, gollum."

"Bem, eu também estou", gritou Bilbo, "e quero ficar desperdido. E ganhei o jogo, e você prometeu. Então vamos logo! Venha me deixar sair e depois continue a procurar!" Por mais que Gollum soasse profundamente desgraçado, Bilbo não conseguia achar muita piedade em seu coração e tinha a sensação de que qualquer coisa que Gollum quisesse tanto assim dificilmente podia ser algo bom. "Vamos logo!", gritou.

"Não, ainda não, precioso!", respondeu Gollum. "Temos de procurá-lo, está perdido, gollum."

"Mas você não adivinhou a resposta da minha última pergunta e você prometeu", disse Bilbo.

"Não adivinhei!", disse Gollum. Então, de repente, da treva veio um sibilo cortante. "O que ele tem nos seus bolsossos? Conte para nós. Tem de contar primeiro."

Até onde Bilbo sabia, não havia nenhuma razão especial para ele não contar. A mente de Gollum tinha chegado a um palpite mais rápido que a dele; naturalmente, pois Gollum tinha ficado obcecado durante eras por aquela única coisa e ele estava sempre com medo de que ela fosse roubada. Mas Bilbo ficou irritado com a demora. Afinal, tinha vencido o jogo, de modo bastante justo, correndo um risco horrível. "As respostas tinham de ser adivinhadas, não dadas", disse.

"Mas não foi uma pergunta justa", disse Gollum. "Não uma adivinha, precioso, não."

"Ah, bom, se a questão são perguntas comuns," Bilbo respondeu, "então eu fiz uma primeiro. O que você perdeu? Conte-me!"

"O que ele tem nos seus bolsossos?" O som veio sibilando, mais alto e mais cortante e, quando olhou na direção dele, para seu alarme, Bilbo agora via dois pequenos pontos de luz que o miravam. Conforme a suspeita crescia na mente de Gollum, a luz de seus olhos ardia com uma chama pálida.[29]

"O que você perdeu?", insistiu Bilbo.

Mas agora a luz nos olhos de Gollum tinha se tornado um fogo verde, que estava chegando mais perto rapidamente. Gollum estava em seu barco de novo, remando loucamente de volta à margem escura; e tal fúria de perda e suspeita caíra sobre seu coração que espada nenhuma ainda continha terror para ele.

Bilbo não conseguia adivinhar o que tinha enlouquecido a criatura desgraçada, mas viu que tudo estava às claras, e que Gollum pretendia assassiná-lo de qualquer jeito. No momento exato, virou-se e correu às cegas de volta para a passagem escura pela qual viera, ficando perto da parede e tateando-a com a mão esquerda.

"O que ele tem nos seus bolsossos?", ouviu Bilbo, o sibilo alto atrás dele e o chapinhar, quando Gollum saltou de seu barco. "O que será que tenho aqui, o que será?", disse a si mesmo, enquanto ofegava e avançava tropeçando. Colocou a mão esquerda no bolso. O anel parecia muito frio quando deslizou silenciosamente sobre o indicador que tateava.

O sibilo estava bem atrás dele. Virou-se então e viu os olhos de Gollum, feito pequenas lamparinas verdes, subindo o barranco.[30] Aterrorizado, tentou correr mais rápido, mas,

20 *1937:* "what about your present?" ["e o seu presente?"] > após *1951:* "what about your guess?" ["e o seu palpite?"] (A "quinta impressão" da segunda edição de *1951* mantém a leitura de *1937*. A correção foi feita em 1955, na sétima impressão.)

O motivo para essa revisão é o mesmo dado anteriormente na nota 17 deste capítulo.

21 A linha de raciocínio de Gollum ao responder essa adivinha, rememorando que uma vez ensinara sua avó a chupar ovos, proporciona um divertido uso literal dessa velha expressão. Francis Grose, no seu *Classical Dictionary of the Vulgar Tongue* [Dicionário clássico da língua vulgar] (1785), registra sob o verbete *granny* [vovó] (uma abreviação para grandmother [avó]) que a expressão "go teach your granny to suck eggs" ["vá ensinar sua vovó a chupar ovos"] era dita a qualquer um que tentava instruir outros "em um assunto que ele conhece melhor que eles mesmos" — isto é, a expressão é dita de forma derrisória a alguém que tenta ensinar algo aos mais velhos ou àqueles com mais experiência que ele mesmo, como na expressão em português "ensinar o padre a rezar a missa".

22 Há uma adivinha levemente análoga na *Saga of King Heidrek the Wise* [Saga do Rei Heidrek, o Sábio] do nórdico antigo, em uma disputa de saberes entre o Rei Heidrek e Gestumblindi, que é o deus nórdico Odin disfarçado. Dou aqui a tradução de Christopher Tolkien, publicada em 1960:

What lives on high fells?
What falls in deep dales?
What lives without breath?
What is never silent?
This riddle ponder,
O prince Heidrek!

"Your riddle is good, Gestumblindi", said the king; "I have guessed it. The raven lives ever on the high fells, the dew falls ever in the deep dales, the fish lives without breath, and the rushing waterfall is never silent."

[*O que vive em alto morro?*
O que cai em vale fundo?
O que vive sem respirar?
O que jamais silencia?
Pondera a adivinha,
Ó príncipe Heidrek!

"Sua adivinha é boa, Gestumblindi", disse o rei; "eu a adivinhei. O corvo vive sempre no alto morro, o orvalho cai sempre no vale fundo, o peixe vive sem respirar, e a cachoeira impetuosa jamais silencia."] (p. 80)

No Capítulo 2 do Livro IV de *O Senhor dos Anéis*, Gollum dá uma variante mais longa dessa adivinha:

Alive without breath;
as cold as death;
never thirsting, ever drinking;
clad in mail, never clinking.
Drowns on dry land,
thinks an island
is a mountain;
thinks a fountain
is a puff of air.
So sleek, so fair!
  What a joy to meet!
We only wish
to catch a fish,
  so juicy-sweet!

[*Vivo, não respira,*
De frio não expira;
Sem sede vai bebendo,
De couraça, não rangendo.
No seco se afoga,
a ilha, roga,
é um alto monte;
pensa que a fonte
é vento subindo.
Tão esbelto, tão lindo!
  Encontrá-lo é um gozo!
Só nos deixe
pegar um peixe,
  macio e gostoso!]

23 Adivinhas sobre pernas são tradicionais, remontando à adivinha da Esfinge proposta a Édipo. (Que animal anda com quatro pernas pela manhã, duas ao meio-dia, e três ao entardecer? A resposta, tal como dada por Édipo, é o homem: o homem anda com suas mãos e pés na manhã da vida, caminha ereto sobre os dois pés em seu auge ao meio-dia, e no entardecer da vida ampara suas enfermidades com uma bengala.)

de repente, deu uma topada numa saliência do chão e tombou com a espadinha embaixo de si.

Num instante Gollum o alcançou. Mas, antes que Bilbo pudesse fazer qualquer coisa, recuperar o fôlego, dar um jeito de se levantar, ou sacudir a espada, Gollum passou reto, sem se dar conta dele, maldizendo e sussurrando conforme corria.

O que isso poderia significar? Gollum conseguia enxergar no escuro. Bilbo podia ver a luz dos olhos dele, brilhando palidamente, até mesmo detrás de si. Com o corpo dolorido, levantou-se e embainhou a espada, a qual agora estava brilhando fraquinha de novo, e então, com muito cuidado, seguiu-o. Não parecia haver outra coisa a fazer. Não adiantava rastejar de volta à lagoa de Gollum. Talvez, se o seguisse, Gollum pudesse conduzi-lo a alguma rota de fuga sem querer.

"Maldito! Maldito! Maldito!", sibilava Gollum. "Maldito Bolseiro! Foi embora! O que ele tem nos seus bolsossos? Oh, nós adivinha, nós adivinha, meu precioso. Ele achou, sim, deve ter achado. Meu presente de aniversário."

Bilbo apurou os ouvidos. Estava finalmente começando a adivinhar também. Apressou-se um pouco, chegando o mais perto que ousava de Gollum, o qual ainda estava avançando rápido, sem olhar para trás, mas virando a cabeça de um lado para o outro, como Bilbo conseguia ver a partir do brilho tênue nas paredes.

"Meu presente de aniversário! Maldito! Como nós perdeu ele, meu precioso? Sim, é isso. Quando nós veio por este caminho da última vez, quando nós torceu o pescoço daquele guinchador ssujo. É isso. Maldito! Escapou de nós, depois de todas essas eras e eras. Ele se foi, gollum."

De repente Gollum se sentou e começou a chorar, um som silvado e engasgado horrível de se ouvir. Bilbo estacou e se encostou bem junto à parede do túnel. Depois de um tempo, Gollum parou de chorar e começou a falar. Parecia estar discutindo consigo mesmo.

"Não adianta voltar até lá para procurar, não. Nós não se lembra de todos os lugares que visitou. E não funciona. O Bolseiro o guardou em seus bolsossos; o enxerido ssujo o encontrou, nós diz."

"Nós acha, precioso, só acha. Nós não tem como saber até encontrar aquela criatura ssuja e apertar ela. Mas aquele lá não sabe o que o presente faz, sabe? Vai só guardar ele nos bolsossos. Não sabe e não tem como ir longe. Ele se perdeu, aquela coisa ssuja enxerida. Não sabe o caminho da saída. Foi o que disse."

"Disse isso, sim; mas é cheio de truques. Não fala o que quer dizer. Aquele lá se recusa a dizer o que tem nos seus bolsossos. Ele sabe. Conhece um caminho de entrada, deve conhecer um caminho de saída, sim. Foi para a porta dos fundos. Para a porta dos fundos, é isso."

"Os gobelinses vão pegar ele, então. Não tem como sair por aquele caminho, precioso."

"Ssss, sss, gollum! Gobelinses! Sim, mas se ele pegou o presente, nosso presente precioso, então os gobelinses vão ficar com ele, gollum! Vão descobrir ele, vão descobrir o que ele faz! Nunca mais nós vai ficar seguro, nunca, gollum! Um dos gobelinses vai colocar ele, e então ninguém mais vai conseguir ver ele. Vai estar lá, mas não vai ser visto. Nem mesmo nossos olhossos espertos vão notar ele; e ele vai chegar todo rastejante e cheio de truques e vai pegar nós, gollum, gollum!"

"Então vamos parar de falar, precioso, e ir mais rápido. Se o Bolseiro foi por aquele caminho, nós tem de ir rápido e ver. Vamos! Não está longe. Rápido!"

Com um salto Gollum se levantou e partiu bambeando, em ritmo forte. Bilbo se apressou atrás dele, ainda com cautela, embora seu medo principal agora fosse o de tropeçar em outra saliência do chão e levar um tombo que fizesse barulho. Sua cabeça estava rodando com esperança e assombro. Parecia que o anel que tinha era um anel mágico: fazia a pessoa ficar invisível![31] Tinha ouvido falar de tais coisas, é claro, em histórias muito, muito antigas; mas era difícil de acreditar que realmente tivesse achado uma, por acidente. Mesmo assim, é o que parecia: Gollum, com seus olhos brilhantes, tinha passado por ele a apenas alguns palmos de distância.

Lá se foram eles, Gollum batendo os pés na frente, sibilando e maldizendo; Bilbo indo atrás, tão suavemente quanto um hobbit consegue andar. Logo chegaram a lugares onde, como Bilbo tinha notado no caminho de descida, passagens laterais se abriam, para este e aquele lado. Gollum começou imediatamente a contá-las.

"Uma na esquerda, sim. Uma na direita, sim. Duas na direita, sim, sim. Duas na esquerda, sim, sim." E assim por diante.

Conforme a contagem seguia, ele diminuiu o passo e começou a ficar trêmulo e choroso; pois estava deixando a água cada vez mais para trás e estava ficando com medo. Os gobelins poderiam estar por perto, e ele tinha perdido o seu anel. Por fim parou perto de uma abertura baixa, do lado esquerdo deles, conforme subiam.

"Sete na direita, sim. Seis na esquerda, sim!", sussurrou ele. "É aqui. Este é o caminho para a porta dos fundos, sim. Aqui está a passagem!"

Ele espiou por ela e recuou. "Mas nós não tem coragem de entrar, precioso, não, nós não tem. Gobelinses lá embaixo. Montes de gobelinses. Nós fareja eles. Ssss!"

O *Oxford Dictionary of Nursery Rhymes* inclui uma adivinha bastante comum semelheante *à de Tolkien*:

Two legs sat upon three legs
With one leg in his lap;
In comes four legs
And runs away with one leg;
Up jumps two legs,
Catches up three legs,
Throws it after four legs,
And makes him bring back one leg.

[*Duas-pernas sentou-se em três-pernas*
Com uma-perna em seu colo;
Entra então quatro-pernas
E foge com uma-perna;
Alto pula duas-pernas,
Alcança três-pernas,
E o joga atrás de quatro-pernas,
E o faz trazer de volta uma-perna.] (n. 302)

A solução é um homem sentado em um banquinho, com uma perna de carneiro em seu colo. Um cachorro aparece e rouba o carneiro; o homem pega o banquinho, arremessa no cachorro e o faz trazer de volta o carneiro.

24 Há uma adivinha análoga a essa no "Second Dialogue of Solomon and Saturn" [Segundo diálogo de Salomão e Saturno] em inglês antigo. Dou aqui a tradução de Tom Shippey, extraído do seu *Poems of Wisdom and Learning in Old English* [Poemas de Sabedoria e instrução em inglês antigo] (1976):

Saturn said: But what is that strange thing that travels through this world, goes on inexorably, beats at foundations, causes tears of sorrow, and often comes here? Neither star nor stone nor eye-catching jewel, neither water nor wild beast can deceive it at all, but into its hands go hard and soft, small and great. [...]

Solomon said: Old age has power over everything on earth. [...] She smashes trees and breaks their branches, in her progress she uproots the standing trunk and fells it to the ground. After that she eats the wild bird. She fights better than a wolf, she waits longer than a stone, she proves stronger than steel, she bites iron with rust; she does the same to us.

[Disse Saturno: Mas o que é aquela estranha coisa que viaja pelo mundo, segue inexorável, castiga as fundações, causa lágrimas de pesar, e amiúde vem aqui? Nem estrela ou pedra ou vistosa joia, nem água ou besta-fera pode sequer enganá-la, mas em suas mãos vão-se o duro e o macio, o pequeno e o grande. [...]

Disse Salomão: a Velhice tem poder sobre tudo na terra. [...] Ela esmaga árvores e quebra-lhes os galhos, em seu avanço extirpa o tronco ereto e o derriba ao chão. Depois disso, come a ave selvagem. Briga melhor que um lobo, aguarda mais tempo que uma pedra, prova-se mais forte que o aço, morde o ferro com ferrugem; ela faz o mesmo conosco.] (pp. 91, 93)

Outra adivinha sobre o tempo foi observada por Taum Santoski no *Ízlenzkar Gátur*, de Jón Árnason:

I am without beginning, yet I am born. I am also without end, and yet I die. I have neither eyes nor ears, yet I see and hear. I am never seen, and yet my works are visible. I am long conquered, I am never conquered, and yet I am vanquished. I labor ever, but am never tired. I am wise but dwell among the foolish. I am a lover of Providence, and yet it may appear to me that it hates me. Often I die before I am born, and yet I am immortal. Without being aware of it, I often take by surprise. I live with Christians, I dwell among the heathen; among the cursed in Hell I am cursed, and I reign in the Kingdom of Glory.

[Não tenho começo, no entanto, nasci. Não tenho também fim, e, no entanto, morro. Não tenho olhos nem ouvidos, no entanto vejo e ouço. Nunca sou visto, e, no entanto, minhas obras são visíveis. Há muito fui conquistado, nunca fui conquistado, e, no entanto, estou subjugado. Labuto sempre, mas nunca estou cansado. Sou sábio, mas habito entre os tolos. Sou amante da Providência, e, no entanto, ela parece odiar-me. Morro amiúde antes de nascer, e, no entanto, sou imortal. Sem estar cônscio

"O que nós vai fazer? Malditos e desditos! Nós precisa esperar aqui, precioso, esperar um pouco pra ver."

Assim, ambos pararam de vez. Gollum tinha trazido Bilbo até a saída, afinal de contas, mas Bilbo não conseguia passar! Lá estava Gollum sentado, com o lombo bem na abertura, e seus olhos brilhavam frios em sua cabeça, enquanto ele a balançava de lá para cá entre seus joelhos.

Bilbo se esgueirou da parede, mais quieto que um camundongo; mas Gollum estacou de imediato, e farejou, e seus olhos ficaram verdes. Sibilou num tom baixo, mas ameaçador. Ele não conseguia ver o hobbit, mas agora estava alerta e tinha outros sentidos que a escuridão aguçara: a audição e o olfato. Parecia estar totalmente debruçado, com suas mãos chatas espalmadas no solo e a cabeça esticada, o nariz quase tocando a pedra. Embora Gollum fosse apenas uma sombra negra ao brilho de seus próprios olhos, Bilbo conseguia ver ou sentir que ele estava tenso como a corda de um arco pronto para disparar.

Bilbo quase parou de respirar e ficou, ele próprio, rígido. Estava desesperado. Precisava ir embora, sair dessa escuridão horrível enquanto lhe sobrasse alguma força. Precisava lutar. Precisava apunhalar aquela coisa imunda, apagar seus olhos, matá-la. Gollum pretendia matá-lo. Não, não era uma luta justa. Estava invisível agora. Gollum não tinha espada. Gollum ainda não tinha ameaçado matá-lo de fato, ou tentado matá-lo. E estava desgraçado, sozinho, perdido. Uma compreensão repentina, uma piedade misturada com horror, brotou no coração de Bilbo: um vislumbre de dias intermináveis e nunca registrados, sem luz ou esperança de melhora, pedra dura, peixe frio, tocaiando e sussurrando. Todos esses pensamentos passaram no clarão de um segundo. Ele tremeu. E então, bem de repente, em outro clarão, como que carregado por uma nova força e resolução, ele saltou.

Não era nenhum grande salto para um homem, mas um salto no escuro. Direto por cima da cabeça de Gollum ele saltou, sete pés para a frente e três para cima no ar; de fato, embora não soubesse, ele mal escapou de rachar o crânio no arco baixo da passagem.

Gollum se jogou para trás e tentou agarrar o hobbit quando Bilbo voou por cima dele, mas tarde demais: seus dedos pegaram só ar, e Bilbo, caindo ereto com seus pés robustos no chão, saiu correndo pelo novo túnel. Não se virou para ver o que Gollum estava fazendo. Vieram sibilos e maldições nos seus calcanhares, no começo, e então pararam. Súbito, ouviu-se um urro de gelar o sangue, repleto de ódio e desespero. Gollum fora derrotado. Não ousava ir avante. Tinha perdido: perdera sua presa e perdera, também, a única coisa que jamais acalentara, seu precioso. O grito fez Bilbo ficar com o coração na boca, mas ainda assim ele prosseguiu. Agora tênue feito um eco, mas ameaçadora, a voz veio de trás:

"Ladrão, ladrão, ladrão! Bolseiro! Nós odeia ele, nós odeia ele, nós odeia ele para sempre!"

Então fez-se silêncio. Mas aquilo também parecia ameaçador para Bilbo. "Se os gobelins estão tão perto que ele os farejou," pensou, "então devem ter ouvido seus urros e maldições. Cuidado agora, ou este caminho vai levar você a coisas piores."

A passagem era baixa e de feitio grosseiro. Não era um caminho difícil demais para o hobbit, exceto quando, apesar de todo o cuidado, ele deu topadas com seus pobres dedos dos pés de novo, várias vezes, nas malditas pedras pontudas do chão. "O teto é um pouco baixo para gobelins, ao menos para os grandes", pensou Bilbo, sem saber que até os grandes, os orques das montanhas, caminham em grande velocidade bem abaixados, com as mãos quase no chão.

Logo a passagem, que tinha se inclinado para baixo, começou a subir de novo e, depois de um tempo, foi ficando íngreme.[32] Isso fez Bilbo ir mais devagar. Mas, afinal, a rampa terminou, a passagem chegou a uma virada e começou a descer de novo, e ali, no fundo de uma inclinação curta, ele viu, permeando outra virada — um vislumbre de luz. Não era luz vermelha, como a de um fogo ou de uma lanterna, mas uma luz pálida, do tipo que se vê ao ar livre. Então Bilbo começou a correr.

Atirando-se tão rápido quanto suas pernas conseguiam carregá-lo, ele passou pela última virada e chegou de repente a um espaço aberto, onde a luz, depois de todo aquele tempo no escuro, parecia deslumbrantemente clara. Na verdade, era só um pouco de luz do sol vazando por uma entrada, onde uma grande porta, uma porta de pedra, fora deixada aberta.

Bilbo piscou e então, de repente, ele viu os gobelins: gobelins de armadura completa, com espadas desembainhadas, que se sentavam um pouco para dentro da porta e a observavam com olhos bem abertos, observando também a passagem que levava até ela. Estavam despertos, alertas, prontos para qualquer coisa.

Eles o viram antes que ele os visse. Sim, eles o viram. Fosse por acidente, ou como último truque do anel antes que adotasse um novo mestre, ele não estava no dedo de Bilbo. Com urros de deleite, os gobelins apressaram-se na direção dele.

Um golpe de medo e perda, como um eco da desgraça de Gollum, atingiu Bilbo e, esquecendo até mesmo de sacar sua espada, ele enfiou as mãos nos bolsos. E lá estava o anel ainda, em seu bolso esquerdo, e se encaixou em seu dedo. Os gobelins pararam de repente. Não conseguiam ver sinal dele. Tinha desaparecido. Urraram duas vezes mais alto do que antes, mas não com tanto deleite.

disso, amiúde sou pego de surpresa. Vivo com cristãos, habito entre pagãos; entre os malditos no Inferno sou amaldiçoado, e no Reino da Glória impero.]
(n. 105, pp. 25–6. Resposta: tempo)

25 A primeira edição de *O Hobbit* (1937) contém uma versão significativamente diferente deste capítulo. Ao escrever a sequência, *O Senhor dos Anéis*, Tolkien julgou necessário revisar *O Hobbit* a fim de alinhá-lo com ela. A caracterização de Gollum foi substancialmente alterada; na primeira edição, ele não é nem de perto uma criatura tão miserável. E as apostas da disputa de adivinhas são ligeiramente diferentes: ainda era a vida de Bilbo caso ele perdesse, mas, se ganhasse, Gollum lhe daria um presente. A disputa de adivinhas é praticamente a mesma nas duas versões, mas a conclusão na versão anterior tem por volta da metade daquela das versões posteriores. O final da primeira versão está dado aqui e na nota 32 deste capítulo.

1937:
But funnily enough he need not have been alarmed. For one thing Gollum had learned long long ago was never, never, to cheat at the riddle-game, which is a sacred one and of immense antiquity. Also there was the sword. He simply sat and whispered.

"What about the present?" asked Bilbo, not that he cared very much, still he felt that he had won it, pretty fairly, and in very difficult circumstances too.

"Must we give it the thing, preciouss? Yess, we must! We must fetch it, preciouss, and give it the present we promised." So Gollum paddled back to his boat, and Bilbo thought he had heard the last of him. But he had not. The hobbit was just thinking of going back up the passage — having had quite enough of Gollum and the dark water's edge — when he heard him wailing and squeaking away in the gloom. He was on his island (of which, of course, Bilbo knew nothing), scrabbling here and there, searching and seeking in vain, and turning out his pockets.

"Where iss it? Where iss it?" Bilbo heard him squeaking. "Lost, lost, my preciouss, lost, lost! Bless us and splash us! We haven't the present we promised, and we haven't even got it for ourselveses."

Bilbo turned round and waited, wondering what it could be that the creature was making such a fuss about. This proved very fortunate afterwards. For Gollum came back and made a tremendous spluttering and whispering and croaking; and in the end Bilbo gathered that Gollum had had a ring — a wonderful, beautiful ring, a ring that he had been given for a birthday present, ages and ages before in old days when such rings were less uncommon. Sometimes he had it in his pocket; usually he kept it in a little hole in the rock on his island; sometimes he wore it — when he was very, very hungry, and tired of fish, and crept along dark passages looking for stray goblins. Then he might venture even into places where the torches were lit and made his eyes blink and smart; but he would be safe. O yes! very nearly safe; for if you slipped that ring on your finger, you were invisible; only in the sunlight could you be seen, and then only by your shadow, and that was a faint and shaky sort of shadow.

I don't know how many times Gollum begged Bilbo's pardon. He kept on saying: "We are ssorry; we didn't mean to cheat, we meant to give it our only only pressent, if it won the competition." He even offered to catch Bilbo some nice juicy fish to eat as a consolation.

Bilbo shuddered at the thought of it. "No thank you!" he said as politely as he could.

He was thinking hard, and the idea came to him that Gollum must have dropped that ring sometime and that he must have found it, and that he had that very ring in his pocket. But he had the wits not to tell Gollum.

"Finding's keeping!" he said to himself; and being in a very tight place, I daresay, he was right. Anyway the ring belonged to him now.

"Never mind!" he said. "The ring would have been mine now, if you had found it; so you would have lost it anyway. And I will let you off on one condition."

"Yes, what iss it? What does it wish us to do, my precious?"

"Help me to get out of these places," said Bilbo.

"Onde está ele?", gritaram.

"Subam pela passagem!", berraram alguns.

"Desse lado!", urraram uns. "Daquele lado!", urraram outros.

"Fiquem de olho na porta!", ribombou o capitão deles.

Apitos foram soprados, armaduras se chocaram, espadas foram chacoalhadas, gobelins amaldiçoaram e xingaram e correram de lá para cá, caindo um por cima do outro e ficando muito raivosos. Houve uma terrível barulheira, bagunça e balbúrdia.

Bilbo estava horrivelmente assustado, mas teve o bom senso de entender o que tinha acontecido e de se esgueirar para detrás de um barril grande que armazenava bebidas para os guardas-gobelins, e assim sair do caminho e evitar que trombassem nele, pisoteassem-no até a morte, ou o pegassem pelo tato.

"Preciso chegar até a porta, preciso chegar até a porta!", ficava dizendo a si mesmo, mas passou muito tempo antes que ele se arriscasse a tentar. Foi como uma versão horrível da brincadeira de cabra-cega. O lugar estava cheio de gobelins correndo por todo lado, e o pobre hobbit se esquivou de um lado para outro, foi derrubado por um gobelim que não conseguiu entender no que tinha trombado, saiu rastejando de quatro, deslizou por entre as pernas do capitão bem na hora, levantou-se e correu até a porta.

Ainda estava aberta, mas um gobelim a empurrara até quase fechar. Bilbo se esforçou, mas não conseguiu abri-la. Tentou se espremer pela abertura. Espremeu e espremeu — e ficou preso! Aquilo era péssimo. Seus botões tinham ficado enfiados na borda da porta e do batente. Conseguia ver o ar livre lá fora: havia alguns poucos degraus que desciam para um vale estreito entre montanhas altas; o sol saíra de trás de uma nuvem e brilhava forte do lado de fora da porta — mas ele não conseguia atravessar.

De repente, um dos gobelins do lado de dentro berrou: "Tem uma sombra do lado da porta. Alguma coisa está lá fora!"

O coração de Bilbo pulou para a boca. Remexeu-se com força terrível. Botões estouraram para todos os lados. Tinha atravessado, com casaco e colete rasgados, pulando degraus abaixo feito um cabrito, enquanto gobelins confusos ainda estavam catando seus belos botões de latão na soleira da porta.

É claro que eles logo vieram atrás dele, rosnando e urrando e caçando em meio às árvores. Mas eles não gostam do sol; é algo que faz suas pernas ficarem bambas e suas cabeças girarem. Não conseguiram achar Bilbo enquanto ele usava o anel, deslizando para dentro e para fora da sombra das árvores, correndo rápido e silencioso e ficando longe do sol; assim, logo eles voltaram, resmungando e xingando, para guardar a porta. Bilbo tinha escapado.

Now Gollum had to agree to this, if he was not to cheat. He still very much wanted just to try what the stranger tasted like; but now he had to give up all idea of it. Still there was the little sword; and the stranger was wide awake and on the look out, not unsuspecting as Gollum liked to have the things which he attacked. So perhaps it was best after all.

That is how Bilbo got to know that the tunnel ended at the water and went no further on the other side where the mountain wall was dark and solid. He also learned that he ought to have turned down one of the side passages to the right before he came to the bottom; but he could not follow Gollum's directions for finding it again on the way up, and he made the wretched creature come and show him the way.

As they went along up the tunnel together, Gollum flip-flapping at his side, Bilbo going very softly, he thought he would try the ring. He slipped it on his finger.

"Where iss it? Where iss it gone to?" said Gollum at once, peering about with his long eyes.

"Here I am, following behind!" said Bilbo slipping off the ring again, and feeling very pleased to have it and to find that it really did what Gollum said.

Now on they went again, while Gollum counted the passages to left and right: "One left, one right, two right, three right, two left," and so on. He began to get very shaky and afraid as they left the water further and further behind; but at last he stopped by a low opening on their left (going up) — "six right, four left."

"Here'ss the passage," he whispered. "It musst squeeze in and sneak down. We durstn't go with it, my preciouss, no we durstn't, gollum!"

So Bilbo slipped under the arch, and said good-bye to the nasty miserable creature; and very glad he was. He did not feel comfortable until he felt quite sure it was gone, and he kept his head out in the main tunnel listening until the flip-flap of Gollum going back to his boat died away in the darkness. Then he went down the new passage.

It was a low narrow one roughly made. It was all right for the hobbit, except when he stubbed his toes in the dark on nasty jags in the floor; but it must have been a bit low for goblins. Perhaps it was not knowing that goblins are used to this sort of thing, and go along quite fast stooping low with their hands almost on the floor, that made Bilbo forget the danger of meeting them and hurry forward recklessly.

[Mas, curiosamente, ele não precisaria ter se alarmado. Pois uma coisa que Gollum aprendera muito, muito tempo atrás era nunca, nunca trapacear no jogo de adivinhas, que era sagrado e de imensa antiguidade. E havia também a espada. Ele simplesmente se sentou e murmurou.

"E quanto ao presente?", perguntou Bilbo, não que se importasse muito, embora sentisse que o havia ganhado de forma razoavelmente justa, e em circunstâncias bastante difíceis também.

"Nós precisa dar a coisa para esse aí, preciosso? Simm, nós precisa! Nós precisa buscar ela, preciosso, e dar pra esse aí o presente que nós prometeu." Então Gollum chapinhou de volta até seu barco, e Bilbo pensou que não ouviria falar mais dele. Mas se enganara. O hobbit estava pensando em subir de volta pela passagem — já tivera o bastante de Gollum e da beira d'água escura — quando o ouviu gemendo e chiando na treva. Ele estava em sua ilha (da qual, é claro, Bilbo nada sabia), cutucando aqui e ali, procurando e buscando em vão, e esvaziando seus bolsos.

"Onde esstá? Onde esstá?", Bilbo o ouviu chiando. "Perdido, perdido, meu precioso, perdido, perdido! Bença e sabença! Nós não tem o presente que nós prometeu, e nem mesmo pegamos ele para nós mesmosos."

Bilbo se virou e aguardou, perguntando-se o que poderia ser que levava a criatura a fazer tanto estardalhaço. Isso se mostrou bastante favorável mais tarde. Pois Gollum retornou e fez um crepitar, sussurar e coaxar tremendos; e ao final Bilbo concluiu que Gollum tivera um anel — um anel lindo, maravilhoso, um anel que lhe fora dado como presente de aniversário, eras e eras atrás, nos dias antigos, quando anéis como esse eram menos raros. Às vezes ficava com ele no bolso; geralmente o guardava em um pequeno buraco na pedra em sua ilha;

às vezes o usava — quando estava com muita, muita fome, e cansado de peixe, e se esgueirava por passagens escuras procurando gobelins desgarrados. Então até podia se aventurar em lugares onde as tochas estavam acesas e faziam seus olhos piscarem e coçarem; mas estaria seguro. Ó sim! quase seguro de todo, pois se você colocasse esse anel no seu dedo, ficava invisível; só na luz do dia você poderia ser visto, e mesmo assim só pela sua sombra, e era uma espécie tênue e trêmula de sombra.

Não sei quantas vezes Gollum implorou a Bilbo que o perdoasse. Seguia dizendo: "Nós ssente muito; nós não quis tapear, nós queria dar nosso único, único pressente, se esse aí ganhar a competição." Chegou a se oferecer para pegar alguns peixes gostosos para Bilbo comer como consolação.

Bilbo estremeceu ao pensar naquilo. "Não, obrigado!", disse, tão educado quanto pôde.

Ele estava pensando muito, e lhe veio a ideia de que Gollum deveria ter derrubado seu anel em algum momento e que ele deve tê-lo encontrado, e que estava com aquele mesmo anel em seu bolso. Mas teve o juízo de não dizer isso a Gollum.

"Achado não é roubado!", disse para si mesmo; e estando em um aperto considerável, ouso dizer, ele estava certo. Seja como for, o anel agora lhe pertencia.

"Deixa pra lá", disse ele. "O anel seria meu agora, se você o tivesse encontrado; então você o teria perdido de todo jeito. E vou deixar você sair dessa com uma condição."

"Ssim, o que é? O que esse aí quer que nós faça, meu precioso?"

"Me ajude a sair deste lugar", disse Bilbo.

Agora Gollum tinha de concordar com isso, se não fosse trapacear. Ele ainda queria muito apenas provar o gosto do desconhecido; mas agora teve de abandonar essa ideia por completo. Ainda havia a pequena espada; e o desconhecido estava muito desperto e vigilante, e não desavisado como Gollum gostava de ter as coisas que atacava. Então talvez fosse o melhor no final das contas.

Foi assim que Bilbo veio a saber que o túnel terminava na água e não seguia adiante do outro lado, onde a parede montanhosa era escura e sólida. Também aprendeu que deveria ter virado e descido uma das passagens laterais à direita antes de chegar até o fundo, mas não conseguiu seguir as coordenadas de Gollum para encontrá-la novamente na subida, e fez a infeliz criatura vir e lhe mostrar o caminho.

À medida que seguiram juntos túnel acima, Gollum batendo os pés a seu lado, Bilbo indo muito suavemente, ele pensou em experimentar o anel. Deslizou-o em seu dedo.

"Onde esstá? Onde sse meteu?", disse Gollum de uma vez, espreitando ao redor com seus longos olhos.

"Eu estou aqui, seguindo atrás!", disse Bilbo, tirando novamente o anel, e sentindo-se muito satisfeito por tê-lo e por descobrir que ele realmente fazia o que Gollum dissera.

Agora seguiam novamente, enquanto Gollum contava as passagens à esquerda e à direita: "Uma na esquerda, uma na direita, duas na direita, três na direita, duas na esquerda", e assim por diante. Ele começou a ficar muito trêmulo e temeroso à medida que deixavam a água mais e mais para trás; mas enfim parou em uma pequena abertura à esquerda deles (subindo) — "seis na direita, quatro na esquerda."

"Aqui esstá a passagem", murmurou ele. "Tem que esspremer e rastejar. Nós não tem coragem de entrar, meu precioso, nós não tem, gollum!"

Então Bilbo deslizou por sob o arco, e disse adeus à criatura nojenta e miserável; e muito contente ele ficou. Não se sentiu confortável até estar bastante seguro de que ela havia sumido, e manteve a cabeça para fora no túnel principal, escutando até o bater de pés de Gollum voltando para seu barco esvair-se na escuridão. Então desceu pela nova passagem.

Era uma passagem baixa, estreita, de feitio grosseiro. Ela era aceitável para o hobbit, exceto quando dava topadas com os dedos dos pés nas pedras pontudas no chão; mas devia ser um pouco baixa para gobelins. Talvez tenha sido o desconhecimento de que os gobelins estão acostumados a este tipo de coisa, e que caminham em grande velocidade bem abaixados com as mãos quase no chão, que fizera com que Bilbo esquecesse o perigo de encontrá-los e se precipitasse imprudentemente adiante.]

Como o texto que em 1951 substituiu o dado nesse trecho é exatamente o mesmo que consta no texto principal deste livro, não o repito aqui. Ver p. 125, começando por "He knew, of course, that the riddle-game was sacred" ["Ele sabia, é claro, que o jogo de adivinhas era sagrado"] até a p. 131, terminando com "stooping low with their hands almost on the ground" ["bem abaixados, com as mãos quase no chão"].

26 A tradição das adivinhas na época anglo-saxônica é atestada pela presença de quase cem adivinhas anglo-saxônicas no *Exeter Book* [O Livro de Exeter], uma das quatro grandes coleções sobreviventes da poesia anglo-saxônica. Ele foi compilado por Leofric, o bispo de Exeter, em algum momento antes de sua morte em 1072. As adivinhas de Tolkien são geralmente muito mais breves que as do livro de Exeter, e muitas delas rimam, enquanto as adivinhas de Exeter não o fazem.

27 As duas maiores disputas de adivinhas na literatura nórdica antiga terminam ambas com o mesmo tipo de não adivinha questionável. Em "Vafthrúdismal" (A Balada de Vafthrúdnir), na *Edda Antiga*, ao ouvir sobre a grande sabedoria do gigante Vafthrúdnir, Odin resolve testar seu próprio saber contra o do gigante. Disfarçado, vence a disputa ao fazer a pergunta: "O que Odin sussurrou no ouvido de seu filho, antes que Baldur fosse levado à pira?" Apenas Odin podia saber a resposta, e assim sua identidade é revelada. Em *The Saga of King Heidrek the Wise*, há outra disputa de adivinhas com Odin disfarçado, e ela termina com a mesmíssima questão.

No prólogo a *O Senhor dos Anéis* (Seção 4, "Do Achado do Anel"), Tolkien comenta: "As Autoridades, é bem verdade, divergem quanto a esta última pergunta ser uma mera 'pergunta' e não uma 'adivinha', de acordo com as regras estritas do Jogo; mas todos concordam que, depois de aceitá-la e tentar adivinhar a resposta, Gollum estava obrigado por sua promessa."

28 A história de como Gollum obteve seu anel é contada por Gandalf no segundo capítulo de *O Senhor dos Anéis*, "A Sombra do Passado". A menção ao Mestre que governa os anéis introduz a natureza sinistra do anel de Gollum. O Mestre é Sauron, o Senhor Sombrio, que é chamado o Necromante em *O Hobbit*.

29 A luz nos olhos de Gollum que ardia com uma chama pálida evoca Grendel em *Beowulf*, quando ele adentra o sombrio salão Heorot pela última vez. A passagem está dada a seguir, extraída de *Beowulf and the Finnesburg Fragment* (1940), traduzido por John R. Clark Hall, e revisado por C.L. Wrenn: "The fiend stepped on to the many-coloured paving of the floor, — advanced in angry mood; from his eyes there came a horrible light, most like a flame" (versos 724–27) ["O demônio adentra o chão de piso policromado — avança com fero ânimo; dos olhos desprende-se, como flama, uma luz horrenda"].

30 É na tentativa de desenhar Gollum que a maioria dos ilustradores de *O Hobbit* falha. O próprio Tolkien observou isso nas ilustrações para as traduções do livro. Em uma carta para a Allen & Unwin de 12 de dezembro de 1963, ele escreveu que "não se deve fazer de Gollum um monstro, como o fazem praticamente todos os outros ilustradores a despeito do texto".

Qual deve ser a aparência de Gollum? Com base em várias descrições de Tolkien, ele deve ser uma pequena criatura viscosa não maior que Bilbo: esguio, com uma cabeça grande para seu tamanho; olhos grandes, protuberantes; um pescoço longo, magro; e cabelo fino, ralo. Sua pele era clara, e ele certamente usava vestes negras. (Ele nunca estava nu.) Suas mãos eram longas e seus pés, palmados, com dedos preênseis.

31 Anéis de invisibilidade são frequentemente relacionados à história de Giges no Livro II de *A República*, de Platão (c. 429–347 a.C.). A história é pouco mais que uma anetoda, em que o uso de um anel dourado traz invisibilidade quando o bisel é virado para dentro da mão, sendo a visibilidade restaurada ao virar o bisel para fora. Talismãs de invisibilidade são muito comuns em contos de fada, e anéis que conferem invisibilidade podem ser encontrados em duas histórias nas coleções editadas por Andrew Lang, incluindo "O anel encantado" em *O Fabuloso Livro Verde* (1892) e "O dragão do norte" em *O Fabuloso Livro Amarelo* (1894).

32 *1937*:
Soon the passage began to go up again, and after a while it climbed steeply. That slowed him down. But at last after some time the slope stopped, the passage turned

a corner and dipped down again, and at the bottom of a short incline he saw filtering round another corner — a glimmer of light. Not red light as of fire or lantern, but pale ordinary out-of-doors sort of light. Then he began to run. Scuttling along as fast as his little legs would carry him he turned the corner and came suddenly right into an open place where the light, after all that time in the dark, seemed dazzlingly bright. Really it was only a leak of sunshine in through a doorway, where a great door, a stone door, was left a little open.

Bilbo blinked, and then he suddenly saw the goblins: goblins in full armour with drawn swords sitting just inside the door, and watching it with wide eyes, and the passage that led to it! They saw him sooner than he saw them, and with yells of delight they rushed upon him.

Whether it was accident or presence of mind, I don't know. Accident, I think, because the hobbit was not used yet to his new treasure. Anyway he slipped the ring on his left hand — and the goblins stopped short. They could not see a sign of him. Then they yelled twice as loud as before, but not so delightedly.

[Logo a passagem começou a subir de novo e, depois de um tempo, foi ficando íngreme. Isso o fez ir mais devagar. Mas, afinal, um tempo depois, a rampa terminou, a passagem chegou a uma virada, e começou a descer de novo, e no fundo de uma inclinação curta ele viu, permeando outra virada — um cintilar de luz. Não era luz vermelha como a de um fogo ou de uma lanterna, mas uma luz pálida, do tipo que se vê ao ar livre. Então ele começou a correr. Atirando-se para a frente tão rápido quanto suas perninhas conseguiam carregá-lo, ele passou pela virada e chegou de repente a um lugar aberto, onde a luz, depois de todo aquele tempo no escuro, parecia deslumbrantemente clara. Na verdade, era só um pouco de luz do sol vazando por uma entrada, onde uma grande porta, uma porta de pedra, fora deixada um pouco aberta.

Bilbo piscou e então, de repente, viu os gobelins: gobelins de armadura completa, com espadas desembainhadas, que se sentavam um pouco para dentro da porta e a observavam com olhos bem abertos, e a passagem que levava até ela! Eles o viram antes que ele os visse, e com urros de deleite apressaram-se na direção dele.

Se foi por acidente ou presença de espírito, não sei dizer. Acidente, penso, pois o hobbit ainda não se acostumara com seu novo tesouro. Seja como for, ele encaixou o anel em sua mão esquerda — e os gobelins pararam de repente. Não conseguiam ver sinal dele. Então urraram duas vezes mais alto do que antes, mas não com tanto deleite.]

Guardas-gobelins. Esboço a lápis de Alan Lee, para sua edição ilustrada de *O Hobbit* de 1997.

> *1951*:

Soon the passage that had been sloping down began to go up again, and after a while it climbed steeply. That slowed Bilbo down. But at last the slope stopped, the passage turned a corner, and dipped down again, and there, at the bottom of a short incline, he saw, filtering around another corner — a glimpse of light. Not red light, as of fire or lantern, but a pale out-of-doors sort of light. Then Bilbo began to run.

Scuttling as fast as his legs would carry him he turned the last corner and came suddenly right into an open space, where the light, after all that time in the dark, seemed dazzlingly bright. Really it was only a leak of sunshine in through a doorway, where a great door, a stone door, was left standing open.

Bilbo blinked, and then suddenly he saw the goblins: goblins in full armour with drawn swords sitting just inside the door, and watching it with wide eyes, and watching the passage that led to it. They were aroused, alert, ready for anything.

They saw him sooner than he saw them. Yes, they saw him. Whether it was an accident, or a last trick of the ring before it took a new master, it was not on his finger. With yells of delight the goblins rushed upon him.

A pang of fear and loss, like an echo of Gollum's misery, smote Bilbo, and forgetting even to draw his sword he struck his hands into his pockets. And there was the ring still, in his left pocket, and it slipped on his finger. The goblins stopped short. They could not see a sign of him. He had vanished. They yelled twice as loud as before, but not so delightedly.

[Logo a passagem, que tinha se inclinado para baixo, começou a subir de novo e, depois de um tempo, foi ficando íngreme. Isso fez Bilbo ir mais devagar. Mas, afinal, a rampa terminou, a passagem chegou a uma virada e começou a descer de novo, e ali, no fundo de uma inclinação curta, ele viu, permeando outra virada — um vislumbre de luz. Não era luz vermelha, como a de um fogo ou de uma lanterna, mas uma luz pálida, do tipo que se vê ao ar livre. Então Bilbo começou a correr.

Atirando-se tão rápido quanto suas pernas conseguiam carregá-lo, ele passou pela última virada e chegou de repente a um espaço aberto, onde a luz, depois de todo aquele tempo no escuro, parecia deslumbrantemente clara. Na verdade, era só um pouco de luz do sol vazando por uma entrada, onde uma grande porta, uma porta de pedra, fora deixada aberta.

Bilbo piscou e então, de repente, ele viu os gobelins: gobelins de armadura completa, com espadas desembainhadas, que se sentavam um pouco para dentro da porta e a observavam com olhos bem abertos, observando também a passagem que levava até ela. Estavam despertos, alertas, prontos para qualquer coisa.

Eles o viram antes que ele os visse. Sim, eles o viram. Fosse por acidente, ou como último truque do anel antes que adotasse um novo mestre, ele não estava no dedo de Bilbo. Com urros de deleite, os gobelins apressaram-se na direção dele.

Um golpe de medo e perda, como um eco da desgraça de Gollum, atingiu Bilbo e, esquecendo até mesmo de sacar sua espada, ele enfiou as mãos nos bolsos. E lá estava o anel ainda, em seu bolso esquerdo, e se encaixou em seu dedo. Os gobelins pararam de repente. Não conseguiam ver sinal dele. Tinha desaparecido. Urraram duas vezes mais alto do que antes, mas não com tanto deleite.]

6

DA FRIGIDEIRA PARA O FOGO

1 Tom Shippey rastreia o uso do nome *Misty Mountains* [Montanhas Nevoentas] feito por Tolkien até o poema "Skírnismál" (A Balada de Skírnir), da *Edda Poética* do nórdico antigo.

Skírnir, que fora enviado para raptar a filha de um gigante, faz um discurso a seu cavalo; Shippey traduz parte dele como segue: "The mirk is outside, I call it our business to fare over the misty mountains, over the tribes of orcs; we will both come back, or else he will take us both, he the mighty giant" ["A treva está lá fora, eu clamo ser nossa empresa atravessar as montanhas nevoentas, por sobre as tribos dos orques; ambos iremos retornar, ou então nos apanhará a ambos, ele, o poderoso gigante"] (*The Road to Middle-earth*, segunda edição, p. 65).

Tolkien imaginou as Montanhas Nevoentas de certa forma muito antes de começar *O Hobbit*. Uma pequena aquarela, em um estilo antigo e intitulada *The Misty Mountains* [As Montanhas Nevoentas], mostra uma cadeia de montanhas com uma estrada e uma ponte que a elas conduzem. (ver *Artist*, n. 200).

Bilbo tinha escapado dos gobelins, mas não sabia onde estava. Tinha perdido capuz, manto, comida, pônei, seus botões e seus amigos. Vagou sem parar, até que o sol começou a descer no oeste, detrás das montanhas. As sombras delas caíram sobre o caminho de Bilbo, e ele olhou para trás. Então olhou para a frente e conseguiu ver apenas escarpas e encostas, que desciam rumo a terras baixas e planícies vislumbradas ocasionalmente entre as árvores.

"Céus!", exclamou ele. "Pareço ter ido parar bem do outro lado das Montanhas Nevoentas,[1] bem na beira da Terra Além! Onde, ó, onde Gandalf e os anãos podem ter se enfiado? Só espero que eles não estejam lá atrás em poder dos gobelins!"

Ainda continuou a vagar, saiu do pequeno vale elevado, passou pela sua borda e desceu as encostas que vinham depois; mas o tempo todo um pensamento desconfortável ia crescendo dentro dele. Ficava pensando se não deveria voltar para aqueles túneis tão horríveis e procurar seus amigos, agora que tinha o anel mágico. Acabara de decidir que isso era seu dever, que precisava dar meia-volta — e um desgraçado completo se sentia por causa disso — quando ouviu vozes.

Parou e escutou. Não soavam como as de gobelins; assim, foi se esgueirando com cuidado. Estava numa trilha pedregosa que volteava para baixo, com uma parede de rocha do lado esquerdo; do outro lado, o solo sumia e havia pequenos vales abaixo do nível da trilha, encobertos por arbustos e árvores baixas. Num desses valezinhos, sob os arbustos, pessoas conversavam.

Esgueirou-se para mais perto ainda e de repente viu, espiando entre dois grandes pedregulhos, uma cabeça encimada por um gorro vermelho: era Balin, na função de vigia. Podia ter batido palmas e gritado de alegria, mas não fez isso. Ainda estava com o anel no dedo, por medo de encontrar alguma coisa inesperada e desagradável, e viu que Balin estava olhando direto para ele sem notá-lo.

"Vou fazer uma surpresa para todos eles", pensou, enquanto rastejava em meio aos arbustos na beira do pequeno vale. Gandalf estava argumentando com os anãos. Estavam discutindo tudo o que tinha acontecido com eles nos túneis e imaginando e debatendo o que deviam fazer agora. Os anãos estavam resmungando, e Gandalf estava dizendo que não era possível continuarem sua jornada deixando o Sr. Bolseiro nas mãos dos gobelins, sem tentar descobrir se estava vivo ou morto e sem tentar resgatá-lo.

"Afinal de contas, ele é meu amigo", disse o mago, "e não é um mau camaradinha. Eu me sinto responsável por ele. Queria muito que vocês não o tivessem perdido."

Os anãos queriam saber por que ele tinha sido trazido com eles para começar, por que não conseguia ficar junto com seus amigos e acompanhá-los e por que o mago não tinha escolhido alguém com mais juízo. "Ele tem dado mais trabalho do que sido útil até agora", disse um deles. "Se tivermos de voltar agora para aqueles túneis abomináveis para procurá-lo, então ele que se dane, é o que eu digo."

Gandalf respondeu com raiva: "Eu o trouxe, e não trago coisas que não são úteis. Ou vocês me ajudam a procurá-lo ou vou deixar vocês aqui para saírem deste aperto do melhor jeito que puderem. Se conseguirmos achá-lo de novo, vocês vão me agradecer antes de tudo acabar. Por que raios você foi deixá-lo cair, Dori?"

"Você também iria derrubá-lo," disse Dori, "se um gobelim tivesse agarrado suas pernas por trás no escuro, fizesse você tropeçar e chutasse as suas costas!"

"Então por que não o pegou de novo?"

"Céus! E você ainda pergunta! Gobelins lutando e mordendo no escuro, todo mundo caindo em cima de corpos e batendo um no outro! Você quase decepou a minha cabeça com Glamdring, e Thorin estava golpeando lá e cá e em todo lugar com Orcrist. De repente você emitiu um dos seus clarões cegantes, e vimos os gobelins recuarem correndo e berrando. Você gritou 'Sigam-me, todo mundo!', e todo mundo devia ter seguido você. Pensamos que todo mundo tinha feito isso. Não havia tempo para fazer uma contagem, como você sabe muito bem, até que tivéssemos passado correndo pelos guardas do portão, saído pela porta inferior e chegado aos trambolhões aqui. E aqui estamos nós — sem o gatuno, desacorçoado seja!"

"E aqui está o gatuno!", disse Bilbo, entrando bem no meio deles e tirando o anel.

Rapaz, como eles pularam! Então deram gritos de surpresa e deleite. Gandalf estava tão espantado quanto qualquer um deles, mas provavelmente mais contente do que todos os outros. Chamou Balin e lhe disse o que pensava de um vigia que deixava alguém chegar tão perto deles assim, sem aviso. O fato é que a reputação de Bilbo entre os anãos melhorou um bocado depois disso. Se eles ainda duvidavam que ele fosse um gatuno de primeira classe, apesar das palavras de Gandalf, então pararam de duvidar. Balin era o que estava

2 No prólogo a *O Senhor dos Anéis* (Seção 4, "Do Achado do Anel"), Tolkien reconta brevemente a história do encontro de Bilbo com Gollum e sua descoberta do anel, tal como consta na segunda e nas edições posteriores de *O Hobbit*. Continua ele:

> Ora, é um fato curioso que esta não é a história como Bilbo a contou inicialmente aos companheiros. Seu relato a eles foi de que Gollum prometera lhe dar um *presente* se ele ganhasse o jogo; mas quando Gollum foi buscá-lo na ilha descobriu que o tesouro se fora: um anel mágico que lhe fora dado muito tempo atrás, em seu aniversário. Bilbo adivinhou que aquele era o próprio anel que encontrara, e, como tinha ganho o jogo, ele já era seu por direito. Mas, como estava em apuros, não disse nada a respeito e fez com que Gollum lhe mostrasse a saída como prêmio, em vez de presente. Esse relato foi registrado por Bilbo em suas memórias [...].

O que Tolkien descreveu é o contexto da primeira edição de *O Hobbit*, e a afirmação de que "esta não é a história como Bilbo a contou inicialmente aos companheiros" contradiz a afirmação dada aqui, de que Bilbo "se sentou e contou tudo — exceto a descoberta do anel" e a afirmação dada mais tarde (no episódio das aranhas) de que os anãos, após ouvirem sobre o anel, insistiram que "a história de Gollum, com adivinhas e tudo, fosse contada inteira de novo, com o anel em seu lugar apropriado". A desonestidade de Bilbo, de grande importância em *O Senhor dos Anéis*, não está explicitamente presente em *O Hobbit*.

3 *1937:* "So I asked for my present, and he went to look for it, and couldn't find it. So I said, 'very well, help me to get out of this nasty place!' and he showed me the passage to the door. 'Good-bye' I said, and I went on down" ["Então perguntei pelo presente, e ele saiu para procurá-lo, e não pôde achá-lo. Então eu disse, 'muito bem, ajude-me a sair deste lugar nojento!' e ele me mostrou a passagem até a porta. 'Adeus', eu disse, e fui descendo"]
> *1951:* "So I said: 'what about your promise? Show me the way out!' But he came at me to kill me, and I ran, and fell over, and he missed me in the dark. Then I followed him, because I heard him talking to himself. He thought I

mais confuso; mas todo mundo disse que Bilbo fizera um serviço muito bem feito dessa vez.

De fato, Bilbo estava tão contente com os elogios deles que ficou só rindo por dentro e não disse coisa nenhuma sobre o anel; e, quando lhe perguntaram como fizera aquilo, disse: "Oh, só me esgueirei até chegar perto, sabe — com muito cuidado e em silêncio."

"Bem, é a primeira vez que qualquer coisa, incluindo um camundongo, conseguiu se esgueirar com cuidado e em silêncio debaixo do meu nariz e não foi flagrada," disse Balin, "e tiro meu capuz para você." Foi o que fez.

"Balin, a seu serviço", disse ele.

"Sr. Bolseiro, seu criado", respondeu Bilbo.

Então quiseram saber tudo sobre as aventuras dele depois que o perderam de vista, e Bilbo se sentou e contou tudo — exceto a descoberta do anel ("Agora não", pensou).² Ficaram particularmente interessados na competição de adivinhas e estremeceram de modo muito solidário ao ouvir a descrição de Gollum.

"E depois eu não conseguia pensar em nenhuma outra pergunta com ele sentado do meu lado", concluiu Bilbo, "então eu disse 'O que tem no meu bolso?' E ele não conseguiu adivinhar em três tentativas. Então eu disse: 'E a sua promessa? Mostre-me a saída!' Mas ele veio para cima para me matar, e eu corri, e caí, e ele não me achou no escuro. Então o segui, porque o ouvi falando sozinho. Gollum achou que na verdade eu sabia o caminho da saída, então estava indo na direção dela. E aí ele se sentou na entrada, e eu não conseguia passar. Então pulei por cima dele, escapei e desci correndo até o portão."³

"E os guardas?", perguntaram eles. "Não havia nenhum?"

"Oh, sim! Vários deles; mas me esquivei. Fiquei preso na porta, que só estava entreaberta, e perdi vários botões", disse tristemente, olhando para suas roupas rasgadas. "Mas no fim consegui me espremer para passar — e aqui estou eu."

Os anãos olharam para ele com um novo tipo de respeito quando falou sobre se esquivar de guardas, pular por cima de Gollum e se espremer pela porta,⁴ como se aquilo não fosse muito difícil ou muito assustador.

"O que foi que eu disse?", comentou Gandalf, rindo. "O Sr. Bolseiro contém mais do que vocês imaginam." Lançou sobre Bilbo um olhar esquisito por baixo de suas sobrancelhas frondosas ao dizer isso, e o hobbit ficou pensando se o mago já imaginava que parte de sua história ele tinha deixado de fora.

Depois disso, ele tinha suas próprias perguntas a fazer, pois, se Gandalf já tinha explicado tudo aos anãos a essa altura, Bilbo não tinha ouvido essa explicação. Queria saber como o mago tinha aparecido de novo, e onde eles estavam agora.

O mago, para dizer a verdade, nunca tinha problemas em explicar suas espertezas mais de uma vez; assim, contou então a Bilbo que tanto ele quanto Elrond estavam bem cientes da presença de gobelins malignos naquela parte das montanhas. Mas o portão principal desses gobelins costumava dar para um passo diferente, por onde era mais fácil viajar, de modo que eles muitas vezes pegavam pessoas que se perdiam à noite perto de seus portões. Evidentemente, as pessoas tinham desistido de seguir por aquele caminho, e os gobelins deviam ter aberto sua nova entrada, no alto do passo pelo qual os anãos tinham entrado, em tempos bem recentes, porque aquele tinha sido um lugar bastante seguro até então.

"Preciso ver se não consigo achar um gigante mais ou menos decente para bloquear a entrada de novo," disse Gandalf, "ou logo não vai dar para atravessar as montanhas de jeito nenhum."

Assim que Gandalf ouviu o berro de Bilbo, percebeu o que tinha acontecido. Graças ao clarão que matou os gobelins que o estavam agarrando, ele se enfiou pela rachadura, bem na hora em que ela se entreabriu. Seguiu os captores e os prisioneiros até a beirada do grande salão e ali se sentou e conjurou a melhor magia que pôde nas sombras.

"Um negócio muito delicado, ora se foi", disse. "Por um triz!"

Mas, é claro, Gandalf tinha estudado de modo especial as bruxarias feitas com fogo e luzes (até o hobbit nunca se esquecera dos mágicos fogos de artifício nas festas de meio-do-verão do Velho Tûk, como você deve recordar). O resto todos nós sabemos — exceto que Gandalf sabia tudo sobre a porta de trás, como os gobelins chamavam o portão inferior, onde Bilbo perdera seus botões.[5] Na verdade, ela era bem conhecida de todos os familiarizados com aquela parte das montanhas; mas só um mago seria capaz de manter a cabeça no lugar nos túneis e guiá-los na direção certa.

"Eles construíram aquele portão eras atrás," disse ele, "em parte como via de escape, se precisassem de uma; em parte como caminho para as terras além, aonde eles ainda vão no escuro e causam grandes danos. Guardam-no sempre, e ninguém jamais conseguiu bloqueá-lo. Vão guardá-lo duplamente depois dessa", riu o mago.

Todos os outros também riram. Afinal, tinham perdido muita coisa, mas tinham matado o Grande Gobelim e um grande número de outros além dele e tinham todos escapado, então poderíamos dizer que tinham levado a melhor por enquanto.

Mas o mago os chamou à razão. "Precisamos continuar de imediato, agora que estamos um pouco descansados", disse. "Vão vir atrás de nós às centenas quando a noite cair; e as

really knew the way out, and so he was making for it. And then he sat down in the entrance, and I could not get by. So I jumped over him and escaped, and ran down to the gate." ["Então eu disse: 'E a sua promessa? Mostre-me a saída!' Mas ele veio para cima para me matar, e eu corri, e caí, e ele não me achou no escuro. Então o segui, porque o ouvi falando sozinho. Gollum achou que na verdade eu sabia o caminho da saída, então estava indo na direção dela. E aí ele se sentou na entrada, e eu não conseguia passar. Então pulei por cima dele, escapei e desci correndo até o portão."]

4 *1937:* "dodging guards, and squeezing through" ["se esquivar de guardas, e se espremer pela porta"] > *1951:* "dodging guards, jumping over Gollum, and squezzing through" ["se esquivar de guardas, pular por cima de Gollum e se espremer pela porta"].

5 *1937:* "Gandalf knew all about the back-gate, as he called it, the lower door where Bilbo lost his buttons" ["Gandalf sabia tudo sobre o portão de trás, como o chamava, a porta inferior onde Bilbo perdera seus botões"] > *1951:* "Gandalf knew all about the back-door, as the goblins called the lower gate, where Bilbo lost his buttons" ["Gandalf sabia tudo sobre a porta de trás, como os gobelins chamavam o portão inferior, onde Bilbo perdera seus botões"].

sombras já estão ficando mais compridas. Conseguem farejar nossas pegadas por horas e horas depois que passamos. Precisamos avançar várias milhas antes do crepúsculo. Teremos um pouco de luar, se o tempo continuar bom, para nossa sorte. Não que eles se importem muito com a lua, mas isso vai trazer um pouco de luz para nos orientarmos."

"Oh, sim!", disse ele, em resposta a mais perguntas do hobbit. "Você perde a noção do tempo dentro de túneis de gobelins. Hoje é quinta-feira, e foi na noite de segunda ou na madrugada de terça que nós fomos capturados. Andamos milhas e milhas e atravessamos direto o coração das montanhas e agora estamos do outro lado — um atalho e tanto. Mas não estamos no ponto aonde nosso caminho deveria ter nos trazido; fomos parar muito ao Norte, e há uma região complicada à frente. E ainda estamos bem alto. Vamos continuar!"

"Estou horrivelmente faminto", gemeu Bilbo, de repente percebendo que não tinha feito uma refeição desde a noite antes da noite de anteontem. Imagine só como é isso para um hobbit! Seu estômago parecia todo vazio e solto, e suas pernas estavam bem bambas, agora que a parte emocionante tinha terminado.

"Nada a fazer," disse Gandalf, "a menos que você queira voltar e pedir educadamente aos gobelins que devolvam seu pônei e sua bagagem."

"Não, obrigado!", disse Bilbo.

"Muito bem então, temos simplesmente de apertar nossos cintos e seguir andando — ou vão nos transformar em ceia, e isso seria muito pior do que nós mesmos não comermos ceia alguma."

Conforme prosseguiam, Bilbo olhava de um lado para o outro procurando algo para comer; mas as amoreiras ainda estavam só com flores e é claro que não havia nozes, nem mesmo frutinhas de espinheiro-branco. Mastigou algumas azedinhas e bebeu de um pequeno riacho de montanha que cruzava a trilha e comeu três morangos silvestres que achou na beira do rio, mas não adiantou muita coisa.

Ainda iam sempre em frente. A trilha grosseira desapareceu. Os arbustos, e a grama alta entre os pedregulhos, os trechos de relva roída por coelhos, o tomilho e a sálvia e a manjerona, e as rosas-das-rochas amarelas — tudo isso sumiu, e eles se acharam no topo de uma encosta larga e íngreme de rochas caídas, os restos de um deslizamento. Quando começaram a descer a encosta, ciscos e pedregulhos pequenos saíram rolando debaixo de seus pés; logo, fragmentos maiores de pedra rachada começaram a descer, barulhentos, e fizeram outros pedaços abaixo deles deslizarem e rolarem; então amontoados de rocha foram mexidos e saíram pulando, desabando com uma nuvem de poeira e muito barulho. Logo a encosta inteira, acima e abaixo deles, parecia estar em movimento, enquanto eles iam escapando, apinhados juntos, em meio a uma confusão assustadora de deslizamentos, tremores, lajes e pedras que rachavam.[6]

Foram as árvores no fundo da encosta que os salvaram. Eles deslizaram até a borda de um bosque de pinheiros inclinado, que ali chegava bem perto da encosta montanhosa, vindo das florestas mais escuras e profundas dos vales abaixo. Alguns se agarraram aos troncos e saltaram para galhos baixos, outros (como o hobbit) ficaram atrás de uma árvore para se abrigar do ataque das rochas. Logo o perigo tinha terminado, o deslizamento parara, e as últimas pancadas distantes podiam se ouvir, conforme as maiores das pedras soltas iam pulando e girando no meio das samambaias e das raízes dos pinheiros lá embaixo.

"Bem, isso aí nos fez correr um pouco!", disse Gandalf. "E mesmo os gobelins que nos rastrearem vão ter um trabalhão para descer até aqui em silêncio."

"Ouso dizer que sim," resmungou Bombur, "mas não vão achar muito difícil fazer com que pedras venham pulando na nossa cabeça." Os anões (e Bilbo) estavam longe de se sentir felizes, esfregando suas pernas e seus pés contundidos e machucados.

"Bobagem! Vamos virar aqui e sair do caminho do deslizamento. Precisamos ser rápidos! Vejam só a luz!"

Fazia tempo que o sol descera detrás das montanhas. As sombras já estavam ficando mais profundas à volta deles, embora, muito ao longe, através das árvores e acima das pontas negras daquelas que cresciam mais embaixo, ainda conseguissem ver as luzes do entardecer nas planícies além deles. Então seguiram, meio mancando, o mais rápido que podiam, pelas encostas gentis de uma floresta de pinheiros, numa trilha em diagonal que levava sempre para o sul. Por vezes, avançavam através de um mar de grandes samambaias, com altas frondes que se erguiam até mesmo acima da cabeça do hobbit; em outros momentos, marchavam quietinhos, quietinhos por um chão repleto de pinhas; e o tempo todo as trevas da floresta ficavam mais pesadas, e o silêncio da mata, mais profundo. Não havia vento, naquele anoitecer, que trouxesse nem mesmo um murmúrio do mar aos galhos das árvores.

* * *

"Temos mesmo de andar mais?", perguntou Bilbo, quando ficou tão escuro que ele mal conseguia ver a barba de Thorin balançando do seu lado, e tão silencioso que ele podia ouvir a respiração dos anões como se fosse um barulho alto. "Meus

[6] Essa passagem evoca uma vez mais a excursão a pé de Tolkien pela Suíça em 1911 (ver nota 1 ao Capítulo 4).

dedos dos pés estão todos contundidos e dobrados, e minhas pernas doem, e meu estômago está balançando feito um saco vazio."

"Um pouco mais", disse Gandalf.

Depois do que pareciam ter sido eras a mais, chegaram de repente a uma clareira onde não crescia árvore alguma. A lua estava alta e iluminava a clareira. De algum modo, aquele não lhes pareceu um bom lugar de jeito nenhum, embora não houvesse nada de errado para se ver.

Súbito, ouviram um uivo ao longe, morro abaixo, um uivo longo, de estremecer. Foi respondido por outro, à direita, e um bocado mais perto deles; e depois por outro, não muito longe, à esquerda. Eram lobos uivando para a lua, lobos se reunindo!

Não havia lobos vivendo perto da toca do Sr. Bolseiro em sua terra, mas ele conhecia aquele barulho. Tinham descrito o som para ele com alguma frequência em histórias. Um de seus primos mais velhos (do lado Tûk), que tinha sido um grande viajante, costumava imitá-lo para assustar Bilbo. Ouvir esse som na floresta, sob a lua, era demais para o hobbit. Mesmo anéis mágicos não são muito úteis contra lobos — especialmente contra as alcateias malignas que viviam à sombra das montanhas infestadas de gobelins, do outro lado da Borda do Ermo, nas fronteiras do desconhecido. Lobos desse tipo têm faro mais apurado que o de gobelins e não precisam ver você para pegá-lo!

"O que havemos de fazer, o que havemos de fazer?!", gritou ele. "Escapar de gobelins para ser atacado por lobos!", disse, e isso se tornou um provérbio, embora agora nós digamos "da frigideira para o fogo"[7] sobre o mesmo tipo de situações desconfortáveis.

"Subam nas árvores, rápido!", gritou Gandalf; e eles correram para as árvores na borda da clareira, procurando aquelas que tinham galhos relativamente baixos, ou eram esguias o suficiente para que pudessem escalá-las. Acharam-nas tão rápido quanto puderam, como você pode imaginar; e lá se foram para cima, tão alto quanto era possível confiar nos galhos. Você teria rido (de uma distância segura) se tivesse visto os anãos sentados no alto das árvores com suas barbas balançando, feito senhores idosos que ficaram abilolados e estão brincando de ser meninos. Fili e Kili estavam no topo de um lariço, alto feito uma enorme árvore de Natal. Dori, Nori, Ori, Oin e Gloin ficaram mais acomodados em um pinheiro imenso, com galhos regulares que se projetavam em intervalos feito os raios de uma roda. Bifur, Bofur, Bombur e Thorin estavam em outro. Dwalin e Balin tinham escalado um abeto alto e esguio com poucos galhos, e estavam tentando achar um lugar para se sentar na folhagem dos

---

[7] "Out of the frying-pan into the fire" [Da frigideira para o fogo] é um provérbio tradicional. Na segunda edição de *The Oxford Dictionary of English Proverbs* [Dicionário Oxford de provérbios ingleses] (1948), compilado por William George Smith e revisado por Sir Paul Harvey, encontram-se exemplos de uso que remontam até ao início do século XVI.

ramos do topo. Gandalf, que era um bocado mais alto que os outros, achara uma árvore na qual não conseguiriam subir, um grande pinheiro que ficava bem na borda da clareira. Estava bem escondido em seus galhos, mas dava para ver seus olhos brilhando ao luar conforme ele espiava.

E Bilbo? Ele não conseguiu subir em árvore alguma e ficou zanzando de tronco a tronco, feito um coelho que não acha seu buraco e está sendo perseguido por um cachorro.[8]

"Você deixou o gatuno para trás de novo!", disse Nori a Dori, olhando para baixo.

"Não posso ficar levando gatunos nas costas sempre," disse Dori, "descendo túneis e subindo árvores! O que você pensa que eu sou? Um carregador?"

"Ele vai ser comido se não fizermos algo", disse Thorin, pois se ouviam uivos à volta de todos eles agora, chegando mais e mais perto. "Dori!", chamou ele, pois Dori era o que estava mais baixo, na árvore mais fácil, "seja rápido e dê uma mão ao Sr. Bolseiro para ele subir!"

Dori, na verdade, era um camarada decente, apesar de seus resmungos. O pobre Bilbo não conseguia alcançar a mão do companheiro, mesmo quando ele desceu até o galho mais baixo e esticou o braço o máximo que podia. Assim, Dori chegou até a descer da árvore, deixando que Bilbo subisse nele e ficasse de pé nas suas costas.

Bem nesse momento os lobos trotaram uivando clareira adentro. De repente, havia centenas de olhos olhando para eles. Ainda assim, Dori não deixou Bilbo desamparado. Esperou até que o hobbit saísse dos seus ombros para os galhos e então ele mesmo pulou para a árvore. Foi bem a tempo! Um lobo tentou morder seu manto enquanto ele balançava e quase o pegou. Num minuto havia um bando inteiro deles ganindo em volta da árvore e saltando na direção do tronco, com olhos brilhando e línguas balançando de fora.

Mas nem mesmo os wargs selvagens (pois assim eram chamados os lobos malignos do outro lado da Borda do Ermo)[9] conseguem escalar árvores. Por algum tempo, eles estavam seguros. Por sorte, estava quente e não ventava. Árvores não são um lugar muito confortável no qual se sentar por muito tempo em qualquer ocasião; mas no frio e no vento, com lobos por todo lado lá embaixo esperando por você, podem ser lugares perfeitamente desgraçados.

Essa clareira no anel de árvores era evidentemente um local de encontro dos lobos. Mais e mais continuavam chegando. Deixaram guardas ao pé da árvore na qual Dori e Bilbo estavam e depois saíram fuçando em volta, até que acabaram farejando cada árvore que tinha alguém em cima dela. Essas eles também puseram sob guarda, enquanto todos os demais (pareciam ser centenas e centenas) foram se sentar

8 Tolkien habitualmente refutava qualquer associação entre sua palavra inventada *hobbit* e *rabbit* [coelho]. Mas evidências internas sugerem algo diverso. Um dos trols chama Bilbo de "seu cueínho nojento" (p. 78). Aqui ele é comparado a "um coelho que não acha seu buraco e está sendo perseguido por um cachorro". No ninho das águias ele se aflige com a ideia de que "seria estraçalhado para a ceia feito um coelho" (p. 153). Uma das águias diz a ele: "Não precisa ficar assustado feito um coelho" (p. 157). Beorn ralha com ele, "Coelhinho está ficando vistoso e gordo" (p. 172), e Thorin em sua fúria "sacudiu Bilbo como se ele fosse um coelho" (p. 293).

Ao discutir a origem da palavra *hobbit*, Tolkien disse: "Eu não sei de onde veio a palavra. Não dá para pegar a mente no pulo. Ela podia estar associada com o *Babbitt* de Sinclair Lewis. Certamente não com *rabbit*, como pensam algumas pessoas" ("The Man Who Understands Hobbits" [O Homem que compreende os Hobbits], por Charlotte e Denis Plimmer, *Daily Telegraph Magazine*, 22 de março de 1968).

Contudo, ao rascunhar o Apêndice F de *O Senhor dos Anéis*, Tolkien escreveu sobre a palavra: "Devo admitir que sua tênue evocação de *coelho* me atraiu. Não que os hobbits se assemelhem de alguma forma a coelhos, exceto no entocar-se." Essa nota foi riscada do rascunho e está publicada no volume 12 da *História*, *Os Povos da Terra-média*.

9 Tolkien descreveu seu uso de *warg* em uma carta para Gene Wolfe em 7 de novembro de 1966: "É uma palavra para lobo, que também possui o sentido de proscrito ou criminoso procurado. Esse é seu sentido usual nos textos sobreviventes. Adotei a palavra, que tinha um bom som para o sentido, como um nome para esta raça particular de lobo demoníaco na história." Tolkien derivou a palavra do inglês antigo *wearg-*, alto-alemão antigo *warg-*, nórdico antigo *varg-*r (também = "wolf" [lobo], especialmente de tipo lendário).

Na época de sua correspondência com Tolkien, Gene Wolfe (1931–2019) estava no início do que viria a ser uma longa e aclamada carreira de escritor de fantasia e ficção científica (sua primeira história publicada apareceu em 1965). Wolfe publicou duas meditações sobre a obra de Tolkien, "The Tolkien Toll-Free Fifties Freeway to Mordor and Points Beyond Hurray!" [A via expressa sem pedágio para Mordor de Tolkien nos anos 1950 e questões além de viva!], em *Vector*, primavera de 1974 (n. 67/68) e "The Best Introduction to the Mountains" [A melhor introdução às montanhas] em *Interzone* (dezembro de 2001). Que Wolfe tenha escrito a Tolkien sobre o uso de uma forma alternativa de seu próprio nome é algo quase típico. Os escritos de Wolfe são linguisticamente urdidos e bem alusivos, e o autor frequentemente insere a si mesmo como personagem em seus escritos ficcionais por meio de uma forma alternativa de seu nome lupino.

10 Tolkien recontou suas experiências em 1911 nos Alpes Suíços em uma longa carta para o filho Michael, citada na nota 1 ao Capítulo 4. Nessa carta Tolkien também observa que "o episódio dos 'wargs' (acredito) em parte derive de uma cena em *The Black Douglas* [O Douglas Negro] de S.R. Crockett, provavelmente seu melhor romance e de qualquer forma um que me impressionou profundamente na época do colégio, embora jamais o tenha lido desde então" (*Cartas*, n. 306).

A cena é sem dúvida "The Battle of the Were-Wolves" [A batalha dos lobisomens] (Capítulo 49 de *The Black Douglas*), na qual três homens (James Douglas, Sholto McKim e seu pai, Malise McKim), tendo acabado de escapar da casa da feiticeira La Meffraye, são assediados por uma alcateia na clareira de um pinhal:

> Yells and howls as of triumphant fiends were borne to their ears upon the western wind. The noises approached nearer, and presently out of the dark of the woods shadowy forms glided [...]. Gleaming eyes glared upon them as the wolves trotted out and sat down in a wide circle to wait for the full muster of the pack before rushing their prey [...]. Sholto noted in especial one gigantic she-wolf, which appeared at every point of the circle and seemed to muster and encourage the pack to attack.
>
> The wild-fire flickered behind the jet black silhouettes of the dense trees so that their tops stood out against the pale sky as if carved of ivory. Then the night shut

num grande círculo na clareira; e no meio do círculo ficou um grande lobo cinzento. Ele falou com eles na linguagem horrenda dos wargs. Gandalf a entendia. Bilbo não, mas lhe soava terrível, como se toda a conversa deles fosse sobre coisas cruéis e perversas, como de fato era. De vez em quando, todos os wargs no círculo respondiam ao seu chefe cinzento juntos, e o clamor horrendo quase fazia o hobbit cair de seu pinheiro.

Vou contar o que Gandalf ouviu, embora Bilbo não tivesse entendido a conversa. Os wargs e os gobelins muitas vezes se ajudavam em seus feitos perversos. Os gobelins normalmente não se aventuram muito longe de suas montanhas, a não ser que sejam expulsos e estejam procurando novas casas, ou estejam marchando para a guerra (coisa que, fico feliz em dizer, não acontece faz bastante tempo). Mas, naqueles dias, eles às vezes costumavam sair para incursões, especialmente para obter comida ou escravos que trabalhassem para eles. Então, com frequência, pediam ajuda aos wargs e dividiam seu butim com eles. De vez em quando, montavam lobos como os homens montam cavalos. Ora, parecia que uma grande incursão gobelim tinha sido planejada para aquela mesma noite. Os wargs tinham vindo se encontrar com os gobelins, e esses tinham se atrasado. A razão, sem dúvida, era a morte do Grande Gobelim e toda a confusão causada pelos anãos e por Bilbo e pelo mago, que eles provavelmente ainda estavam caçando.

Apesar dos perigos dessa terra distante, homens corajosos, em tempos recentes, tinham começado a retornar a ela vindos do Sul, cortando árvores e construindo para si lugares onde viver em meio às matas mais agradáveis, nos vales e ao longo das margens dos rios. Havia muitos deles, e eram valentes e bem armados, e mesmo os wargs não ousavam atacá-los se muitos deles estavam juntos, ou com o dia claro. Mas dessa vez eles tinham planejado, com a ajuda dos gobelins, cair sobre alguns dos vilarejos mais próximos das montanhas à noite. Se seu plano tivesse sido executado, não teria sobrado ninguém no dia seguinte; todos teriam sido mortos, exceto os poucos que os gobelins não deixavam aos lobos e levavam de volta às suas cavernas como prisioneiros.

Era uma conversa horrenda de se escutar, não apenas por causa dos valentes homens das matas, e suas mulheres e crianças, mas também por causa do perigo que agora ameaçava Gandalf e seus amigos. Os wargs estavam com raiva e desconfiados por achá-los ali, exatamente no seu lugar de encontro. Pensavam que eram amigos dos homens das matas e que tinham vindo espioná-los, levando notícias de seus planos para os vales, e assim os gobelins e os lobos teriam de lutar uma batalha terrível, em vez de capturar prisioneiros e devorar pessoas que tinham acabado de acordar de repente.

Portanto, os wargs não tinham intenção nenhuma de ir embora e deixar as pessoas no alto das árvores escaparem, não, pelo menos, até a manhã. E muito antes disso, disseram, soldados gobelins estariam descendo das montanhas; e gobelins conseguem escalar árvores, ou derrubá-las.

Agora você consegue entender por que Gandalf, ouvindo os rosnados e ganidos deles, começou a se encher de um medo terrível, por mais que fosse mago, e a sentir que estavam numa posição muito ruim e ainda não tinham escapado de maneira alguma. De todo modo, ele não ia deixar que os wargs se dessem bem assim tão fácil, embora não pudesse fazer muita coisa preso numa árvore alta com lobos em volta no chão lá embaixo. Juntou as enormes pinhas que havia nos galhos da árvore. Então ateou um fogo azul brilhante numa delas e a lançou zunindo no meio do círculo de lobos. A pinha acertou um deles no lombo, e imediatamente sua pelagem desalinhada pegou fogo, e ele se pôs a pular de lá para cá, ganindo horrivelmente. Então Gandalf jogou outra e mais outra, uma em chamas azuis, uma em chamas vermelhas, outra em chamas verdes. Elas explodiram no chão no meio do círculo e soltaram faíscas coloridas e fumaça. Uma pinha especialmente grande atingiu o chefe dos lobos no focinho, e ele saltou dez pés no ar, e depois saiu correndo em volta do círculo várias vezes, mordendo e arreganhando os dentes para os outros lobos em sua raiva e susto.

Os anãos e Bilbo gritaram e aplaudiram. A ira dos lobos era terrível de se ver, e a barulheira que produziam encheu toda a floresta. Lobos têm medo de fogo em qualquer circunstância, mas esse era um fogo muitíssimo horrível e fora do comum. Se uma faísca ia parar no pelame dos animais, grudava nele e o fazia queimar, e, a não ser que eles rolassem de costas no chão rápido, pouco depois estavam em chamas. Logo, em todas as partes da clareira, lobos estavam rolando no chão sem parar para apagar as faíscas nas suas costas, enquanto aqueles que estavam queimando se punham a correr ao redor, uivando e pondo fogo nos outros, até que seus próprios amigos os expulsaram e eles fugiram encosta abaixo, gritando e urrando e procurando água.[10]

"O que é esse tumulto todo na floresta esta noite?", disse o Senhor das Águias. Ele estava sentado, negro ao luar, no topo de um pináculo solitário de rocha na borda leste das montanhas. "Ouço vozes de lobos! Será que os gobelins estão procurando encrenca nas matas?"

Lançou-se no ar, e imediatamente dois de seus guardas saltaram das rochas, de cada lado, para segui-lo. Circularam pelo céu e olharam para o círculo de wargs, um pontinho minúsculo lá embaixo. Mas águias têm vista aguçada e conseguem

down darker than before. As the soundless lightning wavered and brightened, the shadows of the wolves appeared simultaneously to start forward and then retreat, while the noise of their howling carried with it some diabolic suggestion of discordant human voices.

"La Meffraye! La Meffraye! Meffraye!" [...]

"It were better to find a tree that we could climb," growled Malise with a practical suggestiveness, which, however, came too late. For they dared not move out of the open space, and the great trunk of the blasted pine rose behind them bare of branches almost to the top.

[Berros e uivos como que de demônios triunfantes foram-lhes trazidos aos ouvidos pelo vento oeste. Os ruídos ficaram mais próximos, e da treva das matas logo glissavam formas sombrias [...]. Olhos cintilantes os encaravam à medida que os lobos trotavam e se assentavam em um vasto círculo à espera da junção completa da alcateia antes de açodarem sua presa [...]. Sholto notou particularmente uma loba gigantesca, que assomava em todos os pontos do círculo e parecia convocar e açular a alcateia ao ataque.

O incêndio chamejou atrás das silhuetas negras e retintas das densas árvores, de modo que suas copas destacavam-se contra o céu pálido como se entalhadas em marfim. Então a noite cerrou-se mais escura do que antes. Quando o relâmpago silente tremulou e rebrilhou, as sombras dos lobos pareciam simultaneamente avançar e então recuar, enquanto o barulho de seus uivos trazia consigo certa sugestão diabólica de vozes humanas em discórdia.

"La Meffraye! La Meffraye! Meffraye!" [...]

"Seria melhor encontrar uma árvore em que pudéssemos subir", resmungou Malise com uma sugestibilidade prática que, no entanto, fez-se tardia. Pois eles não ousaram deixar o espaço aberto, e o grande tronco do pinheiro arruinado elevou-se atrás deles despido de galhos quase até a copa.]

"Todas as feras selvagens pareciam obedecer aos chamados da feiticeira." Ilustração de Frank Richards extraída de *The Black Douglas*.

Os lobisomens finalmente atacam. Após longa batalha, iluminados na noite por ocasionais lampejos do incêndio, os lobisomens recuam para trás da linha de cadáveres de seus irmãos, e os três homens conquistam a vitória. O final da cena (e do capítulo) é semelhante ao final do capítulo "O Cerco de Gondor" em *O Senhor dos Anéis*, com a aparição, ao romper da aurora, de um símbolo de esperança após longa e tenebrosa noite:

The howling stopped and there fell a silence. Lord James would have spoken.

"Hush!" said Malise, yet more solemnly.

And far off, like an echo from another world, thin and sweet and silver clear, a cock crew.

The blue leaping flame of the wild-fire abruptly ceased. The dawn arose red and broad in the east. The piles of dead beasts shone out black on the grey plain of the forest glade, and on the topmost bough of a pine tree a thrush began to sing.

[Cessaram os uivos e fez-se silêncio. Lord James teria dito alguma coisa.

"Calado!", disse Malise, embora de forma mais solene.

E na distância, como um eco de outro mundo, tênue, doce, límpido como prata, um galo cantou.

ver coisas pequenas de uma grande distância. O Senhor das Águias das Montanhas Nevoentas tinha olhos que podiam observar o sol sem piscar, que conseguiam ver um coelho se mexendo no chão à altitude de uma milha, mesmo que fosse sob o luar. Assim, embora ele não conseguisse ver as pessoas nas árvores, podia divisar o tumulto entre os lobos e ver os pequenos clarões de fogo e ouvir os uivos e ganidos que chegavam fracos lá de baixo. Também conseguia ver o luzir da lua em lanças e capacetes de gobelins, conforme longas filas daquela gente perversa desciam rastejando as encostas dos montes, saindo de seu portão, e adentravam a mata.

Águias não são aves gentis. Algumas são covardes e cruéis. Mas a raça antiga das montanhas do norte era a das maiores de todas as aves; eram orgulhosas e fortes e de coração nobre. Não amavam os gobelins, nem os temiam. Quando chegavam a se dar conta deles (o que era raro, pois não comiam tais criaturas), desciam sobre eles e os empurravam aos gritos de volta a suas cavernas, e detinham qualquer perversidade que eles estivessem fazendo. Os gobelins odiavam as águias e as temiam, mas não conseguiam alcançar seus assentos elevados ou expulsá-las das montanhas.

Naquela noite, o Senhor das Águias se enchera de curiosidade de saber o que estava acontecendo; assim, convocou a si muitas outras águias, e elas saíram voando das montanhas e, girando e girando lentamente em círculos, foram descendo, descendo, descendo na direção do anel dos lobos e do local de encontro dos gobelins.

Aliás, que bom que foi assim! Coisas terríveis tinham acontecido lá embaixo. Os lobos que tinham pegado fogo e fugido para a floresta tinham-na incendiado em vários lugares. Era alto verão e, desse lado leste das montanhas, não havia chovido por algum tempo. Samambaias amareladas, galhos caídos, pilhas fundas de pinhas e, aqui e ali, árvores mortas logo ficaram em chamas. Por todos os lados da clareira dos wargs saltava o fogo. Mas os guardas-lobos não deixaram as árvores. Enlouquecidos e raivosos, estavam pulando e uivando ao redor dos troncos, maldizendo os anãos em seu idioma horrível, com as línguas de fora e os olhos brilhando vermelhos e ferozes como as chamas.

Então, de repente, os gobelins chegaram correndo e berrando. Tinham achado que uma batalha com os homens das matas estava acontecendo; mas logo descobriram o que realmente acontecera. Alguns deles chegaram até a se sentar e rir. Outros sacudiram suas lanças e bateram as hastes delas contra seus escudos. Os gobelins não têm medo de fogo e logo bolaram um plano que lhes parecia muitíssimo divertido.

Alguns reuniram todos os lobos num só grupo. Outros empilharam samambaias e galhos secos em volta dos troncos das árvores. E alguns saíram correndo e pisotearam e bateram, e bateram e pisotearam, até que quase todas as chamas foram apagadas — mas não apagaram o fogo que ficava mais perto das árvores onde estavam os anões. Esse fogo eles alimentaram com folhas, galhos mortos e samambaias. Logo tinham feito um anel de fumaça e chama em volta dos anões, um anel que impediram de se espalhar; mas ele foi se fechando devagar, até que o fogo que corria começou a lamber o combustível empilhado sob as árvores. A fumaça chegara aos olhos de Bilbo, ele conseguia sentir o calor das chamas; e, através da fumaceira, podia ver os gobelins dançando em círculos sem parar, feito gente em volta de uma fogueira de meio-do-verão. Do lado de fora do anel de guerreiros que dançavam com lanças e machados, estavam os lobos, a uma distância respeitosa, observando e esperando.

Ele conseguia ouvir os gobelins começando uma canção horrível:

Em cinco abetos, quinze passarinhos,
do fogo às suas penas veio um ventinho!
Que aves gozadas, não tinham asinhas!
Ó, que faremos com essas coisinhas?
Assá-las vivas ou mandá-las pra panela;
fritar, ferver, comer à cabidela? ª

Então pararam e gritaram: "Voem para longe, passarinhos! Voem para longe, se puderem! Desçam, passarinhos, ou vão assar nos seus ninhos! Cantem, cantem, passarinhos! Por que não cantam?"

"Vão embora, menininhos!", gritou Gandalf em resposta. "Não é época de roubar ninhos. Aliás, menininhos levados que brincam com fogo acabam sendo castigados."¹¹ Disse isso para deixá-los bravos e para mostrar que não tinha medo deles — por mais que tivesse, é claro, e por mais que fosse mago. Mas nem prestaram atenção e continuaram a cantar.

Queima, queima, pinha e lenha!
Arde e destroça! Faísca a tocha
Que faz da noite nosso deleite,
  Iá ei!
Torra e assa, frita e raspa!
'Té a barba arder, o olho derreter;
'té o cabelo feder, a pele enrijecer,

A pululante flama azul do incêndio abruptamente cessou. Ergueu-se a aurora, rubra e vasta no leste. As pilhas de animais mortos luziam negras sobre a lhanura gris da clareira da floresta, e no mais elevado galho de um pinheiro um tordo começou a cantar.]

Samuel Rutherford Crockett (1859–1914) foi um escritor extremamente prolífico de ficção sentimental escocesa, livros infantis (alguns recontando os romances de Walter Scott favoritos de Crockett) e romances históricos. *The Black Douglas* (1899) foi o décimo terceiro de seus 50 romances. Uma sequência, *Maid Margaret of Galloway* [Margaret, a Donzela de Galloway] apareceu em 1904.

11 Arthur Ransome escreveu a Tolkien em 13 de dezembro de 1937 (ver nota 36 ao Capítulo 1) questionando a pertinência do uso da expressão *little boys* [menininhos] para os não humanos gobelins. Em carta à Allen & Unwin de 19 de dezembro de 1937, Tolkien concordou que o insulto era "um tanto ridículo e pouco adequado" e conjecturava se *oaves* [parvos] seria melhor. Mas em suas revisões posteriores do texto ele manteve *boys* (*Cartas*, n. 20).

A propósito, o *Oxford English Dictionary* registra dois plurais para a palavra *oaf*: *oafs* e *oaves*. *Oaf* é definido como "uma criança elfa, uma criança gobelim, uma criança supostamente trocada deixada por elfos ou fadas; portanto, uma criança ilegítima, deformada ou idiota; débil, tola, estúpida, pateta, sendo, por inferência, uma criança trocada".

ª*Fifteen birds in five fir-trees, / their feathers were fanned in a fiery breeze! / But, funny little birds, they had no wings! / O what shall we do with the funny little things? / Roast 'em alive, or stew them in a pot; / fry them, boil them and eat them hot?*

12 Os gritos gobelins "Iá-rári-ei! Iá ói!" podem soar sem sentido, mas Tolkien fez uso de expressões rigorosamente similares em "As Escolhas do Mestre Samwise", o capítulo final de *As Duas Torres*, quando Sam ouve por acaso alguns Orques em "apupos e risos, quando algo foi erguido do chão. 'Ya hoi! Ya harri hoi! Sobe! Sobe!'"

Pode ser que Tolkien intencionasse que as expressões fossem representações na fala comum de maldições órquicas. Na Seção I do Apêndice F ("Os Idiomas e Povos da Terceira Era") de *O Senhor dos Anéis*, Tolkien escreveu sobre os Orques: "Diz-se que não tinham língua própria, mas tomavam o que podiam dos outros idiomas e o pervertiam ao próprio gosto; porém só produziram jargões brutais, que mal bastavam mesmo para suas próprias necessidades, a não ser para maldições e insultos."

Os Gobelins e os Lobos dançam. Ilustração de Tove Jansson para as edições sueca de 1962 e finlandesa de 1973.

a banha crestada, e a negra ossada
   em cinza no chão
   os céus verão!
   Os anões morrerão,
ardendo à noite pro nosso deleite,
   Iá ei!
   Iá-rári-ei!
   Iá ói![b 12]

E quando veio aquele *Iá ói!* as chamas chegaram embaixo da árvore de Gandalf. Num instante se espalharam para as outras. A casca da árvore pegou fogo, os galhos mais baixos racharam.

Então Gandalf subiu ao topo de sua árvore. Um esplendor repentino faiscou de seu cajado feito relâmpago, conforme ele se preparava para se atirar do alto, bem no meio das lanças dos gobelins. Aquilo teria sido o fim do mago, embora ele provavelmente tivesse matado muitos dos inimigos quando se lançasse para baixo feito um corisco. Mas não chegou a saltar.

Bem naquele momento, o Senhor das Águias arremessou-se do alto, tomou-o em suas garras e se foi.

Ouviu-se um urro de raiva e surpresa dos gobelins. Em alta voz gritou o Senhor das Águias, com quem Gandalf agora tinha falado. De volta arremeteram as grandes aves que estavam com ele, para baixo vieram feito enormes sombras negras. Os lobos ganiram e rangeram seus dentes; os gobelins urraram e bateram os pés com fúria e arremessaram suas lanças pesadas no ar em vão. Sobre eles desceram as águias; o bater de suas asas escuras os lançou ao chão ou os empurrou para longe; suas garras rasgavam os rostos dos gobelins. Outras aves voaram até o topo das árvores e agarraram os anões, que agora estavam tentando escalar o mais alto que ousavam chegar.

O pobrezinho do Bilbo quase foi deixado para trás de novo! Mal deu jeito de se segurar nas pernas de Dori, quando ele foi o último dos anões a ser levado embora; e lá se foram eles juntos, acima do tumulto e do incêndio, Bilbo balançando no ar com seus braços quase quebrando.

Nesse momento, bem lá embaixo, os gobelins e os lobos estavam se espalhando para todos os lados pelas matas. Umas poucas águias ainda estavam circulando e dando rasantes acima do campo de batalha. As chamas em volta

---

[b] *Burn, burn tree and fern! / Shrivel and scorch! A fizzling torch / To light the night for our delight, / Ya hey! / Bake and toast 'em, fry and roast 'em! / till beards blaze, and eyes glaze; / till hair smells and skins crack, / fat melts, and bones black / in cinders lie / beneath the sky! / So dwarves shall die, / and light the night for our delight, / Ya hey!! Ya-harri-hey!! Ya hoy!*

das árvores elevaram-se de repente acima dos galhos mais altos. Elas foram engolidas por um fogo crepitante. Houve um redemoinho repentino de fagulhas e fumaça. Bilbo tinha escapado bem a tempo!

Logo a luz do incêndio parecia fraca lá embaixo, um pontinho de luz vermelha contra o chão negro; e eles estavam bem alto no céu, subindo sem parar em grandes círculos rodopiantes. Bilbo nunca esqueceu aquele voo, agarrado aos tornozelos de Dori. Ele gemia "meus braços, meus braços!"; mas Dori se lastimava: "Minhas pobres pernas, minhas pobres pernas!"

Mesmo nas melhores circunstâncias, alturas faziam Bilbo ficar tonto. Costumava se sentir esquisito se olhasse da borda de qualquer encostazinha; e nunca gostou de escadas, que dirá de árvores (já que nunca tinha precisado escapar de lobos antes). Então você pode imaginar como sua cabeça estava girando naquela hora, quando olhou para baixo, por entre seus dedos dos pés pendurados, e viu as terras escuras que se abriam imensas ao longe, tocadas aqui e ali pela luz da lua numa rocha, nas faldas de um monte, ou num riacho nas planícies.

O resgate das águias. Ilustração de Virgil Finlay. Começando em janeiro de 1963, a editora estadunidense de Tolkien, Houghton Mifflin, solicitou amostras de ilustrações para *O Hobbit* de alguns proeminentes artistas estadunidenses com a esperança de produzir uma suntuosa edição ilustrada. Virgil Finlay (1914–1971) começou sua carreira em 1935 ilustrando histórias na lendária revista *Weird Tales* e logo depois disso passou a ilustrar muitas das mais proeminentes revistas de ficção científica, até que o fracasso da publicação de revistas em meados dos anos 1950 limitou seu mercado. A amostra de ilustração de Finlay para *O Hobbit* foi enviada para Tolkien por meio de sua editora britânica, a quem ele respondeu em 11 de outubro de 1963:

> Embora dê indícios de um tratamento geral um pouco mais pesado, violento e fechado do que eu gostaria, pareceu-me uma boa ilustração, e na verdade pensei que o rosto um tanto rechonchudo e infantil (mas ansioso) de Bilbo está de acordo com sua caracterização até aquele ponto. Após os horrores das "ilustrações" para as traduções [de *O Hobbit*], o Sr. Finlay é um alívio bem-vindo. Enquanto (como parece provável) ele deixar o humor para o texto e prestar considerável atenção ao que o texto diz, creio que ficarei bastante feliz.

Infelizmente, Finlay não foi chamado para ilustrar *O Hobbit*. Sua amostra de ilustração foi publicada pela primeira vez postumamente em *The Book of Virgil Finlay* [O livro de Virgil Finlay] (1975), de Gerry de la Ree.

O resgate das águias. Ilustração de Eric Fraser para a edição da Folio Society de 1979. Fraser (1902–1983) começou sua carreira como ilustrador no campo publicitário e mais tarde voltou-se para a ilustração de revistas e livros. Trabalhou sobretudo com tinta preta, com revestimento branco para ter algo característico da gravação em madeira. Suas impressionantes ilustrações podem ser encontradas em muitos livros, incluindo *English Legends* [Lendas inglesas] (1950) e *Folklore, Myths and Legends of Britain* [Folclore, mitos e lendas da Grã-Bretanha] (1973). Para a edição de *O Senhor dos Anéis* da Folio Society de 1977, ele redesenhou as ilustrações da Rainha Margarida II da Dinamarca (1940–), redimensionando-as para funcionarem como cabeços de capítulo. A obra da Rainha é creditada a seu pseudônimo, Ingahild Grathmer. Ela descobriu *O Senhor dos Anéis* por volta de 1969, e isso reacendeu seu interesse por desenho. Suas ilustrações foram enviadas a Tolkien e encontradas entre seus papéis depois de sua morte. De modo similar, a edição de Fraser para *O Hobbit* inclui ilustrações como cabeços de cada capítulo, junto com desenhos de duas páginas inteiras. Uma boa monografia sobre o artista é *Eric Fraser: Designer and Illustrator* [Eric Fraser: desenhista e ilustrador] (1998), de Sylvia Backmeyer. Outra ilustração de Fraser pode ser encontrada na p. 238.

13 O resgate de Bilbo pela águia evoca uma cena do poema inacabado de Chaucer "The House of Fame" [A casa da fama], que foi provavelmente escrito entre 1378 e 1381. Nele, o poeta (o próprio Chaucer) relata um sonho no qual uma águia o captura e o carrega pelo céu à Casa da Fama. A águia conversadora atua como guia de Chaucer. Dou aqui duas breves cenas em inglês médio extraídas de *The Student's Chaucer* [Chaucer para estudantes] (1895), editado por Walter W. Skeat, seguidas pelas traduções em prosa de John S.P. Tatlock e Percy MacKaye extraídas de *The Complete Poetical Works of Geoffrey Chaucer* [Geoffrey Chaucer – poesia completa] (1912):

> *This egle, of which I have yow told,*
> *That shoon with fethres as of gold,*
> *Which that so hyë gan to sore,*
> *I gan beholde more and more,*
> *To see hir beautee and the wonder;*
> *But never was ther dint of thonder,*
> *Ne that thing that men calle foudre,*

Os picos pálidos das montanhas estavam chegando mais perto, agulhas de rocha iluminadas pela lua a projetar-se de sombras negras.[13] Verão ou não, parecia fazer muito frio. Ele fechou os olhos e pensou se conseguiria aguentar mais. Então imaginou o que aconteceria se não aguentasse. Sentiu-se enjoado.

O voo terminou bem a tempo para ele, pouco antes de seus braços cederem. Soltou-se dos tornozelos de Dori com um engasgo e caiu na plataforma irregular de um ninho de águia. Ali se deitou sem falar, e seus pensamentos eram uma mistura de surpresa por ter sido salvo do fogo e de medo de cair daquele lugar estreito nas sombras profundas que o cercavam. Sua cabeça estava se sentindo realmente muito esquisita dessa vez, depois das aventuras terríveis dos últimos três dias com quase nada para comer, e ele se achou dizendo em voz alta: "Agora eu sei como se sente um pedaço de bacon quando de repente o tiram da panela com um garfo e o colocam de volta na prateleira!"

"Não sabe não!", disse Dori em resposta, "porque o bacon sabe que vai voltar para a panela mais cedo ou mais tarde; e é de se esperar que não voltemos. Além disso, águias não são garfos!"

"Oh, não! Não lembram nem um pouco mafagafos — quer dizer, garfos", disse Bilbo, sentando-se e olhando ansioso para a águia que estava pousada ali perto. Ficou pensando se tinha dito outras bobagens, e se a águia tinha achado aquilo rude. Você não deve ser rude com uma águia quando tem só o tamanho de um hobbit e está no alto do ninho dela à noite!

A águia só afiou o bico numa pedra, arrumou as penas e nem prestou atenção.

Logo outra águia chegou voando. "O Senhor das Águias lhe pede para trazer seus prisioneiros até a Grande Plataforma", gritou, e lá se foi de novo. A outra tomou Dori em suas garras e saiu voando com ele na noite, deixando Bilbo totalmente só. Ele mal teve forças para imaginar o que o mensageiro queria dizer com "prisioneiros", e estava começando a achar que seria estraçalhado para a ceia feito um coelho, quando a sua vez chegou.

A águia voltou, tomou-o em suas garras pela parte de trás de seu casaco e se lançou no ar. Desta vez ele só voou por um trecho curto. Logo Bilbo foi posto no chão, tremendo de medo, numa ampla plataforma de rocha na encosta da montanha. Não havia caminho que chegasse a ela, exceto por meio do voo; e nenhum caminho que descesse dela, exceto pulando de um precipício. Ali ele encontrou todos os outros, sentados de costas para o paredão da montanha. O Senhor das Águias também estava lá e falava com Gandalf.

Parecia que Bilbo não ia ser comido, afinal de contas. O mago e o senhor-águia pareciam se conhecer um pouco e até mesmo ter uma relação amigável. Na verdade, Gandalf, que passava pelas montanhas com frequência, certa vez tinha feito um favor às águias, curando seu senhor de um ferimento de flecha. Então, veja você, "prisioneiros" queria dizer apenas "prisioneiros resgatados dos gobelins", e não cativos das águias. Conforme Bilbo escutava a conversa de Gandalf, ele se deu conta de que afinal iam escapar real e verdadeiramente daquelas terríveis montanhas. O mago estava discutindo com a Grande Águia planos para que elas carregassem os anãos, Bilbo e o próprio Gandalf para longe, depositando-os num ponto avançado de sua jornada através das planícies lá embaixo.

O Senhor das Águias se recusou a levá-los a qualquer lugar perto de onde homens moravam. "Eles atirariam em nós com seus grandes arcos de teixo," disse ele, "pois achariam que estávamos atrás de suas ovelhas. E, em outras ocasiões, estariam certos. Não! Estamos felizes de privar os gobelins de sua diversão e felizes de retribuir sua ajuda a nós, mas não vamos nos arriscar nas planícies ao sul por causa de anãos."

"Muito bem", disse Gandalf. "Levem-nos para onde quer que desejarem! Já estamos em dívida profunda com vocês. Mas, nesse meio-tempo, estamos com uma fome imensa."

That smoot somtyme a tour to poudre,
And in his swifte coming brende,
That so swythe gan descende,
As this foul, whan hit behelde
That I a-roume was in the felde;
And with his grimme pawes stronge,
Within his sharpe nayles longe,
Me, fleinge, at a swappe he hente,
And with his sours agayn up wente,
Me carying in his clawes starke
As lightly as I were a larke,
How high, I can not telle yow,
For I cam up, I niste how,
For so astonied and a-sweved
Was every vertu in my heved,
What with his sours and with my drede,
That al my feling gan to dede;
For-why hit was to greet affray.
(Livro II, versos 529–53)

And I adoun gan loken tho,
And beheld feldes and plaines,
And now hilles, and now mountaines,
Now valeys, and now forestes,
And now, unethes, grete bestes;
Now riveres, now citees,
Now tounes, and now grete trees,
Now shippes sailinge in the see.
  But thus sone in a whyle he
Was flowen fro the grounde so hyë,
That al the world, as to myn yë,
No more semed than a prikke;
Or elles was the air so thikke
That I ne mighte not discerne.
(Livro II, versos 896–909)

This eagle that I have spoken of, that soared so far on high and shone as with feathers of gold, I began to behold more and more, and to see its beauty and the marvel of it all. But never was lightning-stroke, or that thing which men call thunderbolt — which sometimes has smitten a tower to powder and burned it by its swift onslaught — that so swiftly descended as this bird, when it beheld me abroad in the field. And with his grim mighty feet, within his long sharp claws, he caught me at a swoop as I fled, and soared up again, carrying me in his strong claws as easily as if I were a lark, — how high I cannot tell you, for how I came up I knew not. For every faculty in my head was so astonied and stunned, what with his swift ascent and mine own fear, that all my sense of feeling died away, so great was mine affright.

[A águia da qual falei, que planava tão longe na altura e refulgia como se tivesse penas de ouro, comecei a contemplá-la mais e mais, e a ver sua beleza e o prodígio de tudo aquilo. Mas nunca houve trovão, ou aquilo que os homens chamam raio — que por vezes tem reduzido a pó uma torre e a incinerado com sua célere ofensiva — que desceu tão celeremente como esta ave, quando me contemplou longe no campo. E com seus pés implacáveis e possantes, ao alcance das longas garras afiadas, capturou-me em um mergulho enquanto me evadia, e planou novamente, carregando-me em suas fortes garras tão fácil como se fosse uma cotovia — quão alto não posso dizê-lo, pois como ascendi ignoro. Pois cada faculdade em minha cabeça encontrava-se tão atônita e aturdida, seja com sua célere subida e meu próprio medo, que todo meu senso de percepção se dissipou, tamanho era meu temor.] (p. 523)

And then I looked down and beheld fields and plains, and now hills, now mountains, now valleys, now forests, and now (but scarce I saw them) great beasts; now rivers, now cities, now towns, now great trees, now ships sailing on the sea. But soon, after a while, he had flown so high from the ground that all the world seemed no more than a point to mine eyes; or else the air was so thick that I could discern naught.

[Então olhei para baixo e contemplei campos e planícies, e ora colinas, ora montanhas, ora vales, ora florestas e ora (mas as vi escassamente) grandes feras; ora rios, ora cidades, ora burgos, ora grandes árvores, ora naus singrando o mar. Mas logo, depois de um tempo, ela havia voado tão acima do chão que o mundo todo parecia não mais que um ponto a meus olhos; ou então o ar estava tão cerrado que nada podia discernir.] (p. 528)

"Estou quase morto de fome", disse Bilbo, com uma vozinha fraca que ninguém ouviu.

"Isso talvez possa ser remediado", disse o Senhor das Águias.

Mais tarde, você poderia ter visto um fogo forte na plataforma de rocha, com as figuras dos anões em volta dele, cozinhando e produzindo um gostoso cheiro de assado. As águias tinham trazido ramos secos para a fogueira e tinham trazido também coelhos, lebres e uma ovelha pequena. Os anões cuidaram de todos os preparativos. Bilbo estava fraco demais para ajudar e, de qualquer modo, não era muito bom para esfolar coelhos e cortar carne, estando acostumado a recebê-la nas entregas do açougueiro, prontinha para ser cozinhada. Gandalf também estava deitado depois de fazer sua parte iniciando o fogo, já que Oin e Gloin tinham perdido suas caixas de pederneira. (Os anões não usam fósforos até hoje.)

Assim terminaram as aventuras nas Montanhas Nevoentas. Rapidamente o estômago de Bilbo estava cheio e com uma sensação confortável de novo, e ele sentiu que poderia dormir contente, embora, na verdade, teria preferido pão com manteiga a pedaços de carne tostados em espetos. Dormiu ajeitado na rocha dura mais profundamente do que jamais dormira na sua cama de penas na pequena toca em sua terra. Mas sonhou a noite toda com sua própria casa e vagou em seu sonho por todos os cômodos diferentes, procurando algo que não conseguia achar nem recordar que aparência tinha.

O Senhor das Águias fala com Gandalf. Ilustração de Évelyne Drouhin para a edição francesa de 1983. Drouhin (1955–) ilustrou outros livros infantis franceses e traduções francesas da obra dos Irmãos Grimm. O último nome da artista é dado por vezes como Faivre-Drouhin. Duas outras ilustrações de Drouhin podem ser encontradas nas pp. 178 e 243.

O HOBBIT ANOTADO

Nas Montanhas Nevoentas olhando para o Oeste, de J.R.R. Tolkien, uma das ilustrações em preto e branco padrão presente em *O Hobbit* desde 1937.

Uma versão anterior, que difere ligeiramente desta, pode ser vista em *Artist* (n. 110). Nas duas versões, o Portão Gobelim (pelo qual Bilbo escapou) pode ser visto como uma mancha sombreada nas montanhas na parte superior direita. Esta ilustração aparece em *Artist* (n. 111) e *Pictures* (n. 8, à esquerda). Uma versão colorida por H.E. Riddett apareceu pela primeira vez em *The Hobbit Calendar 1976* (1975) e em *Pictures* (n. 8, à direita).

Bilbo acordou com o sol do começo da manhã em seus olhos, de J.R.R. Tolkien, uma das ilustrações coloridas padrão para *O Hobbit*, publicada pela primeira vez na edição norte-americana de 1938 (onde foi ligeiramente cortada), mas não incluída na edição inglesa.

Ao pintar a águia, o interesse de Tolkien pelos detalhes mais diminutos do mundo natural torna-se evidente, assim como seu perfeccionismo, que o levou a modelar a ave a partir da ilustração de uma águia dourada de Archibald Thorburn. Christopher Tolkien se lembra de encontrar o desenho para seu pai em *Birds of the British Isles and Their Eggs* [Aves das ilhas britânicas e seus ovos] (1919), de T.A. Coward. A ilustração de Thorburn (à esquerda) é de uma ave imatura, e a águia jovem desta espécie possui a parte inferior da cauda branca. Wayne G. Hammond e Christina Scull determinaram que a ilustração de Thorburn (reproduzida como uma cromolitografia) apareceu originalmente em *Birds of the British Islands* [Aves das ilhas britânicas] (1891), de Lord Lilford, de onde Coward a republicou em seu volume (*Artist*, p. 124). Thorburn (1860–1935) foi um dos maiores artistas de aves do final do século XIX e início do século XX. A ilustração de Tolkien aparece em *Artist* (n. 113) e em *Pictures* (n. 9), neste sob o título *Bilbo acorda com o sol do começo da manhã em seus olhos*.

7

Acomodações Esquisitas

Na manhã seguinte, Bilbo acordou com o sol do começo da manhã em seus olhos. De um salto, foi olhar a hora e colocar seu bule no fogão — e descobriu que não estava em casa, afinal. Assim, sentou-se e desejou em vão um banho e uma escova. Não conseguiu nada disso, nem chá, nem torrada, nem bacon para seu café da manhã, só cordeiro e coelho frios. E depois disso tinha de se preparar para uma nova partida.

Dessa vez, deixaram que subisse nas costas de uma águia e se segurasse entre as asas dela. O ar passava rápido em volta de Bilbo, e ele fechou os olhos. Os anões estavam gritando adeuses e prometendo recompensar o Senhor das Águias[1] se algum dia pudessem, enquanto iam subindo quinze grandes aves da encosta da montanha. O sol ainda estava perto da beira leste das coisas. Era uma manhã fresca, e havia brumas nos vales e nas cavas, que se enlaçavam aqui e ali à volta dos picos e pináculos dos montes. Bilbo abriu um olho para espiar e viu que as aves já estavam bem alto, e que o mundo estava muito longe, e que as montanhas iam ficando atrás deles na distância. Fechou os olhos de novo e segurou com mais força.

"Não belisque!", disse a águia. "Não precisa ficar assustado feito um coelho, mesmo se parecendo bastante com um. É uma bela manhã, com pouco vento. O que é melhor do que voar?"

Bilbo teria gostado de responder: "Um banho quente e um café da manhã tardio no gramado depois"; mas achou melhor não falar nada de nada e se segurar com um tiquinho menos de força.

Depois de um bom tempo, as águias devem ter visto o ponto que desejavam alcançar, mesmo daquela grande altura, pois começaram a descer, circulando em grandes espirais. Fizeram isso por bastante tempo, e, por fim, o hobbit abriu os olhos de novo. A terra estava bem mais próxima, e abaixo deles havia árvores que pareciam carvalhos e olmos, e amplas pradarias, e um rio que corria em meio a tudo isso. Mas, projetando-se do chão, bem no caminho do riacho que se enrolava em torno dela, havia uma grande rocha, quase uma colina de pedra, como um último posto avançado das montanhas distantes, ou um enorme pedaço delas jogado milhas adentro da planície por algum gigante entre gigantes.

---

[1] A leitura "lord of the eagles" ["senhor das águias"], com iniciais minúsculas, é original do texto de *1937* nesta ocorrência e na página seguinte. Os textos de *1951*, *1966-Ball* e *1966-Longmans/Unwin* mantêm as iniciais minúsculas. No entanto, *1966-A&U*, *1967-HM* e a quarta edição de 1978 publicada pela Allen & Unwin fazem uso de "Lord of the Eagles" [Senhor das Águias]. A mudança pode ter sido feita por convenção editorial; no entanto, o próprio Tolkien fez uso de iniciais maiúsculas (em *1937* e seguintes) ao introduzir o Senhor das Águias no capítulo precedente.

Rapidamente, então, até o topo dessa rocha as águias voejaram, uma a uma, e lá deixaram seus passageiros.

"Sigam bem!", gritaram, "aonde quer que sigam, até que seus ninhos os recebam no fim da jornada!" Essa é a coisa educada a se dizer entre águias.

"Que o vento sob suas asas possa levá-las aonde o sol navega e a lua caminha", disse Gandalf, que sabia a resposta correta.

E assim se despediram. E, embora o Senhor das Águias tenha se tornado, em dias que vieram depois, o Rei de Todas as Aves, usando uma coroa de ouro,[2] e seus quinze capitães, colares de ouro (feitos com o ouro que os anãos lhes deram), Bilbo nunca mais os viu de novo — exceto muito alto e ao longe, na batalha dos Cinco Exércitos. Mas, como isso aparece no fim desta história, não diremos mais nada a respeito por enquanto.

Havia um espaço plano no topo da colina de pedra, e um caminho bem desgastado, com muitos degraus, que descia até o rio, através do qual um vau com enormes pedras planas levava até a campina do outro lado do riacho. Havia uma pequena caverna (limpa, com um chão de pedrinhas) no pé dos degraus e perto da extremidade do vau pedregoso. Foi ali que o grupo se reuniu e discutiu o que deveriam fazer.

"Meu propósito sempre foi trazer todos vocês em segurança (se possível) através das montanhas," disse o mago, "e agora, por meio de bom planejamento *e* boa sorte, foi o que consegui. De fato, agora estamos um bom pedaço mais para o leste do que jamais pretendi chegar com vocês, pois, afinal, esta não é a minha aventura. Pode ser que eu apareça de novo antes que tudo esteja encerrado, mas nesse meio-tempo tenho outros negócios urgentes para tratar."

Os anãos gemeram e se mostraram muitíssimo consternados, e Bilbo chorou. Tinham começado a achar que Gandalf ia acompanhá-los no caminho todo e sempre estaria por perto para ajudá-los a sair de dificuldades. "Eu não vou desaparecer neste exato instante", disse ele. "Posso lhes dar um ou dois dias mais. Provavelmente posso lhes ajudar a sair de seu atual apuro e eu mesmo preciso de um pouco de ajuda. Não temos nenhuma comida e nenhuma bagagem e nenhum pônei para montar; e vocês não sabem onde estão. Ora, isso eu posso lhes contar. Vocês ainda estão algumas milhas ao norte da trilha que deveriam estar seguindo, se não tivéssemos deixado o passo da montanha com pressa. Muito poucas pessoas vivem nestas partes, a menos que tenham vindo para cá desde a última vez que passei por aqui, o que já faz alguns anos. Mas há *alguém* que eu sei que vive não muito longe. Esse Alguém fez os degraus na grande rocha — a Carrocha, como creio que ele a chama. Ele não vem até aqui com frequência, certamente não durante o dia, e não vale a pena

2 Alguns comentadores de Tolkien, incluindo Robert Foster em seu *Complete Guide to Middle-earth* [O Guia Completo da Terra-média], sentiram-se tentados a identificar o Senhor das Águias em *O Hobbit* com Gwaihir, o Senhor-dos-Ventos, a águia que resgata Gandalf em *O Senhor dos Anéis*. No entanto, esse não pode ser o caso, pois no Capítulo 4 do Livro VI de *O Retorno do Rei*, "O Campo de Cormallen", Gandalf diz a Gwaihir: "Duas vezes me carregaste, meu amigo Gwaihir". As duas vezes anteriores são comprovadamente a fuga de Gandalf de Orthanc e quando Gwaihir levou Gandalf a Lórien após encontrá-lo no pico de Zirakzigil depois de sua luta com o Balrog. Essas duas instâncias excluem a possibilidade de Gwaihir ser a águia que resgatou Gandalf em *O Hobbit*.

esperar por ele. De fato, seria muito perigoso. Precisamos ir procurá-lo; e, se tudo for bem no nosso encontro, acho que irei embora e, como as águias, desejarei que vocês "sigam bem, aonde quer que sigam!"

Imploraram para que ele não os deixasse. Ofereceram-lhe ouro de dragão e prata e joias, mas ele não mudou de ideia. "Veremos, veremos," disse Gandalf, "e acho que já tenho direito a um pouco de seu ouro de dragão — quando vocês estiverem com ele."

Depois disso, pararam de argumentar. Então tiraram as roupas e se banharam no rio, que era raso e claro e pedregoso no vau. Quando se secaram ao sol, que agora estava forte e quente, sentiram-se renovados, ainda que doloridos e com um pouco de fome. Logo cruzaram o vau (carregando o hobbit) e depois começaram a marchar pela grama alta e verdejante, passando pelas fileiras de carvalhos de largos braços e olmos altos.

"E por que chamam aquela pedra de Carrocha?", perguntou Bilbo, andando do lado do mago.

"Ele a chama de Carrocha porque carrocha é a palavra que usa para ela. Ele chama coisas desse tipo de carrochas, e essa é *a* Carrocha porque é a única perto da casa dele, e ele a conhece bem."[3]

"Quem a chama disso? Quem a conhece?"

"O Alguém do qual falei — uma pessoa muito grande. Todos vocês têm de ser muito educados quando eu apresentá-los a ele. Vou apresentá-los devagar, dois a dois, acho eu; e vocês *têm* de tomar cuidado para não irritá-lo, ou só os céus sabem o que pode acontecer. Ele pode ser assustador quando está com raiva, embora seja bastante gentil se estiver de bom humor. Mas aviso que ele fica com raiva facilmente."

Os anões se achegaram todos quando ouviram o mago falando assim com Bilbo. "Essa é a pessoa a cuja casa você está nos levando agora?", perguntaram. "Não poderia achar alguém de temperamento mais fácil? Não seria melhor você explicar tudo com um pouco mais de clareza?" — e assim por diante.

"Sim, certamente é! Não, não poderia! E eu estava explicando com muito cuidado", respondeu o mago, zangado. "Se precisam saber mais, o nome dele é Beorn.[4] Ele é muito forte e é um troca-peles."

"Quê! É um peleteiro, um homem que chama coelhos de caçapos, quando não transforma as peles deles nas de esquilos?", perguntou Bilbo.

"Meus bons e gentis céus, não, não, NÃO, NÃO!", disse Gandalf. "Não seja um tolo, Sr. Bolseiro, se conseguir evitar; e em nome de todas as maravilhas não use a palavra 'peleteiro' de

3 Tolkien descreveu a Carrocha [Carrock] como "uma grande rocha, quase uma colina de pedra", em torno da qual volteava um rio. A palavra *carrock* parece conter o inglês antigo *carr*, "uma pedra, rocha". *Carrock* também aparece no primeiro volume de *The English Dialect Dictionary* [Dicionário do Dialeto Inglês] (1898), compilado por Joseph Wright, onde se encontra a grafia variante *currick*, "um montículo tumular, um amontoado de pedras, usado como marca limítrofe, lugar de sepultamento, ou guia para viajantes."

Tom Shippey também observa que *carrecc* é galês antigo para "rocha". E Mark Hooker, em "And Why Is It Called the Carrock? — Bilbo Baggins" [E por que se chama Carrocha? — Bilbo Bolseiro], em *Beyond Bree*, novembro de 2001, sugeriu similaridades entre a Carrocha de Tolkien e Carreg Cennen, a rocha calcária nas Montanhas Negras em Carmarthenshire, no País de Gales.

4 O nome *Beorn* é na verdade uma palavra em inglês antigo para "homem, guerreiro", mas que originalmente significava "urso"; é cognata do nórdico antigo *björn*, "urso".

5 Tom Shippey observou que Beorn possui "um análogo bastante próximo em Bọthvarr Bjarki (= 'pequeno urso'), herói da *Saga of Hrólfr Kraki* [Saga de Hrólfr Kraki] nórdica, e outro no próprio Beowulf, cujo nome é comumente explicado como Beowulf = 'lobo das abelhas' ['bees' wolf'] = comedor-de-mel [honey-eater] = urso, e que fende espadas, dilacera braços e racha costelas com poder ursino e sem sutilezas" (*The Road to Middle-earth*, segunda edição, p. 73).

No Capítulo 33 de *The Saga of Hrolf Kraki*, Bothvar Bjarki senta-se indolente e afastado da batalha enquanto seu duplo, um grande urso, defende o rei Hrolf. Quando Bothvar é despertado, o urso desaparece, e Hrolf e seus homens, incluindo Bothvar, são mortos.

O que talvez seja um análogo ainda mais próximo encontra-se no pai de Bothvar, Bjorn, cuja história conta-se nos Capítulos 19–20. Quando Bjorn desdenha os avanços da rainha do Rei Hring, ela lança sobre ele uma maldição que o faz tornar-se urso durante o dia, retornando à forma humana durante a noite.

Tolkien conhecia *The Saga of Hrolf Kraki* muito bem. Uma de suas alunas em Leeds, Stella Mills, traduziu-a sob a supervisão do colega e amigo próximo de Tolkien E.V. Gordon. Muitos anos depois, a tradução de Mills foi publicada como *The Saga of Hrolf Kraki* (1933), com introdução de Gordon. Essa edição é dedicada a Gordon, Tolkien e C.T. Onions, o lexicógrafo do *Oxford English Dictionary*. Stella Mills graduou-se em Leeds em 1924. Ela foi uma amiga próxima da família Tolkien por muitos anos.

Gandalf e Bilbo conversam com Beorn. Ilustração de Maret Kernumees para a edição estoniana de 1977.

novo enquanto estiver em um raio de cem milhas da casa dele, muito menos 'tapete', 'capa', 'estola', 'regalo' nem nenhuma outra palavra infeliz desse tipo! Ele é um troca-peles. Ele troca de pele: às vezes é um enorme urso negro, às vezes é um homem de cabelos negros grande e forte, com braços enormes e uma grande barba. Não posso lhe dizer muito mais que isso, embora já deva ser o suficiente. Alguns dizem que ele é um urso que descende dos grandes e antigos ursos das montanhas que viviam lá antes que os gigantes chegassem. Outros dizem que ele é um homem, descendente dos primeiros homens que viviam aqui antes que Smaug ou os outros dragões chegassem a esta parte do mundo, e antes que os gobelins chegassem às colinas, vindos do Norte. Não sei dizer, embora imagine que a segunda história seja a verdadeira. Ele não é o tipo de pessoa a quem se pode fazer perguntas.

"De qualquer modo, ele não está sob nenhum encantamento, exceto o dele mesmo. Vive num bosque de carvalhos e tem uma grande casa de madeira; e, na forma de homem, tem gado e cavalos que são quase tão maravilhosos quanto o próprio Beorn. Trabalham para ele e conversam com ele. Beorn não os come; nem caça ou devora animais selvagens. Tem colmeias e mais colmeias de grandes abelhas ferozes e subsiste comendo principalmente creme e mel. Na forma de urso, desloca-se por grandes distâncias.[5] Uma vez o vi sentado, sozinho, no topo da Carrocha à noite, observando a lua descer na direção das Montanhas Nevoentas e o ouvi rosnar na língua dos ursos: 'Chegará o dia em que eles perecerão, e eu hei de voltar!' É por isso que creio que ele próprio veio das montanhas antigamente."

Bilbo e os anãos agora tinham muito sobre o que matutar e não fizeram mais perguntas. Ainda havia um longo caminho à frente deles. Encosta acima e vale abaixo avançaram. Ficou muito quente. Às vezes descansavam sob as árvores, e nessas horas Bilbo se sentia tão faminto que teria comido bolotas de carvalho, se elas já estivessem maduras o suficiente para terem caído ao chão.

Já era o meio da tarde quando eles notaram que grandes aglomerados de flores tinham começado a aparecer, todas do mesmo tipo crescendo juntas, como se tivessem sido plantadas. Havia principalmente trevos, canteiros ondulantes de trevo-vermelho e trevo-roxo e amplos trechos de trevo-branco, baixinhos, de cheiro doce como o mel. Havia um zumbido, um zunido e um resmungo no ar. Abelhas pairavam por todo lugar. E que abelhas! Bilbo nunca tinha visto nada parecido com elas.

"Se uma dessas me picasse," pensou ele, "eu incharia até ficar com o dobro do meu tamanho!"

Eram maiores do que grandes vespas. Os zangões eram um bocado maiores que o seu dedão, e as faixas amarelas em seus corpos negros e rotundos brilhavam como ouro fulgurante.

"Estamos chegando perto", disse Gandalf. "Estamos na beira dos pastos-de-abelhas dele."

Depois de algum tempo, chegaram a um cinturão de carvalhos muito altos e antigos, e depois deles havia uma sebe alta de espinheiros, através da qual não se podia ver nada, nem passar.

"É melhor vocês esperarem aqui," disse o mago aos anões; "e, quando eu chamar ou assoviar, comecem a vir atrás de mim — vocês verão o caminho que vou seguir —, mas só em duplas, vejam bem, com uns cinco minutos entre cada dupla de vocês. Bombur é o mais gordo e vai valer por dois, é melhor que ele venha sozinho e por último. Vamos, Sr. Bolseiro! Há um portão em algum lugar por aqui." E, dizendo isso, ele prosseguiu ao longo da sebe, levando o assustado hobbit com ele.

Eles logo chegaram a um portão de madeira, alto e largo, além do qual podiam ver jardins e um conjunto de edifícios baixos de madeira, alguns cobertos de palha e feitos com troncos rústicos: celeiros, estábulos, armazéns e uma grande casa baixa de madeira. Do lado de dentro, do lado sul da grande sebe, havia filas e filas de colmeias com topos em forma de sino, feitos de palha. O barulho das abelhas gigantes voando de lá para cá e rastejando para dentro e para fora enchia todo o ar.

O mago e o hobbit empurraram o portão pesado e rangente e desceram uma trilha larga na direção da casa. Alguns cavalos, muito esbeltos e bem tratados, trotaram através da grama e olharam para eles atentamente, com caras muito inteligentes; depois, lá se foram galopando rumo aos edifícios.

"Foram contar a ele sobre a chegada de estranhos", disse Gandalf.

Logo alcançaram um pátio, do qual três paredes eram formadas pela casa de madeira e suas duas alas compridas. No meio estava um grande tronco de carvalho com muitos galhos cheios de volutas. De pé ali perto havia um homem enorme, com barba e cabelos negros e espessos e grandes braços e pernas nus com massas de músculos. Estava vestindo uma túnica de lã que ia até os joelhos e se apoiava num grande machado. Os cavalos estavam ao lado dele, com os focinhos na altura de seu ombro.

"Ugh! Aqui estão eles!", disse aos cavalos. "Não parecem perigosos. Podem sair!" Deu uma grande risada ribombante, abaixou o machado e se adiantou.

"Quem são vocês e o que querem?", perguntou ranzinza, de pé na frente deles, elevando-se bem acima de Gandalf.

6 Ao referir-se a Radagast como "meu bom primo" ["my good cousin"], Gandalf provavelmente não está sugerindo um parentesco próximo real. O *Oxford English Dictionary* apresenta três sentidos diversos de *cousin* [primo] que podem se aplicar aqui. Primeiro, como termo "aplicado a pessoas de raças ou nações aparentadas (por exemplo, britânicos e estadunidenses)"; segundo, como "uma pessoa ou coisa que possui afinidade natural com outra"; e, por último, como "um termo de intimidade, amizade ou familiaridade". Uma vez que tanto Radagast como Gandalf são magos, o primeiro sentido é provavelmente o pretendido.

Tolkien não discute a natureza dos magos em *O Hobbit*, embora em *O Senhor dos Anéis* ficamos sabendo que são chamados Istari e são cinco no total. Algumas notas bastante interessantes de Tolkien sobre os magos estão presentes na seção "Os Istari", publicada em *Contos Inacabados*. Uma nota mais breve, mas importante, aparece no volume 12 da *História*, *Os Povos da Terra-média*.

O nome *Radagast* não é facilmente decifrável, nem estão claras suas origens. Em *A História do Declínio e Queda do Império Romano* (sete volumes, 1776–88), de Edward Gibbon, fala-se de um líder gótico chamado Radagaisus que invadiu a Itália nos primeiros anos do século V. Outras fontes, incluindo o historiador alemão do século XI Adão de Bremen, falam de uma possível divindade eslava chamada *Redigast*. Contudo, essas similaridades em termos de nome nada revelam sobre o mago de Tolkien, Radagast, o Castanho.

7 O Salão de Beorn é o típico exemplo de um salão germânico, exemplo que também se encontra no poema *Beowulf*. É um salão oblongo feito de madeira, com fileiras de pilares de madeira dividindo o interior em uma nave central e corredores laterais. Tais salões costumavam ter portas em ambas as extremidades, mas janelas em sentido moderno eram desconhecidas. Uma lareira estaria acesa no meio, e a fumaça sairia através das gelosias do telhado, que também eram usadas para proporcionar iluminação ao longo do dia. O chão elevado nos corredores laterais servia como lugar de descanso durante o dia e, à noite, como local para dispor camas.

Quanto a Bilbo, poderia facilmente passar por baixo das pernas dele sem precisar encolher a cabeça para não tocar a franja da túnica marrom do homem.

"Eu sou Gandalf", disse o mago.

"Nunca ouvi falar", rosnou o homem. "E o que é esse camaradinha?", seguiu, abaixando-se para olhar feio para o hobbit com suas sobrancelhas negras e protuberantes.

"Esse é o Sr. Bolseiro, um hobbit de boa família e reputação ilibada", disse Gandalf. Bilbo fez uma mesura. Não tinha chapéu para tirar e estava dolorosamente consciente de seus muitos botões perdidos. "Eu sou um mago", continuou Gandalf. "Já ouvi falar de você, ainda que não tenha ouvido falar de mim; mas talvez tenha ouvido falar de meu bom primo Radagast,[6] que vive perto da fronteira Sul de Trevamata?"

"Sim; não é um mau sujeito para a média dos magos, creio eu. Costumava vê-lo de vez em quando", disse Beorn. "Bem, agora sei quem vocês são, ou quem vocês dizem que são. O que querem?"

"Para dizer a verdade, perdemos nossa bagagem e quase perdemos o caminho, e precisamos bastante de ajuda, ou pelo menos de conselho. Posso dizer que nos demos bastante mal com os gobelins nas montanhas."

"Gobelins?", disse o homenzarrão, menos ranzinza. "Ôpa, então andaram tendo problemas com *eles*, é? Por que passaram perto deles?"

"Não era nossa intenção. Eles nos pegaram de surpresa à noite num passo que tínhamos de cruzar; estávamos saindo das Terras Além-Oeste e entrando nestes países — é uma história comprida."

"Então é melhor vocês virem para dentro e me contarem um pouco dela, se não for levar o dia todo", disse o homem, conduzindo-os por uma porta escura que se abria do pátio para o interior da casa.

Ao segui-lo, acharam-se num salão amplo, com uma lareira no meio.[7] Embora fosse verão, havia uma fogueira com troncos queimando, e a fumaça estava subindo até os caibros enegrecidos, procurando o caminho para fora através de uma abertura no teto. Passaram por esse salão escuro, iluminado apenas pelo fogo e pelo buraco acima dele, e atravessaram outra porta menor, que dava para uma espécie de varanda, apoiada em postes de madeira feitos com troncos inteiros de árvores. Ficava voltada para o sul e ainda estava quente e cheia da luz do sol poente que chegava até ela e caía dourada sobre o jardim cheio de flores, o qual vinha até bem perto dos degraus.

Ali se sentaram em bancos de madeira, enquanto Gandalf começava sua história, e Bilbo balançava as pernas e observava as flores no jardim, imaginando quais poderiam ser seus nomes, já que nunca tinha visto metade delas antes.

O Salão de Beorn, de J.R.R. Tolkien, uma das ilustrações em preto e branco padrão presente em *O Hobbit* desde 1937. Esta ilustração aparece em *Artist* (n. 116) e em *Pictures* (n. 10, à esquerda). Uma versão dessa ilustração, colorida por H.E. Riddett, apareceu pela primeira vez em *The Hobbit Calendar 1976* (1975), e em *Pictures* (n. 10, à direita).

Firelight in Beorn's House [A Luz do Fogo na Casa de Beorn], de J.R.R. Tolkien (à esquerda), uma versão anterior com uma perspectiva angular do salão, que também aparece em *Artist* (n. 114), e que partilha da perspectiva de um desenho do interior de um salão nórdico presente em *An Introduction to Old Norse* [Introdução ao Nórdico Antigo] (1927), de E.V. Gordon. Gordon (1896–1938) era um antigo aluno de Tolkien que se tornou seu colega em Leeds e um amigo próximo. Colaboraram na edição de 1925 do poema do inglês médio *Sir Gawain e o Cavaleiro Verde* e trabalharam juntos em outros projetos até a morte prematura de Gordon aos 42 anos. Para saber mais sobre Gordon, ver meu próprio ensaio "'An Industrious Little Devil': E.V. Gordon as Friend and Collaborator with Tolkien" ["'Um pequeno diabo engenhoso': E.V. Gordon como amigo e colaborador de Tolkien"], em *Tolkien the Medievalist* [Tolkien, o Medievalista] (2002), editado por Jane Chance.

ACOMODAÇÕES ESQUISITAS

A ilustração (à esquerda) no livro de Gordon não está creditada, mas é uma cópia bastante próxima de uma que aparece em diversas fontes, incluindo *Die Altergermanische Dichtung* [Poesia Germânica Antiga] (1924), de Andreas Heusler, *Nordisches Geistesleben in Heidnischer und Frühchristlicher Zeit* [Espiritualidade Nórdica na Época Pagã e no Cristianismo Primitivo] (1908), de Axel Olrik, e algumas traduções de *Beowulf*. A fonte definitiva é o ensaio *Den Islanske Bolig i Fristatstiden* [A Habitação Islandesa no Estado Livre] (1894), de Valtýr Guðmundsson, publicado como um pequeno livreto. Esse ensaio inclui uma ilustração datada de 1894 e desenhada pelo pintor E. Rondahl com base em um modelo então presente no Museu Nacional em Copenhague. O modelo foi feito no ano de 1892 e exibido na Exposição Colombiana na Espanha. Ele retrata um cômodo islandês completamente mobiliado por volta do ano 1000, mostrando os assentos elevados mais próximos ao fogo, as mesas com chifres de beber e os vastos fogos a queimar no chão inferior de argila.

"Eu estava atravessando as montanhas com um amigo ou dois...", disse o mago.

"Ou dois? Só consigo ver um, e bem pequeno", disse Beorn.

"Bem, para lhe dizer a verdade, não queria incomodá-lo com muitos de nós até descobrir se você estava ocupado. Vou chamá-lo, se me permite."

"Vá em frente, chame!"

Então Gandalf deu um longo assobio estridente, e, em pouco tempo, Thorin e Dori circularam a casa pela trilha do jardim e se postaram diante deles, com uma profunda reverência.

"Você quis dizer um ou três, pelo que vejo!", disse Beorn. "Mas esses aí não são hobbits, são anãos!"

"Thorin Escudo-de-carvalho, a seu serviço! Dori, a seu serviço", disseram os dois anãos, fazendo a reverência de novo.

"Não preciso dos seus serviços, obrigado," disse Beorn, "mas imagino que precisem do meu. Não gosto demais de anãos; mas se é verdade que você é Thorin (filho de Thrain, filho de Thror, creio eu), e que seu companheiro é respeitável, e que são inimigos de gobelins, e que não pretendem causar nenhum dano nas minhas terras — o que pretendem, aliás?"

"Estão a caminho de visitar a terra de seus pais, ao longe no leste, além de Trevamata," afirmou Gandalf, "e é inteiramente por acidente que viemos parar nas suas terras. Estávamos atravessando o Passo Alto, que deveria ter nos levado à estrada que fica ao sul da sua região, quando fomos atacados pelos gobelins malignos — como eu estava a ponto de lhe contar."

"Continue contando, então!", disse Beorn, que nunca era muito educado.

"Houve uma tempestade terrível; os gigantes-de-pedra estavam fora atirando rochas, e na entrada do passo buscamos refúgio numa caverna, o hobbit, eu e vários de nossos companheiros..."

"Você chama duas pessoas de 'vários'?"

"Bem, não. Na verdade, havia mais de dois."

"Onde estão eles? Mortos, devorados, foram para casa?"

"Bem, não. Não parecem ter vindo todos quando assobiei. Tímidos, imagino. Veja você, temíamos mesmo que fôssemos muita gente para você receber."

"Vá em frente, assobie de novo! Parece que me arrumaram uma festa, e um ou dois mais não vão fazer muita diferença", rosnou Beorn.

Gandalf assobiou de novo; mas Nori e Ori já estavam lá quase antes de ele parar, pois, se você está lembrado, Gandalf tinha lhes dito para virem em duplas a cada cinco minutos.

"Olá!", disse Beorn. "Vieram bem depressa — onde estavam se escondendo? Venham, meus coelhos da cartola!"

"Nori a seu serviço, Ori a...", começaram; mas Beorn os interrompeu.

"Obrigado! Quando eu quiser a sua ajuda, eu peço. Sentem-se, e vamos continuar com essa história, ou vai ser hora da ceia antes de ela terminar."

"Assim que pegamos no sono," continuou Gandalf, "uma rachadura na parte de trás da caverna se abriu; os gobelins saíram dela e agarraram o hobbit e os anãos e a nossa tropa de pôneis..."

"Tropa de pôneis? Vocês são o quê — um circo de cavalinhos? Ou estavam carregando muitos bens? Ou você sempre chama seis de 'tropa'?"

"Oh, não! Na verdade, havia mais do que seis pôneis porque havia mais do que seis de nós — e, bem, aqui temos mais dois!" Bem naquele momento, Balin e Dwalin apareceram e fizeram uma reverência tão profunda que suas barbas varreram o chão de pedra. O homenzarrão olhou feio no começo, mas eles fizeram o melhor possível para serem terrivelmente educados e continuaram a balançar a cabeça e a se inclinar e se curvar e balançar seus gorros diante dos joelhos (à maneira apropriada entre anãos), até que ele parou de olhar feio e explodiu em uma gargalhada barulhenta: eles pareciam tão cômicos.

"Tropa foi a palavra certa", disse Beorn. "Uma ótima trupe cômica. Entrem, meus homens alegres, e quais são *seus* nomes? Não quero seu serviço neste momento, apenas seus nomes; e depois sentem-se e parem de se balançar!"

"Balin e Dwalin", disseram eles, sem ousar se ofender, e se jogaram no chão com uma cara bastante surpresa.

"Agora continue de novo!", disse Beorn ao mago.

"Onde eu estava? Oh, sim — eu *não* fui agarrado. Matei um gobelim ou dois com um clarão..."

"Ótimo!", rosnou Beorn. "Serve para alguma coisa ser mago, então."

"… e me enfiei pela rachadura antes que fechasse. Fui seguindo até o salão principal, que estava apinhado de gobelins. O Grande Gobelim estava lá com trinta ou quarenta guardas armados. Pensei comigo mesmo: 'Ainda que todos não estivessem acorrentados juntos, o que uma dúzia pode fazer contra tantos?'"

"Uma dúzia! Essa é a primeira vez que ouvi chamarem oito de uma dúzia. Ou você ainda tem mais coelhos que não saíram da cartola?"

"Bem, sim, parece que temos mais uma dupla aqui agora — Fili e Kili, creio eu", disse Gandalf, quando esses dois apareceram sorrindo e fazendo mesuras.

"Já basta!", exclamou Beorn. "Sentem-se e fiquem quietos. Agora continue, Gandalf!"

Então Gandalf continuou a história, até que chegou à luta no escuro, à descoberta do portão inferior e ao horror deles quando perceberam que o Sr. Bolseiro tinha se perdido. "Nós fizemos a contagem e descobrimos que não havia hobbit. Só catorze de nós tinham sobrado!"

"Catorze! Essa é a primeira vez que alguém me diz que dez menos um dá catorze. Você quer dizer nove, ou então ainda não me contou os nomes de todos os do seu grupo."

"Bem, é claro que você ainda não viu Oin e Gloin. E, minha nossa! aqui estão eles. Espero que os perdoe por incomodá-lo."

"Oh, que venham todos. Rápido! Venham logo, vocês dois, sentem-se! Mas olhe aqui, Gandalf, até agora temos só você mesmo, dez anãos e o hobbit que se perdeu. Isso só dá onze (menos um perdido), e não catorze, a não ser que magos contem de um jeito diferente de outros povos. Mas agora, por favor, continue a história." Beorn tentou não mostrar mais do que pudesse evitar, mas na verdade tinha começado a ficar muito interessado. Veja você, nos dias antigos ele tinha conhecido aquela mesma parte das montanhas que Gandalf estava descrevendo. Ele assentiu e rosnou quando ouviu sobre o reaparecimento do hobbit, sobre a escapada deles durante o deslizamento de pedra e sobre o círculo de lobos nas matas.

Quando Gandalf chegou à parte em que eles escalaram as árvores com os lobos todos embaixo, Beorn se levantou, saiu andando em volta e resmungou: "Queria ter estado lá! Eu teria dado a eles mais do que fogos de artifício!"

"Bem," disse Gandalf, muito contente de ver que sua história estava causando uma boa impressão, "fiz o melhor que pude. Lá estávamos nós, com os lobos ficando doidos embaixo das nossas árvores e a floresta começando a arder em alguns lugares, quando os gobelins desceram das colinas e nos descobriram. Berraram de deleite e cantaram canções zombando de nós. *Em cinco abetos, quinze passarinhos…*"

"Céus!", rosnou Beorn. "Não finja que os gobelins não sabem contar, pois sabem. Doze não é quinze, e eles sabem disso."

"E eu também. Faltavam ainda Bifur e Bofur. Não me arrisquei a apresentá-los antes, mas aqui estão eles."

Bifur e Bofur foram entrando. "E eu!", resmungou Bombur, bufando atrás. Ele era gordo e também estava bravo por ter sido deixado por último. Recusou-se a esperar cinco minutos e seguiu imediatamente os outros dois.

"Bem, agora *há* quinze de vocês; e, já que os gobelins sabem contar, suponho que esses sejam todos os que estavam no alto das árvores. Agora talvez possamos terminar essa história sem mais interrupções." O Sr. Bolseiro percebeu então como Gandalf tinha sido esperto. As interrupções, na verdade, tinham feito com que Beorn ficasse mais interessado na história, e a história o tinha impedido de mandar os anãos embora de cara, como se fossem pedintes suspeitos.[8] Ele nunca convidava gente para ir à sua casa, se pudesse evitar. Tinha muito poucos amigos, e eles moravam a uma boa distância; e ele nunca convidava mais do que um par deles para ir à sua casa por vez. Agora tinha quinze estranhos sentados em seu alpendre!

Na altura em que o mago tinha terminado sua história e contado sobre o resgate feito pelas águias e sobre como todos tinham sido trazidos até a Carrocha, o sol tinha caído detrás dos picos das Montanhas Nevoentas, e as sombras estavam compridas no jardim de Beorn.

"Uma história muito boa!", disse ele. "A melhor que ouvi em muito tempo. Se todos os pedintes fossem capazes de contar uma história tão boa, pode ser que eu fosse mais gentil com eles. Vocês podem estar inventando tudo, é claro, mas merecem uma ceia pela história, de todo modo. Vamos comer alguma coisa!"

"Sim, por favor!", disseram todos eles juntos. "Muito obrigado!"

Dentro do salão agora estava bem escuro. Beorn bateu palmas, e eis que entraram quatro belos pôneis brancos e vários cães cinzentos grandes, de corpo comprido. Beorn disse algo a eles numa linguagem esquisita, semelhante a ruídos de animais transformados em conversa. Eles saíram e voltaram logo, carregando tochas em suas bocas, que eles acenderam no fogo e prenderam em apoios baixos nos pilares do salão, em volta da lareira central. Os cães conseguiam ficar de pé, apoiados nas patas traseiras quando desejavam, e carregavam coisas com suas patas da frente. Rapidamente retiraram tábuas e cavaletes das paredes laterais e os montaram perto do fogo.

Então se ouviu um "béé-béé-béé", e eis que entraram algumas ovelhas brancas como a neve, lideradas por um grande

8 Este é o inverso da manobra que Gandalf aplicou com sucesso em Bilbo no Capítulo 1. Lá, Gandalf marcou hora para tomar chá por sua conta e enviou os anãos à frente sem aviso, chegando com o último deles, apenas para pedir um pouco de vinho tinto, ovos, frango e picles.

Os criados animais de Beorn. Ilustração de Horus Engels para a edição alemã de 1957. Engels tinha esperança de ilustrar *O Hobbit* desde meados dos anos 1940. Em 1º de novembro de 1946, ele enviou a Tolkien uma carta ilustrada com ilustrações coloridas dos Trols, Gollum e Gandalf. A original está agora em exibição no Departamento de Coleções Especiais, Universidade Marquette, Milwaukee, Wisconsin. Em 7 de dezembro de 1946, Tolkien escreveu a seu editor britânico, Sir Stanley Unwin: "Continuo a receber cartas do pobre Horus Engels a respeito de uma tradução alemã. [...] Ele me enviou algumas ilustrações (dos Trols e Gollum) que, apesar de certos méritos, que seriam esperados de um alemão, temo serem muito 'disneyficadas' para o meu gosto: Bilbo com um nariz gotejante e Gandalf como uma figura de graça vulgar em vez do viandante odínico que imagino" (*Cartas*, n. 107).

Pouco se sabe sobre Engels. Em 1946 ele estava morando em Wolfsburg, Alemanha. De 1951 a 1963 ele ilustrou sete livros, sobretudo de autores alemães (incluindo um de Walter Scherf, o tradutor de *O Hobbit*). Entre esses consta outra tradução do inglês, *The Rolling Season* [A Rolante Estação] (1963), de William Mayne.

A obra colorida de Engels é mais expressiva e interessante que sua obra em preto e branco, e é uma pena que sua edição ilustrada de *O Hobbit* contenha apenas esta última. Duas outras ilustrações de Engels podem ser encontradas nas pp. 205 e 211.

ACOMODAÇÕES ESQUISITAS

Os criados animais de Beorn. Ilustração de Klaus Ensikat para a edição alemã de 1971.

O Salão de Beorn. Ilustração de Ryûichi Terashima para a edição japonesa de 1965.

9 Hidromel é uma bebida alcoólica feita de mel fermentado e água. Era uma bebida bastante popular no período anglo-saxão.

carneiro negro como carvão. Uma delas trazia uma toalha bordada nas pontas com figuras de animais; outras traziam em seus lombos largos bandejas com tigelas e pratos e facas e colheres de pau, que os cães pegaram e rapidamente arrumaram nas mesas de cavalete. Essas eram muito baixas, baixas o suficiente para que até mesmo Bilbo se sentasse com conforto. Ao lado delas, um pônei empurrou dois bancos baixos, com amplos assentos de palha e perninhas curtas e grossas, para Gandalf e Thorin, enquanto na outra ponta ele pôs a grande cadeira negra de Beorn, do mesmo feitio (na qual ele se sentava com suas grandes pernas esticadas bem longe sob a mesa). Essas eram as únicas cadeiras que ele tinha em seu salão e provavelmente eram baixas como as mesas para a conveniência dos animais maravilhosos que o serviam. Onde os demais se sentaram? Eles não foram esquecidos. Os outros pôneis entraram rolando pedaços arredondados de troncos com forma de tambor, aplainados e polidos, e suficientemente baixos até para Bilbo; assim, logo estavam todos sentados à mesa de Beorn, e o lugar não via tal reunião havia muitos anos.

Ali comeram uma ceia, ou um jantar, tal como eles não comiam desde que tinham deixado a Última Casa Hospitaleira no Oeste e dito adeus a Elrond. A luz das tochas e da lareira bruxuleava em volta deles, e na mesa havia duas velas altas de cera vermelha. Durante todo o tempo que ficaram comendo, Beorn, com sua voz profunda e ribombante, contou histórias das terras selvagens daquele lado das montanhas e, especialmente, sobre a mata escura e perigosa que se estendia muito ao Norte e ao Sul, a um dia de cavalgada diante deles, barrando seu caminho para o Leste, a terrível floresta de Trevamata.

Os anãos escutavam e sacudiam suas barbas, pois sabiam que logo precisariam se aventurar naquela floresta e que, depois das montanhas, aquele era o pior dos perigos pelos quais tinham de passar antes de chegar à fortaleza do dragão. Quando o jantar terminou, começaram a contar suas próprias histórias, mas Beorn parecia estar ficando sonolento e deu pouca atenção a eles. Falaram principalmente de ouro e prata e joias, e da criação de objetos pela arte dos ferreiros, e Beorn não parecia se importar com tais coisas; não havia objetos feitos de ouro ou prata em seu salão e poucos, com exceção das facas, eram feitos de algum metal.

Sentaram-se à mesa por muito tempo, com suas tigelas de madeira repletas de hidromel.[9] A noite escura chegou do lado de fora. O fogo no meio do salão foi alimentado com madeira nova, e as tochas foram apagadas, e ainda eles continuavam sentados à luz das chamas que dançavam, com os pilares da casa postados altos atrás deles e escuros no topo feito árvores da floresta. Quer fosse por magia ou não, Bilbo pareceu ouvir um som, feito o vento nos galhos a passar pelos caibros, e também o piar de corujas. Logo sua cabeça começou a pender de sono, e as vozes pareciam ficar distantes, até que ele acordou assustado.

A grande porta rangera e batera. Beorn se fora. Os anãos estavam sentados de pernas cruzadas no chão em volta do fogo e, então, começaram a cantar. Alguns de seus versos eram como estes, mas havia muitos mais, e seu canto continuou por um bom tempo:

> *O vento estava na charneca,*
> *na mata quieta a folha seca:*
> *lá sombra havia noite e dia,*
> *e escuridão que a tudo cerca.*
>
> *O vento desceu cerro frio,*
> *feito uma onda ele rugiu;*
> *galho a gemer, mata a tremer,*
> *folhas lançou em assovio.*
>
> *O vento foi de Oeste a Leste;*
> *tudo parou no bosque agreste,*
> *sopro feroz, que em charco atroz*
> *silvou libérrimo e inconteste.*
>
> *A grama sibilou, vergada,*
> *treme a cana — de cambulhada*
> *foi-se o vento no firmamento*
> *a deixar nuvem destroçada.*
>
> *Passou pela Montanha nua,*
> *pelo dragão e a toca sua:*
> *por rocha dura em negra altura*
> *onde a fumaça não extenua.*
>
> *Deixou este mundo a voar,*
> *no mar da noite a navegar.*
> *Do vendaval a lua fez nau,*
> *soprou astros a fulgurar.*[a]

---

[a] *The wind was on the withered heath, / but in the forest stirred no leaf: / there shadows lay by night and day, / and dark things silent crept beneath. / The wind came down from mountains cold, / and like a tide it roared and rolled; / the branches groaned, the forest moaned, / and leaves were laid upon the mould. / The wind went on from West to East; / all movement in the forest ceased, / but shrill and harsh across the marsh / its whistling voices were released. / The grasses hissed, their tassels bent, / the reeds were rattling—on it went / o'er shaken pool under heavens cool / where racing clouds were torn and rent. / It passed the lonely Mountain bare / and swept above the dragon's lair: / there black and dark lay boulders stark / and flying smoke was in the air. / It left the world and took its flight / over the wide seas of the night. / The moon set sail upon the gale, / and stars were fanned to leaping light.*

Bilbo começou a cabecear de sono de novo. De repente, levantou-se Gandalf.

"Para nós, é hora de dormir", disse; "para nós, mas não, acho eu, para Beorn. Neste salão podemos descansar inteiros e a salvo, mas alerto todos vocês a não esquecer o que Beorn disse antes de nos deixar: não devem ficar vagando lá fora antes de o sol nascer ou correrão perigo."

Bilbo descobriu que as camas já estavam postas na lateral do salão, num tipo de plataforma elevada entre os pilares e a parede externa. Para ele havia um pequeno colchão de palha e cobertores de lã. Ajeitou-se neles muito contente, embora fosse verão. O fogo ardia baixo, e ele pegou no sono. Contudo, durante a noite, acordou: o fogo agora tinha virado umas poucas brasas; os anãos e Gandalf estavam todos dormindo, a julgar por sua respiração; uma mancha alva no chão vinha da lua alta, que lançava seu olhar através do buraco por onde saía fumaça no teto.

Ouviu-se um som de rosnado do lado de fora, e um barulho como o de um grande animal fuçando a porta. Bilbo ficou imaginando o que seria aquilo, e se podia ser Beorn em forma encantada, e se ele viria até eles como urso para matá-los. Mergulhou nas cobertas, escondeu a cabeça e pegou no sono de novo, por fim, apesar de seus medos.

A manhã já avançara quando ele acordou. Um dos anãos tinha caído por cima dele nas sombras onde estava deitado e rolara, com um baque, da plataforma para o chão. Era Bofur, que estava resmungando a respeito quando Bilbo abriu os olhos.

"Levante-se, dorminhoco," disse ele, "ou não vai sobrar café da manhã para você."

Bilbo deu um pulo. "Café da manhã!", gritou. "Onde está o café da manhã?"

"Na maior parte, na nossa barriga", responderam os outros anãos, que estavam andando pelo salão; "mas o que sobrou está lá na varanda. Estivemos procurando Beorn desde que o sol nasceu; mas não há sinal dele em lugar algum, embora tenhamos achado o café da manhã posto assim que saímos."

"Onde está Gandalf?", perguntou Bilbo, mexendo-se para achar algo para comer o mais rápido que conseguisse.

"Oh! Dando uma volta em algum lugar", disseram-lhe. Mas não viu sinal nenhum do mago durante todo aquele dia, até o anoitecer. Um pouco antes do pôr do sol ele entrou no salão, onde o hobbit e os anãos estavam comendo a ceia, atendidos pelos animais maravilhosos de Beorn, como tinha acontecido durante todo o dia. De Beorn eles não tinham visto e ouvido nem sinal desde a noite anterior e estavam começando a ficar intrigados.

"Onde está nosso anfitrião e onde *você* mesmo esteve o dia todo?", gritaram eles todos.

"Uma pergunta por vez — e nenhuma até depois da ceia! Não comi nada desde o café da manhã."

Por fim Gandalf pôs de lado seu prato e seu jarro — ele tinha comido dois pães inteiros (com massas de manteiga e mel e coalhada) e bebido pelo menos um litro de hidromel — e pegou seu cachimbo. "Vou responder a segunda pergunta primeiro," disse ele, "mas minha nossa! Este é um lugar esplêndido para anéis de fumaça!" De fato, por muito tempo não conseguiram tirar mais nada dele, pois estava muito ocupado mandando que anéis de fumaça ficassem se esquivando ao redor dos pilares do salão, transformando-os em todos os tipos de formas e cores diferentes e, afinal, fazendo com que perseguissem uns aos outros por um buraco no teto. Deviam ter uma aparência muito esquisita vistos de fora, pipocando no ar um depois do outro, verdes, azuis, vermelhos, cinza-prateados, amarelos, brancos; grandes, pequenos; pequenos se esquivando por dentro dos grandes, e se juntando em forma de oito, e disparando feito um bando de aves na distância.

"Andei seguindo pegadas de urso", disse por fim. "Deve ter acontecido um belo encontro de ursos aqui fora na noite passada. Logo vi que Beorn não teria como produzir todas as pegadas: havia um número demasiado grande delas, e tinham vários tamanhos também. Eu diria que havia ursos pequenos, ursos maiores, ursos normais e ursos gigantescamente grandes, todos dançando lá fora do começo da noite até quase a aurora. Vieram de quase todas as direções, exceto do oeste, do outro lado do rio, das Montanhas. Naquela direção só havia um conjunto de pegadas — nenhuma delas vindo, apenas as que saíam daqui. Segui essas até a Carrocha. Lá elas desapareceram no rio, mas a água era funda demais e forte, no ponto além da rocha, para que eu atravessasse. É até fácil, como vocês se lembram, chegar da margem de cá até a Carrocha pelo vau, mas do outro lado há uma ravina alta defronte a um canal com redemoinhos. Tive de andar várias milhas antes de achar um ponto onde o rio era largo e raso o suficiente para que eu conseguisse entrar nele e nadar, e então mais algumas milhas de volta para achar as pegadas de novo. Nessa altura estava tarde demais para que eu pudesse segui-las por muito tempo. Iam em linha reta, na direção dos bosques de pinheiros do lado leste das Montanhas Nevoentas, onde foi a nossa agradável festinha com os wargs na noite de anteontem. E agora acho que já respondi sua primeira pergunta também", terminou Gandalf, e ficou sentado por muito tempo em silêncio.

Bilbo achou que sabia o que mago queria dizer. "O que havemos de fazer," gritou, "se ele trouxer todos os wargs e os gobelins até aqui? Vamos todos ser capturados e mortos! Achei que você tinha dito que ele não era amigo deles."

"Foi o que eu disse. E não seja bobo! É melhor você ir para a cama, seu juízo está com sono."

O hobbit se sentiu bastante arrasado e, como não parecia haver nada mais a fazer, foi mesmo para a cama; e enquanto os anões ainda estavam cantando suas canções, ele pegou no sono, ainda matutando na sua cabecinha a questão de Beorn, até que sonhou um sonho no qual centenas de ursos negros dançavam lentas e pesadas danças girando e girando ao luar no pátio. Então acordou quando todos os demais estavam dormindo e ouviu os mesmos sons de arranhar, fuçar, cheirar e rosnar de antes.

Na manhã seguinte, foram todos despertados pelo próprio Beorn. "Então aqui estão todos vocês ainda!", disse ele. Pegou o hobbit e riu: "Não foram comidos por wargs ou gobelins ou ursos perversos até agora, pelo que vejo", e cutucou o colete do Sr. Bolseiro de modo mui desrespeitoso. "Coelhinho está ficando vistoso e gordo de novo comendo pão e mel", gargalhou ele. "Venha comer um pouco mais!"

Assim, foram todos tomar o café da manhã com ele. Beorn estava muitíssimo alegre, para variar; de fato, parecia gozar de um humor esplendidamente bom e fez todos rirem com suas histórias engraçadas; e nem precisaram ficar imaginando muito onde ele tinha estado ou por que estava sendo tão simpático com eles, porque ele próprio lhes contou tudo. Tinha atravessado o rio e voltado às montanhas — e a partir disso você consegue supor que ele conseguia viajar rápido, pelo menos na forma de urso. Vendo a clareira dos lobos queimada, ele logo descobriu que aquela parte da história deles era verdadeira; mas tinha descoberto mais do que isso: pegara um warg e um gobelim que vagavam pelas matas. Desses ele obteve notícias: as patrulhas gobelins ainda andavam caçando os anões junto com wargs, e estavam ferozmente irritadas por causa da morte do Grande Gobelim, e também por causa da queima do focinho do lobo-chefe e da morte, causada pelo fogo do mago, de muitos de seus maiores serviçais. Foi isso o que lhe contaram quando os forçou a falar, mas ele supôs que havia mais perversidade do que isso sendo planejada e que uma grande incursão de todo o exército gobelim, com seus aliados lobos, aconteceria em breve nas terras sob a sombra das montanhas, para achar os anões ou para buscar vingança contra os homens e as criaturas que viviam lá, os quais, pensavam eles, deviam estar abrigando o grupo.

"Era uma boa história, aquela lá de vocês," disse Beorn, "mas gosto ainda mais dela agora que sei que é verdadeira. Precisam me perdoar por não confiar na sua palavra. Se morassem perto da beira de Trevamata, não confiariam na palavra de ninguém que não conhecessem tão bem quanto um irmão ou melhor. De todo jeito, só posso dizer que me apressei a voltar para casa o mais rápido que pude para verificar se estavam seguros e para lhes oferecer qualquer ajuda que eu possa dar. Hei de pensar melhor dos anãos depois disso. Mataram o Grande Gobelim, mataram o Grande Gobelim!", gargalhou ferozmente consigo mesmo.

"O que você fez com o gobelim e o warg?", perguntou Bilbo de repente.

"Venham ver!", disse Beorn, e eles o seguiram e deram a volta na casa. Uma cabeça de gobelim estava espetada do lado de fora do portão, e uma pele de warg tinha sido pregada numa árvore ali perto. Beorn era um inimigo feroz. Mas agora era amigo deles, e Gandalf achou que seria sábio lhe contar toda a história deles e a razão de sua jornada, para que pudessem conseguir o máximo de ajuda que ele fosse capaz de oferecer.

Eis o que ele prometeu fazer por eles. Providenciaria pôneis para cada um do grupo, e um cavalo para Gandalf, para a jornada deles até a floresta e ofereceria comida capaz de durar por semanas, se tivessem cuidado, e empacotada de modo a ser o mais fácil possível de carregar — nozes, farinha, jarros selados de frutas secas e potes vermelhos de barro com mel, bem como bolos assados duas vezes que não estragariam durante muito tempo e que, se comidos aos poucos, iriam ajudá-los a marchar por longas distâncias. A maneira de assar esses bolos era um de seus segredos; mas havia mel neles, como na maioria de seus alimentos, e eles eram gostosos de comer, embora dessem sede. Água, disse ele, não precisariam carregar desse lado da floresta, pois havia ribeirões e fontes ao longo da estrada. "Mas seu caminho através de Trevamata é sombrio, perigoso e difícil",[10] disse. "Não é fácil achar água lá, nem comida. Ainda não chegou a época das castanhas (embora talvez ela chegue e passe, de fato, antes que vocês cheguem ao outro lado), e as castanhas são praticamente tudo que se pode comer ali; lá dentro as coisas silvestres são sombrias, esquisitas e selvagens. Vou providenciar odres para carregar água e vou lhes dar alguns arcos e flechas. Mas duvido muitíssimo que qualquer coisa que achem em Trevamata seja limpa o suficiente para comer ou beber. Há um único riacho lá, pelo que sei, negro e caudaloso, que atravessa a trilha. Dele vocês não devem beber, nem se banhar nele; pois ouvi dizer que carrega encantamento e um grande torpor e olvido. E nas sombras obscuras daquele lugar não creio que conseguirão ferir presa alguma, limpa ou imunda, sem se desviar da trilha. Isso vocês NÃO DEVEM fazer, por razão nenhuma.

"São esses os conselhos que posso lhes dar. Além da borda da floresta não posso ajudar muito; terão de se fiar na sua sorte, na sua coragem e na comida que estou mandando com

10 Em 29 de julho de 1966, Tolkien escreveu a seu neto:

> *Mirkwood* [Trevamata] não é uma invenção minha, mas um nome muito antigo, carregado de associações lendárias. Provavelmente foi um nome em germânico primitivo para as grandes e montanhosas regiões florestais que antigamente formavam uma barreira ao sul das terras de expansão germânica. Em algumas tradições era usado especificamente para a fronteira entre godos e hunos. Falo agora de memória: sua antiguidade parece indicada por seu aparecimento em alemão muito arcaico (séc. XI?) como *mirkiwidu*, embora o radical **merkw-* "escuro" não seja encontrado de qualquer outra forma em alemão (apenas em ing[lês] ant[igo], sax[ão] ant[igo] e nórd[ico] ant[igo]) e o radical **widu- > witu* estava (acho) limitado em alemão ao sentido de "madeira de lei", não muito comum, e não sobreviveu em al[emão] mod[erno]. Em ing. ant., *mirce* sobrevive apenas na poesia e no sentido de "escuro", ou antes "sombrio", apenas em *Beowulf* [verso] 1405 *ofer myrcan mor*: em outros lugares apenas com o sentido de "obscuro" > perverso, infernal. Creio que nunca foi uma simples palavra de "cor": "preto", e desde o início estava carregada com o sentido de "obscuridade"... Pareceu-me uma sorte grande demais que Mirkwood permanecesse inteligível (exatamente com o tom certo) em inglês moderno para que fosse ignorada: quer *mirk* [treva] seja um empréstimo nórdico, quer seja uma revigoração da palavra obsoleta em ing. ant. (*Cartas*, n. 289)

O nome *Mirkwood* [Trevamata], como uma grande floresta com associações similares, foi usado anteriormente em um romance que Tolkien conhecia muito bem: *A Tale of the House of Wolfings* [Um Conto da Casa dos Lobos] (1888), de William Morris.

vocês. No portal da floresta, devo pedir que mandem de volta meu cavalo e meus pôneis. Mas desejo que tenham sucesso, e minha casa está aberta para vocês, se algum dia voltarem por este caminho de novo."

Agradeceram, é claro, com muitas reverências, com o balançar de seus capuzes e muitos "A seu serviço, ó mestre dos vastos salões de madeira!" Mas o ânimo deles naufragou ao ouvir suas palavras graves, e todos sentiam que a aventura seria muito mais perigosa do que tinham pensado, enquanto o tempo todo, mesmo se passassem por todos os perigos da estrada, o dragão estaria esperando por eles no fim.

Durante toda aquela manhã ficaram ocupados com os preparativos. Logo depois do meio-dia, comeram com Beorn pela última vez e, depois da refeição, subiram às montarias que ele lhes emprestou e, com muitos adeuses, saíram cavalgando de seu portão num bom ritmo.

Assim que deixaram para trás as sebes altas a leste das terras cercadas de Beorn, viraram para o norte e então seguiram no rumo noroeste. Seguindo o conselho dele, não estavam mais tentando chegar à estrada principal da floresta ao sul de sua terra. Se tivessem seguido pelo passo, seu caminho acabaria por levá-los a descer um riacho das montanhas que se juntava ao grande rio várias milhas ao sul da Carrocha. Naquele ponto havia um vau fundo que poderiam ter atravessado, se ainda estivessem com seus pôneis, e depois dele uma trilha que levava às bordas da mata e ao começo da antiga estrada da floresta. Mas Beorn avisara que aquele caminho agora era usado com frequência pelos gobelins, enquanto a própria estrada da floresta, ele tinha ouvido dizer, estava coberta de vegetação e em desuso na ponta leste e levava a pântanos intransitáveis nos quais os caminhos havia muito tinham se perdido. Essa saída leste também sempre tinha ficado muito ao sul da Montanha Solitária, o que faria com que ainda tivessem que fazer uma marcha longa e difícil para o norte quando chegassem ao outro lado. Ao norte da Carrocha, a beira de Trevamata ficava mais perto das bordas do Grande Rio e, embora ali as Montanhas também estivessem mais próximas, Beorn lhes aconselhou a seguir esse caminho; pois, num lugar a alguns dias de cavalgada ao norte da Carrocha, ficava o portal de uma trilha pouco conhecida, que atravessava Trevamata e levava de modo quase direto à Montanha Solitária.

"Os gobelins", dissera Beorn, "não ousarão cruzar o Grande Rio ao longo de cem milhas ao norte da Carrocha, nem chegar perto da minha casa — que está bem protegida à noite! —, mas eu cavalgaria rápido, se fosse vocês; pois, se eles fizerem sua incursão logo, vão cruzar o rio mais ao sul e varrerão toda a borda da floresta para tentar barrar vocês, e wargs correm mais rápido do que pôneis. Ainda assim, é mais seguro irem pelo norte, ainda que pareçam estar voltando para perto das fortalezas deles; pois isso é o que eles menos esperam, e terão de cavalgar mais para pegar vocês. Sigam agora, o mais rápido que puderem!"

Foi por isso que agora estavam cavalgando em silêncio, galopando onde quer que o terreno fosse cheio de relva e suave, com as montanhas escuras à esquerda e, à distância, a linha do rio, com suas árvores chegando cada vez mais perto. O sol acabara de se voltar para o oeste quando tinham começado a viagem e, até o anoitecer, lançava raios dourados pela terra em volta deles. Era difícil pensar em gobelins perseguidores e, quando muitas milhas já tinham ficado para trás depois da casa de Beorn, começaram a conversar e a cantar de novo e a esquecer a trilha sombria da floresta que estava à frente deles. Mas ao anoitecer, quando veio o lusco-fusco e os picos das montanhas brilharam ao pôr do sol, montaram acampamento e estabeleceram uma guarda, e a maioria deles dormiu de modo inquieto, com sonhos nos quais se ouviam os uivos de lobos caçando e os gritos de gobelins.

Ainda assim, a manhã seguinte raiou clara e bela de novo. Havia uma bruma, como a de outono, branca sobre o chão, e o ar estava gélido, mas logo o sol se ergueu vermelho no Leste e as brumas desapareceram, e, enquanto as sombras ainda estavam compridas, eles partiram de novo. Assim cavalgaram então por mais dois dias e, durante todo esse tempo, não viram nada além de grama, e flores, e aves, e árvores espaçadas, e, ocasionalmente, pequenos bandos de veados-vermelhos pastando ou sentados à sombra ao meio-dia. Às vezes Bilbo via os chifres dos machos que se projetavam da grama alta e, no começo, pensou que eram galhos mortos de árvores. Naquela terceira tarde estavam tão ansiosos para ir em frente, pois Beorn dissera que deveriam alcançar o portal da floresta no começo do quarto dia, que continuaram a seguir em frente depois do crepúsculo e ao longo da noite, sob a lua. Conforme a luz sumia, Bilbo pensou ver ao longe, à direita ou à esquerda, a forma vaga de um grande urso que andava na mesma direção. Mas, se ousava mencionar isso para Gandalf, o mago apenas dizia: "Quieto! Não dê atenção a isso!"

No dia seguinte continuaram antes da aurora, embora a noite tivesse sido curta. Assim que houve luz, conseguiram ver a floresta, como se estivesse vindo a encontrá-los, ou à sua espera, como uma muralha negra e mal-encarada diante deles. O terreno começou a ficar inclinado, e para o hobbit parecia que um silêncio começara a se estender por cima deles. Os pássaros começaram a cantar menos. Não apareciam mais veados; nem mesmo coelhos podiam ser vistos.

À tarde tinham alcançado as fímbrias de Trevamata e se puseram a descansar quase que debaixo dos grandes galhos que se projetavam de suas árvores mais externas. Os troncos eram enormes e nodosos, os ramos, retorcidos, as folhas, escuras e compridas. A hera crescia em cima delas e se arrastava pelo chão.

"Bem, aqui está Trevamata!", disse Gandalf. "A maior das florestas do mundo setentrional. Espero que gostem da aparência dela. Agora precisam mandar de volta esses excelentes pôneis que vocês emprestaram de Beorn."

Os anãos estavam inclinados a resmungar quanto a isso, mas o mago lhes disse que eram uns tolos. "Beorn não está tão longe quanto vocês parecem pensar, e é melhor que mantenham suas promessas, de qualquer modo, pois como inimigo ele é terrível. Os olhos do Sr. Bolseiro são mais aguçados que os de vocês, caso não tenham visto toda noite, depois de escurecer, um grande urso que nos acompanhava ou se sentava ao longe, ao luar, observando nossos acampamentos. Não só para guardá-los e guiá-los, mas para ficar de olho nos pôneis também. Beorn pode ser seu amigo, mas ele ama seus animais como se fossem seus filhos. Não imaginam quanta bondade ele lhes mostrou ao deixar que anãos os cavalgassem por tanta distância e tão rápido, nem o que aconteceria a vocês se tentassem levá-los para dentro da floresta."

"E quanto ao cavalo, então?", disse Thorin. "Você não falou em mandá-lo de volta."

"Não falei porque não vou mandá-lo de volta."

"E quanto à *sua* promessa, então?"

"Eu cuido disso. Não vou mandar o cavalo de volta, vou montá-lo!"

Então souberam que Gandalf ia deixá-los bem na beira de Trevamata e entraram em desespero. Mas nada do que dissessem podia fazê-lo mudar de ideia.

"Ora, já falamos sobre tudo isso antes, quando pousamos na Carrocha", disse ele. "Não adianta discutir. Tenho, como já lhes disse, um negócio urgente a tratar no sul; e já estou atrasado por ficar tendo trabalho com vocês, pessoal. Pode ser que nos encontremos antes que tudo termine, e, por outro lado, pode ser que isso não aconteça. Vai depender da sua sorte e da sua coragem e bom senso; e estou mandando o Sr. Bolseiro com vocês. Já lhes disse antes que ele contém mais do que vocês imaginam, e vocês vão descobrir isso em breve. Portanto, anime-se, Bilbo, e não fique com essa cara de tristeza. Animem-se, Thorin e Companhia! Esta é a sua expedição, afinal de contas. Pensem no tesouro que virá no fim e esqueçam a floresta e o dragão, pelo menos até amanhã de manhã!"

A Colina: Vila-dos-Hobbits-defronte-ao-Água, de J.R.R. Tolkien.

Valfenda, de J.R.R. Tolkien.

Bilbo acordou com o sol do começo da manhã em seus olhos, de J.R.R. Tolkien.

Bilbo chega às cabanas dos Elfos-balseiros, de J.R.R. Tolkien.

Conversa com Smaug, de J.R.R. Tolkien.

Arte da sobrecapa para a edição de 1937 de *O Hobbit*, de J.R.R. Tolkien.

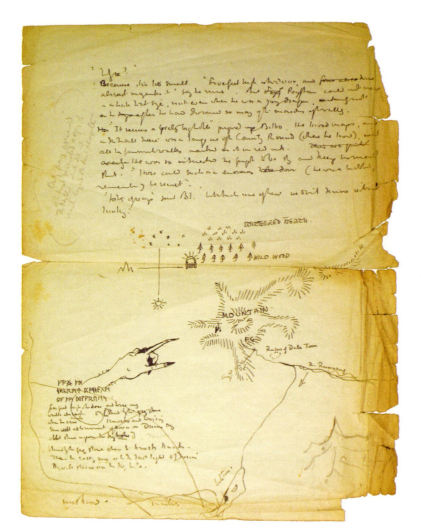

Uma página do mais antigo manuscrito de *O Hobbit*, incluindo o Mapa de Thror, de J.R.R. Tolkien.

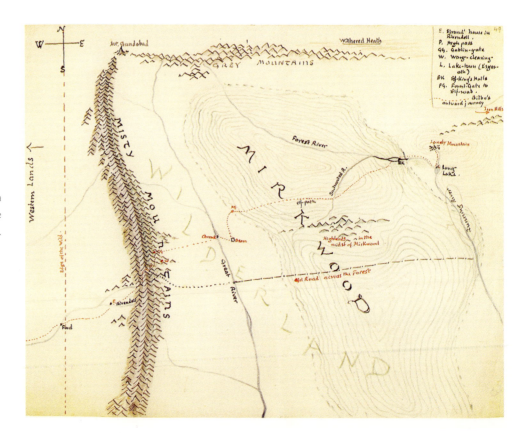

Uma antiga versão do mapa das Terras-selváticas, de J.R.R. Tolkien.

Um esboço intitulado *Death of Smaug* [A morte de Smaug], de J.R.R. Tolkien.

A origem de Gandalf: um cartão-postal, *Der Berggeist* [O espírito da montanha], de Josef Madlener.

Gandalf Being Rescued by the Eagles [Gandalf sendo resgatado pelas Águias], de Michael Hague, extraído de sua edição ilustrada de *O Hobbit* (1984).

Uma carta ilustrada, datada de 1º de novembro de 1946, enviada a J.R.R. Tolkien pelo artista alemão Horus Engels.

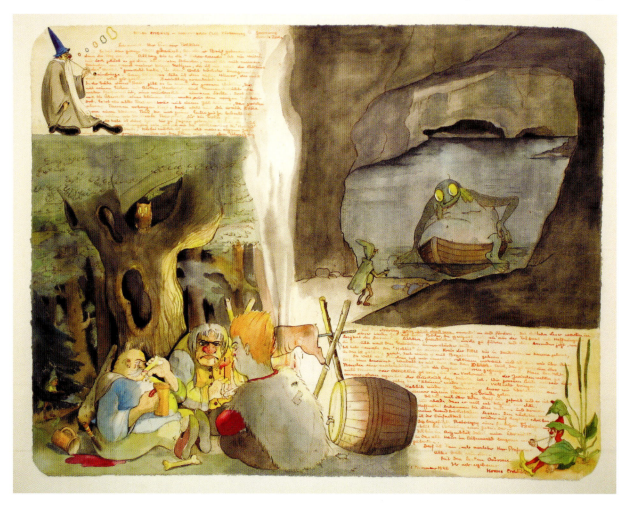

The Carrock [A Carrocha], de Alan Lee, extraído de sua edição ilustrada de *O Hobbit* (1997).

The Burial of Thorin [O Sepultamento de Thorin], de Alan Lee, extraído de sua edição ilustrada de *O Hobbit* (1997).

Rivendell [Valfenda], de Ted Nasmith, extraído de *Tolkien's World: Paintings of Middle-earth* [O Mundo de Tolkien: Pinturas da Terra-média] (1992). (Publicado originalmente em *The Tolkien Calendar 1988* [Calendário Tolkien 1988].)

Smaug over Esgaroth [Smaug sobre Esgaroth], de John Howe, extraído de *Tolkien's World: Paintings of Middle-earth*. (Publicado originalmente como *The Death of Smaug* [A Morte de Smaug] em *The Tolkien Calendar 1988*.)

Quando o tal "amanhã de manhã" chegou, ele ainda disse a mesma coisa. Assim, agora não havia mais nada a fazer senão encher os odres de água numa fonte límpida que acharam perto do portal da floresta e tirar os fardos dos pôneis. Distribuíram os pacotes do modo mais justo que puderam, embora Bilbo achasse que sua parte era enormemente pesada e não gostasse de jeito nenhum da ideia de se arrastar por milhas e milhas com tudo aquilo nas costas.

"Não se preocupe!", disse Thorin. "Vai ficar mais leve logo, até demais. Suponho que em breve todos vamos desejar que nossos pacotes estivessem mais pesados, quando a comida começar a escassear."

Então, afinal, disseram adeus a seus pôneis e viraram as cabeças deles na direção de casa. Lá se foram eles trotando felizes, parecendo muito contentes de dar as costas para a sombra de Trevamata. Conforme iam embora, Bilbo podia jurar que uma coisa semelhante a um urso deixou a sombra das árvores e foi bamboleando rápido atrás deles.

Era a hora de Gandalf também dizer adeus. Bilbo se sentou no chão, sentindo-se muito infeliz e desejando estar junto do mago em seu grande cavalo. Tinha adentrado só um pouco a floresta depois do café da manhã (que tinha sido bem fraco), e lá dentro a coisa parecia ser tão escura de manhã quanto à noite, com um ar cheio de segredo: "Uma sensação de que há algo observando e esperando", dissera a si mesmo.

"Adeus!", disse Gandalf a Thorin. "E adeus a vocês todos, adeus! Direto através da floresta é o seu caminho agora. Não se desgarrem da trilha! Se o fizerem, a chance de que vocês a encontrem de novo e saiam de Trevamata é de uma em mil; e então não suponho que eu, nem mais ninguém, chegue a vê-los de novo."

"Temos mesmo de atravessar a mata?", gemeu o hobbit.

"Sim, têm!", disse o mago, "se quiserem chegar ao outro lado. Ou atravessam ou desistem de sua demanda. E não vou permitir que volte atrás agora, Sr. Bolseiro. Fico envergonhado pelo senhor por pensar nisso. Você tem de tomar conta de todos esses anãos para mim", riu-se ele.

"Não! não!", disse Bilbo. "Não foi o que eu quis dizer. Quero dizer, não há como dar a volta?"

"Há, se você não se importar em sair do seu caminho umas duzentas milhas para o norte, e duas vezes isso para o sul. Mas você não acharia uma trilha segura mesmo assim. Não há trilhas seguras nesta parte do mundo. Lembre-se de que você está do outro lado da Borda do Ermo agora e vai encarar todo tipo de diversão aonde quer que for. Antes que conseguisse dar a volta em Trevamata pelo Norte, estaria bem no meio das encostas das Montanhas Cinzentas, e elas estão simplesmente cheias de gobelins, hobgobelins e orques[11]

11 Essa é a única aparição da palavra *orc* [orque] (além do nome da espada Orcrist) presente na primeira edição de *O Hobbit* (1937). (Há uma segunda ocorrência no texto atual, em uma parte do Capítulo 5 que foi reescrita para a segunda edição de 1951; ver p. 131)

Em seu guia para tradutores, "Nomenclature of *The Lord of the Rings*", Tolkien escreveu: "tomei a palavra originalmente do inglês antigo *orc* (*Beowulf* [verso] 112 *orc-neas*) e a glosa *orc* = þyrs ('ogro'), *heldeofol* ('diabo infernal'). Ela não deve estar relacionada ao inglês moderno *orc*, *ork*, nome aplicado a vários animais marinhos da ordem dos golfinhos."

Em *O Senhor dos Anéis* Tolkien praticamente abandonou o uso de *gobelim* (ele ocorre menos de dez vezes, e apenas em *A Sociedade do Anel* e em *As Duas Torres*), e usou *orque* por todo o livro.

12 A reintrodução do Necromante aqui era originalmente quase causal; sua função, como Tolkien escreveu em carta a Christopher Bretherton em 16 de julho de 1964, "dificilmente era mais do que fornecer uma razão para Gandalf ir embora e deixar Bilbo e os Anões para se defenderem sozinhos, o que foi necessário para a história" (*Cartas*, n. 257).

Um *necromante* é (geralmente) um mago ou conjurador que se comunica e tem relações com os mortos. Em seu ensaio "Leis e costumes entre os Eldar", publicado em *O Anel de Morgoth*, volume 10 da *História*, temos uma explicação sobre o porquê de Sauron ser chamado de necromante. Ao discutir o que ocorre com o espírito élfico (ou *fëa*) após a morte corpórea, um *fëa* perverso pode buscar amizade com os vivos e tentar se abrigar em um corpo vivente, seja para escravizar seu anfitrião ou para arrancar do outro *fëa* seu corpo legítimo. Continua Tolkien: "Diz-se que Sauron fez tais coisas, e instruiu seus seguidores sobre como realizá-las".

Trevamata. Ilustração de Évelyne Drouhin para a edição francesa de 1983.

13 As ações de Gandalf em *O Hobbit* são similares àquelas atribuídas ao lendário espírito da montanha das Riesengebirge [Montanhas dos Gigantes] (a cadeia montanhosa na Europa Central entre a Boêmia e Silésia) chamado de o Rübezahl. Nas histórias, o Rübezahl aparece

do pior naipe. Antes que conseguisse dar a volta nela pelo Sul, entraria na terra do Necromante;[12] e até você, Bilbo, não precisa que eu lhe conte histórias sobre aquele feiticeiro das trevas. Não o aconselho a chegar nem perto dos lugares observados pela torre escura dele! Fiquem na trilha da floresta, mantenham um bom ânimo, esperem o melhor e, com uma tremenda dose de sorte, *pode ser* que saiam algum dia e vejam os Pântanos Compridos estendidos abaixo de vocês e, além deles, alta no Leste, a Montanha Solitária, onde o bom e velho Smaug vive, embora eu torça para que ele não esteja esperando vocês."

"Muito reconfortante da sua parte, com certeza", rosnou Thorin. "Adeus! Se não vai vir conosco, é melhor ir embora sem mais nenhuma conversa!"

"Adeus, então, e adeus mesmo!", disse Gandalf e virou seu cavalo, galopando rumo ao Oeste.[13] Mas não conseguiu resistir à tentação de ficar com a última palavra. Antes que não fosse mais possível ouvi-lo, ele se voltou, colocou as mãos em concha na boca e gritou para eles. Ouviram sua voz chegar fraca: "Adeus! Sejam bonzinhos, cuidem-se — e NÃO SAIAM DA TRILHA!"

Então galopou para longe e logo se perdeu de vista. "Oh, adeus e vá embora!", grunhiram os anões, ainda mais bravos porque realmente estavam cheios de desânimo por ficar sem ele. Agora começava a parte mais perigosa de toda a jornada. Cada um deles ajeitou o fardo pesado e o odre de água que lhe cabia e, dando as costas para a luz que cobria as terras de fora, mergulhou na floresta.

em diversas formas — como guia, mensageiro ou lavrador. Ele se deleita em desviar os viajantes do caminho. Há uma considerável tradição sobre o Rübezahl, e, embora boa parte dela não tenha aparecido em inglês, alguns contos da série de oito volumes dos contos de fada *Volksmärchen der Deutschen* [Contos Folclóricos Alemães] (1782–86), de Johann Karl August Musäus, foram traduzidos, incluindo o intitulado "Rübezahl" no *Fabuloso Livro Marrom* (1904), editado por Andrew Lang.

Em ilustrações, o Rübezahl aparece com frequência como um homem de barba e cajado. Os dois exemplos mostrados aqui (na página seguinte) provêm ambos de cartões-postais do final do século XIX e começo do XX, uma época prolífica para a arte inspirada pelo Rübezahl. De fato, a ilustração de cartão-postal *Der Berggeist*, de Josef Madlener, que Tolkien afirmou ser a origem de Gandalf (ver nota 14 ao Capítulo 1), pode ser interpretada como o Rübezahl (*berggeist* literalmente significa "espírito da montanha") e desse modo pode ser a origem de certos comportamentos de Gandalf, bem como de sua aparência externa.

Durante a maior parte de *O Hobbit*, o papel de Gandalf é o de servir como guia. Ele desaparece do grupo antes deste ser capturado pelos Trols; ele desaparece quando o grupo é capturado pelos gobelins; e tendo acabado de conduzi-los pela Borda do Ermo às fronteiras de Trevamata, ele os deixa mais uma vez. Mas em todos os casos ele reaparece para auxiliá-los quando é mais necessário.

8

Moscas e Aranhas

Trevamata, de J.R.R. Tolkien. Este desenho talvez tenha a história mais curiosa de todos em *O Hobbit*. Ele foi a única gravura impressa na primeira edição britânica de *O Hobbit*, em que aparece ao lado da primeira página do Capítulo 8, embora a intenção original de Tolkien fosse a de usá-lo como folha de guarda. Uma margem na parte superior do desenho foi cortada na feitura do bloco de autotipia, o que Tolkien notou com pesar, e, como ele havia dado o original a um aluno, não foi possível restaurá-la.

A ilustração é baseada em um desenho colorido de Tolkien que ilustra uma cena do conto de Túrin do "Silmarillion", quando o elfo Beleg encontra outro elfo, Flindor (posteriormente renomeado Gwindor), na floresta de Taur-na-Fúin. Essa aquarela foi originalmente pintada em julho de 1928 e aparece em *Artist* (n. 54). Muitos anos depois, Tolkien reintitulou-a *Fangorn Forest* [Floresta de Fangorn] e permitiu que ela aparecesse em *The J.R.R. Tolkien Calendar 1974* [Calendário J.R.R. Tolkien 1974] (1973). As duas figuras altas presentes no desenho — ambas bem pouco hobbitescas, estando uma delas em posse de uma espada bastante comprida — puderam, assim, se passar por Merry e Pippin na Floresta de Fangorn. O verdadeiro contexto dessa pintura foi primeiramente revelado por Christopher Tolkien nas notas referentes à sua aparição em *The Silmarillion Calendar 1978* [Calendário Silmarillion 1978] (1977) e em *Pictures* (n. 37, à direita).

Caminhavam em fila única. A entrada da trilha era como uma espécie de arco que levava a um túnel sombrio, formado por duas grandes árvores que se apoiavam uma na outra, muito velhas e demasiado estranguladas por hera e cobertas de líquen para que conseguissem produzir mais do que umas poucas folhas enegrecidas. A trilha propriamente dita era estreita e serpenteava em meio aos troncos. Em pouco tempo o brilho do portal virou um buraquinho de luz lá atrás, e a quietude se tornou tão profunda que os pés deles pareciam martelar o chão, enquanto todas as árvores se inclinavam na direção deles e escutavam.

Conforme seus olhos se acostumavam à meia-luz, conseguiam enxergar um pouco de cada lado do caminho, numa espécie de névoa verde-escura. Ocasionalmente, um raio delgado de sol que tinha a sorte de se esgueirar por alguma abertura nas folhas lá em cima, e ainda mais sorte de não ser barrado pelos galhos emaranhados e ramos amarfanhados mais embaixo, vazava fino e brilhante diante deles. Mas isso era raro, e logo cessou de todo.

Havia esquilos negros na mata. Conforme os olhos aguçados e curiosos de Bilbo se acostumavam a enxergar as coisas ali, ele conseguia ter vislumbres dos bichos passando furtivos pela trilha e se escondendo atrás de troncos. Havia ruídos esquisitos também, grunhidos, remexidos e zunidos nos

arbustos e em meio às folhas, que formavam uma pilha de espessura interminável em certos lugares do chão da floresta; mas o que estava fazendo os ruídos ele não conseguia ver. As coisas mais nojentas que viam eram as teias de aranha; teias escuras e densas, com fios extraordinariamente grossos, muitas vezes estendidas de árvore a árvore, ou emaranhadas nos galhos mais baixos de ambos os lados deles. Nenhuma se estendia através da trilha, mas se isso era porque alguma magia a mantinha limpa, ou por alguma outra razão, eles não conseguiam adivinhar.

Não demorou muito para que eles começassem a odiar a floresta de modo tão fervoroso quanto odiaram os túneis dos gobelins, e ela parecia oferecer ainda menos esperança de chegar ao fim. Mas eles tinham de continuar e continuar, muito depois de estarem doentes de vontade de ver o sol e o céu e de ansiar pela sensação do vento em seus rostos. Não havia nenhum movimento de ar debaixo do dossel da floresta, e ali era perpetuamente parado e escuro e abafado. Até os anãos, que estavam acostumados a abrir túneis e a viver, por vezes durante longos períodos, sem ver a luz do sol, sentiram o baque; mas o hobbit, que gostava de tocas como um lugar para construir casas, mas não no qual passar dias de verão, sentiu que estava sendo sufocado lentamente.

As noites eram o pior. Nelas, ficava escuro como breu — não o que você chamaria de escuro como breu,[1] mas realmente um breu: tão negro que você realmente não conseguiria ver nada. Bilbo tentou balançar a mão na frente do nariz, mas não conseguia ver nada mesmo. Bem, talvez não seja verdade dizer que eles não conseguiam ver nada: dava para ver olhos. Dormiam todos amontoados juntos e se revezavam para vigiar; e, quando era a vez de Bilbo, ele conseguia ver bruxuleios na escuridão ao redor deles, e às vezes pares de olhos amarelos ou vermelhos ou verdes o encaravam de uma

Na edição norte-americana de 1938 de *O Hobbit*, *Trevamata* aparece não como chapa de autotipia, mas como desenho de linha. A pequena quantidade de correspondências sobreviventes não oferece pistas para o que houve aqui, mas provavelmente a editora norte-americana pressentiu que o custo para redesenhar a ilustração como um desenho de linha seria muito menor do que imprimir o original como chapa de autotipia a ser inserida no livro. Mas permanece incerto se coube ao próprio Tolkien redesenhar a ilustração ou se a Houghton Mifflin o fez sem avisá-lo. Parece improvável, no entanto, que Tolkien o tenha feito ele mesmo, embora o serviço tenha sido feito muito habilmente, pois o monograma de Tolkien aparece no canto inferior direito da ilustração em autotipia, mas não no desenho de linha. Há outras diferenças diminutas, particularmente no design da borda (e pode-se suspeitar de que, se fosse lhe dada a chance de redesenhar a ilustração, Tolkien teria restaurado a borda superior). Após a segunda impressão de 1937 da edição britânica de *O Hobbit*, *Trevamata* foi retirada do livro. Ela aparece em *Artist* (n. 88) e *Pictures* (n. 37, à esquerda). Após a edição estadunidense de 1938 de *O Hobbit*, o desenho de linha de *Trevamata* foi retirado e até agora não foi reimpresso. (Contudo, a ilustração consta na edição brasileira do livro publicada em 2019.)

1 *1937:* "nor what you call pitch-dark" ["nem o que você chamaria de escuro como breu"] > *1966-Ball:* "not what you call pitch-dark" ["não o que você chamaria de escuro como breu"].

distância curta e então, lentamente, se esvaneciam e desapareciam e, devagar, apareciam brilhando de novo em outro lugar. E às vezes chamejavam dos galhos bem em cima dele; e isso era muitíssimo aterrorizante. Mas os olhos de que ele menos gostava eram de um tipo horrível, pálido e bulboso. "Olhos de insetos," pensou, "não olhos de animais, só que são grandes demais."

Embora ainda não fizesse muito frio, eles tentaram acender fogueiras durante a noite, mas logo desistiram disso. A fogueira parecia atrair centenas e centenas de olhos ao redor deles, embora as criaturas, o que quer que elas fossem, tomassem cuidado para nunca deixar seus corpos aparecerem à luz fraca das chamas. Pior ainda, o fogo atraiu milhares de mariposas cinza-escuras e negras, algumas tão grandes quanto a sua mão, voejando e girando ao redor das orelhas deles. Não conseguiam suportar isso, nem os morcegos enormes, negros feito uma cartola; assim, desistiram das fogueiras e passaram a se sentar de noite, cochilando naquela escuridão enorme e inquietante.

Tudo isso continuou pelo que, para o hobbit, pareceram eras e mais eras; e ele estava sempre com fome, pois tomavam um cuidado extremo com suas provisões. Mesmo assim, conforme os dias seguiam aos dias, e, ainda assim, a floresta parecia exatamente a mesma, começaram a ficar ansiosos. A comida não duraria para sempre; já estava, de fato, começando a escassear. Tentaram caçar os esquilos e desperdiçaram muitas flechas antes de darem um jeito de abater um na trilha. Mas, quando o assaram, a carne ficou com um gosto horrível, e eles não caçaram mais esquilos.

Também estavam com sede, pois não tinham nenhuma água de sobra e durante todo aquele tempo não tinham visto nem fonte nem riacho. Esse era o estado deles quando, certo dia, descobriram que sua trilha estava bloqueada por água corrente.[2] Ela corria rápida e forte, num leito não muito largo, bem no meio do caminho, e era negra, ou parecia ser, naquela treva. Foi bom que Beorn os advertiu a respeito, ou teriam bebido dela, qualquer que fosse a sua cor, e enchido alguns de seus odres vazios na margem. Na verdade, só conseguiam pensar em como atravessar sem se molhar naquela água. Havia uma ponte de madeira que a atravessava, mas tinha apodrecido e caído, deixando apenas os postes quebrados perto da margem.

Bilbo, inclinando-se na beira do riacho e olhando adiante, gritou: "Há um barco encostado na outra margem! Ora, por que não podia estar deste lado!"

"Você acha que está muito longe?", perguntou Thorin, pois a essa altura eles sabiam que Bilbo tinha os olhos mais aguçados do grupo.

---

[2] Como pode ser visto no mapa das Terras-selváticas, esse riacho é chamado de Rio Encantado e corre para o norte das Montanhas de Trevamata no sul do Rio da Floresta, no qual aflui a oeste dos Salões do Rei-élfico.

"Não está longe de jeito nenhum. Acho que não deve passar de umas doze jardas."[a]

"Doze jardas! Achei que seriam pelo menos umas trinta, mas meus olhos já não enxergam tão bem quanto enxergavam uns cem anos atrás. Ainda assim, doze jardas é como se fosse uma milha. Não vamos conseguir pular, e não ousamos tentar atravessar andando ou nadando."

"Algum de vocês consegue jogar uma corda?"

"De que adianta isso? O barco certamente está amarrado, mesmo se nós conseguíssemos enganchá-lo, o que eu duvido."

"Não acredito que esteja amarrado," disse Bilbo, "embora, claro, eu não tenha certeza nesta luz; mas me parece que ele só foi arrastado para a margem, que é baixa bem ali, onde a trilha desce até a água."

"Dori é o mais forte, mas Fili é o mais jovem e ainda tem a melhor vista", disse Thorin. "Venha aqui, Fili, e veja se consegue enxergar o barco do qual o Sr. Bolseiro está falando."

Fili achou que conseguia; assim, depois que ele ficou observando o rio por muito tempo para ter uma ideia da direção correta, os outros lhe trouxeram uma corda. Tinham várias com eles e, na ponta da mais comprida, amarraram um dos grandes ganchos de ferro que tinham usado para prender sua bagagem às correias em seus ombros. Fili pegou o gancho, balançou-o por um momento e o lançou através do riacho.

Caiu fazendo *splash*! na água! "Não foi longe o suficiente!", disse Bilbo, que estava de olho na outra margem. "Mais um pouco e você teria conseguido jogá-lo no barco. Tente de novo. Não suponho que a magia seja forte o suficiente para lhe fazer mal se você só tocar um pedacinho de corda molhada."

Fili apanhou o gancho depois de puxá-lo para si de novo, cheio de dúvidas, mesmo assim. Dessa vez, lançou-o com grande força.

"Calma," disse Bilbo, "você o jogou bem no meio da mata do outro lado agora. Puxe-o de volta gentilmente." Fili arrastou a corda de volta devagar e, depois de um tempo, Bilbo disse: "Cuidado! Está em cima do barco; esperemos que o gancho fique preso."

Ficou. A corda se esticou, e Fili a puxou sem sucesso. Kili veio ao auxílio dele, e depois Oin e Gloin. Fizeram força, fizeram força, e, de repente, todos caíram de costas. Bilbo estava de olho, entretanto; ele pegou a corda e, com a ajuda de um pedaço de pau, deteve o pequeno barco negro conforme vinha rápido pelo riacho. "Ajudem!", gritou, e Balin chegou bem a tempo de agarrar o barco antes que ele saísse flutuando pela correnteza.

---

[a]Doze jardas equivalem a cerca de onze metros. [N. T.]

3 "Painter" [amarra] é uma corda presa à proa de um barco, usada para fixá-lo ou cingi-lo a um navio, estaca ou outro objeto.

O riacho encantado. Ilustração de Maret Kernumees para a edição estoniana de 1977.

Bombur no riacho encantado. Ilustração de Peter Chuklev para a versão de 1979 da edição búlgara de 1975. Chuklev foi professor na Academia Nacional de Artes, em Sófia, Bulgária. Em 1974 ele ilustrou a tradução inglesa de um conto folclórico búlgaro, *Is Fried Fish Good?* [Peixe frito é bom?], de Luchezar Stanchev. Três outras ilustrações adicionais de Chuklev podem ser encontradas nas pp. 197, 280 e 312.

"Estava preso, no fim das contas", disse, olhando para a amarra quebrada[3] que ainda pendia dele. "Foi uma boa puxada, meus rapazes; e foi bom também ver que nossa corda era a mais forte."

"Quem vai atravessar primeiro?", perguntou Bilbo.

"Eu", disse Thorin, "e você virá comigo, e também Fili e Balin. É o máximo que o barco vai aguentar por vez. Depois virão Kili e Oin e Gloin e Dori; a seguir, Ori e Nori, Bifur e Bofur; e por fim Dwalin e Bombur."

"Sou sempre o último e não gosto disso", disse Bombur. "É a vez de outra pessoa hoje."

"Você não deveria ser tão gordo. Do jeito que é, precisa ir na última viagem de barco, a mais leve. Não comece a resmungar contra as ordens ou algo ruim vai lhe acontecer."

"Não há remos. Como vocês vão empurrar o barco de volta à margem de lá?", perguntou o hobbit.

"Deem-me outro pedaço de corda e outro gancho", disse Fili, e, quando o aprontaram, ele o lançou na escuridão adiante, o mais alto que conseguiu arremessá-lo. Já que não foi ao chão de novo, perceberam que ele devia ter ficado preso nos galhos. "Entrem no barco agora," disse Fili, "e um de vocês puxe a corda que está presa numa árvore do outro lado. Um dos outros precisa segurar o gancho que usamos primeiro e, quando estivermos seguros do outro lado, ele pode enganchá-lo, e vocês podem puxar o barco de volta."

Desse modo, todos logo chegaram em segurança à outra margem, atravessando o riacho encantado. Dwalin tinha acabado de sair com a corda enrolada no braço, e Bombur (ainda resmungando) estava se aprontando para segui-lo, quando algo ruim de fato aconteceu. Ouviu-se um som fugidio de cascos na trilha à frente. Das trevas veio de repente a forma de um cervo que fugia. Atirou-se em meio aos anãos e os derrubou; depois, preparou-se para pular. Alto saltou e venceu a água com um grande pulo. Mas não alcançou o outro lado em segurança. Thorin fora o único que ficara de pé e com a cabeça no lugar. Assim que desembarcaram, ele tinha armado o arco e posto nele uma flecha, para o caso de algum guardião oculto do barco aparecer. Naquela hora ele disparou uma seta veloz e certeira contra o animal que saltava. Assim que alcançou a outra margem, o cervo tropeçou. As sombras o engoliram, mas eles ouviram o som dos cascos fraquejar logo e então parar.

Antes que eles pudessem fazer elogios ao tiro, entretanto, um grito terrível de Bilbo tirou da cabeça deles todos os pensamentos sobre carne de veado. "Bombur caiu n'água! Bombur está se afogando!", berrou. Era verdade, infelizmente. Bombur só tinha colocado um pé em terra firme quando o cervo macho avançou na sua direção e saltou sobre ele. Bombur tropeçara, empurrando o barco para longe da margem, e então desabara de costas na água escura, suas mãos escorregando nas raízes cheias de limo na beira do rio, enquanto o barco girava devagar e ia desaparecendo.

Ainda conseguiam ver seu capuz acima da água quando correram para a margem. Rápido, jogaram uma corda com um gancho na direção dele. Agarrou-a com uma mão, e o puxaram até a margem. Estava encharcado do cabelo às botas, é claro, mas isso não era o pior. Quando o deitaram no barranco, já estava em sono profundo, com uma mão segurando a corda com tanta força que eles não conseguiram arrancá-la de seus dedos; e em sono profundo ele permaneceu apesar de tudo o que tentaram fazer.[4]

Ainda estavam de pé em volta dele, maldizendo seu azar, e a inépcia de Bombur, e lamentando a perda do barco, que fazia com que fosse impossível voltar e procurar o cervo, quando aperceberam o sopro distante de trompas na mata e um som como o de cães ladrando ao longe. Então todos ficaram em silêncio; e, enquanto estavam sentados, parecia que podiam ouvir o barulho de uma grande caçada[5] que acontecia ao norte da trilha, embora não vissem sinal nenhum dela.

Ali ficaram sentados por muito tempo e não ousaram fazer um só movimento. Bombur ainda dormia com um sorriso em seu rosto gordo, como se ele não mais se importasse com os problemas que os atormentavam. De repente, na trilha à frente, apareceram alguns cervos brancos, uma fêmea e filhotes tão alvos e níveos quanto o macho fora escuro. Bruxuleavam nas sombras. Antes que Thorin pudesse dar o alarme, três dos anãos tinham ficado de pé de um salto e despejado flechas de seus arcos. Nenhuma pareceu achar o alvo. Os cervos se viraram e desapareceram nas árvores tão silenciosamente quanto tinham vindo, e em vão os anãos dispararam suas flechas contra eles.

"Parem! parem!", gritou Thorin; mas era tarde demais, os anãos empolgados tinham desperdiçado suas últimas flechas, e agora os arcos que Beorn lhes dera tinham se tornado inúteis.

Viraram um grupo sombrio naquela noite, e as sombras se ajuntaram ainda mais densas acima deles nos dias seguintes. Tinham cruzado o riacho encantado; mas depois dele a trilha parecia se arrastar exatamente como antes, e na floresta não conseguiam ver mudança nenhuma. Contudo, se soubessem mais sobre ela e considerassem o significado da caçada e dos veados brancos[6] que tinham aparecido em seu caminho, teriam percebido que estavam enfim se aproximando da borda leste da mata e que logo teriam chegado, se conseguissem manter a coragem e a esperança, a árvores mais delgadas e lugares aonde a luz do sol chegava de novo.

4 Um riacho encantado é um motivo familiar nas lendas célticas. Em episódio similar nos relatos irlandeses sobre a vida de São Brandão (c. 483–577), Brandão e seus irmãos aportam em uma ilha e encontram um riacho do qual todos, exceto Brandão, bebem. Aqueles que beberam da água experimentam ondas de sono e torpor, tendo efeitos mais duradouros sobre aqueles que mais beberam. O excerto seguinte é de "Life of Brendam of Clonfert" [Vida de Brandão de Clonfert], do segundo volume de *Bethada náem nÉrenn: Lives of Irish Saints* [Bethada náem nÉrenn: vidas de santos irlandeses] (1922), de Charles Plummer:

> Aportaram em uma ilha e lá encontraram uma fonte cristalina [...] e muitos tipos de peixe nadavam para lá e para cá no riacho que descia da fonte rumo ao mar [...]. Brandão disse a eles: "Atentai, irmãos, para que não bebais demasiado da água, a fim de que não sejais perturbados por ela mais do que estais no presente." Mas os irmãos não acataram o comando de seu pai, mas beberam em abundância, alguns beberam dois goles, alguns, três, enquanto a terça parte bebeu um gole. E assim foram eles afetados pela bebida; alguns caíram de sono e torpor por três dias e três noites, e um sono de dois dias e noites caiu sobre outros deles, e sono e torpor de um dia e uma noite sobre a terça parte deles. (p. 58)

Em algum momento por volta de 1945, Tolkien escreveu um poema sobre São Brandão, que antes de morrer contempla os eventos mais memoráveis de suas muitas viagens. Tolkien chamou o poema de "The Death of Saint Brendan" [A morte de São Brandão], e é parte de sua inacabada história futura de um clube literário oxfordiano imaginário, "Os Documentos do Clube Notion". Mais ou menos dez anos depois, ele revisou o poema e reintitulou-o "Imram", que é irlandês para "navegar, viajar". Ele foi publicado na edição de 3 de dezembro de 1955 de *Time and Tide*. Ambas as versões estão incluídas no volume 9 da *História*, *Sauron Derrotado*.

5 A caça das fadas é outro motivo tradicional. (Os esportes das fadas são sobretudo aqueles que eram populares na corte medieval.) Parece certo que ao escrever essa passagem Tolkien tinha em mente uma cena do romance em verso do século XIV "Sir Orfeo" [Sir Orfeu], em inglês médio (uma versão da lenda de Orfeu e Eurídice da mitologia grega). Cito a própria tradução de Tolkien, publicada postumamente em 1975, mas completada muitos anos antes. Essa cena ocorre após Orfeu vagar como pedinte por dez anos, buscando sua Lady Heurodis, que fora roubada pelas fadas:

> *Amiúde a seu lado via,*
> *quando o Sol as folhas fervia,*
> *de Feéria o rei a marchar*
> *às matas para então caçar,*
> *com trompas e vozes distantes*
> *e sabujos beligerantes;*
> *mas nenhuma fera levaram,*
> *e não se sabe onde aportaram.*
> (versos 281–88)

> [*There often by him would he see,*
> *when noon was hot on leaf and tree,*
> *the king of Faërie with his rout*
> *came hunting in the woods about*
> *with blowing far and crying dim,*
> *and barking hounds that were with him;*
> *yet never a beast they took or slew,*
> *and where they went he never knew.*]

Tolkien tinha uma ligação bastante antiga com o poema. Ele estudou "Sir Orfeo" como graduando em Oxford, pois era um tópico específico para obtenção do diploma e também parte dos exames públicos finais no verão de 1915. Ele veio a conhecer literalmente cada palavra dele ao compilar seu *Middle English Vocabulary* (1922), designado para uso conjunto com a antologia *Fourteenth Century Verse & Prose* (1921), de Kenneth Sisam. A antologia de Sisam contém a versão completa desse poema de 604 versos.

Em 1944, a edição do poema feita por Tolkien (contendo apenas o texto em inglês médio, sem quaisquer notas ou comentários) foi publicada como um livreto para ser usado em um curso de inglês para cadetes da Marinha em Oxford. Na edição do original feita por Tolkien, os versos dados acima leem-se:

Mas não sabiam disso, e havia o fardo do pesado corpo de Bombur, que tinham de carregar consigo da melhor maneira que podiam, enfrentando essa tarefa cansativa em turnos de quatro cada, enquanto os outros dividiam a bagagem. Se essa não tivesse ficado leve até demais nos últimos dias, nunca teriam aguentado; mas um Bombur adormecido e sorridente era um mau substituto para pacotes cheios de comida, ainda que pesados. Em poucos dias chegou um momento no qual não havia sobrado praticamente nada para comer ou beber. Nada limpo podiam ver crescendo na mata, apenas fungos e ervas com folhas pálidas e cheiro desagradável.

Cerca de quatro dias depois de passarem pelo riacho encantado, chegaram a uma parte da floresta onde a maioria das árvores eram faias. No começo, ficaram inclinados a se animar com a mudança, pois ali não havia vegetação rasteira, e as sombras não eram tão profundas. Havia uma luz esverdeada em volta deles, e em certos lugares conseguiam enxergar por alguma distância de cada lado da trilha. A luz, porém, só lhes mostrava filas intermináveis de troncos retos e cinzentos, como os pilares de algum enorme salão crepuscular. Havia um sopro de ar e certo barulho de vento, mas era um som triste. Algumas folhas vinham caindo para lembrá-los de que lá fora o outono se aproximava. Seus pés farfalhavam em meio às folhas mortas de outros incontáveis outonos, que se espalhavam por cima das encostas da trilha, vindas dos profundos tapetes vermelhos da floresta.

Bombur ainda dormia, e eles iam ficando muito cansados. Por vezes, ouviam um riso inquietante. Às vezes havia canto ao longe também. O riso era o riso de vozes belas, não de gobelins, e o canto era bonito, mas soava irreal e estranho e não lhes trazia conforto, antes fazia com que deixassem aquelas partes da mata apressados, com a força que lhes restara.

Dois dias depois, perceberam que a trilha estava descendo, e em pouco tempo estavam num vale quase totalmente cheio de um grande conjunto de carvalhos.

"Será que não há fim para esta floresta amaldiçoada?", disse Thorin. "Alguém precisa subir numa árvore e ver se consegue colocar a cabeça acima do dossel e olhar ao redor. O único jeito é escolher a árvore mais alta que esteja na beira da trilha."

É claro que "alguém" queria dizer Bilbo. Eles o escolheram porque, para fazer algo de útil, o escalador de árvores precisava colocar a cabeça acima das folhas do topo das árvores e, portanto, precisava ser leve o suficiente para que os galhos mais altos e mais finos aguentassem seu peso. O pobre Sr. Bolseiro nunca tinha tido muita prática em escalar árvores, mas eles o ergueram até os galhos mais baixos de um carvalho enorme que crescia bem no meio da trilha, e lá foi ele, árvore acima, da melhor maneira que pôde. Foi abrindo caminho entre os ramos emaranhados, levando um monte de pancadas no olho; ficou todo esverdeado e sujo ao encostar na casca velha dos galhos maiores; mais de uma vez, escorregou e se segurou bem a tempo; e por fim, depois de um esforço horrendo num lugar difícil onde não parecia haver absolutamente nenhum galho conveniente, chegou perto do topo. O tempo todo ficou imaginando se havia aranhas na árvore, e como ia conseguir descer de novo (se não fosse caindo).

No fim das contas, enfiou a cabeça acima do teto de folhas, e foi então que achou mesmo algumas aranhas. Mas eram das pequenas, de tamanho comum, e estavam caçando borboletas. Os olhos de Bilbo quase se cegaram com a luz. Conseguia ouvir os anãos gritando com ele lá de baixo, mas não conseguia responder, só se segurar e piscar. O sol estava brilhando muito forte, e demorou muito tempo antes que ele pudesse suportar aquilo. Quando conseguiu, viu à sua volta um mar verde-escuro, balançado aqui e ali pela brisa; e havia, em todo lugar, centenas de borboletas. Imagino que fossem um tipo de "imperador-roxo", uma borboleta que adora o dossel de bosques de carvalho, mas as de lá não eram roxas de modo algum, mas eram de um negro muito, muito escuro e aveludado, sem marca alguma nas asas.

Ele observou os "imperadores-negros" por muito tempo e aproveitou a sensação da brisa em seu cabelo e seu rosto; mas, por fim, os gritos dos anãos, que àquela altura estavam simplesmente batendo os pés de impaciência lá embaixo, fizeram-no recordar sua verdadeira tarefa. Não adiantava nada. Por mais que olhasse, não conseguia ver o fim das árvores e das folhas em qualquer direção. Seu coração, que tinha ficado mais leve graças à visão do sol e à sensação do vento, afundou de novo até os dedos dos pés: não haveria comida quando ele voltasse lá para baixo.

Hi miȝte se him bisides
oft in hote vndertides
the king o Faierie with his route
comen hunten him al aboute,
with dim cri and blowinge,
and houndes also berkinge;
ac no best thai neuer nome,
no neuer he niste whider thai become.
(versos 281–88)

A edição acadêmica definitiva de *Sir Orfeo* é a de A.J. Bliss, que estudou sob a supervisão de Tolkien de 1946 a 1948. Ela foi publicada pela primeira vez como parte das Oxford English Monographs, uma série de livros da Oxford University Press da qual Tolkien era um dos três editores. Após a morte de Tolkien, Bliss (1921–1985) editou as notas de palestra feitas por Tolkien *Finn and Hengest: The Fragment and the Episode* [Finn e Hengest: o fragmento e o episódio] (1982), reconstruindo as histórias de dois heróis germânicos do século V a partir de sua sobrevivência parcial em *Beowulf* e no fragmento do inglês antigo "The Fight at Finnesburgh" ["A contenda em Finnesburgh"].

6 Na tradição céltica, encontros com animais brancos (especialmente veados brancos) geralmente prefiguram um encontro com seres do Outro Mundo (Feéria). O significado da caçada e do veado branco (neste caso) deve ter sido entendido como o de que Bilbo e os anãos estavam se aproximando da moradia dos Elfos, que viviam na borda leste da floresta. Um encontro similar com uma corça branca ocorre no poema de Tolkien "A Balada de Aotrou e Itroun", pouco antes de Aotrou encontrar uma bruxa. (Ver nota 9 ao Capítulo 15.)

O Imperador-Roxo (*Apatura iris*) é uma das maiores e mais esquivas espécies de borboleta da Inglaterra. Elas habitam o dossel de folhas no topo dos carvalhos nos bosques, onde se alimentam de uma solução açucarada secretada por pulgões. Elas são hoje muito raras e encontradas apenas na parte central do sul da Inglaterra. A ilustração é proveniente de *A History of British Butterflies* [História das Borboletas Inglesas] (1890), do Rev. F.O. Morris.

7 As primeiras viagens de Bilbo em Trevamata lembram ligeiramente uma passagem de *A Maravilhosa Terra dos Snergs*, de E.A. Wyke-Smith, na qual Joe, Sylvia e Gorbo se perdem entre as Árvores Retorcidas:

> Mas estava escurecendo; o céu agora estava oculto por uma cobertura de folhas emaranhadas e por todos os lados e acima deles os galhos grossos e lisos se retorciam e se cruzavam e se prendiam uns nos outros. O ar estava úmido e cheirava a humo e musgo velho e o silêncio era horrendo. Um grande morcego de pele curtida passou voando por eles, quase roçando no cabelo de Sylvia, que se abaixou e deu um gritinho.
>
> Gorbo acabou subindo por fim em uma das maiores árvores e, depois de muito esforço, conseguiu abrir caminho e passar pelas folhas, perturbando vários morcegos que surgiram aos borbotões. Joe teve que proteger a cabeça de Sylvia com os braços e escondê-la o melhor possível até que as horríveis criaturas tivessem ido se instalar em outro lugar. Um ou dois minutos depois, Gorbo desceu escorregando pela árvore.
>
> — Está tudo bem — disse. — Não consegui ver muita coisa além de folhas, mas vi o sol e agora sei para que lado ir. O sol está logo... — Aqui ele parou, pensou e coçou a cabeça. — Sim, eu *acho* que ele está para aquele lado. É que fiquei meio perdido ao descer da árvore.
>
> As crianças o seguiram de novo, passando por cima e por baixo dos galhos. Gorbo parou depois de um tempo e pensou novamente, e então começou a subir e se arrastar em outra direção — agora eram só escaladas e arrastadas. O snerg então parou e olhou apavorado para as crianças. Os horrendos troncos cinzentos e retorcidos os cercavam por todos os lados como uma teia medonha e gigantesca, numa escuridão tão profunda que suas formas ficavam indistintas a uns dez metros de distância. Gorbo, o esperto, o mateiro, conseguira. Eles estavam perdidos.
>
> (*A Maravilhosa Terra dos Snergs*. Tradução de Gabriel Oliva Brum. Arte & Letra, 2012, pp. 74–5.)

Na verdade, como já contei, eles não estavam muito longe da borda da floresta; e, se Bilbo tivesse tido o bom senso de perceber isso, a árvore que ele escalara, embora por si só fosse alta, ficava perto do fundo de um vale largo, de modo que, do topo dela, as árvores pareciam se elevar ao redor feito as bordas de uma grande tigela, e ele não tinha mesmo como ver até onde a floresta ia. Contudo, não percebeu isso, e foi descendo cheio de desespero. Chegou de novo ao pé da árvore enfim, cheio de arranhões, com calor e infeliz e não conseguia ver nada na treva quando chegou lá embaixo. Seu relato logo fez com que os outros se sentissem tão infelizes quanto ele.

"A floresta não acaba nunca e nunca em todas as direções! O que será que vamos fazer? E de que adianta mandar um hobbit!", gritaram, como se fosse culpa dele. Não quiseram nem ouvir falar das borboletas e só ficaram mais bravos ainda quando ele lhes contou sobre a deliciosa brisa, já que eram pesados demais para escalar a árvore e senti-la.[7]

Naquela noite, comeram os últimos pedacinhos e migalhas de sua comida; e na manhã seguinte, quando acordaram, a primeira coisa que notaram foi que ainda estavam mordidos de fome, e a próxima coisa, foi que estava chovendo e que, aqui e ali, as gotas caíam pesadas no chão da floresta. Aquilo só serviu pra lembrá-los de que também estavam com a língua ressecada de tanta sede, sem adiantar de nada para aliviá-los: você não consegue matar uma sede terrível ficando de pé debaixo de carvalhos gigantes e esperando que uma gota aleatória caia na sua língua. A única coisa um pouco reconfortante veio, inesperadamente, de Bombur.

Ele acordou de repente e se sentou, coçando a cabeça. Não conseguia entender onde estava de modo algum, nem por que se sentia tão faminto; pois tinha esquecido tudo o que acontecera desde que tinham começado sua jornada naquela manhã de maio, muito tempo atrás.[8] A última coisa que ele recordava era a festa na casa do hobbit, e eles tiveram grande dificuldade de fazer com que ele acreditasse na história de todas as muitas aventuras pelas quais tinham passado desde então.

Quando soube que não havia nada para comer, Bombur se sentou e chorou, pois se sentia muito fraco e de pernas bambas. "Por que eu fui acordar!", gritou. "Estava tendo sonhos tão lindos. Sonhei que estava caminhando numa floresta bem parecida com esta, só que iluminada com tochas nas árvores e lamparinas balançando nos galhos e fogueiras ardendo no chão; e uma grande festa estava acontecendo, acontecendo sem parar. Um rei dos bosques estava lá, com uma coroa de folhas, e havia um canto alegre, e eu não seria capaz de contar ou descrever as coisas que havia para comer e beber."

Joe, Sylvia e Gorbo entre as Árvores Retorcidas, desenhados por George Morrow, em *A Maravilhosa Terra dos Snergs*.

Bilbo observa os imperadores-negros. Ilustração de Ryûichi Terashima para a edição japonesa de 1965.

"Não precisa nem tentar", disse Thorin. "Na verdade, se você não consegue falar sobre alguma outra coisa, é melhor ficar em silêncio. Já estamos bastante irritados com você mesmo. Se não tivesse acordado, deveríamos ter deixado você com seus sonhos idiotas na floresta; não é brincadeira carregá-lo, mesmo depois de semanas de pouco mantimento."

Não havia nada a fazer agora se não apertar os cintos em volta de seus estômagos vazios, ajeitar seus sacos e alforjes vazios e seguir a trilha sem qualquer grande esperança de chegar ao fim antes de se deitarem e morrerem de inanição. Isso foi o que fizeram naquele dia, avançando de modo lento e exausto; enquanto Bombur continuava berrando que suas pernas não conseguiam carregá-lo e que ele queria deitar e dormir.

"Não quer não!", disseram. "Deixe as suas pernas fazerem o trabalho delas, já carregamos você por muito tempo."

Mesmo assim, ele repentinamente se recusou a dar mais um passo e se jogou no chão. "Vão em frente, se precisarem", disse. "Vou simplesmente me deitar aqui e dormir e sonhar com comida, já que não consigo nenhuma de outro jeito. Espero nunca acordar de novo."

Naquele mesmo momento, Balin, que estava um pouco adiante, gritou: "O que foi aquilo? Acho que vi um bruxuleio de luz na floresta."

Todos eles olharam e, um tanto ao longe, ao que parecia, viram um chamejar de vermelho no escuro; então outro e mais outro brotaram ao lado do primeiro. Até Bombur se levantou, e eles foram apressados na direção das luzes, sem se importar caso fossem trols ou gobelins. A luz estava na frente deles e à esquerda da trilha, e, quando enfim ficaram no mesmo nível dela, pareceu óbvio que tochas e fogueiras estavam ardendo sob as árvores, mas a uma boa distância da trilha que seguiam.

"É como se meus sonhos estivessem virando realidade", espantou-se Bombur, bufando lá atrás. Ele queria sair correndo direto pela mata atrás das luzes. Mas os outros se lembravam bem até demais das advertências do mago e de Beorn.

8 A menção de que a jornada havia começado "naquela manhã de maio, muito tempo atrás" não está precisamente correta. Na p. 72, Tolkien escreveu que Bilbo e os anões começaram "numa bela manhã, pouco antes do mês de maio". Ver nota 3 ao Capítulo 2, onde está determinado que a data era 28 de abril.

Os Elfos. Ilustração de Nada Rappensbergerová para a edição eslovaca de 1973.

MOSCAS E ARANHAS

9 Essa cena contém um eco distante da parte inicial do poema *Sister Songs: An Offering to Two Sisters* [Canções irmãs: uma oferenda às duas irmãs] (1895), de Francis Thompson, no qual o poeta vê primeiro um único elfo em uma clareira e então "enxames élficos" cantando e dançando, mas quando o poeta se move e faz ruídos, eles fogem da clareira. Este episódio encontra-se espalhado por muitos versos; o que segue são excertos selecionados:

E àquele som e encanto
Elevam-se, da terra o manto;
  Vou espiar
  A se apoiar
Um elfo entre pétala e broto
Ou era da flor o vero rosto;
  No ar radiante
  Frequência cantante
Balouça em irisadas ondas.
      (versos 74–82)

[*Now at that music and that mirth*
Rose, as 'twere veils from earth;
  And I spied
  How beside
Bud, bell, bloom, an elf
Stood, or was the flower itself;
  'Mid radiant air
  All the fair
Frequence swayed in irised wavers.]

Outros, então ainda presos,
Às mãos inclinam seus pesos,
E as torcem livres com dura estafa,
A postos em venosas vanguardas:
E todos em inato acordo
Do gramado cantam em coro;
Donde vinham, de que invisos
Espíritos, tais regozijos,
Músicas em fusionamento
Que me deram tanto contento.
Com sorte o melhor instrumento,
Flauta ou cistre, parado ou soando,
Apenas imita o etéreo canto.
      (versos 99–111)

[*Others, not yet extricate,*
On their hands leaned their weight,
And writhed them free with mickle toil,
Still folded in their veiny vans:
And all with an unsought accord

"Um banquete não serviria para muita coisa se nunca voltássemos vivos dele", disse Thorin.

"Mas sem um banquete não vamos continuar vivos por muito mais tempo, de qualquer modo", disse Bombur, e Bilbo concordava fortemente com ele. Discutiram o assunto de todos os jeitos por muito tempo, até que concordaram, afinal, em enviar uma dupla de espiões para que se esgueirassem até as luzes e descobrissem mais sobre elas. Mas aí não conseguiam concordar a respeito de quem enviar: ninguém parecia ansioso por correr o risco de ficar perdido e nunca mais achar seus amigos de novo. No fim das contas, apesar das advertências, a fome os fez se decidirem, porque Bombur continuava descrevendo todas as coisas gostosas que estavam sendo comidas, de acordo com seu sonho, no banquete dos bosques; assim, todos deixaram a trilha e mergulharam na floresta juntos.

Depois de se esgueirarem e rastejarem um bocado, espiaram por detrás dos troncos e observaram uma clareira onde algumas árvores tinham sido derrubadas e o solo fora aplainado. Havia muitas pessoas ali, gente de aparência élfica, todas vestidas de verde e marrom e sentadas nos anéis serrados das árvores derrubadas em um grande círculo. Havia uma fogueira no meio deles e havia tochas presas a algumas das árvores ao redor; mas esta era a visão mais esplêndida de todas: estavam comendo e bebendo e rindo alegremente.

O cheiro das carnes assadas era tão encantador que, sem esperar para combinar uns com os outros, todos eles se levantaram e entraram no círculo aos trambolhões, com a única ideia de mendigar alguma comida. Assim que o primeiro pisou na clareira, todas as luzes se apagaram, como que por mágica.[9] Alguém deu um pontapé no fogo e ele explodiu em fagulhas brilhantes e desapareceu. Estavam perdidos, num escuro completamente sem luz, e não conseguiam nem mesmo achar uns aos outros, não durante muito tempo, pelo menos. Depois de tropeçar freneticamente na treva, caindo por cima de troncos, batendo de cara em árvores e gritando e chamando até provavelmente terem acordado todo mundo na floresta num raio de milhas, enfim deram um jeito de se reunir num montinho e se contarem pelo tato. Àquela altura já tinham, é claro, esquecido em que direção ficava a trilha e estavam todos desesperadamente perdidos, pelo menos até a chegada da manhã.

Não havia o que fazer a não ser se preparar para passar a noite onde estavam: não ousaram nem vascular o chão em busca de pedaços de comida por medo de ficarem separados de novo. Mas não estavam deitados fazia muito tempo, e Bilbo estava só começando a ficar sonolento, quando Dori, que tinha ficado com o primeiro turno de vigia, disse num sussurro alto:

"As luzes estão se acendendo de novo daquele lado e há mais delas do que nunca."

Puseram-se de pé de um salto. Lá, era verdade, não muito longe, havia dezenas de luzes que piscavam, e eles ouviam as vozes e o riso com bastante clareza. Rastejaram lentamente na direção delas, numa fila única, cada um deles tocando as costas do que ia na frente. Quando chegaram perto, Thorin disse: "Nada de sair correndo desta vez! Ninguém deve se mover do esconderijo até que eu diga. Mandarei o Sr. Bolseiro sozinho primeiro para conversar. Não terão medo dele — ('E será que eu não terei medo deles?', pensou Bilbo) — e, de qualquer modo, espero que não façam nada de ruim com ele."

Quando chegaram à beira do círculo de luzes, deram um empurrão em Bilbo pelas costas de repente. Antes que ele tivesse tempo de colocar seu anel, avançou tropeçando para dentro do clarão forte da fogueira e das tochas. Não adiantou nada. Foram-se as luzes de novo, e uma escuridão completa sobreveio.

Se tinha sido difícil eles se reunirem antes, foi muito pior dessa vez. E simplesmente não conseguiam achar o hobbit. Toda vez que se contavam, só chegavam ao número treze. Gritaram e chamaram: "Bilbo Bolseiro! Hobbit! Seu hobbit danado! Oi! Hobbit, desgramado seja, onde está você?" e outras coisas do tipo, mas não houve resposta.

Estavam quase perdendo as esperanças quando Dori tropeçou nele por pura sorte. No escuro, caiu por cima do que achou ser um tronco e descobriu que era o hobbit, enrodilhado em sono profundo. Foi preciso sacudi-lo muito para que acordasse e, quando despertou, não ficou contente de modo algum.

"Eu estava tendo um sonho tão adorável," resmungou, "no qual havia um jantar maravilhoso."

"Céus! Ele ficou igual ao Bombur", disseram. "Não fique falando de sonhos. Jantares de sonho não adiantam nada, e não podemos comer junto com você."

"São o melhor que eu tenho chance de conseguir nesta porcaria de lugar", esbravejou ele, enquanto se deitava ao lado dos anões e tentava voltar a dormir para encontrar aquele sonho de novo.

Mas aquela não foi a última das luzes na floresta. Mais tarde, quando a noite já devia estar avançada, Kili, que estava de vigia no momento, veio acordar todos eles de novo, dizendo:

"Uma luz das bem fortes apareceu não muito longe daqui — centenas de tochas e muitas fogueiras devem ter sido acesas de repente e por mágica. E ouçam só o canto e as harpas!"

Depois de ficarem deitados por um tempo, perceberam que não conseguiriam resistir ao desejo de chegar mais perto e tentar obter ajuda uma vez mais. Lá foram se levantar de

Sang together from the sward;
Whence had come, and from sprites
Yet unseen, those delights,
As of tempered musics blent,
Which had given me such content.
For haply our best instrument,
Pipe or cithern, stopped or strung,
Mimics but some spirit tongue.]

Depois vi, grande portento,
Da atmosfera um espesso vento,
Assim parecia, elevando-se lento;
E, dos élficos enxames distante,
   Pude então notar
   Como estava o ar
De formas das Horas pululante,
Descendendo em serenidade,
Nereidas em aquosa cidade.
   (versos 120–28)

[*Next I saw, wonder-whist,*
How from the atmosphere a mist,
So it seemed, slow uprist;
And, looking from those elfin swarms,
   I was 'ware
   How the air
Was all populous with forms
Of the Hours, floating down,
Like Nereieds through a watery town.]

Os passos todos então tilintavam
Ao erguer-se os olhos donde dançavam.
Cachos de nuvens em chão navegável
Boiam sobre a luz da lua minguante,
E a nuvem, do seu velar deslizável,
Balouça ao balanço do som dançante.
   (versos 191–96)

[*Every step was a tinkling sound,*
As they glanced in their dancing-ground.
Clouds in cluster with such a sailing
Float o'er the light of the wasting moon,
As the cloud of their gliding veiling
Swung in the sway of the dancing-tune.]

E me agitei além da conta;
Ao que fogem então atônitos
Vórtice de vestes feito acônitos
   De azulado elmo;
E remirei ao pé do olmo.
   (versos 201–5)

[*I stirred, I rustled more than meet;*
Whereat they broke to the left and right,
With eddying robes like aconite
  Blue of helm;
And I beheld to the foot o' the elm.]

Francis Thompson (1859–1907) é lembrado sobretudo por sua poesia religiosa. Foi um católico romano devoto, e frequentemente apresenta em seus poemas visões místicas do céu. Na vida comum, Thompsom era uma pessoa nem um pouco prática e foi salvo de uma vida nas ruas pelo simpático editor da revista para a qual enviou seus primeiros poemas.

Tolkien tinha grande admiração pela poesia de Thompsom durante seus dias de estudante em Oxford. Em 4 de março de 1914, ele apresentou um trabalho, "Francis Thompson", para o Exeter College Essay Club [Clube de Ensaios do Exeter College]. Nele, argumentava que Thompson deveria parear-se aos maiores poetas devido aos seus poderes métricos, à grandiosidade de sua linguagem e à imensidão de sua imagética, junto com a fé a ela subjacente. Tolkien concluía o trabalho (de acordo com o secretário do clube) com esta observação: "Deve-se começar com o élfico e delicado e progredir rumo ao profundo: ouça primeiro o violino e a flauta, e então aprenda a escutar a harmonia do órgão do ser."

10 O cabelo dourado do Rei-élfico é inusitado. No Apêndice F de *O Senhor dos Anéis*, Tolkien escreve sobre os Elfos que "Eram altos, de pele clara e olhos cinzentos, apesar de terem as madeixas escuras, exceto na casa dourada de Finarfin". (Em edições mais antigas de *O Senhor dos Anéis* essa frase lia-se "casa dourada de Finrod", mas ela foi ulteriormente alterada para refletir a nova genealogia do "Silmarillion".) Finarfin era um elfo noldorin, e no Apêndice B ("O Conto dos Anos") de *O Senhor dos Anéis*, ficamos sabendo que o Rei-élfico de Trevamata era um elfo sindarin, de modo que não pertencia à casa de Finarfin, o que faz de seu cabelo dourado algo inusitado.

No entanto, a passagem citada do Apêndice F tem uma história curiosa, e quando originalmente escrita ela devia referir-se aos Noldor, e não a todos os Elfos. Christopher Tolkien observou que os Vanyar, uma das Três Gentes

novo; e dessa vez o resultado foi desastroso. O banquete que agora viam era maior e mais magnífico do que antes; e, à frente de uma longa fila de convivas, sentava-se um rei dos bosques com uma coroa de folhas sobre seu cabelo dourado,[10] muito parecido com a figura de sonho que Bombur descrevera. A gente élfica estava passando taças de mão em mão e em volta das fogueiras, e alguns estavam tangendo harpas, e outros estavam cantando. Seus cabelos brilhantes estavam trançados com flores; joias verdes e brancas luziam em seus colares e cintos; e seus rostos e suas canções estavam repletos de júbilo.[11] Altas e cristalinas e belas eram tais canções, e lá se foi Thorin pondo os pés no meio deles.

Um silêncio mortal se fez no meio de uma palavra. Foi-se toda luz. Das fogueiras saltaram fumos negros. Cinzas e poeira caíram sobre os olhos dos anãos, e a mata se encheu de novo com seus clamores e gritos.

Bilbo se viu correndo em círculos (ou assim pensava) e chamando sem parar: "Dori, Nori, Ori, Oin, Gloin, Fili, Kili, Bombur, Bifur, Bofur, Dwalin, Balin, Thorin Escudo-de-carvalho", enquanto gente que ele não conseguia ver ou sentir estava fazendo a mesma coisa ao redor dele (com um grito ocasional de "Bilbo!" no meio). Mas os gritos dos outros foram ficando cada vez mais distantes e fracos e, embora depois de algum tempo parecesse que eles tinham se transformando em urros e gritos pedindo socorro na distância, todos os ruídos por fim morreram, e ele ficou sozinho no silêncio e na escuridão mais completa.

Aquele foi um de seus momentos mais sofridos. Mas Bilbo logo decidiu que não adiantava nada tentar fazer algo até que o dia chegasse trazendo um pouco de luz, e que era inútil sair tropeçando por ali, cansando-se sem nenhuma esperança de um café da manhã que o reavivasse. Assim, sentou-se com as costas tocando uma árvore e, não pela última vez, pôs-se a pensar em sua longínqua toca de hobbit, com suas belas despensas. Estava imerso em pensamentos a respeito de bacon e ovos e torradas e manteiga quando sentiu algo a tocá-lo. Algo semelhante a uma corda forte e grudenta estava encostado na sua mão esquerda e, quando ele tentou se mexer, descobriu que suas pernas já estavam embrulhadas no mesmo material, de modo que, ao ficar de pé, levou um tombo.

Então a grande aranha, que estava ocupada amarrando-o enquanto ele cochilava, veio por trás e o atacou. Só conseguia ver os olhos daquela coisa, mas podia sentir suas pernas peludas conforme ela se esforçava para enrolar seus fios abomináveis ao redor dele. Foi sorte Bilbo ter recuperado os sentidos a tempo. Logo não teria sido capaz de se mexer de modo algum. Do jeito que foi, precisou lutar desesperadamente antes de se livrar. Bateu na criatura com as mãos — ela estava tentando envenená-lo para mantê-lo quieto, como as aranhas pequenas fazem com moscas —, até que se lembrou de sua espada e a sacou. Então a aranha pulou para trás, e ele teve tempo de cortar a teia em volta de suas pernas. Depois disso, foi a vez de Bilbo atacar. A aranha evidentemente não estava acostumada a coisas que carregavam tais ferrões a seu lado, ou teria fugido mais rápido. Bilbo veio contra ela antes que pudesse desaparecer e enfiou sua espada bem nos olhos da aranha. Então ela enlouqueceu e pulou e dançou e esticou as patas em sacudidelas horríveis, até que ele a matou com outro golpe; depois disso, caiu no chão e não se lembrou de mais nada por um bom tempo.

Havia a costumeira luz cinzenta e fraca do dia na floresta em volta quando ele voltou a si. A aranha jazia morta a seu lado, e a lâmina da espada estava manchada de negro. De algum modo, matar a grande aranha, totalmente sozinho e a sós no escuro, sem a ajuda do mago ou dos anões ou de mais ninguém, fez uma grande diferença para o Sr. Bolseiro. Sentia-se uma pessoa diferente, e muito mais feroz e ousada, apesar do estômago vazio, conforme limpava sua espada na grama e a punha de volta na bainha.

"Vou lhe dar um nome," disse a ela, "e hei de chamá-la de *Ferroada*."

Depois disso, pôs-se a explorar a área. A floresta estava sombria e silenciosa, mas obviamente, antes de tudo, ele tinha de procurar seus amigos, que provavelmente não estavam muito longe, a não ser que tivessem sido aprisionados pelos elfos (ou por coisas piores). Bilbo sentia que não era seguro gritar, e ficou parado por muito tempo imaginando em que direção ficava a trilha e em que direção deveria ir primeiro para procurar os anões.

"Oh, por que não nos lembramos das advertências de Beorn, e de Gandalf!", lamentou. "Em que bagunça nós nos metemos agora! Nós! Só queria que fosse mesmo *nós*: é horrível ficar totalmente sozinho."

No fim, fez a melhor estimativa que pôde da direção da qual os gritos pedindo socorro tinham vindo à noite — e, por sorte (ele nascera com uma boa fatia dela), sua estimativa estava mais ou menos certa, como você verá. Tendo se decidido, foi se esgueirando da maneira mais esperta que pôde. Hobbits são espertos quando o assunto é quietude, especialmente em matas, como já lhe contei; além disso, Bilbo tinha colocado seu anel antes de começar. É por isso que as aranhas nem o viram nem o ouviram chegar.

Tinha seguido seu caminho de modo sorrateiro por certa distância, quando notou que havia um lugar cheio de uma densa sombra negra adiante, negra até mesmo para aquela floresta, feito um pedaço de meia-noite que nunca tinha sido

dos Altos Elfos, tinham cabelos dourados, e foi da Vanya Indis (a mãe de Fingolfin e Finarfin) que descenderam os Noldor de cabelos dourados. (Ver *O Livro dos Contos Perdidos, Parte Um* e *Os Povos da Terra-média*.)

11 Tanto em *O Hobbit* como em *O Senhor dos Anéis*, Tolkien não dá qualquer pista para a resposta a uma pergunta que tem sido ardentemente debatida entre seus leitores: seus Elfos tinham orelhas pontudas?

A coisa mais próxima de uma resposta alicerça-se nos elementos linguísticos das línguas inventadas de Tolkien. Nas "Etimologias", uma espécie de dicionário das relações entre palavras em élfico que Tolkien mantinha para uso pessoal nos anos 1930, agora publicado no volume 5 da *História*, *A Estrada Perdida*, ele observa, referente aos radicais LAS{1} de *lassē* = "folha" e LAS{2} "escutar" (*lassē* = "orelha"), que há uma possível relação entre os dois no sentido de que "orelhas [élficas] eram mais pontudas e em formato de folha" do que as humanas. Tudo que se pode dizer, então, é que certamente em algum momento (provavelmente em meados dos anos 1930) Tolkien teve essa opinião.

A própria arte de Tolkien não prové quaisquer outras pistas, pois no único desenho em que representa elfos, eles aparecem como figuras diminutas, e detalhes como orelhas não estão visíveis. Ver o desenho *Taur-na-Fúin* em *Artist* (n. 54).

12 Em 15 de janeiro de 1957, Tolkien foi entrevistado por Ruth Harshaw para um programa de rádio norte-americano chamado "Carnival of Books" [Carnaval dos Livros]. Ele disse: "Incluí as aranhas em grande parte porque o livro, você deve se lembrar, foi primeiramente escrito para meus filhos (ao menos os tinha em mente), e um dos meus filhos em particular tem um intenso desgosto por aranhas. Fiz isso para deixá-lo completamente assustado e deu certo!" Ao longo de sua vida, o filho de Tolkien, Michael, teve o que chama de "uma arraigada repugnância a aranhas".

Bilbo e as aranhas. Ilustração de Klaus Ensikat para a edição alemã de 1971.

faxinado. Conforme se aproximava, viu que era feito de teias de aranha, uma atrás e em cima e enredada com a outra. De repente, viu também que havia enormes e horríveis aranhas sentadas nos galhos acima dele e, com ou sem anel, tremeu de medo que elas o descobrissem. De pé, atrás de uma árvore, observou um grupo delas por algum tempo e então, no silêncio e na quietude da floresta, percebeu que essas criaturas abomináveis estavam falando uma com a outra. As vozes delas eram um tipo de rangido e sibilo fino, mas ele conseguia captar muitas das palavras que pronunciavam. Estavam falando sobre os anãos!

"Foi uma luta complicada, mas valeu a pena", dizia uma. "Que peles grossas e difíceis eles têm, é verdade, mas aposto que há bom suco dentro."

"Sim, vão render uma boa refeição, depois que ficarem pendurados um pouco", disse outra.

"Não os deixe pendurados por muito tempo", avisou uma terceira. "Não são tão gordos quanto poderiam ser. Andam comendo não muito bem ultimamente, imagino."

"Mate-os, é o que digo", sibilou uma quarta; "mate-os agora e pendure-os mortos por um tempo."

"Estão mortos agora, garanto", disse a primeira.

"Isso não. Vi um ainda brigando agora mesmo. Acabou de acordar de novo, eu diria, depois de um lii-indo sono. Vou lhe mostrar."

Com isso, uma das aranhas gordas saiu correndo por uma corda até que chegou a uma dúzia de embrulhos pendurados juntos, num galho alto. Bilbo ficou horrorizado (agora que os notara pela primeira vez, pendendo nas sombras) ao ver pés de anãos saindo do fundo de alguns dos embrulhos, ou aqui e ali a ponta de um nariz, ou um pedaço de barba ou de um capuz.

Até o mais gordo desses embrulhos foi-se a aranha — "É o coitado do velho Bombur, aposto", pensou Bilbo — e beliscou com força o nariz que saía dele. Veio um berro abafado lá de dentro, e um dedo do pé apareceu e chutou a aranha direto e com força. Ainda havia vida em Bombur. Ouviu-se um som como o de uma bola de futebol murcha levando um pontapé, e a aranha enfurecida caiu do galho, só conseguindo se salvar com o próprio fio de teia no último segundo.

As outras riram. "Você estava certíssima," disseram, "a carne está viva e dando pontapés!"

"Vou já dar um fim nisso", sibilou a aranha raivosa, escalando de novo o galho.[12]

Bilbo percebeu que chegara o momento em que ele devia fazer alguma coisa. Não conseguia subir até as monstras e não tinha nada que pudesse usar para atirar nelas; mas, olhando em volta, viu que nesse lugar havia muitas pedras dentro do que parecia ser um pequeno curso d'água de leito seco. Bilbo tinha pontaria bastante boa com pedras e não lhe tomou muito tempo achar uma pedra ótima, lisa e com forma de ovo, que se encaixou na sua mão perfeitamente. Quando era menino, costumava praticar o arremesso de pedras em objetos, até que coelhos e esquilos, e mesmo aves, passaram a sair do seu caminho, rápidos feito relâmpago, se o viam se abaixar; e, mesmo já crescido, tinha gastado parte de seu tempo com jogos de argolas, arremesso de dardos, arco e flecha, bocha, boliche e outros jogos tranquilos do tipo que envolve mirar e atirar[13] — de fato, ele conseguia fazer muitas coisas além de soprar anéis de fumaça, inventar adivinhas e cozinhar, as quais não tive tempo de contar a vocês. E agora não há tempo para isso. Enquanto Bilbo estava pegando pedras, a aranha tinha alcançado Bombur, e logo ele estaria morto. Naquele momento, Bilbo atirou a pedra. Ela atingiu a aranha bem na cabeça, e o bicho caiu sem sentidos da árvore, desabando no chão, com todas as patas encolhidas.

A pedra seguinte atravessou assobiando uma grande teia, rasgando suas cordas e abatendo a aranha sentada no meio dela — *pof*, estava morta. Depois disso houve um bocado de comoção na colônia de aranhas, e elas se esqueceram dos anãos por um tempo, posso lhe dizer. Não conseguiam ver Bilbo, mas eram capazes de fazer uma boa estimativa da direção de onde estavam vindo as pedras. Rápidas feito relâmpago, vieram correndo e se balançando na direção do hobbit, lançando seus longos fios em todas as direções, até que o ar parecia estar cheio de armadilhas oscilantes.

Bilbo, entretanto, logo escapuliu para um lugar diferente. Veio-lhe a ideia de levar as aranhas furiosas para cada vez mais longe dos anãos, se pudesse; queria que ficassem intrigadas, empolgadas e com raiva de uma só vez. Quando cerca de cinquenta delas tinham ido para o lugar onde ele estivera antes, jogou mais algumas pedras nessas, e em outras que tinham parado atrás delas; então, dançando em meio às árvores, pôs-se a cantar uma canção para enfurecê-las e fazer com que todas o seguissem, e também para que os anãos pudessem ouvir sua voz.

Isto foi o que ele cantou:

Velha aranha gorda no alto a girar!
Velha aranha gorda, não vai me achar!
   Aranhuça! Aranhuça![14]
      Fuça que fuça,
Fuça e faz teia sem me enxergar!

Velha Tataranha,[15] *que só tem banha,*
Velha Tataranha procura por mim!

13 Das várias atividades listadas aqui, "quoits" [jogo de argolas] é um jogo no qual se lançam anéis achatados na direção de uma estaca, tendo por objetivo fazer com que o anel caia ao redor da estaca. "Shooting at the Wand" [arco e flecha] é um jogo no qual uma ripa estreita é usada como alvo para flechas. "Bowls" [bocha] é um velho jogo disputado sobre um gramado liso com pesadas bolas de madeira. "Ninepins" [boliche], por vezes também chamado de "skittles" [bolão], é como o boliche de dez pinos, mas com nove pinos dispostos no final de um beco, contra os quais se arremessa a bola.

14 *Attercop* [Aranhuça] vem do inglês antigo *at(t)or-coppa*, em inglês médio *atter-cop(pe)*, "aranha". No Capítulo 5 ("Archaic Literary Words in the Dialects" [Palavras Literárias Arcaicas nos Dialetos]) do seu *Rustic Speech and Folk-lore* [Língua Rústica e Folclore] (1913), Elizabeth Mary Wright nota que "muitas palavras antigas deliciosas que escaparam da vida pública um ou dois séculos atrás, sem deixar endereço, podem ser assim descobertas em seu retiro interiorano, ainda sãs e calorosas, embora encanecidas pela idade" (pp. 36–7). Nesse contexto, ela discute *attercop*: "Deriva do inglês antigo *attorcoppe*, uma aranha, de *ātor*, *attor*, veneno, e *coppe*, que provavelmente significa cabeça, daí a velha ideia de que aranhas eram insetos venenosos" (p. 37). Ela cita como exemplo de emprego literário um verso do poema (que Tolkien conhecia bem) do século XIII em inglês médio "The Owl and the Nightingale" [A coruja e o rouxinol], no qual a coruja provoca o rouxinol por este comer "nothing but attercops, and foul flies, and worms" [nada além de aranhas, moscas imundas, e vermes] (versos 600–01).

Elizabeth Mary Wright (1863–1958) foi filóloga, professora e esposa de Joseph Wright (1855–1930), professor de Tolkien, editor do *English Dialect Dictionary* [Dicionário do Dialeto Inglês] em seis volumes e professor de filologia comparada em Oxford. Tolkien e os Wright eram amigos próximos, e Tolkien atuou como testamenteiro de Joseph Wright.

15 O *Oxford English Dictionary* define *tomnoddy* [tataranha] como "uma pessoa tola ou estúpida".

MOSCAS E ARANHAS

16 Tanto *lob* como *cob* são palavras para "aranha". *Lob* vem do inglês antigo *loppe*, *lobbe*, inglês médio *loppe*, *lop(p)*, *lob*. *Cob* é rara enquanto palavra individual e é provavelmente tirada de *cobweb* [teia de aranha] (inglês médio *coppe-web*). Em *A Princesa e o Goblin*, no entanto, George MacDonald usou *cob* como uma palavra para *goblin* [gobelim].

Bilbo luta com uma aranha. Ilustração de Torbjörn Zetterholm para a edição sueca de 1947.

Aranhuça! Aranhuça!
Nesta escaramuça
Não vai me pegar descendo assim! [b]

Não muito bom, talvez, mas aí você precisa recordar que ele teve de inventar os versos sozinho, bem na hora de um improviso muito complicado. O resultado foi o que ele queria, de qualquer jeito. Conforme cantava, jogou mais algumas pedras e bateu os pés. Praticamente todas as aranhas do lugar vieram atrás dele: algumas pularam para o chão, outras correram ao longo dos galhos, balançaram-se de árvore em árvore ou jogaram novas cordas através dos espaços escuros. Vieram na direção do barulho muito mais rápido do que ele esperava. Estavam assustadoramente bravas. Sem contar as pedras, nenhuma aranha jamais gostou de ser chamada de Aranhuça, e Tataranha, claro, é um insulto para qualquer um.

Lá se foi Bilbo para um outro lugar, mas várias das aranhas agora tinham corrido para diferentes pontos da clareira onde viviam e estavam ocupadas tecendo teias em todos os espaços entre os troncos das árvores. Muito em breve o hobbit seria pego numa cerca espessa de teias à sua volta — essa, pelo menos, era a ideia das aranhas. Postado agora no meio dos insetos que caçavam e fiavam, Bilbo buscou coragem e começou uma nova canção:

Lerdaranha e Doidaranha[16]
em teias querem me prender.
Sou mais doce que batata-doce,
mas nem por isso vão me comer!

Eis-me aqui, a mosquinha danada;
gordas, lerdas são vocês.
Esta mosca não será enredada
nas suas teias lelês. [c]

Com isso, virou-se e descobriu que o último espaço entre duas árvores altas tinha sido fechado com uma teia — mas, por sorte, não uma teia bem-feita, mas só grandes fios de corda-de-aranha de espessura dupla, passados com pressa para trás e para a frente de um tronco a outro. Sacou sua pequena espada. Cortou as tramas em pedaços e foi-se embora cantando.

---

[b] *Old fat spider spinning in a tree! / Old fat spider can't see me! / Attercop! Attercop! / Won't you stop, / Stop your spinning and look for me? / Old Tomnoddy, all big body, / Old Tomnoddy can't spy me! / Attercop! Attercop! / Down you drop! / You'll never catch me up your tree!*

[c] *Lazy Lob and crazy Cob / are weaving webs to wind me. / I am far more sweet than other meat, / but still they cannot find me! / Here am I, naughty little fly; / you are fat and lazy. / You cannot trap me, though you try, / in your cobwebs crazy.*

As aranhas viram a espada, embora eu não imagine que elas soubessem o que era aquilo, e de uma vez só o grupo inteiro delas veio apressado atrás do hobbit pelo chão e pelos galhos, patas peludas balançando, mandíbulas e fiandeiras estalando, olhos esbugalhados, espumando de fúria. Seguiram-no para dentro da floresta, até que Bilbo se enfurnou o mais longe que ousava ir. Então, mais silencioso que um camundongo, foi voltando.

Tinha pouquíssimo tempo, sabia, antes que as aranhas perdessem a paciência e voltassem às suas árvores, onde os anãos estavam pendurados. Nesse meio-tempo, precisava resgatá-los. A pior parte desse serviço era subir até o galho comprido de onde os pacotes pendiam. Não suponho que ele teria conseguido se uma aranha não tivesse deixado, por sorte, uma corda pendurada ali; com a ajuda dela, embora grudasse na sua mão e o machucasse, ele foi subindo — só para acabar encontrando uma aranha velha, lerda, perversa e de pança gorda que tinha ficado para trás para vigiar os prisioneiros, e que estava ocupada beliscando-os para ver qual o mais suculento para comer. Tinha pensado em começar o banquete enquanto as outras estavam longe, mas o Sr. Bolseiro estava com pressa e, antes que a aranha soubesse o que estava acontecendo, sentiu o ferrão dele e rolou morta do galho.

A tarefa seguinte de Bilbo era soltar um anão. O que ele podia fazer? Se cortasse a corda na qual estava pendurado, o desgraçado anão desabaria com tudo no solo, a uma boa distância do galho. Equilibrando-se pelo ramo (o que fez todos os pobres anãos dançarem e balançarem feito frutas maduras), ele alcançou o primeiro embrulho.

"Fili ou Kili", pensou ele ao ver a ponta de um capuz azul saindo do alto. "Mais provavelmente Fili", pensou, ao reparar na ponta de um nariz comprido que saía dos fios trançados. Deu um jeito de se debruçar para cortar a maior parte das tramas fortes e grudentas que o amarravam, e então, de fato, com um chute e alguma luta, boa parte do corpo de Fili emergiu. Temo que Bilbo na verdade tenha rido ao ver o anão sacudindo seus braços e suas pernas enrijecidas conforme dançava na teia de aranha debaixo de seus sovacos, igualzinho a um daqueles brinquedos engraçados que se equilibram num arame.

De algum jeito, Fili conseguiu ficar em cima do galho e se pôs a fazer o melhor que pôde para ajudar o hobbit, embora estivesse se sentindo muito enjoado e doente por causa do veneno de aranha e por ter ficado pendurado a maior parte da noite e do dia seguinte todo enrolado na teia, só com o nariz para fora para respirar. Demorou séculos para ele conseguir tirar a porcaria do negócio de seus olhos e suas sobrancelhas e, quanto à barba, precisou cortar a maior parte

Bilbo resgata os Anãos de uma aranha. Ilustração de Mikhail Belomlinskiy para a edição russa de 1976.

Uma aranha. Ilustração de Peter Chuklev para a versão de 1979 da edição búlgara de 1975.

dela. Bem, juntos eles começaram a erguer um anão e depois o outro e a libertá-los. Nenhum deles estava melhor do que Fili, e alguns estavam piores. Havia os que mal tinham conseguido respirar de algum modo (narizes compridos às vezes são úteis, veja você), e alguns tinham recebido mais veneno.

Desse modo, resgataram Kili, Bifur, Bofur, Dori e Nori. O coitado do velho Bombur estava tão exausto — era o mais gordo e tinha sido constantemente beliscado e cutucado — que simplesmente saiu rolando do galho e desabou no chão, por sorte num monte de folhas, e lá ficou. Mas ainda havia cinco anãos pendurados na ponta do galho quando as aranhas começaram a voltar, mais cheias de fúria do que nunca.

Bilbo imediatamente foi para o lado do galho mais próximo do tronco da árvore e barrou a passagem das que tinham escalado. Tinha tirado o anel quando resgatou Fili e se esquecera de colocá-lo de novo, de modo que todas elas começaram a matraquear e sibilar:

"Agora nós o vemos, sua criaturinha nojenta! Vamos comê-lo e deixar seus ossos e sua pele pendurados numa árvore. Eca! Ele tem um ferrão, é? Bem, vamos pegá-lo do mesmo jeito, e depois vamos pendurá-lo de cabeça para baixo por um ou dois dias."

Enquanto isso estava acontecendo, os outros anãos estavam trabalhando para soltar o resto dos cativos e cortando as teias com suas facas. Logo todos estariam livres, embora não fosse claro o que aconteceria depois disso. As aranhas os tinham pegado com muita facilidade na noite anterior, mas aquilo tinha sido de surpresa e no escuro. Desta vez, parecia que seria uma batalha horrível.

De repente, Bilbo notou que algumas das aranhas tinham se reunido ao redor do velho Bombur no chão, e o tinham amarrado de novo para arrastá-lo para longe. Deu um grito e golpeou as aranhas na sua frente. Elas abriram caminho rapidamente, e ele saiu correndo e se jogou árvore abaixo bem no meio daquelas que estavam no solo. Sua pequena espada era algo novo no que dizia respeito a ferrões para elas. Como zunia de cá para lá! A espada brilhava de deleite conforme lhes dava estocadas. Meia dúzia tinha sido morta antes que o resto recuasse e deixasse Bombur com Bilbo.

"Desçam! Desçam!", gritou para os anãos no galho. "Não fiquem aí ou vão ser enredados!" Pois via aranhas enxameando em todas as árvores vizinhas e rastejando ao longo dos ramos acima das cabeças dos anãos.

Para baixo os anãos se arrastaram ou pularam ou caíram, todos os onze num bolo só, a maioria deles muito trêmula e mal conseguindo usar as pernas. Lá estavam eles enfim, doze contando o coitado do velho Bombur, que estava sendo apoiado de cada lado do corpo por seu primo Bifur e seu irmão

Bofur; e Bilbo estava dançando e balançando seu Ferrão; e centenas de aranhas raivosas estavam de olho neles de tudo quanto é lado, inclusive de cima. Parecia bem desesperador.

Então a batalha começou. Alguns dos anãos tinham facas, e alguns tinham bastões, e todos eles podiam alcançar pedras; e Bilbo tinha sua adaga élfica. Várias e várias vezes as aranhas foram rechaçadas, e muitas delas foram mortas. Mas aquilo não podia continuar por muito tempo. Bilbo estava quase exaurido; só quatro dos anãos estavam conseguindo ficar de pé com firmeza, e rapidamente todos seriam subjugados feito moscas cansadas. As aranhas já estavam começando a tecer suas teias à volta deles de novo, de árvore a árvore.[17]

No fim das contas, Bilbo não conseguiu pensar em plano nenhum a não ser revelar aos anãos o segredo de seu anel. Estava bem chateado com isso, mas não havia como evitar.

"Vou desaparecer", disse ele. "Atrairei as aranhas para longe, se puder; e vocês precisam ficar juntos e ir para a direção oposta. Ali para a esquerda, que é mais ou menos o caminho para o lugar onde vimos pela última vez as fogueiras dos elfos."

Foi difícil fazê-los entender a ideia, com a cabeça zonza deles, e os gritos, e as pancadas dos bastões, e os arremessos de pedras; mas por fim Bilbo sentiu que não poderia demorar mais — as aranhas estavam apertando seu círculo sem parar. De repente, colocou o anel e, para grande assombro dos anãos, desapareceu.

Logo veio o som de "Lerdaranha" e "Aranhuça" do meio das árvores à direita. Isso irritou grandemente as aranhas. Pararam de avançar, e algumas partiram em direção à voz. O termo "Aranhuça" as deixava tão bravas que perdiam o juízo. Então Balin, que tinha captado melhor o plano de Bilbo do que o resto do grupo, liderou um ataque. Os anãos se juntaram num aglomerado e, lançando uma chuva de pedras, avançaram contra as aranhas do lado esquerdo e arrebentaram o círculo. Longe atrás deles, então, os gritos e o canto de repente pararam.

Torcendo desesperadamente para que Bilbo não tivesse sido pego, os anãos foram em frente. Não iam rápido o suficiente, porém. Estavam enjoados e exaustos e não conseguiam avançar de um jeito muito melhor do que aos tropeções e bamboleios, embora muitas das aranhas estivessem bem atrás deles. De vez em quando tinham de se virar e lutar com as criaturas que os estavam alcançando; e algumas aranhas já estavam nas árvores acima deles e jogavam seus longos fios pegajosos.

As coisas estavam parecendo bem feias de novo, quando subitamente Bilbo reapareceu e atacou as espantadas aranhas de modo inesperado pelos lados.

17 Kelley M. Wickham-Crowley chamou minha atenção para um possível trocadilho aqui com a palavra *dvergs-nät*. Em *Anglo-Saxon Magic and Medicine* [Magia e Medicina Anglo-Saxãs] (1952), J.H.G. Grattan e Charles Singer mencionam o medo que os povos anglo-saxônicos tinham tanto de elfos como de anões, e em seu texto da obra semipagã "Lacnunga", do inglês antigo, eles incluem um feitiço a ser dito para obter proteção contra um anão. Grattan e Singer também notam que o "sueco *dverg* significa não apenas anão, mas também aranha, e *dvergs-nät* significa teia de aranha", e, "em bretão, galês e córnico, a palavra *cor* também significa tanto anão como aranha." (p. 61). O trocadilho está na situação: os anãos foram pegos em redes-de-anão, que também são teias de aranha.

"Continuem! Continuem!", gritou. "Deixem as ferroadas por minha conta!"

E assim fez. Dardejava para trás e para a frente, rasgando os fios das aranhas, golpeando suas patas e apunhalando seus corpos gorduchos se chegassem perto demais. As aranhas inchavam de fúria e matraqueavam e babavam e sibilavam maldições horríveis; mas tinham adquirido um medo mortal da Ferroada, e não ousavam chegar muito perto, agora que ela estava de volta. Assim, por mais que a amaldiçoassem, suas vítimas se mexiam, devagar e sempre, para longe dela. Foi um negócio dos mais terríveis, e parecia se prolongar por horas. Mas enfim, bem quando Bilbo sentiu que não conseguiria mais levantar a mão para um único golpe sequer, as aranhas de repente desistiram e não os seguiram mais, mas voltaram desapontadas para sua colônia sombria.

Os anãos então notaram que tinham chegado à beira de um círculo onde as fogueiras dos elfos tinham ficado. Se era um daqueles que tinham visto na noite anterior, eles não sabiam dizer. Mas parecia que alguma mágica boa ainda restava em tais lugares, dos quais as aranhas não gostavam. De qualquer modo, ali a luz era mais verde, e os galhos, menos grossos e ameaçadores, e eles tiveram uma chance de descansar e recobrar o fôlego.

Ali ficaram por algum tempo, esbaforidos e ofegantes. Mas logo começaram a fazer perguntas. Foi preciso que ouvissem uma explicação cuidadosa de todo o negócio do desparecimento, e a descoberta do anel lhes pareceu tão interessante que, por algum tempo, esqueceram seus próprios problemas. Balin, em especial, insistiu que a história de Gollum, com adivinhas e tudo, fosse contada inteira de novo, com o anel em seu lugar apropriado.[18] Mas, após algum tempo, a luz começou a enfraquecer, e então se fizeram outras perguntas. Onde estavam, e onde estava a trilha, e onde havia alguma comida, e o que eles iam fazer a seguir? Essas perguntas foram feitas várias vezes, e era do pequeno Bilbo que eles pareciam esperar as respostas. Com isso você pode ver que eles tinham mudado totalmente de opinião em relação ao Sr. Bolseiro e tinham começado a ter grande respeito por ele (como Gandalf dissera que aconteceria). De fato, eles realmente esperavam que ele pensasse em algum plano maravilhoso para ajudá-los e não estavam meramente resmungando. Sabiam bem demais que logo todos teriam sido mortos, se não fosse pelo hobbit; e agradeceram a ele muitas vezes. Alguns até se levantaram e se inclinaram até o chão diante dele, embora desabassem com o esforço e não conseguissem ficar de pé de novo por algum tempo. Saber a verdade sobre o desaparecimento não afetou a opinião que tinham sobre Bilbo de modo algum; pois perceberam que ele tinha algum juízo, bem como sorte e um anel mágico — e todos os três são

18 Aqui Bilbo reconta a história de seu encontro com Gollum, incluindo as partes relacionadas ao anel, que ele havia previamente omitido. Ver nota 2 ao Capítulo 6.

posses muito úteis.[19] De fato, elogiaram-no tanto que Bilbo começou a sentir que realmente havia algo de aventureiro e ousado em si mesmo, afinal, embora pudesse se sentir bem mais ousado se houvesse algo para comer.

Mas não havia nada, nada de nada; e nenhum deles estava em condições de ir procurar alguma comida, ou de buscar a trilha perdida. A trilha perdida! Nenhuma outra ideia passava pela cabeça cansada de Bilbo. Só conseguia se sentar, olhando para a frente, para as árvores intermináveis; e, depois de um tempo, todos ficaram em silêncio de novo. Todos, exceto Balin. Bem depois de que os outros pararam de falar e fecharam os olhos, ele continuou a resmungar e a rir consigo mesmo.

"Gollum! Bem, que coisa! Então foi assim que ele conseguiu escapulir de mim, foi? Agora eu sei! Você só se esgueirou em silêncio, foi, Sr. Bolseiro? Botões espalhados por toda a soleira da porta! Bom e velho Bilbo-Bilbo-Bilbo-bo-bo-bo..." E enfim ele caiu no sono, e houve silêncio completo por um bom tempo.

De repente, Dwalin abriu um olho e procurou a sua volta. "Onde está Thorin?", perguntou.

Foi um choque terrível. É claro que havia apenas treze deles, doze anãos e o hobbit. Onde, de fato, estava Thorin? Imaginaram que destino maligno lhe coubera, magia ou monstros sombrios; e estremeceram enquanto jaziam perdidos na floresta. Assim foram caindo, um a um, num sono desconfortável, cheio de sonhos horríveis, conforme o entardecer foi se tornando uma noite negra; e ali temos de deixá-los por ora, fracos e exaustos demais para estabelecer guardas ou se revezar na vigilância.

Thorin tinha sido capturado muito mais rápido do que eles. Você se lembra de quando Bilbo caiu no sono, feito um pedaço de pau, assim que colocou os pés num círculo de luz? Na vez seguinte, Thorin é quem tinha dado um passo à frente e, quando as luzes se apagaram, ele caiu sob encantamento como uma pedra. Todo o barulho dos anãos perdidos na noite, seus gritos conforme as aranhas os pegavam e prendiam, e todos os sons da batalha do dia seguinte passaram por ele sem ser ouvidos. Então os Elfos-da-floresta vieram até ele, e o amarraram, e o levaram embora.

O povo que festejava eram os Elfos-da-floresta, é claro. Estes não são uma gente perversa. Se têm um defeito, é a sua desconfiança quanto a estranhos. Embora a magia deles fosse forte, mesmo naqueles dias eram esquivos. Diferiam dos Altos Elfos do Oeste e eram mais perigosos e menos sábios. Pois a maioria deles (junto com sua parentela espalhada pelas colinas e montanhas) descendia das tribos antigas que nunca foram para Feéria,[20] no Oeste. Para lá os Elfos-da-luz e os Elfos-profundos e os Elfos-do-mar[21] foram e ali

19 Tom Shippey vê o anel mágico de Bilbo como um equalizador, elevando a condição de Bilbo à dos anãos. Bilbo começa a jornada como mera peça de bagagem a ser carregada, mas com o anel ele pode tomar parte ativa na aventura. (Ver a segunda edição de *The Road to Middle-earth*, pp. 70–2).

20 Esta é a única ocorrência da palavra *faerie* [feéria] em *O Hobbit*. "Feéria, no Oeste" refere-se aqui a Casadelfos (Eldamar) além do mar.

21 Os Elfos-da-luz, Elfos-profundos e Elfos-do-mar referem-se às Três Gentes dos Altos Elfos. Em *O Silmarillion*, eles são chamados de os Vanyar, os Noldor e os Teleri. No entanto, os Vanyar foram chamados de Lindar em escritos anteriores, incluindo aqueles contemporâneos da escrita de *O Hobbit*, agora publicados no volume 5 da *História*, *A Estrada Perdida*.

Ao longo do tempo, os nomes de Tolkien para as divisões dos Elfos passaram por mudanças muito complicadas, com sentidos cambiantes atribuídos aos mesmos nomes. Em um exemplo diminuto, Tolkien por vezes usava Elfos-da-luz para se referir a todas as Três Gentes, que passaram por sobre o mar e viram a luz das Duas Árvores em Valinor. Eles distinguiam-se, portanto, dos Elfos Escuros que (como o Rei-élfico e seu povo) nunca deixaram a Terra-média.

Sobre o uso de *Gnomos*, ver nota 11 ao Capítulo 3.

22 *1937:* "the Deep-elves (or Gnomes) and the Sea-elves lived for ages" ["os Elfos-profundos (ou Gnomos) e os Elfos-do-mar ali viveram por eras"] > *1966-Ball:* "the Deep-elves and the Sea-elves went and lived for ages" ["os Elfos-profundos e os Elfos-do-mar foram e ali viveram por eras"].

23 *1937:* "before they came back into the Wide World. In the Wide World the Wood-elves lingered in the twilight before the raising of the Sun and Moon; and afterwards they wandered in the forests that grew beneath the sunrise. They loved best the edges of the woods," ["antes que voltassem ao Vasto Mundo. No Vasto Mundo os Elfos-da-floresta se demoravam no crepúsculo antes do surgimento do Sol e da Lua; e depois vagaram pelas grandes florestas que cresciam sob o nascer do Sol. Amavam sobretudo as bordas das matas,"] > *1966-Longmans/Unwin:* "before some came back into the Wide World. In the Wide World the Wood-elves lingered in the twilight of our Sun and Moon, but loved best the stars; and they wandered in the great forests that grew tall in lands that are now lost. They dwelt most often by the edges of the woods," ["antes que alguns voltassem ao Vasto Mundo. No Vasto Mundo os Elfos-da-floresta se demoravam no crepúsculo do nosso Sol e da nossa Lua, mas amavam mais as estrelas; e vagavam pelas grandes florestas que cresciam altas em terras que agora se perderam. Habitavam com mais frequência nas bordas das matas,"]. (*1966-Ball* segue *1966-Longmans/Unwin*, mas erroneamente não apresenta vírgula após *Moon* [Lua].)

A mudança de "they came back" ["que voltassem"] para "some came back" ["que alguns voltassem"] foi feita porque foram apenas os Elfos-profundos ou Noldor que "voltaram ao Vasto Mundo".

A versão de 1937 dessa passagem está em pleno acordo tanto com a história inicial dos Elfos como com a história da criação do Sol e da Lua a partir dos últimos frutos das Duas Árvores em Valinor, tal como contada no Capítulo 11 da versão publicada de *O Silmarillion*. A versão revisada parece refletir a decisão tardia de Tolkien de abandonar esta ideia e aceitar que a Terra-média era iluminada pelo Sol e pela Lua desde seu início. As várias considerações sobre essa ideia escritas por Tolkien estão publicadas

viveram por eras[22] e se tornaram mais belos e mais sábios e estudados, e inventaram sua magia e arte sagaz para a criação de coisas belas e maravilhosas, antes que alguns voltassem ao Vasto Mundo.[23] No Vasto Mundo os Elfos-da-floresta se demoravam no crepúsculo do nosso Sol e da nossa Lua, mas amavam mais as estrelas; e vagavam pelas grandes florestas que cresciam altas em terras que agora se perderam. Habitavam com mais frequência nas bordas das matas, das quais podiam escapar às vezes para caçar, ou cavalgar e correr pelas terras abertas ao luar ou à luz das estrelas; e, depois da vinda dos homens, agarraram-se cada vez mais ao crepúsculo e ao ocaso. Ainda assim, elfos eles eram e continuam sendo, ou seja, são um Bom Povo.

Numa grande caverna algumas milhas adentro de Trevamata, de seu lado oriental, vivia nessa época o maior dos reis deles. Diante de seus enormes portões de pedra, um rio corria vindo dos altos da floresta e continuava a fluir até os pântanos, aos pés das terras elevadas das matas. Essa grande caverna, a partir da qual incontáveis grutas menores se abriam de todos os lados, avançava longe, debaixo da terra, e tinha muitas passagens e vastos salões; mas era mais iluminada e mais limpa do que qualquer habitação de gobelim, e não era nem tão profunda nem tão perigosa. De fato, os súditos do rei em geral viviam e caçavam nas matas abertas e tinham casas ou cabanas no chão e nos galhos. As faias eram suas árvores favoritas. A caverna do rei era seu palácio, o lugar fortificado de seu tesouro e a fortaleza de seu povo contra seus inimigos.

Era também a masmorra de seus prisioneiros. Assim, para a caverna é que arrastaram Thorin — não muito gentilmente, pois não amavam os anãos e achavam que ele era um inimigo. Em dias antigos, travaram guerras com alguns dos anãos, a quem acusavam de roubar seu tesouro. É justo dizer que os anãos registraram um relato diferente, e diziam que tinham apenas pegado o que lhes era devido, pois o rei dos elfos havia feito um trato com eles para que dessem forma ao seu ouro e à sua prata brutos e depois tinha se recusado a lhes dar sua paga.[24] Se o rei dos elfos tinha uma fraqueza, era por tesouro, especialmente prata e gemas brancas; e, embora fosse rico, estava sempre ávido por mais, já que ainda não tinha um tesouro tão grande quanto outros senhores élficos de outrora. Seu povo não minerava nem trabalhava metais ou joias, nem se importava muito com comércio ou com lavrar a terra. Tudo isso era bem sabido entre todos os anãos, embora a família de Thorin não tivesse nada a ver com a velha briga de que falei. Consequentemente, Thorin ficou irritado com o tratamento que lhe deram, quando retiraram o feitiço e ele recuperou os sentidos; e também estava determinado a não deixar que arrancassem dele palavra alguma sobre ouro ou joias.

O rei olhou com ar severo para Thorin, quando o anão foi trazido diante dele, e lhe fez muitas perguntas. Mas Thorin só dizia que estava passando fome.

"Por que você e sua gente três vezes tentaram atacar meu povo enquanto festejávamos?", perguntou o rei.

"Não os atacamos," respondeu Thorin; "viemos mendigar, porque estávamos passando fome."

"Onde estão seus amigos agora e o que estão fazendo?"

"Não sei, mas imagino que estejam passando fome na floresta."

"O que estavam fazendo na floresta?"

"Procurando comida e bebida, porque estávamos passando fome."

"Mas o que os trouxe floresta adentro, afinal?", perguntou o rei, cheio de raiva.

Com isso, Thorin fechou a boca e não disse mais uma só palavra.

"Muito bem!", disse o rei. "Levem-no e mantenham-no a salvo até que se sinta inclinado a dizer a verdade, mesmo que tenha de esperar cem anos."

Então os elfos lhe puseram amarras[25] e o trancaram em uma das cavernas mais profundas, com fortes portas de madeira, e o deixaram. Deram-lhe comida e bebida abundantes, ainda que não muito boas; pois os Elfos-da-floresta não eram gobelins e se portavam razoavelmente bem até com seus piores inimigos, quando os capturavam. As aranhas gigantes eram as únicas coisas vivas das quais não tinham nenhuma misericórdia.

Lá, na masmorra do rei, jazia o pobre Thorin; e, depois que superou sua gratidão por receber pão e carne e água, pôs-se a pensar no que tinha acontecido com seus desafortunados amigos. Não demorou muito para que ele descobrisse; mas isso faz parte do próximo capítulo e do começo de outra aventura, na qual o hobbit de novo mostrou sua utilidade.

na seção "Mitos Transformados" no volume 10 da *História*, *O Anel de Morgoth*.

24 Esse relato sobre um rei dos elfos de "dias antigos" (não confundir com o Rei-élfico) é a história do Rei Thingol de Doriath, que foi assassinado pelos anãos após recusar-lhes seu pagamento. Os elementos dessa história remontam aos mais antigos escritos do legendário de Tolkien, e esse conto pode ser lido em sua forma mais antiga em "O Nauglafring: o Colar dos Anãos", publicado no volume 2 da *História*, *O Livro dos Contos Perdidos, Parte Dois*. Diversas variantes retrabalhadas da história podem ser encontradas nas versões do "Silmarillion" tal como presentes na *História*. Em *O Silmarillion* publicado, a história está relatada no Capítulo 22, "Da Ruína de Doriath".

25 "Throngs" [amarras] são tiras estreitas de pele ou couro, aqui usadas para atar Thorin.

Thorin e o Rei-élfico. Ilustração de Livia Rusz para a edição romena de 1975.

9

BARRIS DESABALADOS

No dia depois da batalha com as aranhas, Bilbo e os anãos fizeram um último esforço desesperado para achar a saída da floresta antes que morressem de fome e sede. Levantaram-se e cambalearam na direção que oito dos treze deles achavam ser a que levava à trilha; mas nunca descobriram se estavam certos. O pouco de dia que havia na floresta estava se desvanecendo de novo no negrume da noite quando, de repente, surgiu a luz de muitas tochas à volta deles, feito centenas de estrelas vermelhas. Eis que saltaram à frente os Elfos-da-floresta, com seus arcos e suas lanças, e ordenaram que os anãos parassem.

Ninguém pensou em lutar. Mesmo se os anãos não estivessem em tal estado que, na verdade, ficaram felizes em ser capturados, suas pequenas facas, as únicas armas que tinham, não seriam de valia alguma contra as flechas dos elfos, que conseguiam acertar um olho de pássaro no escuro.[1] Assim, eles simplesmente estacaram e se sentaram e esperaram — todos, exceto Bilbo, que colocou seu anel e deslizou rápido para um lado. É por isso que, quando os elfos amarram os anãos numa longa fila, um atrás do outro, e os contaram, nunca acharam nem contaram o hobbit.

E nem o ouviram nem o sentiram trotando pelo caminho, bem atrás da luz de suas tochas, enquanto levavam os prisioneiros para dentro da floresta. Cada um dos anãos estava vendado, mas isso não fazia muita diferença, pois até Bilbo, que podia usar seus olhos, não conseguia ver aonde estavam indo, e nem ele nem os outros sabiam onde tinha começado o caminho, de qualquer jeito. Bilbo precisou se esforçar muito para acompanhar as tochas, pois os elfos estavam fazendo os anãos andarem o mais rápido que podiam, doentes e cansados como estavam. O rei ordenara que eles se apressassem. De repente, as tochas pararam, e o hobbit mal teve tempo de alcançá-los antes que começassem a cruzar a ponte. Essa era a ponte que atravessava o rio e levava às portas do rei. A água corria escura e veloz e forte debaixo dela; e, do outro lado, havia portões diante da boca de uma enorme caverna, que adentrava a lateral de uma encosta íngreme, coberta de árvores. Ali as grandes faias chegavam à beira do barranco, até que suas raízes tocavam a correnteza.

---

[1] Elfos e flechas estão fortemente associados no saber das fadas. *Flecha*-élfica [*Elf-shot*] era o nome dado a pontas de flecha de sílex que deviam perfurar a pele sem deixar marca, causando doenças em humanos. Diversas aflições como reumatismo, cólicas e hematomas eram atribuídas à flecha-élfica.

Através da ponte os elfos empurravam seus prisioneiros, mas Bilbo hesitava na retaguarda. Não gostou nem um pouco da aparência da boca da caverna e só se decidiu a não desertar de seus amigos bem na hora de sair correndo nos calcanhares dos últimos elfos, antes que os grandes portões do rei se fechassem atrás deles com um estrondo.

Lá dentro, as passagens eram iluminadas pela luz vermelha das tochas, e os guardas élficos cantavam enquanto marchavam pelos caminhos serpenteantes, entrecruzados e cheios de ecos. Tais caminhos não eram como os das cidades gobelins; eram menores, menos fundos no subsolo, e estavam preenchidos com um ar mais limpo. Num grande salão com pilares escavados na pedra viva sentava-se o Rei-élfico,[2] numa cadeira de madeira esculpida. Em sua cabeça havia uma coroa de bagas e folhas vermelhas, pois o outono chegara outra vez. Na primavera ele usava uma coroa de flores da mata. Em sua mão segurava um cetro entalhado de madeira de carvalho.[3]

Os prisioneiros foram trazidos diante dele; e, embora olhasse para eles com semblante sombrio, disse a seus homens que os desamarrassem, pois tinham aparência sofrida e exausta. "Além disso, não precisam de cordas aqui", disse ele. "Não há como escapar de minhas portas mágicas para aqueles que são trazidos para dentro."

Interrogou os anões por muito tempo e diligentemente acerca do que tinham feito, e sobre aonde estavam indo, e de onde estavam vindo; mas obteve deles poucas notícias além das que conseguira com Thorin. Mostraram-se insolentes e raivosos e nem mesmo fingiram responder com educação.

"O que foi que fizemos, ó rei?", disse Balin, que era o mais velho dos que restavam. "É crime ficar perdido na floresta, ficar com fome e com sede, ser emboscado por aranhas? Acaso as aranhas são vossos bichos mansos ou vossos animais de estimação, para que fiqueis irritado com a morte delas?"

Tal pergunta, é claro, fez com que o rei se enraivecesse ainda mais, e ele respondeu: "É um crime vagar pelo meu reino sem permissão. Esquecem que estavam em meus domínios, usando a estrada que meu povo fez? Não é verdade que por três vezes vocês perseguiram e perturbaram meu povo na floresta e atiçaram as aranhas com sua balbúrdia e seu clamor? Depois de todos os distúrbios que produziram, tenho o direito de saber o que os traz aqui e, se não me responderem agora, vou mantê-los a todos na prisão até que aprendam a ter juízo e boas maneiras!"

Ordenou então que cada um dos anões fosse posto numa cela separada e recebesse comida e bebida, mas que não lhes fosse permitido ultrapassar as portas de suas pequenas prisões, até que um deles, ao menos, estivesse disposto a lhe contar tudo o que queria saber. Mas não contou a eles que Thorin também era seu prisioneiro. Foi Bilbo que descobriu isso.

2 O Rei-élfico permanece sem nome em *O Hobbit*. Em *O Senhor dos Anéis*, ficamos sabendo que seu nome é Thranduil. Seu filho, Legolas, é um dos nove membros da Sociedade do Anel em *O Senhor dos Anéis*.

3 O carvalho é uma árvore tradicionalmente sagrada. Era associado aos druidas e seus sacros bosques de adoração. No saber das fadas, ele possui associações mágicas mais fortes quando cresce próximo de freixos e espinheiros, outras duas das mais sagradas árvores das fadas.

Os três tipos de árvores são conjuntamente mencionados pelos Elfos nos versos finais do poema na p. 311: *"Hush! Hush! Oak, Ash, and Thorn! / Hushed be all watter, till dawn is at hand!"* ["Quietos! Quietos! Freixo, Espinheiro e Carvalho! / Aquiete-se a água e a noite se encerra!"]

O Rei-élfico. Ilustração de Horus Engels para a edição alemã de 1957.

Pobre Sr. Bolseiro — passou momentos exaustivos e intermináveis naquele lugar, totalmente sozinho e sempre escondido, nunca ousando tirar seu anel, mal ousando dormir, mesmo quando enfiado nos cantos mais escuros e distantes que conseguia achar. Para ter o que fazer, pôs-se a vagar em volta do palácio do Rei-élfico. A magia trancava os portões, mas às vezes ele conseguia sair, se fosse rápido. Companhias dos Elfos-da-floresta, às vezes encabeçadas pelo

O Portão do Rei-élfico, de J.R.R.Tolkien, uma das ilustrações em preto e branco padrão presente em *O Hobbit* desde 1937. Essa ilustração aparece em *Artist* (n. 121) e *Pictures* (n. 12, à esquerda). Uma versão dessa ilustração, colorida por H.E. Riddett, apareceu pela primeira vez em *The Hobbit Calendar 1976* (1975) e em *Pictures* (n. 12, à direita).

Tolkien fez diversas tentativas para desenhar essa cena. A que talvez seja a mais antiga é uma visão direta da ponte, mostrando um portão relativamente simples na frente de um túnel (ver *Artist*, n. 117). Daí, Tolkien moveu a perspectiva mais para trás e deslocou-a para a esquerda a fim de visualizar a entrada a partir de certo ângulo. Três desenhos feitos dessa perspectiva se valem de árvores para enquadrar a cena. Uma é intitulada *Entrance to the Elvenking's Halls* [Entrada para os Salões do Rei-élfico] (*Artist*, n. 118), e a segunda é uma visão ligeiramente mais próxima, porém sem título (*Artist*, n. 119). A terceira é a única versão colorida de Tolkien, com um marcante rio azul e um sombrio céu noturno. Infelizmente ela nunca foi terminada. Ela aparece aqui em preto e branco (à esquerda, acima), mas uma reprodução colorida foi publicada em *The J.R.R. Tolkien Calendar 1979* (1978) e em *Pictures* (n. 11).

O pórtico com estrutura de trílito (em formato de *pi*, com laterais inclinadas) foi inserido no desenho seguinte (à esquerda, abaixo), *Gate of the Elvenking's Halls* [Portão dos Salões do Rei-élfico] (*Artist*, n. 120), que se assemelha bastante a alguns desenhos do reino élfico subterrâneo de Nargothrond nas lendas do "Silmarillion", cuja entrada possui três pórticos de pedra. Tolkien fez um desses desenhos à tinta (ver *Artist*, n. 57) e o outro em aquarela (ver *Pictures*, n. 33), estando o último inacabado.

Para a versão final Tolkien retornou à perspectiva direta e incluiu um maior número de árvores para enquadrar a vista.

rei, saíam de quando em quando para caçar, ou para tratar de outros negócios nas matas e nas terras do Leste. Nesses momentos, se Bilbo fosse muito ágil, ele conseguia escapulir bem atrás deles, embora fosse uma coisa perigosa de se fazer. Mais de uma vez ele quase foi pego pelas portas quando elas se fecharam depois que o último elfo passou; contudo, não ousava marchar no meio deles por causa de sua sombra (bastante fraca e bamboleante como era à luz das tochas), ou por medo de que trombassem nele e o descobrissem. Quando se resolvia a sair, o que não era muito frequente, não fazia nada de útil. Não queria desertar dos anãos e, de fato, não fazia ideia de onde ir sem eles. Não conseguia acompanhar os elfos caçadores durante todo o tempo em que eles ficavam fora, de modo que nunca descobriu os caminhos que saíam da floresta e só lhe restava vagar miseravelmente pela mata, aterrorizado com a ideia de se perder, até que vinha uma chance de retornar. Também ficava com fome do lado de fora, porque não era nenhum caçador; mas, dentro das cavernas, conseguia sobreviver de algum jeito, roubando comida da despensa ou da mesa quando ninguém estava por perto.

"Sou como um gatuno que não consegue sair, mas precisa continuar gatunando miseravelmente a mesma casa dia após dia", pensou. "Essa é a parte mais desoladora e tediosa de toda esta aventura desgraçada, cansativa e desconfortável! Queria estar de volta à minha toca de hobbit, do lado da minha própria lareira quentinha, com a lamparina brilhando!" Também desejava, com frequência, poder enviar uma mensagem pedindo ajuda para o mago, mas isso, claro, era totalmente impossível; e ele logo se deu conta de que, se alguma providência era para ser tomada, teria de ser tomada pelo Sr. Bolseiro, sozinho e sem ajuda.

Finalmente, depois de uma semana ou duas desse tipo de vida escondida, ao observar e seguir os guardas e correr os riscos que podia correr, ele deu um jeito de descobrir onde cada anão estava preso. Achou todas as doze celas deles em partes diferentes do palácio e, depois de um tempo, passou a conhecer o caminho muito bem. Qual não foi a sua surpresa, certo dia, ao escutar alguns dos guardas conversando e ficar sabendo que havia outro anão preso também, num lugar especialmente fundo e escuro. Adivinhou de cara, é claro, que se tratava de Thorin; e depois de um tempo descobriu que seu palpite estava correto. Por fim, depois de muitas dificuldades, deu um jeito de encontrar o tal lugar quando não havia ninguém por perto e de dar uma palavrinha com o chefe dos anãos.

Thorin se sentia desgraçado demais até para ter raiva de seus infortúnios e estava, inclusive, começando a pensar em contar ao rei tudo sobre o seu tesouro e a sua demanda (o que mostra como tinha ficado de ânimo baixo) quando ouviu a vozinha de Bilbo no buraco de sua fechadura. Mal podia acreditar em seus ouvidos. Logo, entretanto, concluiu que não podia estar enganado, foi até a porta e teve uma longa conversa sussurrada com o hobbit do outro lado.

Assim foi que Bilbo conseguiu levar secretamente a mensagem de Thorin a cada um dos outros anãos aprisionados, dizendo-lhes que Thorin, seu líder, também estava na prisão ali perto, e que ninguém devia revelar o objetivo deles ao rei, ainda não, nem antes que Thorin assim o ordenasse. Pois ele ganhara ânimo de novo ao ouvir como o hobbit tinha resgatado seus companheiros das aranhas e estava determinado, uma vez mais, a não pagar seu resgate com promessas ao rei de parte no tesouro até que toda esperança de escapar por qualquer outro meio tivesse desaparecido; até que, de fato, o notável Sr. Bolseiro Invisível (a respeito de quem ele começava a ter uma opinião das mais elevadas, aliás) não tivesse conseguido mesmo pensar em alguma esperteza.

Os outros anãos concordaram bastante com a mensagem quando a receberam. Todos achavam que suas próprias porções do tesouro (que eles consideravam mesmo suas, apesar de sua situação e do dragão ainda invicto) sofreriam seriamente se os Elfos-da-floresta reivindicassem parte dele e todos confiavam em Bilbo. Exatamente o que Gandalf tinha dito que aconteceria, veja você. Talvez essa fosse parte da razão pela qual ele foi embora e os deixou.

Bilbo, entretanto, não se sentia nem de longe tão esperançoso quanto eles. Não lhe agradava que todos dependessem dele e queria muito que o mago estivesse por perto. Mas isso não adiantava nada: provavelmente toda a distância sombria de Trevamata estava entre eles. Sentou-se e pensou, e pensou, até que sua cabeça quase explodiu, mas nenhuma ideia brilhante veio. Um anel invisível é uma coisa muito boa, mas não serve de muita coisa se for dividido por catorze pessoas. Contudo, é claro que, como você já adivinhou, ele acabou resgatando seus amigos no final, e eis como isso aconteceu.

Um dia, fuçando e vagando por ali, Bilbo descobriu uma coisa muito interessante: os grandes portões *não* eram a única entrada das cavernas. Um riacho corria sob parte das regiões mais baixas do palácio e se unia ao Rio da Floresta um pouco mais ao leste, além da encosta íngreme na qual a entrada principal se abria. Onde esse curso d'água subterrâneo saía da encosta do monte, havia um portão d'água. Ali, o teto rochoso descia até ficar perto da superfície do riacho e, a partir dele, um rastrilho[a] podia ser baixado até o próprio

Thorin na masmorra do Rei-élfico.
Ilustração de Mikhail Belomlinskiy para a edição russa de 1976.

---

[a] Grade móvel, em geral feita de metal, que era usada para fechar a entrada de fortificações. [N. T.]

leito do rio, para impedir que qualquer um entrasse ou saísse por aquele caminho. Mas o rastrilho frequentemente ficava aberto, pois uma boa quantidade de tráfego saía e entrava pelo portão d'água. Se alguém entrasse por aquele caminho, ia se achar num túnel escuro e grosseiro que levava fundo ao coração da colina; mas, em certo ponto por onde passava sob as cavernas, o teto tinha sido cortado e coberto com grandes alçapões de carvalho. Estes se abriam, do lado de cima, para as adegas do rei. Ali ficavam barris, barris e mais barris; pois os Elfos-da-floresta, e especialmente seu rei, eram grandes apreciadores de vinho, embora nenhuma videira crescesse naquelas partes. O vinho e outros bens eram trazidos de longe, de seus parentes do Sul, ou das vinhas dos homens em terras distantes.

Escondido atrás de um dos maiores barris, Bilbo descobriu os alçapões e sua utilidade e, fazendo hora ali dentro, escutando as conversas dos serviçais do rei, ficou sabendo como o vinho e outros bens subiam os rios, ou viajavam por terra até o Lago Longo. Parecia que uma vila de homens ainda prosperava por lá, construída em cima de pontes na parte funda da água, como proteção contra inimigos de toda sorte e, especialmente, contra o dragão da Montanha. Da Cidade-do-lago os barris eram trazidos até o Rio da Floresta. Muitas vezes eles eram só amarrados juntos, feito grandes balsas, e trazidos correnteza acima com a ajuda de bastões ou remos; às vezes eram carregados em barcos de fundo chato.

Quando os barris ficavam vazios, os elfos os jogavam pelos alçapões, abriam o portão d'água e lá se iam eles na correnteza, boiando, até que eram carregados rumo a um lugar ao longe, rio abaixo, onde as barrancas se projetavam bastante, perto da borda oriental de Trevamata. Ali eram coletados e amarrados, juntos, e flutuavam de volta à Cidade-do-lago, que ficava perto do ponto onde o Rio da Floresta desaguava no Lago Longo.

Por algum tempo, Bilbo se sentou e ficou pensando sobre esse portão d'água e se perguntou se poderia ser usado para a fuga de seus amigos, e, por fim, lhe ocorreram os começos desesperados de um plano.

A refeição da noite tinha sido enviada aos prisioneiros. Os guardas estavam andando rápido pelas passagens, levando a luz das tochas consigo e deixando tudo na escuridão. Então Bilbo ouviu o mordomo do rei dando boa-noite ao chefe dos guardas.

"Agora venha comigo", disse ele, "e experimente o novo vinho que acabou de chegar. Vou ter trabalho duro esta noite tirando os barris vazios das adegas, então vamos beber alguma coisa primeiro para ajudar na tarefa."

4 O nome *Dorwinion* é claramente de origem élfica, e aparece em escritos mais antigos de Tolkien. Em "A Balada dos Filhos de Húrin", um longo poema aliterante inacabado escrito entre o início e meados dos anos 1920, o vinho Dor-Winion [*sic*], especialmente potente, é descrito como proveniente do ardente Sul, o que implica que Dor-Winion está localizado em Beleriand (Parte I, versos 230 e 425; Parte II, versos 553 e 806; ver o terceiro volume da *História*, *As Baladas de Beleriand*).

Dorwinion também aparece em um texto provavelmente datado de meados dos anos 1930, pouco antes de Tolkien começar a escrever *O Senhor dos Anéis* em dezembro de 1937. Esse texto é a conclusão do *Quenta Silmarillion* (publicado no volume 5 da *História*, *A Estrada Perdida*), e "as perenes flores nos prados de Dorwinion" são mencionadas no parágrafo final, implicando que Dorwinion está além do mar, em Tol Eressëa.

Por fim, no *Map of Middle-earth* [Mapa da Terra-média] (1970) de Pauline Baynes, que foi compilado com auxílio de Tolkien, Dorwinion está localizado na costa noroeste do Mar Interior de Rhûn, muito abaixo das margens do Rio Rápido no Leste. A alocação aqui está certamente de acordo com as menções a Dorwinion em *O Hobbit*, mas não corresponde às aparições do nome em textos anteriores.

"Muito bem", riu o chefe dos guardas. "Vou provar o vinho com você e verei se está adequado para a mesa do rei. Há um banquete hoje, e não seria certo mandar bebida ruim lá para cima!"

Quando ouviu isso, Bilbo ficou agitado, pois percebeu que a sorte estava do seu lado, e que ele tinha uma chance imediata de colocar à prova seu plano desesperado. Seguiu os dois elfos, que entraram numa pequena adega e se sentaram numa mesa na qual dois jarros grandes estavam dispostos. Logo começaram a beber e a rir alegremente. Uma sorte de tipo incomum estava do lado de Bilbo dessa vez. É preciso um vinho potente para fazer com que um elfo-da-floresta fique sonolento; mas esse vinho, parece, era da forte safra dos grandes jardins de Dorwinion,[4] destinada não aos soldados ou serviçais do rei, mas a seus banquetes apenas, e a taças menores, não aos grandes jarros do mordomo.

Muito rapidamente o guarda-chefe inclinou a cabeça e depois a deitou na mesa e caiu num sono profundo. O mordomo continuou falando e rindo consigo mesmo por um tempo sem parecer notar, mas logo sua cabeça também se inclinou na mesa, e ele caiu no sono e se pôs a roncar do lado de seu amigo. Então para dentro se esgueirou o hobbit. Não demorou muito para que o guarda-chefe ficasse sem chaves, enquanto Bilbo ia trotando o mais rápido que podia pelas passagens rumo às celas. O grande molho de chaves parecia muito pesado para seus braços, e seu coração não saía da boca, apesar do anel, pois ele não conseguia impedir que as chaves fizessem, de vez em quando, cliques e claques barulhentos, que o levavam a tremer todo.

Destrancou primeiro a porta de Balin e a trancou cuidadosamente de novo assim que o anão saiu. Balin ficou muitíssimo surpreso, como você pode imaginar; mas, por mais contente que estivesse por sair de seu tedioso quartinho de pedra, ele queria parar e fazer perguntas e saber o que Bilbo ia fazer e tudo mais.

"Sem tempo pra isso agora!", disse o hobbit. "Só me siga! Precisamos todos ficar juntos e não correr o risco de nos separarmos. Todos nós temos de escapar, ou nenhum vai fugir, e essa é a nossa última chance. Se formos descobertos, sabe-se lá onde o rei vai colocar vocês da próxima vez, com correntes nas mãos e nos pés também, imagino eu. Não discuta, meu bom camarada!"

Depois disso, lá se foi ele de porta em porta, até que seu séquito aumentou para doze — nenhum deles muito ágil, por causa do escuro e do muito tempo que passaram presos. O coração de Bilbo dava pulos toda vez que um deles trombava no outro, ou grunhia ou sussurrava no escuro.

"Desgraça de barulheira de anãos!", dizia ele consigo mesmo. Mas deu tudo certo, e eles não encontraram nenhum guarda. Na verdade, havia um grande banquete de outono naquela noite, tanto nas matas quanto nos salões acima deles. Quase toda a gente do rei estava se divertindo.

Por fim, depois de muitos tropeções, eles chegaram à masmorra de Thorin, na parte mais profunda do palácio e, por sorte, não muito longe das adegas.

"Estou impressionado!", disse Thorin quando Bilbo sussurrou-lhe que saísse e se juntasse a seus amigos. "Gandalf falou a verdade, como de costume! Você se transforma num gatuno esplêndido, ao que parece, quando chega a hora. Tenho certeza de que todos estaremos para sempre a seu serviço, o que quer que aconteça depois disso. Mas o que vem agora?"

Bilbo coloca os anãos em barris.
Ilustração de Horus Engels para a edição alemã de 1957.

Bilbo percebeu que chegara a hora de explicar sua ideia, do melhor jeito que podia; mas não se sentia muito seguro quanto à reação dos anãos. Seus medos eram bastante justificados, pois eles não gostaram do plano nem um pouco e começaram a resmungar alto, apesar do perigo que corriam.

"Vamos ficar contundidos e moídos em pedacinhos e vamos nos afogar também, por certo!", reclamaram. "Achamos que você tinha formulado algum plano ajuizado quando conseguiu pegar as chaves. Essa ideia é doida!"

"Muito bem!", disse Bilbo muito desanimado e também bastante irritado. "Voltem então para as suas lindas celas; aí eu tranco vocês de novo e vocês podem ficar sentados confortavelmente para pensar num plano melhor — mas não suponho que um dia eu consiga pegar as chaves de novo, mesmo que me sinta inclinado a tentar."

Aquilo era demais para os anãos, e eles se acalmaram. No fim, é claro, tiveram de fazer exatamente o que Bilbo sugerira, porque lhes era obviamente impossível tentar achar um caminho pelos salões superiores ou lutar para sair pelos portões que se fechavam por magia; e não adiantava ficar resmungando pelos corredores até que fossem capturados de novo. Assim, seguindo o hobbit para o fundo das adegas mais baixas, foram se esgueirando. Atravessaram uma porta depois da qual o guarda-chefe e o mordomo podiam ser vistos ainda roncando felizes, com sorrisos no rosto. Haveria uma expressão diferente no rosto do guarda-chefe no dia seguinte, ainda que Bilbo, antes que eles seguissem em frente, tivesse voltado ali e, num gesto de bondade, colocasse as chaves de volta em seu cinto.

"Isso vai evitar parte dos problemas dele", disse o Sr. Bolseiro para si mesmo. "Ele não era um mau camarada e agia de modo bastante decente com os prisioneiros. Todos eles também vão ficar confusos. Vão achar que tínhamos uma magia muito forte para conseguir atravessar todas aquelas portas trancadas e desaparecer. Desaparecer! Precisamos ser muito rápidos se a ideia é que isso aconteça!"

Balin recebeu ordens de vigiar o guarda e o mordomo e de dar o alarme se eles se mexessem. O resto entrou na adega adjacente, onde havia os alçapões. Havia pouco tempo a perder. Em breve, como bem sabia Bilbo, alguns elfos tinham ordens de descer e ajudar o mordomo a jogar os barris vazios na correnteza pelos alçapões. Os barris, de fato, já estavam de pé e enfileirados no meio do recinto, aguardando ser empurrados. Alguns deles eram barris de vinho, e esses não eram de muita utilidade, já que não podiam ser abertos no alto sem fazer um monte de barulho, nem podiam ser fechados facilmente de novo. Mas no meio deles havia vários outros, os quais tinham sido usados para carregar outras cargas, manteiga, maçãs e todo tipo de coisas, até o palácio do rei.

Logo acharam treze deles com espaço suficiente para um anão dentro de cada um. De fato, alguns eram espaçosos demais e, conforme entravam neles, os anãos começaram a pensar com ansiedade nas chacoalhadas e pancadas que levariam ali dentro, embora Bilbo tivesse feito seu melhor para achar palha e outros materiais para empacotá-los do jeito mais confortável possível num tempo curto. Por fim, doze anãos foram embalados. Thorin tinha dado um monte de trabalho, virando-se e contorcendo-se em sua banheira feito um cachorro grande num canil pequeno; enquanto Balin, que foi o último, reclamou demais da ventilação e disse que estava abafado antes mesmo que sua tampa fosse colocada. Bilbo havia feito o que pôde para fechar buracos nas laterais dos barris, e para arrumar todas as tampas com tanta segurança quanto era viável, e agora tinha ficado sozinho de novo, correndo de lá para cá para dar os toques finais ao empacotamento, e esperando, contra toda esperança, que seu plano desse certo.

O hobbit terminou o trabalho nem um tiquinho antes do tempo. Apenas um minuto ou dois depois que a tampa de Balin foi encaixada, começou o barulho de vozes e o cintilar de luzes. Alguns elfos chegaram, rindo e conversando pelas adegas e cantando trechos de canções. Tinham deixado para trás um banquete animado em um dos salões e estavam determinados a retornar assim que pudessem.

"Onde está o velho Galion,[5] o mordomo?", disse um. "Não o vi nas mesas esta noite. Deveria estar aqui agora para nos mostrar o que precisa ser feito."

"Vou ficar com raiva se aquele velho molengão[6] estiver atrasado", disse outro. "Não desejo perder tempo aqui embaixo enquanto as canções estão no auge!"

---

5 O nome élfico *Galion* parece ter origem no élfico sindarin, mas seu sentido é incerto. O nome pode derivar de GAL- "brilhar" ou GALA- "medrar (prosperar, gozar de boa saúde — estar contente)". A terminação *-ion* pode estar relacionada a YŌ, YON- "filho".

6 Um *slowcoach* [molengão] é alguém que age, trabalha ou se move vagarosamente. Nos Estados Unidos o termo mais corriqueiro é *slowpoke*.

"Ha, ha!", veio um grito. "Aqui está o velho patife, com a cabeça apoiada num jarro! Estava armando um pequeno banquete só para ele e seu amigo, o capitão."[7]

"Chacoalhem-no! Despertem-no!", gritaram os outros com impaciência.

Galion não ficou nem um pouco contente de ser chacoalhado ou despertado e ainda menos de ser alvo de risadas. "Vocês estão todos atrasados", resmungou. "Aqui estou eu, esperando e esperando cá embaixo, enquanto vocês, camaradas, bebem e fazem festa e se esquecem de suas tarefas. Não é de admirar que eu tenha pegado no sono de cansaço!"

"Não é de admirar," disseram eles, "quando a explicação está bem perto, num jarro! Vamos, dê-nos um gostinho de sua poção do sono antes que comecemos! Não é preciso acordar o carcereiro[8] ao lado. Também já tomou o seu, ao que parece."

Depois disso, beberam uma rodada e ficaram um bocado alegres de repente. Mas não perderam totalmente o juízo. "Ora viva, Galion!", gritaram alguns, "você começou seu banquete cedo e atordoou seu juízo! Amontoou alguns barris cheios aqui em vez dos vazios, se é possível julgar pelo peso."

"Continuem com o trabalho!", rosnou o mordomo. "A sensação de peso nos braços de um preguiçoso[9] não quer dizer nada. Esses são os que devem ser despachados, e nenhum outro. Façam o que digo!"

"Está bem, está bem", responderam, rolando os barris para a abertura. "Que isso caia sobre sua cabeça se os barris cheios de manteiga do rei e seu melhor vinho forem empurrados para dentro do rio para que os Homens-do-lago se banqueteiem de graça!"

> *Rolem-rolem-rolem-rolem,*
> *Pelo buraco escapolem!*
> *Força, vai! Rumo ao rio!*
> *Riacho abaixo em rodopio!* [b]

Assim cantavam conforme primeiro um barril e depois outro giravam, barulhentos, até a abertura escura e eram empurrados para a água fria alguns pés lá embaixo. Alguns eram barris realmente vazios, outros estavam empacotados cuidadosamente por dentro com um anão cada um; mas para baixo lá se foram todos, um depois do outro, com muitas batidas e pancadas, trombando em cima dos que já tinham caído, fazendo estrondo n'água, aglomerando-se contra as

7 O comportamento do mordomo do Rei-élfico é similar ao do mordomo do rei no capítulo 17, "The Wine Cellar" [A Adega], em *The Princess and Curdie*, de George MacDonald: ambos gostam de beber os melhores vinhos do rei na própria adega real.

8 O carcereiro [*turnkey*] é a pessoa responsável pelas chaves da prisão, logo, um chaveiro ou guarda.

9 No original, "toss-pot", bêbado contumaz ou beberrão.

---

[b] *Roll—roll—roll—roll, / roll-roll-rolling down the hole! / Heave ho! Splash plump! / Down they go, down they bump!*

10 No capítulo 12 de *O vento nos salgueiros*, um alçapão para a despensa do mordomo no Salão do Sapo e uma passagem secreta subterrânea que leva ao rio provêm o necessário para que Toupeira, Rato, Texugo e Sapo retomem o Salão do Sapo das doninhas, o que é o oposto do uso do alçapão feito por Bilbo nessa cena.

Os barris são esvaziados das adegas do Rei-élfico. Ilustração de Ryûichi Terashima para a edição japonesa de 1965.

11 No original, *kine*, o plural duplo arcaico de *cow* [vaca], do inglês antigo *cy*, plural de *cu*, vaca, acrescido de -(e)n.

paredes do túnel, ricocheteando um no outro e flutuando para longe na correnteza.

Foi bem nesse momento que Bilbo, de repente, descobriu o ponto fraco de seu plano. Muito provavelmente você já percebeu qual era algum tempo atrás e andou rindo dele; mas não suponho que você conseguiria bolar algo nem metade tão bom sozinho se estivesse no lugar dele. É claro que ele próprio não estava num barril, nem havia ninguém para empacotá-lo, mesmo que houvesse uma chance de isso acontecer! Parecia que ele certamente ia se perder de seus amigos desta vez (quase todos eles já tinham desaparecido pelo alçapão escuro[10]), ficar completamente para trás e continuar enrolando como o gatuno permanente das cavernas-élficas para sempre. Pois, mesmo se ele pudesse ter escapado pelos portões superiores imediatamente, tinha pouquíssimas chances de algum dia encontrar os anões de novo. Não conhecia o caminho por terra até onde os barris eram coletados. Ficou pensando que diabos aconteceria com eles sem sua ajuda; pois não tivera tempo de contar aos anões tudo o que tinha descoberto, ou o que pretendia fazer assim que eles saíssem da mata.

Enquanto todos esses pensamentos iam passando pela cabeça dele, os elfos, já muito alegres, começaram a cantar uma canção em volta da abertura que dava para o rio. Alguns já tinham ido puxar as cordas que serviam para erguer o rastrilho no portão d'água, de modo a deixar sair os barris assim que todos estivessem flutuando lá embaixo.

No riacho escuro vão
Rumo às terras de onde são!
Deixem gruta e castro forte,
Deixem a montanha ao norte,
Onde a mata vasta e escura
Jaz em breu que sempre dura!
Do bosque foi-se a divisa;
Boiem, pois, à voz da brisa,
Passem canas, passem charcos,
Dos pântanos passem marcos,
Vazem névoa que, tão alva,
Cobre lago e estrela d'alva!
Sigam astros que, de um salto,
Do céu frio são arauto;
Virem ao raiar do dia
Sobre a cachoeira fria,
Rumo ao Sul! Sus! Rumo ao Sul!
Busquem sol e céu azul,
Voltem ao pasto e à campina
Onde o boi[11] come erva fina!
Voltem aos jardins nos montes
Onde a fruta adorna as fontes

Sketch for the Forest River [Esboço para o Rio da Floresta], de J.R.R. Tolkien. Essa ilustração foi publicada pela primeira vez em *The J.R.R. Tolkien Calendar 1979* (1978). Ela também aparece em *Artist* (n. 122) e *Pictures* (n. 13).

De acordo com o texto, Bilbo e os barris contendo os anãos chegam às cabanas dos Elfos-balseiros quando está escuro. A versão dessa cena retratada por Tolkien na pintura à esquerda é, portanto, precisa nesse detalhe, enquanto a ilustração mais delicada e impressionante geralmente publicada com o livro, *Bilbo chega às cabanas dos Elfos-balseiros*, é incorreta, mostrando um sol recém-nascido.

Mas alguns outros problemas de perspectiva permanecem em *Sketch for The Forest River*. O texto descreve Bilbo e os barris como estando no ramo norte do Rio da Floresta quando se encontram com o ramo principal vindo do sul, com a corrente empurrando os barris para a margem norte onde uma ampla baía se formou. Na ilustração à esquerda, Bilbo parece estar no ramo principal, com o ramo norte entrando à esquerda e a ampla baía na distância, à direita. Se a ampla baía devia estar supostamente do lado norte do rio, então a lua (não mencionada no texto) está nascendo impossivelmente no norte. A versão final de Tolkien combina todos esses pontos presentes no texto, exceto por ter o sol nascente, enquanto o texto diz que "reflexos quebrados e fugidios de nuvens e de estrelas" podiam ser vistos na superfície do rio.

Sob o sol e o céu azul!
Rumo ao Sul! Sus! Rumo ao Sul!
No riacho escuro vão
Rumo às terras de onde são![c]

Nesse momento, o último dos barris estava sendo rolado para os alçapões! Em desespero e sem saber o que mais fazer, o coitadinho do Bilbo o agarrou e foi empurrado pela borda junto com ele. Lá embaixo n'água ele caiu, *splash*! na correnteza fria e escura, com o barril em cima dele.

---

[c]*Down the swift dark stream you go / Back to lands you once did know! / Leave the halls and caverns deep, / Leave the northern mountains steep, / Where the forest wide and dim / Stoops in shadow grey and grim! / Float beyond the world of trees / Out into the whispering breeze, / Past the rushes, past the reeds, / Past the marsh's waving weeds, / Through the mist that riseth White / Up from mere and pool at night! / Follow, follow stars that leap/ Up the heavens cold and steep; / Turn when dawn comes over land, / Over rapid, over sand, / South away! and South away! / Seek the sunlight and the day, / Back to pasture, back to mead, / Where the kine and oxen feed! / Back to gardens on the hills / Where the berry swells and fills / Under sunlight, under day! / South away! and South away! / Down the swift dark stream you go / Back to lands you once did know!*

BARRIS DESABALADOS

Bilbo chega às cabanas dos Elfos-balseiros, de J.R.R. Tolkien, uma das ilustrações coloridas padrão para *O Hobbit*, publicada pela primeira vez em 1937, na segunda impressão da primeira edição inglesa (onde lhe foi dada uma legenda, "The dark river opened suddenly wide" ["O rio escuro de repente se abria, mais largo"]), mas não foi incluída na edição norte-americana de 1938. Essa ilustração aparece em *Artist* (n. 124) e em *Pictures* (n. 14). John e Priscilla Tolkien, em *The Tolkien Family Album* (1992), referem-se a essa ilustração como a pintura favorita do pai (p. 57). Um esboço inacabado feito com lápis de cor também aparece em *Artist* (n. 123).

Bilbo subiu à tona de novo cuspindo água e se agarrando à madeira feito um rato, mas, apesar de todos os seus esforços, não conseguia subir no barril. Toda vez que tentava, o negócio girava e o jogava lá embaixo de novo. Estava, de fato, vazio e flutuava leve feito uma rolha. Embora seus ouvidos estivessem cheios d'água, conseguia ouvir os elfos ainda cantando na adega acima. Então, de repente, os alçapões se fecharam com um estrondo, e as vozes deles foram sumindo. Estava no túnel escuro, flutuando n'água gelada, totalmente sozinho — porque não se pode contar com amigos que estão todos empacotados em barris.

Logo depois, um trecho cinzento apareceu na escuridão à frente. Ele ouviu o rangido do portão d'água ao ser erguido e descobriu que estava no meio de uma massa de canastras e barris que boiavam e trombavam, todos apertados juntos para passar debaixo do arco e sair pela correnteza aberta. Teve um trabalhão para evitar que eles o empurrassem e o fizessem em pedacinhos; mas por fim a multidão apinhada de barris começou a se desfazer e a sair deslizando, um objeto por vez, por baixo do arco de pedra e para longe. Então Bilbo viu que não teria adiantado nada ele subir em seu barril, pois não havia espaço sobrando, nem mesmo para um hobbit, entre o topo dele e o teto, que ficava mais baixo de repente onde estava o portão.

Foram saindo sob os galhos das árvores que se projetavam de ambos os barrancos do rio. Bilbo ficou imaginando como os anãos estavam se sentindo e se muita água estava entrando em seus barris. Alguns daqueles que boiavam ao lado dele no escuro pareciam estar bem baixos n'água, e ele supôs que esses eram os que tinham anãos dentro.

"Espero mesmo que eu tenha encaixado bem as tampas!", pensou, mas logo estava se preocupando demais consigo mesmo para se lembrar dos anãos. Conseguia manter a cabeça acima da água, mas estava tremendo de frio, e se perguntou se morreria enregelado antes de sua sorte melhorar, e quanto tempo mais conseguiria ficar agarrado ao barril, e se era melhor arriscar, largar o objeto e tentar nadar até a margem.

A sorte até que melhorou sem muita demora: a correnteza cheia de redemoinhos levou vários barris para perto da beira do rio em certo ponto, e ali, por algum tempo, eles ficaram presos em alguma raiz oculta. Então Bilbo agarrou a oportunidade de escalar a lateral de seu barril enquanto ele estava firme, preso em outros barris. Foi subindo feito um rato afogado e se deitou no topo, espalhando o corpo para manter o equilíbrio da melhor maneira que podia. A brisa estava fria, mas era melhor do que a água, e ele tinha esperança de não rolar para baixo de repente quando começassem a se mexer mais uma vez.

Logo os barris se soltaram de novo e começaram a virar e girar correnteza abaixo, saindo enfim no leito principal do rio. Então Bilbo descobriu que se manter em cima era tão difícil quanto tinha temido; mas, de alguma forma, conseguiu, embora fosse uma tarefa desgraçada de desconfortável. Por sorte, ele era muito leve, e o barril era dos grandes e, por estar meio furado, já tinha sido preenchido por uma pequena quantidade de água. Mesmo assim, era como tentar montar, sem rédeas ou estribos, um pônei de barriga redonda que sempre estava pensando em rolar na grama.

Desse modo, enfim, o Sr. Bolseiro chegou a um lugar onde as árvores de ambos os lados ficaram mais esparsas. Conseguia ver o céu mais pálido entre elas. O rio escuro de repente se abria, mais largo, e ali se unia ao canal principal do Rio da Floresta, fluindo apressado para terras mais baixas a partir das grandes portas do rei. A água se espalhava feito um lençol cinzento, não mais sombreada pelas árvores, e em sua superfície deslizante havia reflexos quebrados e fugidios de nuvens e de estrelas. Então a água impetuosa do Rio da Floresta varreu toda a esquadra de canastras e barris para o barranco do norte, onde havia cavado uma baía larga. Esta tinha uma margem cheia de pedregulhos, ao lado de barrancas escarpadas, e seu limite leste era um pequeno cabo de rocha dura. Na parte mais rasa da margem a maioria dos barris encalhou, embora uns poucos trombassem com o píer de pedra mais à frente.

Havia gente de vigia nos barrancos. Rapidamente usaram bastões para empurrar todos os barris e colocá-los juntos nos baixios e, depois de contá-los, amarraram-nos e os deixaram ali até o amanhecer. Pobres anãos! Bilbo, por sua vez, não estava em más condições. Deslizou de cima de seu barril e foi para a margem e depois se esgueirou até algumas cabanas que conseguia ver perto da beira d'água. Não mais pensava duas vezes na hora de se servir de uma ceia sem ser convidado se tivesse a chance, já que fora obrigado a fazer isso por tanto tempo, e agora sabia bem demais o que era sentir fome de verdade e não apenas se sentir educadamente interessado nas delícias de uma despensa bem abastecida. Além disso, tivera um vislumbre de uma fogueira em meio às árvores, e isso lhe interessava, considerando as roupas encharcadas e maltrapilhas que se agarravam à sua pele frias e pegajosas.

Não há necessidade de contar muito a você sobre as aventuras dele naquela noite, pois agora estamos chegando perto do fim da jornada para o leste e prestes a iniciar a última e maior das aventuras, então devemos nos apressar. É claro que, com a ajuda de seu anel mágico, ele se virou muito bem no começo, mas foi denunciado, no fim das contas, por suas pegadas molhadas e pelo rastro de pingos que deixava aonde quer que fosse ou se sentasse; e seu nariz também tinha começado a escorrer, de modo que, onde quer que tentasse se esconder, era descoberto pelas explosões terríveis quando tentava segurar os espirros. Rapidamente começou uma bela comoção no vilarejo à beira-rio; mas Bilbo escapou para a mata carregando um pão, um odre de vinho e uma torta que não lhe pertenciam. O resto da noite ele teve de passar molhado como estava e longe de uma fogueira, mas o vinho o ajudou nisso, e ele chegou mesmo a cochilar um pouco em cima de algumas folhas secas, embora o ano estivesse avançado e o ar estivesse frio.

Acordou de novo com um espirro especialmente barulhento. Já era manhã cinzenta e havia uma barulheira alegre na beira do rio. Estavam montando uma balsa de barris, e os elfos-balseiros logo iriam guiá-la correnteza abaixo até a Cidade-do-lago. Bilbo espirrou de novo. Não estava mais pingando, mas sentia frio no corpo todo. Foi descendo tão rápido quanto suas pernas rígidas eram capazes de carregá-lo e conseguiu, bem a tempo, subir na massa de barris sem ser notado em meio a todo aquele movimento. A sorte é que não havia sol naquela hora para produzir sombras comprometedoras, e, por misericórdia, ele não espirrou de novo durante um bom tempo.

Começaram a empurrar com força usando os bastões. Os elfos que estavam de pé na água rasa esfalfavam-se e tentavam impulsionar a balsa. Os barris, todos amarrados juntos agora, rangiam e ressoavam.

"Essa é uma carga pesada!", resmungavam alguns. "Estão flutuando muito baixo — alguns deles nunca estão vazios. Se tivessem chegado à margem de dia, poderíamos ter dado uma olhada dentro deles", disseram.

"Não há tempo agora!", gritou o balseiro. "Empurrem!"

E lá se foram enfim, primeiro devagar, até que passaram pela ponta de rocha onde outros elfos estavam postados para direcioná-los com bastões, e depois cada vez mais e mais rápido, conforme pegavam a correnteza principal e iam navegando rio abaixo, rumo ao Lago.

Tinham escapado das masmorras do rei e atravessado a mata, mas se fizeram isso vivos ou mortos é o que nos resta ver.

10

CÁLIDA ACOLHIDA

O dia foi ficando mais claro e mais quente conforme eles iam flutuando.¹ Depois de um tempo, o rio contornou um trecho íngreme de terra que aparecia à esquerda. Debaixo de sua base rochosa, semelhante a um penhasco, a parte mais profunda da correnteza tinha fluído, produzindo ondas e bolhas. De repente, o penhasco encolheu. As margens afundaram. As árvores sumiram. Então Bilbo viu a seguinte cena:

As terras se abriam largas à volta dele, repletas das águas do rio, que se dividiam e vagavam numa centena de cursos volteantes, ou se detinham em charcos e lagoas salpicadas de ilhas por toda parte; mas, ainda assim, uma corrente vigorosa fluía constantemente em meio a tudo isso. E ao longe, cabeça negra enfiada em farrapos de nuvem, erguia-se a Montanha! Seus vizinhos mais próximos a Nordeste, assim como a terra acidentada que a unia a eles, não podiam ser vistos. Sozinha ela se elevava e olhava através dos charcos para a floresta. A Montanha Solitária! Bilbo tinha vindo de longe e atravessado muitas aventuras para vê-la e, agora que a via, não gostava nem um pouco da aparência dela.

Conforme escutava a conversa dos balseiros e montava as peças de informação que eles deixavam escapar, ele logo percebeu que era muito sortudo até por conseguir ver a montanha, mesmo daquela distância. Por mais desolado que tivesse sido seu cárcere e por mais desconfortável que fosse sua posição (para não falar da dos pobres anãos debaixo dele), ainda assim tinha tido mais sorte do que imaginara. A conversa era toda sobre o comércio que ia e vinha pelas vias fluviais e sobre o aumento do tráfego no rio, conforme as estradas que vinham do Leste rumo a Trevamata desapareciam ou caíam em desuso; e sobre as picuinhas de Homens-do-lago e Elfos-da-floresta a respeito da situação do Rio da Floresta e do cuidado com suas margens. Aquelas terras tinham mudado muito desde os dias em que os anãos habitavam a Montanha, dias que a maioria das pessoas agora recordava apenas como uma lembrança muito tênue. Tinham mudado até em anos recentes, desde as últimas notícias que Gandalf recebera delas. Grandes enchentes e chuvas tinham alimentado as águas que corriam para o leste; e tinham acontecido um ou dois terremotos (que alguns tendiam a atribuir ao

---

1 A partir do discurso de Bilbo em sua festa de aniversário no primeiro capítulo de *O Senhor dos Anéis*, ficamos sabendo que o aniversário de Bilbo, 22 de setembro, é "o aniversário de minha chegada, num barril, a Esgaroth, no Lago Longo; porém o fato de que era meu aniversário me escapou à memória naquela ocasião. Eu tinha apenas cinquenta e um anos, e os aniversários não pareciam tão importantes. O banquete, no entanto, foi deveras esplêndido, apesar de eu estar muito resfriado na ocasião, lembro-me, e só poder dizer 'buito obigado'".

No entanto, na p. 229 de *O Hobbit* afirma-se que Bilbo estava demasiado doente para comparecer aos banquetes de imediato: "Por três dias espirrou e tossiu e não conseguiu sair de casa, e, mesmo depois disso, seus discursos em banquetes se limitavam a um 'Buito obigado'."

2 O mapa a que Bilbo se refere deve ser o Mapa de Thror. No "manuscrito caseiro" original de *O Hobbit*, Tolkien de fato tinha alguns mapas adicionais que havia desenhado para a história. Um deles, publicado em *Artist* (n. 128), mostra a Montanha Solitária e um mapa do Lago Longo.

3 A Carroça [The Wain] é o nome para as sete estrelas principais da constelação de Ursa Maior. Essas estrelas são mais conhecidas na Inglaterra como o Arado [the Plough], e nos Estados Unidos como a Grande Concha [the Big Dipper].

4 A extensão da influência de William Morris sobre Tolkien é frequentemente subestimada. Morris foi um poeta que traduziu algumas das maiores obras literárias do Norte medieval. Ele também escreveu romances em prosa temperados com certo sabor medieval e compostos com grande precisão nos detalhes das paisagens imaginárias. Tolkien, em seus esforços literários, seguiu o exemplo de Morris.

dragão — aludindo a ele principalmente com uma maldição e um meneio de cabeça agourento em direção à Montanha). Os pântanos e alagadiços se espalhavam cada vez mais de ambos os lados. As trilhas tinham sumido, e muitos cavaleiros e viajantes também, se tivessem tentado achar os caminhos perdidos para o outro lado. A estrada-élfica que cortava a floresta, a qual os anãos tinham percorrido, seguindo o conselho de Beorn, agora chegava a um fim duvidoso e pouco usado na margem oriental da floresta; só o rio ainda oferecia um caminho seguro das bordas de Trevamata no Norte às planícies sob a sombra da montanha, e o rio era vigiado pelo rei dos Elfos-da-floresta.

Então, veja você, Bilbo tinha vindo, no fim das contas, pelo único caminho que prestava. Teria sido algum conforto para o Sr. Bolseiro, tremendo de frio em cima dos barris, se ele soubesse que notícias sobre tudo isso tinham alcançado Gandalf ao longe e lhe causado grande ansiedade e que ele, de fato, estava concluindo seus outros afazeres (que não entram nesta história) e se preparando para sair em busca da companhia de Thorin. Mas Bilbo não sabia disso.

Tudo o que ele sabia era que o rio parecia continuar e continuar e continuar para sempre, e que ele estava com fome, e que tinha um resfriado horroroso afetando seu nariz, e que não gostava do jeito que a Montanha parecia olhar feio para ele e ameaçá-lo, conforme se aproximava cada vez mais. Depois de um tempo, entretanto, o rio tomou um curso mais para o sul e a Montanha desapareceu de novo, e, enfim, já bem à tarde, as margens ficaram mais pedregosas, o rio reuniu todas as suas águas vagantes em uma torrente profunda e rápida, e eles foram varridos pra frente a uma grande velocidade.

O sol tinha se posto quando, fazendo outra grande volta rumo ao Leste, o rio da floresta desaguou no Lago Longo. Ali ele tinha uma embocadura larga, com portais de pedra semelhantes a paredões de ambos os lados, cujas bases tinham pilhas de seixos. O Lago Longo! Bilbo nunca tinha imaginado que qualquer corpo d'água que não fosse o mar pudesse parecer tão grande. Era tão largo que as margens opostas pareciam pequenas e distantes e tão longo que sua extremidade norte, que apontava na direção da Montanha, não podia ser vista de jeito nenhum. Só graças ao mapa[2] Bilbo sabia que lá longe, onde as estrelas da Carroça[a][3] já estavam cintilando, o Rio Rápido descia para o lago vindo de Valle[4] e, junto com o Rio da Floresta, enchia com águas fundas o que antigamente devia ter sido um vale rochoso grande e

Além disso, como habilmente expressou Richard Matthews, "Tolkien foi claramente influenciado pela sensibilidade de Morris para paisagem e geografia — floresta, montanha, descampado etc. — e seu óbvio prazer em nomear. Tolkien levou isso adiante e desenvolveu a linguística do jogo até um estado consideravelmente avançado, mas as sementes se encontram em Morris". Por exemplo, no prosaicamente intitulado *The Roots of the Mountain: Wherein is Told Somewhat of the Lives of the Men of Burgdale, Their Friends, Their Neighbours, Their Foemen, and Their Fellows in Arms* [As raízes da montanha: no qual se narra um pouco da vida dos homens do Vale do Forte, seus amigos, seus vizinhos, seus inimigos e seus companheiros de armas] (1890), de Morris, há um rio chamado Weltering Water [Água Agitada], que corre através de Dale [Valle], e um chamado Wildlake [Braviolago], que desemboca no Plain-country [Campo-plano]. A similaridade com Running River [Rio Rápido], Dale [Valle] e Forest River [Rio da Floresta] de Tolkien é facilmente perceptível.

Embora a expressão "roots of the mountain" [raízes da montanha] seja consideravelmente anterior a Morris, Tolkien a utiliza duas vezes em *O Hobbit*, na p. 119, descrevendo onde Gollum vive, e na p. 256, descrevendo onde os Anãos encontraram a Pedra Arken. Outra expressão que parece um eco mais deliberado de Morris ocorre na p. 58, "the wood beyond The Water" ["na mata além d'O Água"], que lembra os títulos de seus últimos romances, *The Wood Beyond the World* [A Mata além do Mundo] (1894), *The Water of the Wondrous Isles* [A Água das Ínsulas Prodigiosas] (1897).

---

[a]Grupo de astros que faz parte da constelação da Ursa Maior, também conhecida como "Carroça de Carlos Magno". [N. T.]

Cidade do Lago, de J.R.R. Tolkien, uma das ilustrações em preto e branco padrão presente em *O Hobbit* desde 1937. Essa ilustração aparece em *Artist* (n. 127) e em *Pictures* (n. 15, à esquerda). Uma versão dessa ilustração, colorida por H.E. Riddett, apareceu no *The Hobbit Calendar 1976* (1975), e em *Pictures* (n. 15, à direita).

Uma versão anterior intitulada *Esgaroth*, bastante semelhante, mas mostrando dois anãos emergindo dos barris à esquerda, está publicada em *Artist* (n. 126).

A concepção da "Cidade do Lago" evoca as várias vilas lacustres pré-históricas da Europa, muitas das quais ficavam na Suíça, embora haja evidências de assentamentos similares por toda a Europa bem como na Escócia e na Inglaterra, incluindo a península de Holderness, Yorkshire, onde Tolkien ocupou um posto por quase um ano durante a Primeira Guerra Mundial, começando em abril de 1917. Muitos dos estudos sobre habitações lacustres são datados de meados ao final do século XIX, e algumas das monografias arqueológicas incluem reconstruções artísticas de habitações lacustres.

Uma dessas reconstruções (ao lado, em cima) foi tirada de *Les Stations Lacustres d'Europe aux Ages de la Pierre et du Bronze* [As estações lacustres da Europa na Idade da Pedra e do Bronze] (1908), de Robert Munro. A ilustração impressa está creditada como tendo por base uma de A. de Mortillet.

Uma reconstrução mais curiosa (ao lado, no centro), com alguns telhados bastante estranhos, foi extraída de *Die Keltische Pfahlbauten in den Schweizerseen* [Habitações celtas de palafitas nos lagos suíços] (1854), de Ferdinand Keller.

O *Ideal Sketch of a Swiss Lake Dwelling* [Esboço ideal de uma habitação lacustre suíça] (ao lado, embaixo) é o frontispício da edição inglesa do volume 1 da "bastante ampliada" segunda edição de *The Lake Dwellings of Switzerland and Other Parts of Europe* [Habitações lacustres da Suíça e de outras partes da Europa] (1878), de Ferdinand Keller, traduzida por John Edward Lee. Ela difere da ilustração em outras edições dessa obra, mas foi feita sob a direção de Keller e recebeu sua aprovação.

Uma vila lacustre no Lago Prasias, próximo ao Monte Pangeu (atual Grécia, próximo do Mar Egeu e do sul da Bulgária), é assim descrita pelo historiador grego Heródoto (c. 480–c. 425 a.C.):

As casas dos habitantes-do-lago estão de fato na água, dispostas sobre plataformas apoiadas em longas estacas e, partindo da terra firme, pode-se chegar até elas por meio de uma única ponte estreita. [...] Cada membro da tribo tem sua própria choupana em uma das plataformas, com um alçapão que abre para a água subjacente. [...] Seus cavalos e outros animais de carga são alimentados com peixes, tão abundantes no lago que, quando abrem o alçapão e descem um cesto vazio amarrado a uma corda, eles só precisam esperar um minuto para puxá-lo de novo, cheio. (Livro V, *Histórias*, tradução de Aubrey de Sélincourt, revisada por A.R. Burn, publicado em 1972.)

Esboço ideal de uma habitação lacustre suíça

profundo. Na extremidade sul, as águas redobradas se despejavam de novo em altas cachoeiras e corriam apressadas para terras desconhecidas. No entardecer tranquilo, o barulho das quedas podia ser ouvido como um rugido distante.

Não muito longe da embocadura do Rio da Floresta ficava a estranha cidade da qual Bilbo ouvira os elfos falarem nas adegas do rei. Não tinha sido construída na margem, embora houvesse algumas cabanas e construções ali, mas bem na superfície do lago, protegida dos redemoinhos do rio que desaguava lá por um promontório de rocha que formava uma baía calma. Uma grande ponte feita de madeira corria até onde, sobre enormes pilares feitos de árvores da floresta, tinha sido construída uma cidade movimentada de madeira, não uma cidade de elfos, mas de homens, que ainda ousavam habitar ali, sob a sombra da distante montanha do dragão. Ainda prosperavam com o comércio que subia o grande rio vindo do Sul e era levado de carroça, depois das quedas d'água, para a cidade deles; mas, nos grandes dias de outrora, quando Valle, no Norte, fora rica e próspera, eles tinham sido ricos e poderosos, e viam-se frotas de barcos nas águas, e alguns estavam repletos de ouro e outros com guerreiros de armadura, e tinham acontecido guerras e feitos que agora eram apenas uma lenda. Os pilares apodrecidos de uma cidade maior ainda podiam ser vistos ao longo das margens quando as águas baixavam na seca.[5]

5 A história desta "cidade maior" não foi registrada por Tolkien.

CÁLIDA ACOLHIDA

Mas os homens recordavam pouca coisa de tudo aquilo, embora alguns ainda cantassem antigas canções sobre os reis-anãos da Montanha, Thror e Thrain da raça de Durin, e sobre a vinda do Dragão e a queda dos senhores de Valle. Alguns cantavam também que Thror e Thrain voltariam um dia, e que rios de ouro correriam através dos portões da montanha, e que toda aquela terra ficaria cheia de novas canções e novos risos. Mas essa lenda agradável não afetava muito seus negócios cotidianos.

Assim que a balsa de barris ficou à vista, barcos a remo vieram da cidade, e vozes puseram-se a saudar os condutores das balsas. Então lançaram-se cordas e mexeram-se remos, e logo a balsa foi sendo retirada da corrente do Rio da Floresta e rebocada ao redor da plataforma de rocha para dentro da pequena baía da Cidade-do-lago. Ali foi amarrada não muito longe da extremidade da grande ponte, na direção da margem. Em breve viriam homens do Sul e levariam alguns dos cascos embora, e outros eles encheriam com mercadorias que tinham trazido para que fossem levadas rio acima, para o lar dos Elfos-da-floresta. Nesse meio-tempo, os barris foram deixados flutuando, enquanto os elfos da balsa e os barqueiros iam se banquetear na Cidade-do-lago.

Bilbo solta um Anão de um barril. Ilustração de Chica para a edição francesa de 1976.

Teriam ficado surpresos se pudessem ver o que acontecia na margem, depois que tinham partido, e as sombras da noite haviam caído. Antes de mais nada, um barril foi solto por Bilbo e empurrado para a margem e aberto. Gemidos vieram de dentro, e para fora rastejou um anão muitíssimo infeliz. A palha molhada cobria sua barba em frangalhos; ele estava tão dolorido e duro, tão contundido e machucado, que mal conseguiu ficar de pé ou tropeçar pela água rasa até conseguir se deitar gemendo na margem. Tinha um ar faminto e selvagem, como um cão que foi acorrentado e esquecido num canil por uma semana. Era Thorin, mas você só poderia saber disso pela sua corrente de ouro e pela cor de seu capuz azul-celeste, agora sujo e amarrotado, com sua borla de prata embaçada. Demorou algum tempo antes que ele conseguisse ser até mesmo educado com o hobbit.

"Bem, você está morto ou você está vivo?", perguntou Bilbo, bastante enfezado. Talvez ele tivesse esquecido que tinha comido pelo menos uma boa refeição a mais do que os anãos e que também tinha conseguido usar seus braços e suas pernas, para não falar de uma cota mais generosa de ar. "Ainda está na prisão ou está livre? Se quer comida, e se quer continuar com essa aventura tonta — que é sua, afinal, e não minha — é melhor dar uns tapas nos braços e esfregar as pernas e tentar me ajudar a tirar os outros enquanto há uma chance!"

Thorin, é claro, percebeu que isso fazia sentido; assim, depois de mais alguns gemidos, levantou-se e ajudou o hobbit da melhor maneira que pôde. Na escuridão, afundando na água fria, tiveram um trabalho difícil e muito desagradável para achar quais eram os barris certos. Dar batidas do lado de fora e chamar só revelou uns seis anãos que conseguiam responder. Esses foram desempacotados e conduzidos à margem, onde se sentaram ou deitaram, resmungando e gemendo; estavam tão ensopados, contundidos e cheios de câimbras, que ainda mal podiam se dar conta de sua libertação ou ficar apropriadamente gratos por ela.

Dwalin e Balin eram dois dos mais infelizes, e era inútil pedir a ajuda deles. Bifur e Bofur tinham levado menos pancadas e estavam mais secos, mas se deitaram e não fizeram nada. Fili e Kili, porém, que eram jovens (para anãos) e também tinham sido empacotados com mais cuidado, com um bocado de palha e em barris menores, saíram mais ou menos sorrindo, com apenas um vergão ou outro e câimbras que logo passaram.

"Espero que eu nunca sinta o cheiro de maçãs de novo!", disse Fili. "Meu barril devia ter estado cheio delas. Sentir cheiro de maçã eternamente quando você mal consegue se mexer e está com frio e morto de fome é enlouquecedor. Poderia comer qualquer coisa do mundo agora, por horas e horas — mas não uma maçã!"

Com a ajuda entusiasmada de Fili e Kili, Thorin e Bilbo afinal descobriram o resto dos membros da companhia e os tiraram dos barris. O gorducho Bombur, coitado, estava dormindo ou sem sentidos; Dori, Nori, Ori, Oin e Gloin estavam ensopados e pareciam só meio vivos; todos tiveram de ser carregados, um a um, e dispostos na margem, indefesos.

Bilbo liberta os Anãos de seus barris. Ilustração de Torbjörn Zetterholm para a edição sueca de 1947.

"Bem! Aqui estamos nós!", disse Thorin. "E suponho que tenhamos de agradecer à nossa boa estrela e ao Sr. Bolseiro. Estou certo de que ele tem o direito de esperar isso, embora eu preferisse que ele tivesse arranjado uma viagem mais confortável. Ainda assim — todos estamos bastante a seu serviço uma vez mais, Sr. Bolseiro. Sem dúvida havemos de nos sentir apropriadamente gratos quando estivermos alimentados e recuperados. Nesse meio-tempo, o que fazer?"

"Eu sugiro a Cidade-do-lago", disse Bilbo. "Que outra opção há?"

Nenhuma outra opção podia, é claro, ser sugerida; assim, deixando os outros, Thorin e Fili e Kili e o hobbit seguiram pela margem até a grande ponte. Havia guardas na entrada dela, mas eles não estavam montando uma vigilância muito cuidadosa, pois fazia muito tempo que isso não era realmente necessário. Exceto por briguinhas ocasionais ligadas a tarifas de transporte no rio, os habitantes eram amigos dos Elfos-da-floresta. Outros povos viviam muito longe; e alguns dos moradores mais jovens da cidade duvidavam

CÁLIDA ACOLHIDA

6 Uma "gammer" [traduzida aqui como "velhota"] é uma mulher velha. O termo é frequentemente empregado de forma depreciativa ou humorística. Em sua origem, é aparentemente uma contração de *grandmother* [avó]. *Gaffer* [velhote] é o termo correspondente para um homem velho.

abertamente da existência de qualquer dragão na montanha e riam dos barbas-cinzentas e das velhotas[6] que diziam tê-lo visto voar no céu nos dias de sua juventude. Sendo assim, não é surpreendente que os guardas estivessem bebendo e rindo do lado de uma fogueira em sua cabana e que não tivessem ouvido o barulho do desempacotamento dos anões ou as passadas dos quatro batedores. Seu espanto foi enorme quando Thorin Escudo-de-carvalho passou pela porta.

"Quem é você e o que quer?", gritaram, pondo-se de pé de um salto e tateando em busca de suas armas.

"Thorin, filho de Thrain, filho de Thror, Rei sob a Montanha!", disse o anão em alta voz, e parecia ser mesmo, apesar de suas roupas rasgadas e capuz amarfanhado. O ouro brilhava em seu pescoço e sua cintura; seus olhos eram escuros e profundos. "Eu voltei. Desejo ver o Mestre de sua cidade!"

Houve então tremenda empolgação. Alguns dos mais tolos saíram correndo da cabana, como se esperassem que a Montanha virasse ouro naquela mesma noite e que todas as águas do lago se tornassem douradas imediatamente. O capitão da guarda adiantou-se.

"E quem são esses?", perguntou, apontando para Fili e Kili e Bilbo.

"Os filhos da filha de meu pai", respondeu Thorin, "Fili e Kili da raça de Durin, e o Sr. Bolseiro, que viajou conosco desde o Oeste."

"Se vêm em paz, deixem aqui suas armas!", disse o capitão.

"Não temos nenhuma", disse Thorin, e era bem verdade: suas facas lhes tinham sido tiradas pelos Elfos-da-floresta, e a grande espada Orcrist, também. Bilbo tinha sua espada curta, escondida como de costume, mas nada disse a respeito. "Não precisamos de armas, nós que retornamos enfim ao que é nosso, como foi dito outrora. Nem poderíamos lutar contra tantos. Levem-nos a seu mestre!"

"Ele está num banquete", explicou o capitão.

"Então há mais razão ainda para que nos leve a ele", interrompeu Fili, que estava ficando impaciente com aquelas solenidades. "Estamos exaustos e famintos depois de nossa longa jornada e temos camaradas doentes conosco. Agora se apresse e não gastemos mais palavras, ou seu mestre poderá ter algo a lhe dizer."

"Sigam-me então", respondeu o capitão e, com seis homens à volta deles, levou-os pela ponte, através dos portões, até o mercado da cidade. Esse mercado era um círculo amplo de água calma, cercado pelas grandes estacas em cima das quais estavam construídas as casas maiores e por longos cais de madeira com muitos degraus e escadas que desciam até a superfície do lago. Em um grande salão brilhavam muitas luzes, e dele vinha o som de muitas vozes. Atravessaram suas portas e ficaram piscando à luz, olhando para longas mesas repletas de gente.

"Eu sou Thorin, filho de Thrain, filho de Thror, Rei sob a Montanha! Eu retornei!", gritou Thorin com voz poderosa da porta, antes que o capitão pudesse dizer qualquer coisa.

Todos se puseram de pé de um salto. O Mestre da cidade saltou de sua grande cadeira. Mas ninguém se levantou mais surpreso do que os balseiros dos elfos, que estavam sentados na ponta mais baixa do salão. Abrindo caminho diante da mesa do Mestre, gritaram:

"Esses são prisioneiros de nosso rei que escaparam, anãos viandantes e vagabundos que foram incapazes de dar boa notícia de si mesmos, esgueirando-se pelas matas e incomodando nosso povo!"

"Isso é verdade?", perguntou o Mestre. De fato, ele achava a ideia bem mais provável do que o retorno do Rei sob a Montanha, se é que tal pessoa um dia existira.

"É verdade que fomos injustamente emboscados pelo Rei-élfico e aprisionados sem boa causa durante a jornada de volta à nossa própria terra", respondeu Thorin. "Mas nem correntes nem barras podem impedir o retorno ao lar profetizado outrora. Nem fica esta cidade no reino dos Elfos-da-floresta. Falo com o Mestre da cidade dos Homens do Lago, não com os balseiros do rei."

Então o Mestre hesitou e pôs-se a olhar de um para o outro. O Rei-élfico era muito poderoso naquelas partes, e o Mestre não desejava ter inimizade nenhuma com ele, nem tinha muito apreço por velhas canções, dedicando sua mente ao comércio e às tarifas, às cargas e ao ouro, hábito ao qual devia sua posição. Outros tinham cabeça diferente, entretanto, e rapidamente o assunto foi resolvido sem ele. As notícias tinham se espalhado das portas do salão, feito fogo, por toda a cidade. As pessoas estavam gritando dentro do salão e fora dele. Os cais estavam cheios de pés apressados. Alguns começaram a cantar trechos de velhas canções acerca do retorno do Rei sob a Montanha; o fato de que era o neto de Thror, e não o próprio Thror que tinha voltado não incomodava em nada. Outros se juntaram à canção, e ela se espalhou, alta e clara, por sobre o lago.

Eis o Rei sob a Montanha,
Rei de pedra a talhar,
Sua prata a tudo banha,
Seu trono vai tomar!

Co'a coroa renovada,
Harpas ressoarão,
Os salões de luz dourada
Velho canto ouvirão.

Matas a ondear nos montes
E a grama sob o sol;
Riqueza a correr nas fontes,
Nos rios de arrebol.

Serão ribeiros contentes,
Lagos a chamejar,
Não mais tristes nem silentes
Se o Rei da Montanha voltar! [b]

Assim cantaram eles, ou algo muito parecido com isso, só que havia um bocado mais de versos, e havia muitos gritos, bem como a música de harpas e violinos misturada a eles. De fato, tanta empolgação não tinha sido vista na cidade desde a memória dos avós mais velhos. Os próprios Elfos-da-floresta começaram a se admirar muito e até a ficar com medo. Não sabiam, é claro, como Thorin tinha escapado, e começaram a achar que seu rei podia ter cometido um erro sério. Quanto ao Mestre, ele percebeu que não havia nada mais a fazer além de obedecer ao clamor geral, no momento pelo menos, e fingir acreditar que Thorin era quem dizia ser. Assim, cedeu ao anão sua grande cadeira e colocou Fili e Kili ao lado dele, em lugares de honra. Até a Bilbo foi oferecida uma cadeira na mesa elevada, e nenhuma explicação de onde ele entrava na história — nenhuma canção tinha aludido a ele, mesmo do jeito mais obscuro — foi exigida em meio à confusão geral.

Pouco tempo depois, os outros anãos foram trazidos à cidade em meio a cenas de entusiasmo impressionante. Foram todos medicados e alimentados e abrigados e paparicados da maneira mais agradável e satisfatória. Uma grande casa foi oferecida a Thorin e sua companhia; barcos e remadores foram postos a serviço deles; e multidões se sentavam do lado de fora e cantavam canções o dia todo, ou aplaudiam cada vez que algum anão punha ao menos o nariz para fora.

Algumas das canções eram antigas; mas algumas delas eram bastante novas e falavam com confiança da morte repentina do dragão e dos carregamentos de ricos presentes descendo o rio rumo à Cidade-do-lago. Essas foram inspiradas principalmente pelo Mestre e não agradaram particularmente aos anãos, mas nesse meio-tempo eles permaneceram bem

---

[b] *The King beneath the mountains, / The King of carven stone, / The lord of silver fountains / Shall come into his own! / His crown shall be upholden, / His harp shall be restrung, / His halls shall echo Golden / To songs of yore re-sung. / The woods shall wave on mountains / And grass beneath the sun; / His wealth shall flow in fountains / And the rivers golden run. / The streams shall run in gladness, / The lakes shall shine and burn, / All sorrow fail and sadness / At the Mountain-king's return!*

contentes e rapidamente ficaram gordos e fortes de novo. De fato, dentro de uma semana já estavam bastante recuperados, envergando roupas finas com suas cores corretas, com barbas penteadas e aparadas e com passo orgulhoso. Thorin agia e caminhava como se seu reino já tivesse sido retomado, e Smaug, fatiado em pedacinhos.

Assim, como ele tinha dito, o apreço[7] dos anãos pelo pequeno hobbit ficava mais forte a cada dia. Não havia mais gemidos ou resmungos. Bebiam à saúde dele e lhe davam tapinhas nas costas e o tratavam com mil mesuras; ainda bem, porque ele não estava se sentindo particularmente animado. Não tinha se esquecido da aparência da Montanha, nem da ideia de encarar o dragão, além de estar com um resfriado daqueles. Por três dias espirrou e tossiu e não conseguiu sair de casa, e, mesmo depois disso, seus discursos em banquetes se limitavam a um "Buito obigado".

Nesse meio-tempo, os Elfos-da-floresta tinham subido de novo o rio com seus carregamentos, e houve grande tumulto no palácio do rei. Eu nunca soube o que aconteceu ao chefe dos guardas e ao mordomo. Nada, é claro, jamais foi dito sobre chaves ou barris enquanto os anãos ficaram na Cidade-do-lago, e Bilbo tomou cuidado para nunca ficar invisível. Ainda assim, ouso dizer que os elfos adivinhavam mais sobre o caso do que se imaginava, embora sem dúvida o Sr. Bolseiro continuasse a ser um certo mistério. Em todo caso, o rei sabia agora qual era a missão dos anãos, ou achava que sabia, e disse a si mesmo:

"Muito bem! Veremos! Nenhum tesouro atravessará Trevamata sem que eu seja consultado sobre o assunto. Mas imagino que todos terão um mau fim, o que será bem feito para eles!" O rei, pelo menos, não acreditava que anãos fossem enfrentar e matar dragões como Smaug e tinha fortes suspeitas de que haveria uma tentativa de gatunagem ou algo parecido — o que mostra que ele era um elfo sábio, e mais sábio do que os homens da cidade, ainda que não estivesse de todo correto, como veremos no final. Enviou seus espiões pelas costas do lago e o mais ao norte no rumo da Montanha que eles aceitaram ir, e esperou.

Após quinze dias, Thorin começou a pensar na partida. Enquanto o entusiasmo ainda durava na cidade, era a hora de conseguir ajuda. Não seria bom deixar tudo esfriar por causa de atrasos. Assim, falou com o Mestre e seus conselheiros[8] e disse que logo ele e seus companheiros precisariam seguir no rumo da Montanha.

Então, pela primeira vez, o Mestre ficou surpreso e um pouco assustado; e ficou pensando se Thorin realmente era, afinal de contas, um descendente dos antigos reis. Nunca

7 *1937:* "the dwarves good feeling" ["o apreço anãos"] > *1966-Ball:* "the dwarves' good feeling" ["o apreço dos anãos"].

Erro tipográfico que não foi detectado até 1966.

8 O Mestre e seus conselheiros podem ter sido inspirados no Prefeito e na Corporação que governam a cidade de Hamelin no poema "O flautista de manto malhado em Hamelin" (1842), de Robert Browning. Tanto o Mestre da Cidade-do-lago como o Prefeito de Hamelin são mesquinhos, egoístas e conscientes dos interesses de seus concidadãos apenas do modo mais interesseiro.

Tolkien conhecia bem o poema de Browning — de fato, ele o detestava, chamando-o, em carta a sua tia Jane Neave em 22 de novembro de 1961, de um "terrível presságio dos elementos mais vulgares em Disney [...]. Ele falhou comigo, mesmo quando criança, quando eu ainda não podia distinguir a vulgaridade rasa de Browning da arrogância adulta geral das coisas que se esperava que eu gostasse" (*Cartas*, n. 234). Que ele estava em sua mente por volta da época em que *O Hobbit* estava sendo escrito é confirmado em seu poema satírico "Progress in Bimble Town" ["Progresso na Cidade de Bimble"], publicado na *Oxford Magazine* em 15 de outubro de 1931; ele aparece na sequência. O poema, dedicado ao Prefeito e à Corporação, foi publicado sob o pseudônimo K. Bagpuize, forma abreviada de Kingston Bagpuize, um vilarejo a algumas milhas a oeste de Oxford.

O poema faz parte da série de Tolkien "Tales and Songs of Bimble Bay" ["Contos e canções da Baía Bimble"] e foi provavelmente escrito nos anos imediatamente anteriores à sua publicação. O poema tal como publicado contém apenas 44 versos, mas o mais antigo manuscrito sobrevivente, uma cópia passada a limpo com pouquíssimas emendas e o título "The Progress of Bimble" [O progresso de Bimble], possui um total de 122 versos de extensão. Neste manuscrito, na pausa entre as estrofes após o verso 44, Tolkien escreveu a lápis uma nota que diz "end here" ["terminar aqui"], e todas as versões subsequentes o fazem. Os 78 versos remanescentes, que seguem da mesma maneira, não foram publicados. Outro poema da Baía Bimble, o inédito "Old Grabbler" (a versão anterior é intitulada "Poor Old Grabbler"), segue este modo satírico, mostrando a preocupação de Tolkien com a poluição e os efeitos da industrialização (estas preocupações também estão aparentes em *Roverando*).

O cenário litorâneo pode ter sido inspirado pelas férias de verão da família em Filey, em North Yorkshire, em 1923 e 1925.

pensara que os anãos de fato ousariam se aproximar de Smaug, mas acreditava que eles eram uma fraude e que, mais cedo ou mais tarde, seriam descobertos e expulsos. Estava errado. Thorin, é claro, realmente era o neto do Rei sob a Montanha, e nunca se sabe o que um anão não há de ousar ou fazer por vingança ou para recuperar o que é seu.

Mas o Mestre não lamentava de modo algum ter de deixá-los partir. Eram caros de manter e sua chegada tinha transformado as coisas num longo feriado, durante o qual os negócios tinham ficado parados. "Que eles partam e incomodem Smaug, e vejamos como ele vai recepcioná-los!", pensou. "Certamente, ó Thorin, filho de Thrain, filho de Thror!", foi o que disse. "Deve reivindicar o que é seu. A hora está chegando, profetizada outrora. A ajuda que pudermos oferecer será sua, e confiamos em sua gratidão quando seu reino for restaurado."

Assim, certo dia, embora o outono agora estivesse ficando avançado, e os ventos estivessem frios, e as folhas caíssem rápido, três grandes barcos deixaram a Cidade-do-lago, carregados com remadores, anãos, o Sr. Bolseiro e muitas provisões. Cavalos e pôneis tinham sido enviados por caminhos mais longos para encontrá-los no lugar designado para seu desembarque. O Mestre e seus conselheiros lhes disseram adeus dos grandes degraus do salão da cidade, que desciam até o lago. As pessoas cantavam nos cais e das janelas. Os remos brancos desciam e chapinhavam, e lá se foram eles para o norte do lago acima, no último estágio de sua longa jornada. A única pessoa inteiramente infeliz era Bilbo.

A menção, nos versos 7–8, aos "mais vendidos em capas amarelas" provavelmene se refere às publicações da firma Victor Gollancz Limited, fundada em 1927, cujos livros por muitos anos ostentaram brilhantes sobrecapas amarelas, sem ilustrações, mas com ganchos publicitários e comentários de resenhistas impressos na capa. "See Britan First" [Conheça a Inglaterra] era um slogan turístico contemporâneo.

PROGRESSO NA CIDADE DE BIMBLE

(Dedicado ao Prefeito e à Corporação.)

A Baía Bimble tem um ladeiro:
ele é cheio de casas difusas,
altas, baixas; lojas de açougueiro,
lojas com repolhos e com blusas,
jaquetas, guarda-chuvas, tecidos;
um correio (recente e esquálido);
biblioteca com os mais vendidos
em capas amarelas; um sólido,
velho hotel, cheio de janelas brancas
e o forte odor de motores, ausentes
do pátio os cavalos; e nas bancas,
enfileirados, vendem-se arenques
(vindos de trem para o ar mais suave);
farmácia com loção pra queimadura
e cartões-postais (de SóDeusSabe,
e gordas mulheres na fundura);
um bazar com brinquedos de lata,
uns cacos e tudo que é novidade;
janelas com doces de toda nata,
cigarros e chicletes à vontade
(envoltos em papel e papelão,
pro povo na praia ou grama jogar);
nas oficinas há uma confusão
de imundos homens a martelar,
zumbem motores, lumes a luzir,
a noite toda – alegres ruídos!
Por vezes (é raro) pode-se ouvir
o grito dos garotos, incontidos;
por vezes já tarde, quando as motos
deixam de passar sempre guinchando,
ouve-se débil (ouvidos a postos)
na praia ainda o mar labutando.
No quê? Cascas de laranja agita,
cascas de banana empilha em lotes,
rói papel, tenta moer como brita
um caldo de frascos, latas, pacotes,
antes do novo dia com sua cota,
antes dos ruidônibus matinais
do velho hotel parando à porta
com seus fumos, roncos, pios e ais,
a SóDeussabe trazendo mais gente,
a Ninguémliga, de Bimble, Cidade,
onde o ladeiro, outrora decente,
é, com tantas casas, calamidade,
  Conheça a Inglaterra!
  K. Bagpuize

[PROGRESS IN BIMBLE TOWN

(Dedicated to the Mayor and Corporation.)

Bimble-bay has a steep street:
it runs down with many houses,
tall ones, short ones; shops with meat,
shops with cabbages, shops with blouses,
jersies, jumpers and umbrellas;
a post-office (new and squalid);
a library filled with best-sellers
in yellow jackets; an old, solid,
manywindowed inn where motors
make strong smells, and no horse goes
in cobbled yard; a place where bloaters
from wooden boxes lie in rows
(brought by train for sea-side air);
a pharmacy with sunburn-lotion
and picture-cards (of Godknowswhere,
and fat women dipped in ocean);
a toy bazaar with things of tin,
and bits of crock, and all the news;
windows, windows with chocolates in,
cigarettes, and gum one chews
(wrapped in paper, cased in card,
for folk to strew on grass and shore);
loud garages, where toiling hard
grimy people bang and roar,
and engines buzz, and the lights flare,
all night long — a merry noise!
Sometimes through it (this is rare)
one can hear the shouts of boys;
sometimes late, when motor-bikes
are not passing with a screech,
one hears faintly (if one likes)
the sea still at it on the beach.
at what? At churning orange-rind,
piling up banana-skins,
gnawing paper, trying to grind
a broth of bottles, packets, tins,
before a new day comes with more,
before next morning's charabangs,
stopping at the old inn-door
with reek and rumble, hoots and clangs,
bring more folk to Godknowswhere
and Theydontcare, to Bimble Town
when the steep street, that once was fair,
with many houses staggers down,
  See Britain First!
  K. Bagpuize]

~ 11 ~

NA SOLEIRA DA PORTA

Assim como no caso das Montanhas Nevoentas, a Montanha Solitária de Tolkien é alpina em forma e feitio. A fotografia acima é do Matterhorn, visto do lado Nordeste. Foi tirada por E. Elliot Stock e publicada no seu *Scrambles in Storm and Sunshine* (1910). Em sua excursão a pé pela Suíça no verão de 1911, Tolkien e seus companheiros teriam experimentado visões espetaculares do Matterhorn ao se aproximar pelo noroeste e passar por ele rumo ao norte.

O Portão da Frente, de J.R.R. Tolkien, uma das ilustrações em preto e branco padrão presente em *O Hobbit* desde 1937. Esse desenho aparece em *Artist* (n. 130) e *Pictures* (n. 16, à esquerda). Uma versão dessa ilustração, colorida por H.E. Riddett, apareceu pela primeira vez em *The Hobbit Calendar 1976* (1975) e em *Pictures* (n. 16, à direita). A árvore retorcida e antropomórfica em primeiro plano é uma cópia bastante próxima de um esboço à tinta feito por Tolkien em julho de 1928 (ver *Artist*, n. 129).

Em dois dias de viagem chegaram à extremidade do Lago Longo e saíram pelo Rio Rápido, e agora todos podiam ver a Montanha Solitária feito uma torre sombria e elevada diante deles. A correnteza estava forte, e o avanço dos barcos, lento. No fim do terceiro dia, algumas milhas rio acima, aproximaram-se do barranco esquerdo, ou ocidental, e desembarcaram. Ali receberam os cavalos com outras provisões e materiais necessários, e os pôneis para uso deles, que tinham sido mandados na frente para encontrá-los. Empacotaram o que podiam em cima dos pôneis, e o resto foi transformado num armazém debaixo de uma tenda, mas nenhum dos homens da cidade quis ficar com eles nem que fosse uma só noite tão perto da sombra da Montanha.

"Não, pelo menos até que as canções se tornem realidade!", disseram eles. Era mais fácil acreditar no Dragão, e menos

fácil acreditar em Thorin, naquelas partes selvagens. De fato, o armazém deles não precisava de guarda algum, pois toda a terra ali estava desolada e vazia. Assim, sua escolta os deixou, partindo rápida rio abaixo e pelas trilhas das margens, embora a noite já estivesse se aproximando.

Passaram uma noite fria e solitária, e seu ânimo desabou. No dia seguinte, puseram-se a caminho de novo. Balin e Bilbo cavalgavam atrás, cada um deles guiando outro pônei com cargas pesadas a seu lado; os outros estavam um pouco adiante, fazendo progresso lento, porque não havia trilhas abertas. Foram no rumo noroeste, afastando-se do Rio Rápido e chegando cada vez mais e mais perto de um grande braço da Montanha que se estendia para o sul, na direção deles.

Foi uma jornada cansativa, e também silenciosa e cuidadosa. Não havia riso ou canção ou som de harpas, e o orgulho e as esperanças que tinham brotado em seus corações com o cantar das antigas canções à beira do lago foram morrendo até se transformar num pesar arrastado. Sabiam que estavam chegando perto do fim de sua jornada e que poderia ser um fim muito horrível. A terra à volta deles se fez vazia e sem vida, embora antes, como Thorin lhes contou, tivesse sido verdejante e bela. Havia pouca grama, e não demorou para que não houvesse nem arbusto nem árvore, mas apenas tocos destroçados e queimados como recordação dos que haviam desaparecido muito tempo antes. Haviam chegado à Desolação do Dragão,[1] e chegavam quando o ano se esvanecia.

Alcançaram as faldas da Montanha, mesmo assim, sem encontrar perigo algum nem sinal algum do Dragão, além do deserto que ele criara à volta de seu covil. A Montanha lá estava, escura e silenciosa diante deles e cada vez mais alta acima deles. Montaram seu primeiro acampamento do lado oeste do grande esporão montanhoso ao sul, que terminava numa elevação chamada Montecorvo. Sobre ela havia um antigo posto de vigia; mas ainda não ousavam escalá-la, estava exposta demais.

Antes de partir para vasculhar os esporões ocidentais da Montanha em busca da porta oculta, na qual depositavam todas as suas esperanças, Thorin enviou uma expedição de batedores para espionar a terra ao Sul, onde o Portão da Frente ficava. Para esse propósito ele escolheu Balin e Fili e Kili, e, com eles, foi Bilbo. Marcharam sob as encostas cinzentas e silentes até os pés do Montecorvo. Ali o rio, depois de fazer uma larga volta sobre a depressão de Valle, dava as costas para a Montanha em seu caminho para o Lago, fluindo rápido e barulhento. Seus barrancos eram desnudos e pedregosos, altos e íngremes acima da correnteza; e, olhando deles por cima da torrente estreita, espumando e se derramando em

[1] A extensão da Desolação de Smaug está marcada tanto no Mapa de Thror como no mapa das Terras-selváticas.

NA SOLEIRA DA PORTA

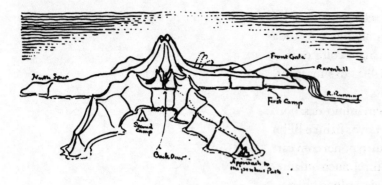

Um desenho esquemático feito por J.R.R. Tolkien da Montanha Solitária vista do oeste. Tolkien anotou as posições do Primeiro Acampamento no esporão sudeste, e do Segundo Acampamento próximo ao esporão noroeste. A anotação próxima ao esporão sudoeste lê-se: "Approach to the perilous Path" [Aproximação ao Caminho perigoso]. A Porta de Trás está marcada entre os dois esporões ocidentais.

Um esboço a lápis intitulado *The Back Door* ["A Porta de Trás"] (ao lado) oferece um olhar bem mais próximo daquela área, com a própria porta aberta e diversos Anãos visíveis, alguns içando cordas, e com Bilbo sentado perto da porta trapeziforme. *The Back Door* também aparece em *Artist* (n. 131), com outro esboço menos completo com legenda *View from Back Door* [Vista da Porta de Trás] (n. 132).

meio a muitos pedregulhos, podiam ver, no largo vale sob a sombra dos braços da Montanha, as ruínas cinzentas de antigas casas, torres e muralhas.

"Ali está tudo o que restou de Valle", disse Balin. "As encostas da montanha ficavam verdes com as matas, e todo o vale protegido por elas era rico e agradável nos dias em que os sinos soavam naquela cidade." Parecia tanto triste quanto enraivecido ao dizer isso: fora um dos companheiros de Thorin no dia em que o Dragão veio.

Não ousaram seguir o rio muito adiante na direção do Portão; mas foram em frente além do esporão ao sul, até que, deitados e escondidos detrás de uma pedra, conseguiram espiar e ver a abertura escura e cavernosa na grande muralha da encosta entre os braços da Montanha. Dela é que as águas do Rio Rápido brotavam; e dela vinha um vapor e uma fumaça escura. Nada se mexia no ermo, salvo o vapor e a água e, de vez em quando, uma gralha-negra agourenta. O único som era o som da água na pedra e, de vez em quando, o rude grasnido de uma ave. Balin estremeceu.

"Vamos voltar!", disse ele. "Não podemos fazer nada de bom aqui! E não gosto dessas aves escuras, parecem ser espiãs malignas."

"O dragão ainda está vivo e nos salões sob a Montanha então — ou é o que imagino, vendo a fumaça", disse o hobbit.

"Isso não prova que ele está vivo," disse Balin, "embora eu não duvide de que você esteja certo. Mas ele pode ter saído de lá por algum tempo, ou pode estar deitado na encosta da montanha montando guarda e, mesmo assim, é de esperar que fumos e vapores saiam dos portões: todos os salões de dentro devem estar cheios com o fedor horrendo dele."

Com tais pensamentos sombrios, seguidos sempre por gralhas que grasnavam acima deles, seguiram seu caminho exausto de volta ao acampamento. Fora só no mês de junho anterior que tinham sido hóspedes na bela casa de Elrond e, embora o outono agora estivesse rastejando rumo ao inverno, aquele tempo agradável parecia ter sido anos antes. Estavam sozinhos no ermo perigoso, sem esperança de mais ajuda. Chegavam ao fim de sua jornada, mas tão longe quanto jamais estiveram, parecia, do fim de sua demanda. Nenhum deles tinha muito ânimo sobrando.

Ora, é estranho dizer isso, mas ânimo o Sr. Bolseiro tinha mais do que os outros. Com frequência pedia emprestado o mapa de Thorin e o observava, analisando as runas e a mensagem das letras-da-lua que Elrond tinha lido. Foi ele que fez os anãos começarem a busca perigosa pela porta secreta nas encostas ocidentais. Levaram o acampamento, então, para um vale comprido, mais estreito que o grande valão no Sul, onde os Portões do rio ficavam, e murado pelos esporões mais baixos da Montanha. Dois deles, nesse ponto, projetavam-se para a frente no rumo oeste, a partir da massa principal do monte, em ribanceiras íngremes que caíam cada vez mais na direção da planície. Desse lado ocidental havia menos sinais das patas devastadoras do dragão, e havia alguma grama para os pôneis do grupo. Desse acampamento, sombreado o dia todo pelas ravinas e paredões até que o sol começasse a descer na direção da floresta, dia após dia eles labutavam em grupos, buscando trilhas que subissem as encostas da montanha. Se o mapa era verdadeiro, em algum lugar, muito acima da ravina, no alto do vale, devia estar a porta secreta. Dia após dia, voltavam ao acampamento sem sucesso.

2 Em *1937, 1951, 1966-Ball* e *1966-Longmans/Unwin* não há quebra para compor um novo parágrafo aqui. Uma quebra errônea de parágrafo neste lugar apareceu em *1966-A&U*, em *1967-HM*, e na quarta edição de 1978 da Allen & Unwin.

Mas por fim, inesperadamente, encontraram o que estavam buscando. Fili e Kili e o hobbit voltaram um dia para a parte baixa do vale e se enfiaram em meio às rochas caídas em seu canto sul. Por volta do meio-dia, rastejando detrás de uma grande pedra que estava postada sozinha feito um pilar, Bilbo topou com o que pareciam ser degraus grosseiros que se encaminhavam para cima. Seguindo esses degraus cheios de empolgação, ele e os anãos acharam traços de uma trilha estreita, que ora perdiam, ora redescobriam, e que vagueava até o topo da encosta sul e os levou afinal a uma plataforma ainda mais estreita, a qual se virava para o norte por sobre a face da Montanha. Olhando para baixo, viram que estavam no topo da ribanceira na ponta do vale e estavam observando seu próprio acampamento lá no fundo. Em silêncio, agarrados ao paredão rochoso à sua direita, avançaram em fila única ao longo da plataforma, até que o paredão se abriu, e eles entraram num pequeno recanto de paredes íngremes, com chão coberto de relva, calmo e sem barulho. A entrada que eles tinham achado não podia ser vista de baixo por causa da altura da encosta, nem de longe, porque era tão pequena que parecia uma fenda escura e nada mais. Não era uma caverna e estava aberta ao céu acima dela; mas, em sua extremidade interna, uma parede plana se erguia, a qual, em sua parte mais baixa, perto do solo, era tão lisa e reta quanto algo feito por pedreiros, mas sem junta ou abertura que pudesse ser vista.[2] Nenhum sinal havia de dobradiça ou lintel ou soleira, nem sinal algum de ferrolho ou aldraba ou fechadura; contudo, não tinham dúvida de que haviam encontrado a porta, afinal.

Bateram nela, fizeram força e empurraram, imploraram que se movesse, pronunciaram fragmentos truncados de feitiços de abertura, e nada se mexeu. Por fim, exauridos, descansaram na grama aos pés da porta, e então, ao anoitecer, começaram sua longa descida.

Houve empolgação no acampamento naquela noite. De manhã, prepararam-se para se mudar mais uma vez. Só Bofur e Bombur foram deixados para trás, para guardar os pôneis e as provisões que tinham trazido consigo do rio. Os outros desceram o vale e subiram a trilha recém-encontrada e, assim, chegaram à plataforma estreita. Naquele lugar não conseguiam carregar trouxas ou pacotes, tão estreita e de tirar o fôlego era, com uma queda de cento e cinquenta pés[a] do lado deles que conduzia a rochas afiadas lá embaixo; mas cada um deles levou consigo um bom rolo de corda, bem

---

[a] Equivale a, aproximadamente, 46 metros. [N. T.]

amarrado em volta da cintura, e assim, afinal, sem contratempos, alcançaram o pequeno recanto gramado.

Ali montaram seu terceiro acampamento, içando o que precisavam de baixo com suas cordas. Com o mesmo método, eram capazes de fazer descer ocasionalmente um dos anãos mais ativos, como Kili, para trocar notícias quando fosse o caso, ou para tomar parte na guarda lá embaixo, enquanto Bofur era içado para o acampamento elevado. Bombur não queria subir, nem pela corda nem pela trilha.

"Sou muito gordo para esses passeios de mosca na parede", disse. "Ia acabar ficando zonzo, tropeçaria na minha barba, e aí vocês iam ser treze de novo. E as cordas com nós são finas demais para o meu peso." Para a sorte dele, isso não era verdade, como você verá.

Enquanto isso, alguns deles exploraram a plataforma além da abertura e acharam uma trilha que subia cada vez mais e mais alto pela montanha; mas não ousaram se aventurar muito longe por aquele caminho, nem havia muita utilidade nisso. Lá em cima um silêncio reinava, sem ser rompido por nenhuma ave ou som, exceto aquele do vento nas reentrâncias de pedra. Falavam baixo e nunca davam gritos ou cantavam, pois o perigo parecia estar em cada rocha. Os outros, que estavam ocupados com o segredo da porta, não tiveram mais sucesso. Estavam ansiosos demais para se preocupar com as runas ou as letras-da-lua, mas tentavam sem descanso descobrir onde exatamente, na face lisa da rocha, a porta estava escondida. Tinham trazido picaretas e ferramentas de muitos tipos da Cidade-do-lago e, no começo, tentaram usá-las. Mas, quando batiam na pedra, os cabos se estilhaçavam e faziam seus braços doerem de modo cruel, e as pontas de aço se quebravam ou ficavam dobradas feito chumbo. Técnicas de mineração, perceberam com clareza, não adiantavam nada contra a magia que tinha trancado essa porta; e começaram a ficar aterrorizados, também, com o barulho dos ecos.

Bilbo achou que ficar sentado na soleira da porta era solitário e cansativo — não havia realmente uma soleira da porta, é claro, mas eles passaram a chamar o espacinho gramado entre o paredão e a abertura com esse nome para fazer graça, recordando as palavras de Bilbo muito tempo antes, durante a festa inesperada em sua toca de hobbit, quando ele disse que poderiam ficar sentados na soleira da porta até pensarem em algo. E sentar e pensar era o que faziam, ou então vagavam sem meta por ali e cada vez mais e mais tristonhos foram ficando.

O ânimo deles tinha se elevado um pouco com a descoberta da trilha, mas agora tinha afundado até a sola de suas botas; e, contudo, não queriam desistir e ir embora. O hobbit não

NA SOLEIRA DA PORTA

Dia de Durin. Ilustração de Eric Fraser para a edição de 1979 da Folio Society.

estava mais muito melhor do que os anãos. Não queria fazer nada além de ficar sentado de costas para a parede de rocha e olhar para o oeste através da abertura, por cima da encosta, por cima das vastas terras até a muralha negra de Trevamata e para as distâncias além dela, nas quais ele às vezes pensava que podia ter vislumbres das Montanhas Nevoentas, pequenas e longínquas. Se os anãos lhe perguntavam o que estava fazendo, ele respondia:

"Vocês disseram que ficar sentado na soleira da porta e pensar seria o meu trabalho, para não falar de entrar lá dentro, então estou sentado e pensando." Mas temo que ele não estivesse pensando muito em seu trabalho, mas no que jazia além da distância azulada, a calma Terra Ocidental e a Colina, com sua toca de hobbit debaixo dela.

Uma grande pedra cinzenta jazia no centro do gramado, e ele ficava olhando pensativo para ela, ou observava os grandes caracóis. Eles pareciam adorar o pequeno recanto fechado, com seus paredões de rocha fresca, e havia muitos deles, de enorme tamanho, rastejando, lenta e pegajosamente, pelas facetas da pedra.

"Amanhã começa a última semana de outono", disse Thorin um dia.

"E o inverno vem depois do outono", disse Bifur.

"E o ano que vem depois disso," disse Dwalin, "e as nossas barbas vão crescer e ficar se balançando do alto do despenhadeiro até o vale antes que alguma coisa aconteça aqui. O que o nosso gatuno está fazendo por nós? Já que ele tem um anel de invisibilidade, e que seu desempenho deve ser especialmente excelente agora, estou começando a achar que ele poderia atravessar o Portão da Frente e espionar um pouquinho!"

Bilbo ouviu isso — os anãos estavam em cima das rochas um pouco acima do recesso onde estava sentado — e "Minha nossa!", pensou ele, "então é isso que eles estão começando a achar, é? Sou sempre eu o coitado que tem de tirá-los de suas dificuldades, pelo menos desde que o mago se foi. O que será que vou fazer? Eu devia saber que algo horroroso ia acontecer comigo no final. Não acho que suportaria ver a infeliz Valle de novo e tampouco aquele portão fumarento!!!"

Naquela noite ele se sentiu muito arrasado e mal dormiu. No dia seguinte, os anões saíram todos a vagar em várias direções; alguns estavam exercitando os pôneis lá embaixo, alguns estavam explorando a encosta da montanha. O dia todo Bilbo ficou sentado tristonho no recanto gramado, olhando para a pedra ou para o oeste através da abertura estreita. Tinha uma sensação estranha de que estava esperando alguma coisa. "Talvez o mago vá voltar de repente hoje", pensou.

Se levantasse a cabeça, conseguia ter um vislumbre da floresta distante. Conforme o sol se voltou para o oeste, surgiu um brilho amarelado sobre o teto distante da mata, como se a luz se refletisse nas últimas folhas pálidas. Logo depois, ele viu a bola alaranjada do sol descendo rumo ao nível de seus olhos. Foi até a abertura e ali, pálida e tênue, havia uma fina lua nova acima da borda da Terra.

Naquele mesmo momento ele ouviu uma pancada repentina atrás de si. Ali, sobre a pedra cinzenta na grama, estava um enorme tordo, quase tão negro quanto carvão, seu peito amarelo-pálido cheio de pintas escuras. Créc! Tinha pegado um caracol e o batia contra a pedra. Créc! Créc!

Dia de Durin. Ilustração de Ryûichi Terashima para a edição japonesa de 1965.

De repente, Bilbo entendeu. Esquecendo totalmente o perigo, ficou de pé na plataforma e chamou os anões, gritando e acenando. Aqueles que estavam mais perto vieram tropeçando por cima das pedras e o mais rápido que podiam pela plataforma até o hobbit, tentando imaginar que diabos estava acontecendo; os outros gritaram para que fossem içados pelas cordas (exceto Bombur, é claro: ele estava dormindo).

Rapidamente, Bilbo explicou tudo. Todos eles ficaram em silêncio: o hobbit, de pé perto da pedra cinzenta, e os anões, com barbas balançando e observando impacientes. O sol desceu mais e mais, e as esperanças deles desabaram. O astro afundou num cinturão de nuvens avermelhadas e desapareceu. Os anões gemeram, mas ainda assim Bilbo continuava quase imóvel. A pequena lua estava caindo rumo ao horizonte. A noite vinha. Então, de repente, quando a esperança deles estava no nível mais baixo, um raio vermelho do sol escapou feito um dedo através de um rasgo nas nuvens. Um brilho de luz atravessou diretamente a abertura do recanto e caiu sobre a face lisa da rocha. O velho tordo, que estava observando tudo de um lugar alto com olhos que pareciam contas e cabeça inclinada para um lado, soltou de repente um trinado. Ouviu-se um estalo alto. Um fragmento de rocha se soltou do paredão e caiu. Um buraco apareceu de repente a cerca de três pés[b] do chão.

Rápido, tremendo de medo de que a chance fosse perdida, os anãos se apressaram até a rocha e empurraram — em vão.

"A chave! A chave!", gritou Bilbo. "Onde está Thorin?"

Thorin veio apressado.

"A chave!", berrou Bilbo. "A chave que veio com o mapa! Experimente-a agora enquanto ainda há tempo!"

Thorin, então, deu um passo à frente e pegou a chave, que estava na corrente em volta de seu pescoço. Colocou-a no buraco. Encaixou e virou! *Tchuf!* O brilho se foi, o sol se pôs, a lua tinha ido embora, e a noite encheu o céu.

Nesse momento, todos empurraram juntos e, devagar, uma parte do paredão de rocha cedeu. Longas aberturas retas apareceram e alargaram-se. Uma porta com cinco pés de altura e três de largura[c] surgiu e, lentamente, sem fazer som, girou para dentro. Parecia que a escuridão fluía feito um vapor do buraco na encosta da montanha, e uma escuridão profunda, na qual nada podia ser visto, jazia diante dos olhos deles, uma bocarra aberta que levava para dentro e para baixo.

---

[b] O equivalente a cerca de um metro. [N. T.]
[c] Ou seja, um metro e meio de altura por um metro de largura. [N. T.]

12

Informação Interna

Por muito tempo os anãos ficaram parados no escuro diante da porta e debateram a situação, até que por fim Thorin falou:

"Agora é o momento em que o nosso estimado Sr. Bolseiro, que provou ser um bom companheiro em nossa longa estrada e um hobbit cheio de coragem e versatilidade que excedem em muito o seu tamanho e, se me permitem dizer, possuidor de uma boa sorte que excede em muito o estoque normal — agora é o momento em que ele deve realizar o serviço pelo qual foi incluído em nossa Companhia; agora é o momento em que ele deve fazer jus à sua Recompensa."

Você já está familiarizado com o estilo de Thorin em ocasiões importantes, de modo que não vou reproduzir mais nada de seu discurso, embora ele tenha continuado a falar um bocado mais do que isso. Certamente era uma ocasião importante, mas Bilbo se sentia impaciente. A essa altura, também estava bastante familiarizado com Thorin e sabia aonde ele queria chegar.

"Se você quer dizer que é meu trabalho entrar na passagem secreta primeiro, ó Thorin, filho de Thrain, Escudo-de-carvalho, que sua barba fique cada vez mais longa," disse ele zangado, "diga logo de uma vez e basta! Eu poderia recusar. Já tirei vocês de duas embrulhadas, que nem eram bem parte do trato original, de modo que, acho eu, já me devem alguma recompensa. Mas 'a terceira vez vale por todas',[1] como meu pai costumava dizer, e por algum motivo não acho que eu vá recusar. Talvez eu tenha começado a confiar na minha sorte mais do que costumava confiar nos velhos tempos," — com isso ele queria dizer a primavera anterior, antes que ele deixasse sua casa, mas aquilo parecia ter sido séculos atrás — "mas, de qualquer jeito, acho que vou lá dar uma olhada de uma vez e resolver a questão. Bom, quem vem comigo?"

Ele não estava esperando um coro de voluntários, então não ficou desapontado. Fili e Kili fizeram cara de desconforto e se apoiaram numa perna só, mas os outros nem fingiram se oferecer — exceto o velho Balin, o vigia do grupo, que gostava bastante do hobbit. Disse que pelo menos entraria na passagem e que talvez andasse um pouco do caminho também, pronto a pedir ajuda, se necessário.

1 "Third time pays for all" ["a terceira vez vale por todas"] é um provérbio medieval, e um uso notável dele ocorre em *Sir Gawain e o Cavaleiro Verde*, no qual o senhor da casa onde Gawain está ficando lhe diz:

*For I haf fraysted þe twys, and faythful
I fynde þe
Now "þrid tyme þrowe best" þenk on
þe morne*
(versos 1679–80 da edição de Tolkien e Gordon de 1925)

O próprio Tolkien traduziu esses versos assim:

For I have tested thee twice, and trusty
I find thee.
Now "third time pays for all", bethink
thee tomorrow

[Por duas vezes testei-te, e tornaste intransformado.
Mas "a terceira vez vale por todas",
lembra-te amanhã!]
(p. 66 da tradução de 1975)

Bilbo faz novo uso do mesmo provérbio na p. 258.

Jared Lobdell, em seu breve artigo "A Medieval Proverb in *The Lord of the Rings*" [Um provérbio medieval em *O Senhor dos Anéis*], extraído do *American Notes and Queries Supplement* 1 (1978), nota três ocorrências do provérbio (com duas variações) em *O Senhor dos Anéis* e cita uma carta de Tolkien para Lobdell datada de 31 de julho de 1964 sobre o uso: "é um velho ditado aliterante usando a palavra *throw*: tempo, período (não relacionado ao verbo *throw* [lançar; arremessar]; sc. essa terceira ocasião é a melhor hora — hora para um esforço especial e/ou sorte. É usado quando uma terceira tentativa é necessária para retificar dois esforços ruins, ou quando uma terceira ocorrência pode superar as outras e finalmente provar o valor de um homem ou de alguma coisa."

O melhor que se pode dizer em favor dos anãos é isto: pretendiam pagar Bilbo de modo realmente magnífico por seus serviços; tinham-no trazido para fazer um serviço difícil para eles e não se importavam que o pobre camaradinha o fizesse, caso estivesse disposto; mas todos eles fariam o melhor possível para tirá-lo de um apuro, caso se enfiasse em um, como fizeram no caso dos trols, no começo das aventuras deles, antes que tivessem qualquer razão especial para serem gratos a Bilbo. É isso: anãos não são heróis, mas gente calculista que dá muita importância ao valor do dinheiro; alguns são matreiros e traiçoeiros, uma turma bem ruim; outros não, são um pessoal bastante decente, feito Thorin e Companhia, se você não esperar demais deles.

As estrelas estavam saindo atrás dele, num céu pálido listrado de negro, quando o hobbit se esgueirou pela porta encantada e entrou sorrateiro na Montanha. O caminho era muito mais fácil do que ele tinha esperado. Não era nenhum túnel de gobelins, nem uma caverna grosseira de Elfos-da--floresta. Era uma passagem feita por anãos, no ápice de sua riqueza e habilidade: reta como uma régua, de chão e paredes lisos, seguindo um declive gentil, que nunca variava, direto para... algum fim distante no negrume lá embaixo.

Depois de um tempo, Balin desejou "Boa sorte!" a Bilbo e parou onde ainda conseguia ver o traçado tênue da porta e, por um truque dos ecos do túnel, ouvir o farfalhar das vozes murmuradas dos outros do lado de fora. Então Bilbo colocou seu anel e, advertido pelos ecos a tomar um cuidado ainda maior que o de um hobbit para não produzir som, foi se esgueirando, sem fazer barulho, cada vez mais, mais e mais para o fundo no escuro. Estava tremendo de medo, mas seu rostinho parecia determinado e duro. Já era um hobbit muito diferente daquele que tinha fugido de Bolsão sem nem um lenço no bolso, muito tempo antes. Fazia séculos que nem tinha mais um lenço de bolso. Deixou a adaga solta na bainha, apertou o cinto e foi em frente.

Bilbo adentrando a porta de trás da Montanha Solitária, com os Anãos observando. Ilustração de Mikhail Belomlinskiy para a edição russa de 1976.

"Agora você finalmente vai levar o seu, Bilbo Bolseiro", disse a si mesmo. "Você foi lá e chutou o balde direitinho naquela noite da festa, e agora vai ter de pagar por isso! Minha nossa, como eu fui e sou tonto!", disse a parte menos Tûk do hobbit. "Não tenho absolutamente nenhum interesse por tesouros guardados por dragões, e tudo isso poderia ficar aqui para sempre se eu pudesse acordar e descobrir que esta porcaria de túnel é só meu salão de entrada lá em casa!"

Não acordou, é claro, mas continuou sempre em frente, até que qualquer sinal da porta atrás dele desapareceu. Estava completamente sozinho. Logo achou que estava começando a se sentir quente. "Aquilo que pareço estar vendo bem lá na frente é uma espécie de brilho?", pensou.

Era. Conforme avançava, o brilho crescia e crescia, até que não havia mais dúvida a respeito. Era uma luz vermelha, que ia ficando cada vez mais e mais vermelha. Além disso, agora estava indubitavelmente quente no túnel. Nuvenzinhas de vapor flutuavam em volta dele, e Bilbo começou a suar. Um som também começou a ecoar em seus ouvidos, uma espécie de borbulhar, como o barulho de uma panela grande fervendo no fogo, misturado com um tremor, como o de um gato gigante ronronando. O som foi crescendo até se tornar o barulho inconfundível vindo da garganta de algum vasto animal roncando em seu sono, lá embaixo, em meio ao brilho vermelho diante dele.

Foi nesse ponto que Bilbo parou. Seguir em frente depois disso foi a coisa mais corajosa que ele já fez. As coisas tremendas que aconteceram depois não foram nada se comparadas com isso. Ele enfrentou a batalha verdadeira sozinho no túnel, antes que chegasse a ver os vastos perigos que estavam à espera. De qualquer modo, depois de uma parada curta, em frente ele foi; e você pode imaginá-lo saindo do fim do túnel, uma abertura com mais ou menos o mesmo tamanho e o mesmo formato da porta lá em cima. Através dela aparece a cabecinha do hobbit. Diante dele jaz a parte mais profunda do grande porão ou da masmorra dos antigos anões, bem na raiz da Montanha. Está quase totalmente escuro, de modo que a vastidão do lugar só pode ser vagamente adivinhada, mas, emanando do lado do chão de pedra perto do hobbit, há um grande brilho. O brilho de Smaug!

Ali jazia ele, um vasto dragão vermelho-dourado, em sono profundo; um zumbido baixo vinha de sua bocarra e de suas narinas, bem como filamentos de fumaça, mas suas chamas estavam fracas durante o repouso. Debaixo dele, sob todos os seus membros e sua enorme cauda enrolada, e à volta dele por todos os lados, estendendo-se através do chão oculto, jaziam pilhas incontáveis de coisas preciosas, ouro trabalhado e não

Bilbo rouba uma taça. Ilustração de Évelyne Drouhin para a edição francesa de 1983.

2 Tolkien escreveu à Allen & Unwin em 31 de agosto de 1937 que essas duas frases contêm a única observação filológica de *O Hobbit*, sendo "uma maneira mitológica estranha de referir-se à filosofia linguística e um pormenor que (felizmente) não será percebido por qualquer um que não tenha lido Barfield (poucos o fizeram), e provavelmente nem por aqueles que leram" (*Cartas*, n. 15).

Owen Barfield (1898–1997) foi amigo próximo de C.S. Lewis, e Tolkien veio a conhecê-lo por meio de Lewis. Barfield também participou de encontros dos Inklings nos anos 1930 e 1940, mas, como trabalhava essencialmente em Londres como advogado, sua presença era infrequente. O livro de Barfield sobre filosofia linguística, *Dicção poética* (1928), influenciou profundamente tanto Tolkien como Lewis. O livro infantil de Barfield, *The Silver Trumpet* [A trombeta de prata], foi especialmente apreciado pelos filhos de Tolkien em 1936, quando Lewis emprestou sua cópia à família Tolkien.

A estudiosa de Tolkien Verlyn Flieger sugere que a carta de Tolkien refere-se à tese de Barfield de que a linguagem em seu estado originário era pré-metafórica — que havia então uma antiga unidade semântica entre palavra e coisa, e as palavras, portanto, referiam-se a realidades. A linguagem é agora, no entanto, não mais concreta e literal. Logo, ao referir-se a essa passagem em *O Hobbit*, Tolkien queria dizer que Bilbo realmente perdeu o fôlego, em sentido literal, e não em termos metafóricos.

O livro de Flieger, *Splintered Light: Logos and Language in Tolkien's World* [Luz despedaçada: logos e linguagem no mundo de Tolkien] (1983; edição revisada em 2002), explora a influência de Barfield sobre Tolkien de forma muito mais detalhada e sua explicação das ideias de Barfield é magistral:

> Barfield sugere que o mito, a linguagem e a percepção do homem sobre seu mundo são inseparáveis. As palavras são o mito expresso, a encarnação de conceitos míticos e de uma visão de mundo mítica. A palavra *mito*, nesse contexto, deve ser entendida como a que descreve a percepção do homem sobre sua relação com o mundo natural e sobrenatural. A teoria de Barfield postula que a linguagem, em seus inícios, não fazia distinção entre o sentido literal e metafórico de uma palavra, como faz hoje.

trabalhado, gemas e joias, e prata manchada de vermelho à luz rubra.

Smaug jazia, com asas dobradas feito um morcego imensurável, parcialmente deitado de lado, de modo que o hobbit conseguia ver a parte de baixo de seu corpo e seu ventre comprido e pálido, encrustado com gemas e fragmentos de ouro por causa do longo descanso em sua valiosa cama. Atrás dele, onde as paredes eram mais próximas, podiam ser vislumbradas cotas de malha, elmos e machados, espadas e lanças penduradas; e ali, em fileiras, havia grandes jarros e vasilhas repletos de uma riqueza que não podia ser estimada.

Dizer que Bilbo perdera o fôlego nem chega a descrever a situação. Não restam palavras para expressar seu desconcerto desde que os homens mudaram a língua que aprenderam dos elfos nos dias em que todo o mundo era maravilhoso.[2] Bilbo ouvira as pessoas contarem e cantarem a respeito do ouro de dragões antes, mas o esplendor, o desejo, a glória de tal tesouro nunca tinha sido cogitada por ele até então. Seu coração ficou repleto e trespassado com o encantamento e o desejo dos anãos; e ele pôs-se a fitar imóvel, quase esquecendo o aterrorizante guardião, aquele ouro além de qualquer preço ou conta.

Fitou-o pelo que pareceu ser uma era inteira antes que, arrastado quase que contra a sua vontade, deixou furtivo a sombra da entrada, caminhando até a borda mais próxima dos montículos de tesouro. Acima dele jazia o dragão adormecido, uma ameaça tremenda, mesmo em seu sono. Bilbo agarrou uma grande taça de duas alças, tão pesada quanto ele era capaz de carregar, e lançou para cima um olhar temeroso. Smaug mexeu uma asa, desembainhou uma garra, o ressoar de seu ronco mudou de nota.

Então Bilbo fugiu. Mas o dragão não despertou — ainda não —, mas voltou-se para outros sonhos de cobiça e violência, jazendo ali em seu salão roubado enquanto o pequeno hobbit labutava para subir aquele longo túnel. Seu coração batia com força, e um tremor febril afetava mais suas pernas agora do que quando tinha descido, mas ainda assim segurava a taça, e seu principal pensamento era: "Consegui! Agora eles vão ver. 'Parece mais um quitandeiro que um gatuno', ora bolas! Bem, não vamos mais ouvir nada do tipo."[3]

Não ouviu mesmo. Balin ficou muitíssimo alegre ao ver o hobbit de novo, e tão cheio de deleite quanto surpreso. Pegou Bilbo e o carregou para fora, para o ar aberto. Era meia-noite, e as nuvens tinham coberto as estrelas, mas Bilbo se deitou de olhos fechados, engolindo seco e aproveitando a sensação prazerosa do ar fresco de novo, e mal notando a empolgação dos anãos, ou como o louvavam e lhe davam tapinhas nas costas e punham a si próprios e a suas famílias, pelas gerações vindouras, a seu serviço.

Os anões ainda estavam passando a taça de mão em mão e falando, deliciados, da recuperação de seu tesouro, quando, de repente, um vasto tremor despertou na montanha debaixo deles, como se ela fosse um velho vulcão que tinha se decidido a produzir erupções mais uma vez. A porta atrás deles estava quase encostada, impedida de se fechar com uma pedra, mas subindo o longo túnel vinham os ecos horrendos, lá das profundezas, de urros e pisoteamentos que faziam o chão debaixo deles tremer.

Então os anões esqueceram sua alegria e suas bravatas confiantes, feitas no momento anterior, e se encolheram assustados. Smaug ainda precisava ser levado em conta. Não adianta deixar um dragão vivo fora dos seus cálculos se você mora perto dele. Dragões podem não utilizar muito toda a sua riqueza, mas via de regra a conhecem até o último centavo, especialmente depois de possuí-la por muito tempo; e Smaug não era exceção. Tinha passado de um sonho intranquilo (no qual um guerreiro, totalmente insignificante em tamanho, mas dotado de uma espada afiada e grande coragem, figurava de modo mui desagradável) para um cochilo, e de um cochilo para o pleno estado desperto. Havia um sopro de ar estranho em sua caverna. Será que era uma corrente de ar vinda daquele buraquinho? Nunca se sentira muito feliz com aquela abertura, embora fosse tão pequena, e agora estava olhando feio para ela, cheio de suspeitas, e ficava pensando por que nunca a tinha bloqueado. Nos últimos tempos, tinha meio que imaginado captar ecos distantes de um som de batidas lá em cima, o qual descia até seu covil. Espreguiçou-se e esticou o pescoço para farejar. Então deu por falta da taça!

Ladrões! Fogo! Assassinato! Tal coisa nunca tinha acontecido desde que ele chegara à Montanha! Sua fúria ultrapassa qualquer descrição — o tipo de fúria que só é vista quando gente rica que tem mais do que consegue usar de repente perde algo que possuía há muito tempo, mas que nunca tinha usado ou desejado antes. O fogo foi arrotado para todo lado, o salão encheu-se de fumaça, o dragão chacoalhou as raízes da montanha. Jogou a cabeça em vão na direção do buraquinho e depois, trançando o corpo, rugindo feito trovão subterrâneo, deixou veloz seu covil profundo pela grande porta, passou pelas passagens enormes do palácio montanhoso e subiu para o Portão da Frente.

Vasculhar a montanha inteira até que pegasse o ladrão, despedaçando-o e pisoteando-o, era seu único pensamento. Saiu pelo Portão, as águas se ergueram num vapor feroz e sibilante, e para o alto ele subiu, brilhando pelo ar, pousando no topo da montanha em borbotões de chama verde e escarlate. Os anões ouviram o alarido horrendo de seu voo e se agacharam contra os muros do terraço gramado, estremecendo

De fato, o próprio conceito de metáfora, de uma coisa descrita nos termos de outra, não existia. Toda dicção era literal, dando voz diretamente à percepção humana dos fenômenos e sua participação mítica intuitiva nos mesmos. A distinção moderna entre o uso literal e metafórico de uma palavra sugere uma separação do abstrato em relação ao concreto que não existia em épocas anteriores. No início, o homem tinha uma visão dos cosmos como um todo, e de si mesmo como parte deste todo, visão esta há muito abandonada. Percebemos agora o cosmos como particularizado, fragmentado e completamente separado de nós mesmos. Nossa consciência e a linguagem por meio da qual a expressamos mudaram e se despedaçaram. Naquela visão de mundo mais antiga, primitiva, cada palavra teria tido seu próprio sentido unificado, incorporando o que agora podemos entender apenas como uma multiplicidade de conceitos, conceitos para os quais (incapazes de participar do mundo e da visão de mundo originais) precisamos usar muitas palavras diversas. (p. 39)

3 Em 16 de janeiro de 1938, o jornal londrino *Observer* publicou uma carta (assinada "Habit" [Hábito]) contendo diversas perguntas sobre *O Hobbit*, incluindo: "O roubo da taça do dragão efetuado pelo hobbit é baseado no episódio do roubo da taça em *Beowulf*?". A resposta de Tolkien foi impressa na edição de 20 de fevereiro do jornal: "*Beowulf* está entre minhas fontes mais valiosas, embora não estivesse conscientemente presente na minha mente no processo de composição, no qual o episódio do roubo surgiu naturalmente (e quase inevitavelmente) devido às circunstâncias. É difícil pensar em qualquer outro modo de conduzir a história a partir daquele ponto. Imagino que o autor de *Beowulf* diria praticamente a mesma coisa" (*Cartas*, n. 25).

O episódio do roubo da taça em *Beowulf* é bastante breve. Ele ocorre após o dragão ter vigiado seu tesouro por trezentos anos, quando um homem, buscando os favores de seu senhor, rouba uma taça de ouro para mostrar a este. Quando o dragão desperta, descobre o furto e se enraivece. Após o cair da noite, o dragão avança em chamas e destrói o senhor e seu povo, precipitando-se de volta a seu salão antes do nascer do dia (seção 32, versos 2278 ss.).

The Lonely Mountain [A Montanha Solitária], de J.R.R. Tolkien. O desenho não foi usado em *O Hobbit*, provavelmente porque sua vasta área de preto sólido teria sido difícil de imprimir tipograficamente como um bloco de linhas (ver *Artist*, p. 141).

The Lonely Mountain foi publicado como pôster em 1974 pela Science Fiction Shop em Nova York. Em setembro de 1960, Tolkien enviou o desenho original para um correspondente norte-americano, que posteriormente o entregou a Baird Searles, o dono da Science Fiction Shop. (O original se encontra agora na Biblioteca Bodleian, em Oxford.)

O desenho também aparece em *Artist* (n. 136). Outros três desenhos publicados estão intimamente relacionados a este. O mais antigo parece ser um desenho a lápis e tinta, sem título, publicado como n. 134 em *Artist*. Ele foi provavelmente seguido pela aquarela *Smaug flies round the Mountain* [Smaug voa ao redor da Montanha], publicado em *Pictures* (n. 18). Nenhuma das versões anteriores apresenta a pronunciada curva em S no rio (embora esteja levemente marcada a lápis no n. 134 em *Artist*), cuja descrição foi um acréscimo de última hora às provas tipográficas de *O Hobbit* (ver *Artist*, pp. 139 e 141). O terceiro desenho, a lápis e tinta, é intitulado *The Front Door* [A Porta da Frente], e mostra a pronunciada curva em S, sendo, no geral, bastante similar a *The Lonely Mountain*, embora os sombreamentos no céu e nas encostas da montanha sejam feitos de linhas em vez de preto sólido. *The Front Door* está publicado em *Artist* (n. 135).

sob os pedregulhos, esperando, de alguma forma, escapar dos olhos assustadores do dragão que caçava.

Ali todos teriam sido mortos, se não fosse por Bilbo mais uma vez. "Rápido! Rápido!", disse ele sem fôlego. "A porta! O túnel! Não adianta ficar aqui."

Despertados por essas palavras, estavam prestes a se esgueirar para dentro do túnel quando Bifur deu um grito: "Meus primos! Bombur e Bofur — nós nos esquecemos deles, estão lá embaixo no vale!"

"Eles vão ser mortos, e todos os nossos pôneis também, e todas as nossas provisões vão se perder", gemeram os outros. "Não podemos fazer nada."

"Besteira!", disse Thorin, recuperando sua dignidade. "Não podemos deixá-los para trás. Entrem, Sr. Bolseiro e Balin, e vocês dois também, Fili e Kili — o dragão não há de pegar todos nós. Agora vocês, os outros, onde estão as cordas? Sejam rápidos!"

Aqueles foram talvez os piores momentos pelos quais tinham passado até ali. Os sons horríveis da raiva de Smaug ecoavam nas cavas pedregosas lá em cima; a qualquer momento ele poderia chegar, lançando fogo para baixo, ou voar em círculos até encontrá-los, próximos da beira perigosa do despenhadeiro, puxando loucamente as cordas. Primeiro veio Bofur, e tudo ainda estava seguro. Depois veio Bombur, bufando e suspirando enquanto as cordas rangiam, e tudo ainda estava seguro. Subiram então algumas ferramentas e alguns pacotes de provisões, e aí o perigo caiu sobre eles.

Um barulho de rodopio se fez ouvir. Uma luz vermelha tocou as pontas das pedras na vertical. O dragão chegou.

Mal tiveram tempo de fugir de volta para o túnel, puxando e arrastando seus pacotes, quando Smaug veio desabalado do Norte, lambendo as encostas da montanha com chama, batendo suas grandes asas com um ruído como o de um vento que ruge. Seu hálito quente secou a relva diante da porta, e passou através da abertura que tinham deixado e os chamuscou enquanto estavam escondidos. Fogos chamejantes brotaram e as sombras negras das rochas dançaram. Então sobreveio a escuridão quando ele passou de novo. Os pôneis gritaram de terror, arrebentaram suas cordas e galoparam para longe, enlouquecidos. O dragão deu um rasante, virou-se para persegui-los e sumiu.

"Esse vai ser o fim de nossos pobres bichos!", disse Thorin. "Nada consegue escapar de Smaug depois que ele vê algo. Aqui estamos e aqui teremos de ficar, a menos que alguém esteja com vontade de passear pelas longas milhas abertas de volta ao rio com Smaug à espreita!"

Não era um pensamento agradável! Rastejaram mais adiante pelo túnel, e ali se deixaram ficar tremendo, embora estivesse quente e abafado, até que a aurora veio, pálida, pela fresta da porta. De quando em vez, através da noite, podiam ouvir o rugido do dragão que voava, crescendo e depois passando e se esvanecendo, enquanto ele ia caçando em volta das encostas da montanha.

Smaug deduziu, ao ver os pôneis, e os traços dos acampamentos que tinha descoberto, que alguns homens tinham subido, vindos do rio e do lago, e escalado a encosta da montanha a partir do vale onde os pôneis estavam ficando; mas a porta resistiu a seu olho inquiridor, e o pequeno recanto de muros altos tinha barrado suas chamas mais ferozes. Por muito tempo ficou a caçar em vão, até que a aurora esfriou sua ira, e ele voltou a seu leito dourado para dormir — e para reunir novas forças. Não esqueceria ou perdoaria o roubo, nem mesmo se mil anos o transformassem em pedra fumegante, mas podia se dar ao luxo de esperar. Lento e silencioso, rastejou de volta ao seu covil e semicerrou os olhos.

Quando a manhã veio, o terror dos anãos diminuiu. Perceberam que perigos desse tipo são inevitáveis ao lidar com tal guardião e que não adiantava desistir da missão por ora. Nem podiam ir embora de imediato, como Thorin ressaltara. Seus pôneis estavam perdidos ou mortos, e teriam de esperar algum tempo antes que Smaug baixasse a guarda o suficiente para que ousassem encarar o longo caminho a pé. Por sorte, tinham guardado o bastante de suas provisões para que ainda aguentassem por algum tempo.

Debateram por muito tempo o que deveria ser feito, mas não conseguiam pensar em nenhum modo de se livrar de Smaug — o qual tinha sido sempre um ponto fraco de seus planos, como Bilbo se sentia tentado a lembrar. Então, como é da natureza das pessoas que estão profundamente

INFORMAÇÃO INTERNA

À direita: *Conversa com Smaug*, de J.R.R. Tolkien, umas das ilustrações coloridas padrão para *O Hobbit*, publicada pela primeira vez na segunda impressão de 1937 da primeira edição inglesa, e na edição norte-americana de 1938 (na qual o monograma de Tolkien e a faixa com o título foram removidos). Nas duas aparições a ilustração recebeu a legenda impressa "O Smaug the Chiefest and Greatest of Calamities" [Ó Smaug, Primeiríssima e Maior das Calamidades].

Presumivelmente em março de 1938, Tolkien escreveu a seu editor norte-americano:

> O hobbit na gravura do tesouro de ouro, Capítulo XII, sem dúvida (fora estar gordo nos lugares errados) está demasiadamente grande. Mas (como meus filhos pelo menos compreendem) ele na verdade está em uma imagem ou "plano" separado — estando invisível ao dragão. Não há menção no texto sobre obtenção de botas de sua parte. Deveria haver! Tal parte foi omitida de alguma forma nas várias revisões — o evento ocorreu em Valfenda; e ele estava novamente sem botas após partir de Valfenda a caminho de casa. (*Cartas*, n. 27)

A gema brilhando no topo da pilha de tesouros no fundo é provavelmente a Pedra Arken, e, à esquerda de onde termina a cauda do dragão, pode-se ver uma fieira de gemas verdes, possivelmente representando o colar de Girion, descrito na p. 256 como "feito com quinhentas esmeraldas verdes qual relva".

Um exemplo da escrita élfica de Tolkien, as tengwar (ou alfabeto fëanoriano), aparece no pote de ouro em primeiro plano. A inscrição lê-se: "ouro o [trecho obscurecido pela escada] Thrain / maldito seja o ladrão." Mais detalhes sobre as tengwar podem ser encontrados na Seção II ("Escrita") do Apêndice E em *O Senhor dos Anéis*. Essa ilustração também aparece em *Artist* (n. 133) e em *Pictures* (n. 17).

perplexas, começaram a resmungar com o hobbit, culpando-o por aquilo que, no começo, agradara-lhes tanto: por trazer a taça e incitar a ira de Smaug tão cedo.

"O que mais vocês supõem que um gatuno deve fazer?", perguntou Bilbo, bravo. "Eu não fui contratado para matar dragões, isso é trabalho de guerreiro, mas para roubar um tesouro. Comecei da melhor maneira que pude. Vocês esperavam que eu voltasse trotando com o tesouro inteiro de Thror nas minhas costas? Se alguém devia estar resmungando, acho que poderia ser eu. Vocês deviam ter trazido quinhentos gatunos, não um. Tenho certeza de que este cenário traz grande crédito ao seu avô, Thorin, mas você não pode fingir que alguma vez deixou clara a vasta extensão da riqueza dele para mim. Eu ia precisar de centenas de anos para trazer tudo para cima, isso se eu fosse cinquenta vezes maior, e se Smaug fosse manso feito um coelho."

Depois disso, é claro, os anãos pediram desculpas. "O que então propõe que façamos, Sr. Bolseiro?", perguntou Thorin educadamente.

"Não tenho ideia no momento — se você quer dizer sobre remover o tesouro. Isso, é óbvio, depende inteiramente de algum novo golpe de sorte, e de nos livrarmos de Smaug. Livrar-me de dragões não é de jeito nenhum minha especialidade, mas farei o meu melhor para pensar a respeito. Pessoalmente, não tenho esperança nenhuma e queria era estar seguro lá em casa."

"Deixe isso para lá por enquanto! O que vamos fazer agora, hoje?"

"Bem, se vocês realmente querem meu conselho, eu diria que não podemos fazer mais nada além de ficar onde estamos. Durante o dia, sem dúvida podemos rastejar para fora com segurança suficiente para tomar ar. Talvez, em breve, um ou dois possam ser escolhidos para voltar ao armazém perto do rio e repor nossos suprimentos. Mas, enquanto isso, todo mundo deveria ficar bem dentro do túnel à noite.

"Agora, vou lhes fazer uma oferta. Tenho meu anel e vou rastejar lá para baixo ao meio-dia de hoje — nessa hora, pelo menos, Smaug deve tirar um cochilo — e ver o que ele está aprontando. Talvez algum caminho apareça. 'Toda serpe tem seu ponto fraco', como meu pai costumava dizer, embora eu tenha certeza que não por experiência própria."

Naturalmente, os anões aceitaram a oferta sem pestanejar. Já tinham passado a respeitar o pequeno Bilbo. Agora ele se tornara o verdadeiro líder da aventura deles. Começara a ter ideias e planos próprios. Quando o meio-dia chegou, ele se preparou para outra jornada Montanha adentro. Não gostava da ideia, é claro, mas não era tão ruim agora que ele sabia, mais ou menos, o que havia na sua frente. Se soubesse mais sobre dragões e seus modos matreiros, poderia ter ficado com mais medo e menos esperançoso de pegar aquele dormindo.

O sol brilhava quando ele partiu, mas estava escuro como a noite dentro do túnel. A luz da porta, quase fechada, logo se desvaneceu conforme ele descia. Tão silencioso era seu andar que a fumaça num vento gentil mal poderia superá-lo, e ele estava inclinado a se sentir um pouco orgulhoso de si mesmo quando se aproximou da porta inferior. Somente o mais fraquíssimo brilho podia ser visto.

"O velho Smaug está cansado e adormecido", pensou. "Não consegue me ver e não vai me ouvir. Anime-se, Bilbo!" Tinha se esquecido, ou nunca ouvira falar, do sentido do olfato dos dragões. Também há a questão complicada de que eles conseguem ficar com meio olho aberto vigiando enquanto dormem, se forem desconfiados.

Smaug decerto parecia profundamente adormecido, quase morto e escuro, mal roncando, soltando não mais que um tiquinho de vapor que não se via, quando Bilbo espiou mais uma vez da entrada. Estava prestes a pisar no chão do tesouro quando teve um vislumbre de um raio de luz avermelhado, repentino e estreito, saindo debaixo da pálpebra caída do olho esquerdo de Smaug. Ele só estava fingindo dormir! Estava vigiando a entrada do túnel! Apressado, Bilbo deu um

Smaug e Bilbo. Ilustração de António Quadros para a edição portuguesa de 1962.

4 Em uma carta publicada no *Observer* em 20 de fevereiro de 1938, Tolkien disse que "o dragão tem como nome — um pseudônimo — o pretérito do verbo germânico primitivo *Smugan*, espremer através de um buraco: um gracejo filológico menor" (*Cartas*, n. 25).

5 Em *The Road to Middle-Earth*, Tom Shippey observa que a conversa de Bilbo com Smaug tem por modelo o poema "Fáfnismál" (A Balada de Fáfnir) da *Edda Antiga*. Lá o herói, Sigurthr, e o dragão Fáfnir conversam enquanto o dragão morre devido à ferida que acabara de receber. Observa Shippey: "Como Bilbo, Sigurthr se recusa a contar seu nome ao dragão, mas responde enigmaticamente (com medo de ser amaldiçoado); como Smaug, Fáfnir semeia discórdia entre os companheiros ao mencionar a ganância que o ouro incita" (segunda edição, p. 82).

Na tradução de Henry Adams Bellows para o "Fáfnismál" em *The Poetic Edda* (1923), a conversa principia como se segue, primeiro com as palavras de Fáfnir, seguidas pelas de Sigurthr:

> *"Rapaz, rapaz! de quem, então,*
>   *tu nasceste?*
>   *Dize de quem és filho,*
> *Quem, em Fáfnir a fúlgida faca*
>   *enrubesceu,*
>   *Co' a espada feriste-me o peito."*
>
> *"Nobre Veado o nome,*
>   *Sem mãe, sigo à solta;*
> *Pai não tive, como outros têm,*
>   *E vivo então só, sempre."*
>   (estrofes 1–2)
>
> [*"Youth, oh, youth! of whom them, youth, art*
>   *thou born?*
>   *Say whose son thou art,*
> *Who in Fafnir's blood thy bright blade*
>   *reddened,*
>   *And struck thy sword to my heart."*
>
> *"The Noble Hart my name, and I go*
>   *A motherless man abroad;*
> *Father I had not, as others have,*
>   *And lonely ever I live."*]

passo atrás e se sentiu abençoado pela sorte de ter o anel. Então Smaug falou.

"Bem, ladrão! Posso farejá-lo e sinto o ar que você movimenta. Ouço sua respiração. Venha cá! Pegue o que deseja de novo, há riqueza de sobra!"

Mas Bilbo não era tão ignorante assim no conhecimento dos dragões e, se Smaug esperava conseguir que ele chegasse mais perto tão facilmente, ficou desapontado. "Não, obrigado, ó Smaug, o Tremendo!", respondeu o hobbit. "Não vim pelos presentes. Só desejava dar uma olhada no senhor e ver se era verdadeiramente tão grande quanto as histórias dizem. Não acreditava nelas."

"Acredita agora?", disse o dragão, algo lisonjeado, ainda que não acreditasse em uma palavra daquilo.

"Verdadeiramente, canções e histórias ficam muitíssimo aquém da realidade, ó Smaug, a Primeiríssima e Maior das Calamidades", respondeu Bilbo.

"Você tem boas maneiras para um ladrão e um mentiroso", disse o dragão. "Parece estar familiarizado com meu nome,[4] mas não pareço me lembrar de ter farejado você antes. Quem é e de onde vem, se é que posso perguntar?"

"Pode, de fato! Eu venho debaixo da colina, e sob as colinas e acima das colinas minhas trilhas me levaram. E através do ar. Eu sou aquele que caminha sem ser visto."

"Assim posso bem crer," disse Smaug, "mas esse dificilmente é seu nome normal."

"Sou o descobridor-de-pistas, o cortador-de-teias, a mosca que aferroa. Fui escolhido por causa do número da sorte."

"Títulos adoráveis!", ironizou o dragão. "Mas números da sorte nem sempre são sorteados."

"Sou aquele que enterra seus amigos vivos, e os afoga, e os arranca vivos de novo d'água. Vim de um bolsão, mas não me enfiaram em nenhuma bolsa."

"Esses aí não me soam tão dignos de crédito", debochou Smaug.

"Sou o amigo de ursos e o hóspede de águias. Sou Ganhador-do-anel e Portador-da-sorte; e sou Cavaleiro-de-barril", disse Bilbo, começando a gostar das próprias adivinhas.

"Assim é melhor!", disse Smaug. "Mas não deixe sua imaginação sair correndo por aí!"

Esse, claro, é o jeito certo de falar com dragões, se você não quer revelar seu nome correto (o que é sábio) e não quer enfurecê-los com uma recusa direta (o que também é muito sábio). Nenhum dragão consegue resistir ao fascínio de uma conversa cheia de adivinhas e a perder tempo tentando entendê-las.[5] Havia um monte de coisas ali que Smaug não entendia de modo algum (embora eu espere que você tenha entendido, já que sabe tudo sobre as aventuras de Bilbo, às quais ele estava se referindo), mas ele achou que tinha entendido o suficiente, e gargalhou em suas entranhas malignas.

"Foi o que pensei na noite passada", sorriu ele consigo mesmo. "Homens-do-lago, algum estratagema asqueroso daqueles miseráveis mercadores de barris do Lago, ou eu sou uma lagartixa. Não desço para aqueles lados há eras e eras; mas logo vou mudar isso!"

"Muito bem, ó Cavaleiro-de-barril!", disse em voz alta. "Talvez Barril fosse o nome do seu pônei; e talvez não, embora ele fosse bastante gordo. Você pode caminhar sem ser visto, mas não veio caminhando o trajeto todo. Deixe-me contar que comi seis pôneis na noite passada, e hei de pegar e comer todos os outros em breve.[6] Em troca da excelente refeição, vou lhe dar um pequeno conselho, para o seu bem: não lide com anãos mais do que puder evitar!"

"Anãos!", disse Bilbo, fingindo surpresa.

"Não tente me enganar!", disse Smaug. "Conheço o cheiro (e o gosto) de anão — é o que conheço melhor. Não me diga que eu sou capaz de comer um pônei que foi cavalgado por um anão e não perceber! Você vai ter um mau fim se continuar com tais amigos, Ladrão Cavaleiro-de-barril. Não me importo que você volte e diga isso a eles de minha parte." Mas não contou a Bilbo que havia um cheiro que ele não era capaz de reconhecer de jeito nenhum, o cheiro de hobbit; estava totalmente fora de sua experiência, e o intrigava tremendamente.

"Suponho que tenha recebido um preço justo por aquela taça na noite passada?", continuou Smaug. "E então, recebeu? Nada de nada! Bem, é assim mesmo que eles agem. E suponho que estejam enrolando do lado de fora, e que o seu emprego é fazer todo o trabalho perigoso e pegar o que puder enquanto eu não estou olhando — para eles? E você vai receber uma parte justa do total? Não acredite nisso! Se escapar vivo, ainda será uma sorte."

Bilbo agora estava começando a se sentir realmente desconfortável. Sempre que o olho vagante de Smaug, procurando por ele nas sombras, chamejava em cima do hobbit, Bilbo tremia e era tomado por um desejo inaudito de sair correndo e se revelar e contar toda a verdade a Smaug. De fato, corria terrível perigo de ser subjugado pelo feitiço do dragão. Mas, reunindo coragem, falou de novo.

"O senhor não sabe de tudo, ó Smaug, o Poderoso", disse ele. "Não foi só o ouro que nos trouxe até aqui."

"Ha! Ha! Você admite o 'nós'", riu Smaug. "Por que não dizer 'nós, os catorze' e encerrar o assunto, Sr. Número da Sorte? Agrada-me ouvir que vocês tinham outros negócios nestas partes além do meu ouro. Nesse caso vocês podem, talvez, não desperdiçar totalmente o seu tempo.

Há outro ligeiro análogo da conversa de Bilbo com Smaug, assim como do encontro de Bilbo com Gollum, na história "Ernest", de E.H. Knatchbull-Hugessen, no seu *Stories for My Children* (1869), livro que Tolkien teve quando criança. Na história, um garoto chamado Ernest perde sua bola no poço de um jardim e aventura-se poço abaixo para encontrá-la:

> Ele seguiu descendo por certa distância, e enfim chegou ao que supunha ser o fundo do poço. Não estava de todo errado, também; mas o poço era muito mais largo no fundo do que no topo, e toda sua água parecia elevar-se do chão feito um muro, deixando um vasto espaço seco no entorno, pelo qual Ernest rastejou para fora da água e começou a olhar ao redor. Não era *tão* seco, também, mas um tanto úmido, e não conseguia ver a bola em lugar nenhum; mas por todos os cantos da espécie de caverna em que se encontrava havia uma substância brilhante como cristal, que iluminava o lugar, e no chão estava sentado um enorme Sapo, fumando um péssimo charuto e certamente se achando o único por ali. Voltou-se diretamente para Ernest e ralhou com ele em tom raivoso, "Seu tolo presunçoso, como ousa vir até aqui?"
>
> Ora, tendo tido esmerada criação, Ernest estava bastante ciente de que nada se perde ao ser educado. Longe de estar com raiva, portanto, respondeu, com a mais profunda mesura que as circunstâncias lhe permitiram realizar.
>
> "Presunçoso, senhor, talvez eu seja, mas dificilmente seria o ato de um tolo que me trouxe à presença de tão nobre e formoso Sapo como o senhor."
>
> "Nada mal", respondeu o Sapo; "vejo que aprendeu seus modos. Mas o que quer?"
>
> "Minha bola, senhor", respondeu Ernest; quando, naquele instante, uma risada baixa e ressonante ecoou pela caverna, e o Sapo, após inchar até Ernest supor que ele certamente estouraria, desandou a rir de um modo que desorientou o garoto.
>
> "Sua bola!", exclamou enfim o Sapo. "Se você quer dizer aquela coisa de borracha que desceu arrebentando tudo por aqui um tempo atrás, suponho que ela tenha sido há muito fatiada em polainas para os dóceis Camundongos." (pp. 71–2)

INFORMAÇÃO INTERNA

Um desenho (abaixo), *Ernest and the Toad* [Ernest e o Sapo], acompanha essa história no livro de Knatchbull-Hugessen. A arte não está creditada.

6 *1937:* "I shall catch and eat the eight others before long" ["Hei de pegar e comer os outros oito em breve"] > *1966-Ball:* "I shall catch and eat all the others before long" ["Hei de pegar e comer todos os outros em breve"].

7 Em "Etimologias", o dicionário pessoal de Tolkien sobre as relações entre palavras em élfico, agora publicado no volume 5 da *História*, *A Estrada Perdida* (1987), Tolkien definiu *Esgaroth* como significando "Reedlake" [Juncágua], observando que o lugar era assim chamado por conta das margens de juncos no oeste.

"Não sei se já lhe ocorreu que, mesmo se conseguisse roubar o ouro pouco a pouco — coisa que levaria uns cem anos —, você não conseguiria ir muito longe? Que o ouro não seria muito útil na encosta da montanha? Nem muito útil na floresta? Minha nossa! Você nunca tinha pensado nesse porém? A décima-quarta parte do total, eu suponho, ou algo assim, eram esses os termos, hein? Mas e quanto à entrega? E quanto ao transporte? E quanto a guardas armados e tarifas?" E Smaug riu alto. Tinha um coração perverso e matreiro, e sabia que suas suposições não estavam muito fora da realidade, embora suspeitasse que os Homens-do-lago estivessem por trás dos planos, e que a maioria do butim devia acabar ficando na cidade próxima da margem que, nos dias da juventude de Smaug, fora chamada de Esgaroth.[7]

Você nem vai acreditar, mas o pobre Bilbo realmente foi pego de surpresa. Até então todos os seus pensamentos e energias tinham se concentrado em chegar à Montanha e achar a entrada. Nunca tinha se incomodado em pensar em como o tesouro seria removido e certamente nunca em como alguma parte dele que lhe coubesse seria trazida pelo longo caminho até Bolsão Soto-Monte.

Naquele momento, uma suspeita terrível começou a crescer em sua mente — será que os anãos tinham esquecido esse ponto importante também, ou estavam rindo dele às escondidas o tempo todo? Esse é o efeito que a conversa de dragões tem sobre os inexperientes. Bilbo, é claro, deveria estar mais prevenido; mas Smaug tinha uma personalidade bastante avassaladora.

"Preciso contar ao senhor", disse Bilbo, num esforço para se manter leal a seus amigos e não se desanimar, "que o ouro foi só um acessório no nosso caso. Viemos por sobre os montes e sob os montes, por onda e vento, em nome da *Vingança*. Decerto, ó Smaug, o incalculavelmente rico, o senhor deve imaginar que seu sucesso lhe rendeu alguns inimigos implacáveis?"

Então Smaug realmente riu a valer — um som devastador que chacoalhou Bilbo até jogá-lo ao chão, enquanto na parte de cima do túnel os anãos se amontoaram juntos e ficaram imaginando que o hobbit tinha chegado a um fim repentino e horrendo.

"Vingança!", bufou o dragão, e a luz de seus olhos iluminou o lugar do chão ao teto feito relâmpago escarlate. "Vingança! O Rei sob a Montanha está morto, e onde está sua gente que ousa buscar vingança? Girion, Senhor de Valle, está morto, e eu devorei seu povo como um lobo entre as ovelhas, e onde estão os filhos de seus filhos, que ousam se aproximar de mim? Mato onde desejo e ninguém ousa resistir. Sobrepujei os guerreiros de outrora e não há outros como eles no mundo hoje. Naquele tempo eu era jovem e tenro. Agora sou velho e forte, forte, forte, Ladrão nas Sombras!", vangloriou-se. "Minha armadura é como dez escudos, meus dentes são espadas, minhas garras, lanças, o golpe de minha cauda, uma trovoada, minhas asas, um furacão, e o meu hálito, morte!"

"Sempre achei", disse Bilbo, num gritinho assustado, "que os dragões são mais moles debaixo do corpo,[8] especialmente na região do — aah — peito; mas sem dúvida alguém tão fortificado já pensou nisso."

O dragão parou de se vangloriar de repente. "Sua informação é antiquada", retrucou. "Minha armadura, em cima e embaixo, é composta de escamas de ferro e joias duras. Nenhuma lâmina pode penetrar minha pele."

"Eu poderia ter imaginado", disse Bilbo. "Verdadeiramente em lugar algum se pode achar um igual do Senhor Smaug, o Impenetrável. Que magnificência é possuir um colete de diamantes finos!"

"Sim, ele é raro e maravilhoso, de fato", disse Smaug, absurdamente deliciado com aquilo. Não sabia que o hobbit já tivera um vislumbre de sua peculiar cobertura ventral em sua visita anterior, e que Bilbo estava doido para dar uma olhada mais de perto por razões só suas. O dragão rolou de barriga para cima. "Olhe!", disse. "O que diz diante disso?"

"Ofuscantemente maravilhoso! Perfeito! Impecável! Deslumbrante!", exclamou Bilbo em voz alta, mas o que pensou consigo mesmo foi: "Velho tolo! Ora, há um pedaço grande do lado esquerdo do peito dele tão desnudo quanto um caracol tirado da casca!"

Depois de ver aquilo, a única ideia na cabeça do Sr. Bolseiro era ir embora. "Bem, eu realmente não devo atrapalhar Vossa Magnificência por mais tempo," disse, "ou tirá-lo de seu indispensável descanso. Pôneis dão trabalho para pegar, creio eu, depois que saem muito na frente. E o mesmo vale para gatunos", acrescentou como frase de despedida, conforme saiu correndo e fugiu túnel acima.

Foi um comentário infeliz, pois o dragão esguichou chamas terríveis na direção dele e, por mais que subisse o aclive rápido, não tinha chegado de jeito nenhum longe o suficiente para ficar em posição confortável antes que a cabeça horrenda de Smaug aparecesse na abertura atrás dele. Por sorte, a cabeça e as mandíbulas inteiras não conseguiram se espremer pelo buraco, mas as narinas despejaram fogo e vapor para persegui-lo, e ele quase foi sobrepujado, e foi em frente tropeçando cegamente, em grande dor e medo. Tinha ficado bastante orgulhoso da espertez de sua conversa com Smaug, mas o erro que cometeu no final o chacoalhou e lhe devolveu o juízo.

"Nunca ria de dragões vivos, Bilbo, seu tonto!", disse a si mesmo, e isso se tornou um de seus ditos favoritos mais tarde e se transformou num provérbio. "Você não está nem

8 Dos maiores dragões da literatura nórdica, tanto Fáfnir, o dragão dos Volsungos, como o dragão em *Beowulf* receberam seus golpes mortais ao serem apunhalados nas partes inferiores.

Na *Völsunga Saga*, traduzida por Jesse L. Byock como *The Saga of the Volsungs* [A Saga dos Volsungos] (1990), Sigurd cava algumas valas na trilha por onde o dragão rasteja e se esconde em uma delas:

> Quando a serpe rastejou até à água, a terra estremeceu poderosamente, de modo que o terreno circundante abalou-se por inteiro. Ela espalhou veneno por toda a trilha diante dele, mas Sigurd não temera nem se preocupara com o estrondo. E quando a serpente rastejou sobre o fosso, Sigurd ergueu a espada sob o ombro esquerdo, afundando-a até o punho. Então Sigurd saltou para fora da vala, e arrancou a espada da serpente. Seus braços estavam ensanguentados até o ombro. E quando a imensa serpe sentiu sua ferida mortal, zurziu cabeça e cauda, destruindo tudo que se lhe colocara no caminho. (p. 63)

Na tradução revisada de *Beowulf* (1982) feita por Constance B. Hieatt, incluída no seu *Beowulf and Other Old English Poems* [Beowulf e Outros Poemas do Inglês Antigo], Beowulf recebe auxílio do jovem guerreiro Wiglaf após sua própria espada traí-lo diante do dragão: "o nobre guerreiro parelho ao rei mostrou seu valor, a destreza e audácia que lhe eram próprias. O homem valente não atentou à cabeça do dragão, embora a mão ardesse ao ajudar seu compatriota, e atacou a hostil criatura na parte inferior; a reluzente espada afundou-se de modo que o fogo principiou de pronto a arrefecer." (seção 37, versos 2695–702).

INFORMAÇÃO INTERNA

Fáfnir, o dragão. Ilustração de Lancelot Speed para acompanhar "A História de Sigurd", tal como contada por Andrew Lang, no *Fabuloso Livro Vermelho* (1890).

perto de terminar essa aventura ainda", acrescentou, e isso era bastante verdade também.

A tarde estava virando noite quando ele saiu de novo e tropeçou e desmaiou na "soleira da porta". Os anãos o reanimaram e trataram de suas queimaduras do melhor jeito que puderam; mas demorou muito para que o cabelo na parte de trás de sua cabeça e de seus calcanhares crescesse direito de novo: tinha ficado todo chamuscado e queimado até o couro cabeludo. Nesse meio-tempo, seus amigos fizeram o melhor possível para alegrá-lo; e estavam ansiosos para ouvir sua história, especialmente querendo saber por que o dragão fizera um barulho tão terrível e como Bilbo tinha escapado.

Mas o hobbit estava preocupado e se sentia desconfortável, e eles tiveram dificuldade para arrancar alguma coisa dele. Depois de repensar as coisas, Bilbo agora estava arrependido de algumas das coisas que dissera ao dragão e não estava ansioso para repeti-las. O velho tordo estava sentado numa pedra ali perto, com sua cabeça inclinada para um lado, ouvindo tudo o que era dito. Isto mostra como Bilbo estava de mau humor: ele pegou uma pedra e a atirou no tordo, que simplesmente voejou de lado e voltou.

"Diabo de pássaro!", disse Bilbo, zangado. "Acho que está escutando e não gosto da cara dele."

"Deixe-o em paz!", disse Thorin. "Os tordos são bons e amigáveis — esse é um pássaro realmente muito velho e talvez seja o último que sobrou da raça antiga que costumava viver por aqui, que pousava mansa nas mãos de meu pai e meu avô. Era uma raça de vida longa e mágica, e esse pode até ser um daqueles que estavam vivos naquela época, há algumas centenas de anos ou mais. Os Homens de Valle tinham o truque de entender a língua deles e os usavam como mensageiros, fazendo-os voar até os Homens do Lago e para outros lugares."

"Bem, ele vai ter notícias para levar à Cidade-do-lago, com certeza, se é isso que está procurando," disse Bilbo, "embora eu não suponha que tenham restado pessoas por lá que se dão ao trabalho de aprender língua-de-tordo."

"Por quê, o que aconteceu?", gritaram os anãos. "Continue a sua história!"

Assim, Bilbo lhes contou tudo o que conseguia recordar e confessou que tinha a péssima sensação de que o dragão havia inferido coisas demais a partir de suas adivinhas, junto com os acampamentos e os pôneis. "Tenho certeza de que ele sabe que viemos da Cidade-do-lago e que tivemos ajuda de lá; e tenho uma sensação horrível de que seu próximo golpe vai ser naquela dirceção. Queria muito não ter dito aquilo sobre ser o Cavaleiro-de-barril; isso faria até um coelho cego, nestas partes, pensar nos Homens-do-lago."

"Bem, bem! Agora já foi, e é difícil não escorregar quando se está conversando com um dragão, ou foi o que eu sempre ouvi dizer", respondeu Balin, ansioso para confortá-lo. "Acho que você se saiu muito bem, se quer minha opinião — descobriu uma coisa muito útil, de qualquer modo, e voltou vivo, e isso é mais do que pode dizer a maioria dos que trocaram palavras com monstros como Smaug. Pode ser que ainda seja um alívio e uma benção saber do pedaço desnudo no colete de diamantes da velha Serpe."

Isso fez a conversa mudar, e todos eles começaram a discutir abates de dragões, históricos, dúbios e míticos, e os vários tipos de punhaladas e golpes e engodos, e os diferentes estratagemas, artes e planos pelos quais tinham sido realizados. A opinião geral era que pegar um dragão cochilando não era tão fácil quanto parecia, e que a tentativa de espetar ou cutucar um que estivesse dormindo tinha mais chances de terminar em desastre do que um ataque frontal ousado. Durante todo o tempo em que conversaram, o tordo escutou, até que, por fim, quando as estrelas começaram a espiar o céu, a ave abriu as asas em silêncio e voou para longe. E, durante todo esse tempo em que eles conversavam e as sombras se tornavam mais compridas, Bilbo foi ficando mais e mais infeliz, e seus maus pressentimentos cresciam.

Smaug. Ilustração de Tamás Szecskó para a edição húngara de 1975.

Por fim, ele os interrompeu. "Tenho certeza de que a nossa situação aqui é muito insegura", disse ele, "e não vejo razão para ficarmos sentados aqui. O dragão fez murchar tudo que era verde e agradável e, de qualquer modo, a noite chegou e faz frio. Mas sinto nos meus ossos que este lugar vai ser atacado de novo. Smaug agora sabe como desci até o seu salão, e podem ter certeza que ele vai adivinhar onde fica a outra ponta do túnel. Ele vai fazer todo este lado da Montanha em pedacinhos, se necessário, para tapar nossa entrada e, se formos esmagados com isso, ele vai ficar ainda mais contente."

"Está muito pessimista, Sr. Bolseiro!", disse Thorin. "Por que Smaug não bloqueou a saída do túnel, então, se está tão interessado em nos manter aqui fora? Ele não fez isso, ou teríamos ouvido."

"Não sei, não sei — porque no começo ele queria tentar me atrair de novo, suponho, e agora talvez porque esteja esperando até depois da caçada de hoje à noite, ou porque não quer danificar seu quarto de dormir se puder evitar — mas queria que vocês não discutissem. Smaug vai sair a qualquer momento, e nossa única esperança é entrar bem fundo no túnel e trancar a porta."

Ele parecia falar tão sério que os anãos afinal fizeram o que dizia, embora demorassem a trancar a porta — parecia um plano desesperado, pois ninguém sabia se, ou como, poderiam abri-la de novo de dentro, e a ideia de ficarem trancados num lugar do qual a única saída passava pelo covil

Smaug. Ilustração de Livia Rusz para a edição romena de 1975.

INFORMAÇÃO INTERNA

Bilbo escapa do fogo de Smaug. Ilustração de Chica para a edição francesa de 1976.

9 A história do Rei Bladorthin não é referida em outros escritos de Tolkien. No presente contexto, com a descrição de Bladorthin como "morto havia muito", parece que ele pode ter sido antes homem do que elfo. O nome *Bladorthin*, no entanto, aparenta ter construção élfica. O elemento sindarin *-thin* = "cinza" é facilmente decifrado, enquanto *Blador-* encontra-se presente no nome Bladorwen, proveniente das fases mais antigas do legendário de Tolkien, agora publicadas no volume 1 da *História*, *O Livro dos Contos Perdidos, Parte Um*. Bladorwen é glosado como "a vasta terra", e no mais antigo léxico de Tolkien encontram-se as palavras relacionadas *bladwen*, "uma planície"; *blath*, "um chão"; e *blant*, "plano, aberto". Christopher Gilson, em carta ao *Vinyar Tengwar* de maio de 1991 (n. 17), sugeriu que *blador-* pode ser um substantivo verbal "vagante, caminheiro, peregrino", pois no manuscrito de *O Hobbit* o nome original para o mago era *Bladorthin*, que foi depois alterado para *Gandalf*. Em *O Senhor dos Anéis*, ficamos sabendo que Gandalf é chamado de Mithrandir pelos Elfos, que é sindarin para "peregrino cinzento". *Bladorthin* pode ter sido uma forma anterior com o mesmo sentido.

do dragão não era do gosto deles. Além disso, tudo parecia bastante quieto, tanto fora como dentro do túnel. Assim, por um bom tempo, ficaram sentados não muito longe da porta semiaberta e continuaram a conversar.

A conversa se voltou para as palavras perversas do dragão sobre os anãos. Bilbo gostaria de nunca ter ouvido aquilo, ou pelo menos que pudesse se sentir bastante certo de que os anãos estavam sendo absolutamente honestos quando declaravam que nunca tinham nem pensado sobre o que aconteceria depois que recuperassem o tesouro. "Sabíamos que seria uma empresa desesperada", disse Thorin, "e ainda sabemos disso; e ainda acho que, quando tivermos vencido, haverá bastante tempo para pensar no que fazer a respeito. Quanto à sua parte, Sr. Bolseiro, eu lhe asseguro de que estamos mais do que gratos e que você há de escolher a sua própria décima-quarta porção, assim que tivermos algo a dividir. Sinto muito que esteja preocupado com o transporte, e admito que as dificuldades são grandes — as terras não se tornaram menos selvagens com a passagem do tempo, antes o contrário — mas faremos tudo o que pudermos por você e pagaremos nossa parte do custo quando a hora chegar. Acredite em mim, ou não, como quiser!"

Depois disso, a conversa se voltou para o próprio grande tesouro e para as coisas de que Thorin e Balin se lembravam. Especularam se ainda estavam jazendo intactas no salão lá embaixo: as lanças que tinham sido feitas para os exércitos do grande Rei Bladorthin[9] (morto havia muito), cada uma com ponta três vezes forjada e cabos incrustados com ouro trabalhado, mas que nunca foram entregues nem pagas; escudos feitos para guerreiros mortos muito tempo antes; a grande taça dourada de Thror, com duas alças, cravejada e trabalhada com martelo, com aves e flores cujos olhos e pétalas eram joias; cotas de malha douradas e prateadas e impenetráveis; o colar de Girion, Senhor de Valle, feito com quinhentas esmeraldas verdes qual relva, que ele dera em paga quando seu filho mais velho foi armado com uma malha de anéis ligados pelos anãos, obra sem semelhança com nada feito antes, pois era feita de prata pura, com o poder e a força do aço triplo. Mas a mais bela de todas era a grande gema branca, que os anãos tinham achado sob as raízes da Montanha, o Coração da Montanha, a Pedra Arken de Thrain.

"A Pedra Arken! A Pedra Arken!", murmurou Thorin no escuro, meio sonhando, com o queixo apoiado nos joelhos. "Era como um globo com mil facetas; brilhava como prata à luz do fogo, como água ao sol, como neve sob as estrelas, como chuva sobre a Lua!"

Mas o desejo encantado pelo tesouro abandonara Bilbo. Durante toda a conversa, ele só estava escutando pela metade. Sentou-se o mais perto possível da porta, com um ouvido voltado para quaisquer começos de som do lado de fora, e o outro alerta a ecos além dos murmúrios dos anãos, a qualquer sussurro de movimento vindo lá de baixo.

A escuridão ficou mais profunda, e ele ia ficando cada vez mais inquieto. "Fechem a porta!", implorou, "tenho medo daquele dragão até a medula dos ossos. Gosto bem menos deste silêncio do que da balbúrdia da noite passada. Fechem a porta antes que seja tarde demais!"

Algo em sua voz provocou nos anãos uma sensação de desconforto. Devagar, Thorin deixou de lado seus sonhos e, levantando-se, chutou para longe a pedra que servia de calço para a porta. Então a empurraram, e ela se fechou com um estalo e uma pancada. Nenhum traço de um buraco de fechadura restou do lado de dentro. Estavam trancados dentro da Montanha!

E não era sem tempo. Eles mal tinham andado certa distância túnel abaixo quando um golpe acertou a encosta da Montanha feito o estrondo de aríetes feitos com carvalhos da floresta e manejados por gigantes. A rocha ecoou, as paredes racharam e pedras caíram do teto em cima da cabeça deles. O que teria acontecido se a porta ainda estivesse aberta eu não gosto nem de pensar. Fugiram para a parte mais funda do túnel, contentes por ainda estarem vivos, enquanto atrás deles, lá fora, fez-se ouvir o rugido e o tremor da fúria de Smaug. Ele estava despedaçando rochas, batendo em paredões e ravinas com o chicotear de sua imensa cauda, até que o pequeno acampamento elevado dos anãos, a grama queimada, a pedra do tordo, as paredes cobertas de caracóis, a plataforma estreita e tudo o mais desapareceu num amontoado de estilhaços, e uma avalanche de fragmentos de pedra caiu do despenhadeiro rumo ao vale lá embaixo.

Smaug saíra de seu covil sorrateiro e silencioso, alçara-se calmamente pelo ar e então flutuara, pesado e lento, no escuro, feito um corvo monstruoso, seguindo o vento na direção do oeste da Montanha, na esperança de pegar desprevenido alguém ou alguma coisa lá e de espionar a saída da passagem que o ladrão usara. Aquela fora a explosão de sua ira quando ele não conseguiu achar ninguém nem ver nada, mesmo onde inferira que a saída deveria estar.

Depois que extravasou sua fúria de tal maneira, sentiu-se melhor e pensou em seu coração que não seria mais incomodado daquela direção. Enquanto isso, tinha mais planos para se vingar. "Cavaleiro-de-barril!", bufou. "Seus pés vieram caminhando da beira d'água, e foi subindo a água que você veio, sem dúvida. Não conheço seu cheiro, mas, se você não é um daqueles Homens do Lago, teve a ajuda deles. Eles hão de me ver e recordar quem é o verdadeiro Rei sob a Montanha!"

Alçou-se em fogo e foi para o sul, na direção do Rio Rápido.

13

FORA DE CASA

Enquanto isso, os anãos estavam sentados na escuridão, e um silêncio profundo se fez em volta deles. Pouco comiam e pouco falavam. Não conseguiam estimar a passagem do tempo; e mal ousavam se mexer, pois o sussurro de suas vozes ecoava e farfalhava no túnel. Se cochilavam, despertavam ainda na escuridão e no silêncio, que continuava inquebrantável. Por fim, depois de dias e dias de espera, ao que parecia, quando estavam ficando engasgados e atordoados por falta de ar, não conseguiram aguentar mais. Quase teriam recebido de bom grado sons do retorno do dragão lá embaixo. No silêncio, temiam algum estratagema diabólico dele, mas não tinham como ficar sentados ali para sempre.

Thorin falou: "Vamos tentar a porta!", disse. "Tenho de sentir o vento no meu rosto logo, ou vou morrer. Acho que preferiria ser esmagado por Smaug num lugar aberto a sufocar aqui dentro!" Assim, vários dos anãos se levantaram e tatearam de volta aonde a porta tinha ficado. Mas descobriram que a ponta superior do túnel tinha sido despedaçada e bloqueada com fragmentos de rocha. Nem a chave nem a mágica que antigamente ela obedecera jamais abririam aquela porta de novo.

"Estamos presos!", gemeram eles. "É o fim. Havemos de morrer aqui."

Mas, de algum modo, bem quando os anãos estavam mais desesperados, Bilbo sentiu um estranho alívio no coração, como se um grande peso tivesse sido tirado debaixo de seu colete.

"Ora, ora!", disse ele. "'Enquanto há vida há esperança!', como meu pai costumava dizer, e 'A terceira vez vale por todas'. Vou *descer* o túnel uma vez mais. Já fui por aquele caminho duas vezes, quando eu sabia que havia um dragão na outra ponta, então vou me arriscar a uma terceira visita agora que não tenho certeza de que ele está lá. De qualquer jeito, o único modo é sair por baixo. E acho que desta vez é melhor que todos vocês venham comigo."

No desespero, eles concordaram, e Thorin foi o primeiro a seguir em frente, do lado de Bilbo.

"Agora sejam cuidadosos!", sussurrou o hobbit, "e tão silenciosos quanto conseguirem! Pode ser que não haja

Smaug nenhum no fundo, mas também pode ser que haja. Não vamos correr riscos desnecessários!"

Para baixo e para baixo eles foram. Os anãos não tinham, é claro, como se comparar ao hobbit quando o assunto era ser sorrateiro de verdade, e ficaram dando bufadas e pisadas que os ecos aumentavam de modo alarmante; mas ainda que de vez em quando Bilbo, com medo, parasse e ficasse escutando, nem um só som veio lá de baixo. Perto do fundo, com tanta precisão quanto ele podia estimar, Bilbo colocou seu anel e foi na frente. Mas não precisava dele: a escuridão era completa, e todos eles estavam invisíveis, com ou sem anel. De fato, estava tudo tão negro que o hobbit chegou à abertura inesperadamente, apoiou a mão no ar, tropeçou para a frente e foi rolando de cabeça para dentro do salão!

Ali jazia ele de cara no chão, e não ousava se levantar, ou mesmo mal chegava a respirar. Mas nada se movia. Não havia um só raio de luz — a menos que, como lhe parecia, quando por fim ele ergueu lentamente a cabeça, houvesse um pálido brilho branco, acima dele e ao longe, no breu. Mas certamente não era uma fagulha de fogo de dragão, embora o fedor da serpe estivesse pesando sobre o lugar e o gosto do vapor chegasse à sua língua.

Afinal, o Sr. Bolseiro não conseguiu mais aguentar. "Dane-se você, Smaug, sua cobra!", berrou. "Pare de brincar de esconde-esconde! Acenda uma luz e depois me coma, se conseguir me pegar!"

Ecos fracos deram a volta no salão invisível, mas não houve resposta.

Bilbo se levantou, e descobriu que não sabia em que direção ir.

"Ora, fico pensando qual será o jogo de Smaug", disse. "Ele está fora de casa hoje (ou esta noite, ou o que quer que seja), acredito. Se Oin e Gloin não perderam suas pederneiras, talvez possamos produzir um pouco de luz, e dar uma olhada em volta antes que a sorte mude."

"Luz!", gritou ele. "Alguém pode acender uma luz?"

Os anãos, é claro, ficaram muito assustados quando Bilbo caiu de cara do degrau, fazendo um estrondo no salão, e estavam sentados amontoados bem onde ele os deixara no fim do túnel.

"Psiu! Psiu!", sibilaram eles quando ouviram a voz do hobbit; e, embora isso tenha ajudado Bilbo a descobrir onde estavam, demorou algum tempo antes que conseguisse arrancar algo mais do grupo. Mas, no fim das contas, quando Bilbo começou até a bater os pés no chão e berrou "Luz!", com sua voz estridente no máximo, Thorin cedeu, e Oin e Gloin foram mandados de volta a seus alforjes no topo do túnel.

Bilbo explora enquanto Smaug está ausente.
Ilustração de Tove Jansson para as edições sueca de 1962 e finlandesa de 1973.

1 O nome *Arkenstone* [Pedra Arken] vem do anglo-saxão *eorclanstān*, "pedra preciosa". A palavra, também encontrada em formas ligeiramente diferentes iniciadas por *eorcnan-*, *eorcan-*, ou *earcnan-*, aparece uma vez em *Beowulf*, no contexto da morte de Hygelac, rei dos Getas:

> *hyne wyrd fornam,*
> *syþðan hē for wlenco   wēan āhsode,*
> *fǣhðe tō Frȳsum.   Hē þā fætwe wæg,*
> *eorclan-stānas   ofer ȳða ful,*
> *rīce þēoden;   hē under rande gecranc.*
> (versos 1205–09)

Isso é traduzido por R.M. Liuzza em seu *Beowulf* (2000) como segue:

> *Fate struck him down*
> *when in his pride he went looking for woe,*
> *a feud with the Frisians. He wore that finery,*
> *those precious stones, over the cup of the sea,*
> *that powerful lord, and collapsed under his shield.*

> [*O Fado o avassala*
> *ao procurar com pompas o pesar,*
> *briga c'os Frísios. Banhado em berloques,*
> *magnas pedras, vara o vaso das vagas,*
> *possante senhor e cai sob o escudo.*]
> (p. 90)

(A origem do nome *Théoden*, Rei de Rohan em *O Senhor dos Anéis*, é vista no verso 1209, onde em Þēoden o caractere anglo-saxônico þ (thorn) representa *th*. É uma palavra anglo-saxônica que significa "príncipe" ou "rei", traduzida aqui por *lord* [senhor].)

Uma forma cognata do nórdico antigo aparece em *Volundarkviða* (A Balada de Volund), um dos poemas da *Edda Antiga*, após o ferreiro Volund (que é idêntico ao Wayland do folclore inglês) matar dois jovens irmãos que estavam cobiçando seu tesouro. Volund lhes cortou as cabeças e, de seus olhos, fez gemas (*iarknasteina*) para enviar à mãe deles (estrofe 25).

No terceiro dos quatro volumes de *Teutonic Mythology* [Mitologia teutônica] (1844), de Jacob Grimm, traduzido por James Steven Stallybrass em 1883, Grimm observa que as formas correspondentes no gótico *aírkna-stáins* (*aírknis* significando "sagrado") e no alto-alemão antigo *erchan-stein* podem ser

Depois de algum tempo, um brilho bruxuleante mostrou que estavam retornando, Oin com uma pequena tocha de madeira de pinheiro acesa nas mãos, e Gloin com um monte de outras debaixo do braço. Rapidamente Bilbo trotou até a entrada e pegou a tocha; mas não conseguiu persuadir os anões a acender as outras ou vir se juntar a ele ainda. Como Thorin explicou cuidadosamente, o Sr. Bolseiro ainda era oficialmente o gatuno e investigador especializado do grupo. Se queria arriscar uma luz, aquilo era assunto dele. Os anões aguardariam seu relatório no túnel. Assim, sentaram-se perto da porta e observaram.

Viram a pequena forma escura do hobbit sair pelo salão, segurando alto sua luzinha. De tempos em tempos, quando ele ainda estava suficientemente perto, vislumbravam brilhos e reflexos nas vezes em que ele tropeçava em alguma coisa dourada. A luz ficou menor conforme ele vagava pelo vasto salão; depois, começou a se erguer, dançando no ar. Bilbo estava escalando a grande pilha de tesouro. Logo estava no topo e continuava a andar. Então o viram parar e se abaixar por um momento; mas não sabiam a razão disso.

Era a Pedra Arken, o Coração da Montanha. Foi o que Bilbo inferiu a partir da descrição de Thorin; mas, de fato, não era possível que existissem duas gemas assim, mesmo em tão maravilhoso salão do tesouro, mesmo no mundo inteiro. O tempo todo, conforme escalava, o mesmo brilho branco luzira diante dele e arrastara seus pés em sua direção. Lentamente cresceu até se tornar um pequeno globo de luz pálida. Agora, conforme chegava perto, tingia-se de fagulhas flamejantes de muitas cores em sua superfície, refletidas e fragmentadas a partir da luz ondeante da tocha de Bilbo. Afinal o hobbit olhou para ela e ficou sem fôlego. A grande joia brilhava diante de seus pés por sua própria luz interior e, no entanto, cortada e lapidada pelos anões, que a tinham cavado do coração da montanha muito tempo antes, tomava toda a luz que caía sobre si e a transformava em dez mil faíscas de radiância alva, incrustada com reflexos do arco-íris.[1]

De repente, o braço de Bilbo se estendeu na direção dela, atraído por seu encantamento. Sua mão pequena não conseguia se fechar em volta da pedra, pois era uma gema enorme e pesada; mas ele a ergueu, fechou os olhos e a pôs em seu bolso mais profundo.

"Agora virei um gatuno de verdade!", pensou ele. "Mas suponho que tenha de contar aos anões sobre isso — em algum momento. Eles disseram que eu poderia pegar e escolher minha própria parte; e acho que escolheria isto mesmo que eles ficassem com todo o resto!" Apesar de tudo, ele tinha a sensação desconfortável de que o pegar e escolher não deveria realmente incluir essa gema maravilhosa, e que problemas ainda viriam daquilo.

Depois, foi em frente de novo. Desceu pelo outro lado da grande pilha de tesouro, e o chamejar de sua tocha desapareceu da vista dos anãos que observavam. Mas logo o viram a uma boa distância de novo. Bilbo estava cruzando todo o salão.

Seguiu adiante, até que chegou às grandes portas do outro lado, e ali uma corrente de ar o refrescou, mas quase apagou sua luz. Espiou timidamente pela entrada e teve um vislumbre de grandes passagens e dos começos indistintos de amplas escadarias que subiam pelo breu. E ainda não havia nem sinal nem som de Smaug. Estava prestes a se virar e voltar quando uma forma negra deu um rasante nele e roçou seu rosto. Deu um gritinho e pulou, tropeçou para trás e caiu. Sua tocha desabou com a ponta para baixo e se apagou!

"Só um morcego, é o que suponho e espero!", disse, desacorçoado. "Mas agora o que vou fazer? Onde é o Leste, o Sul, o Norte ou o Oeste?"

"Thorin! Balin! Oin! Gloin! Fili! Kili!", gritou tão alto quanto pôde — parecia um sonzinho fino naquele vasto negrume. "A luz se apagou! Alguém venha me achar e me ajudar!" Naquele momento, sua coragem falhou de todo.

Os gritinhos de Bilbo chegavam fracos aos anãos, que só conseguiram pegar a palavra "ajudar!".

"Agora o que diabos será que pode ter acontecido?", disse Thorin. "Certamente não foi o dragão, ou ele não continuaria a gritar."

Esperaram um momento ou dois e continuaram a não ouvir barulhos de dragão, nem som nenhum, de fato, além da voz distante de Bilbo. "Vamos, um de vocês, pegue uma luz ou duas!", ordenou Thorin. "Parece que temos de ir ajudar nosso gatuno."

"É mesmo nossa vez de ajudar," disse Balin, "e estou bastante disposto a ir. De qualquer jeito, espero que seja seguro por enquanto."

Gloin acendeu várias outras tochas, e então todos foram se esgueirando, um por um, seguindo ao longo da parede o mais rápido que puderam. Não demorou muito para que encontrassem o próprio Bilbo voltando na direção deles. Tinha recobrado o raciocínio rapidamente, assim que viu o bruxulear das luzes dos anãos.

"Foi só um morcego e uma tocha derrubada, nada pior que isso!", disse em resposta às perguntas deles. Embora os anãos tenham ficado muito aliviados, estavam inclinados a se zangar por terem se assustado à toa; mas o que teriam dito, se ele tivesse lhes contado naquele momento sobre a Pedra Arken, eu não sei. Os meros vislumbres passageiros do tesouro que eles tinham tido conforme andavam tinham reacendido todo o fogo de seus corações; e quando o coração de um anão, mesmo o mais respeitável, é despertado por ouro e por joias, ele fica ousado de repente e pode se tornar feroz.

seguramente aceitas, e ele sugere que a pedra preciosa aludida deve ser "a opala oval, branca como leite" (p. 1217).

A descrição da Pedra Arken dada aqui em *O Hobbit* é muito similar à daquelas três grandes joias de luz em *O Silmarillion*, as Silmarils: "mesmo na escuridão do mais profundo salão de tesouro, as Silmarils, de sua própria radiância, brilhavam como as estrelas de Varda; e, contudo, como se fossem elas de fato coisas vivas, regozijavam-se na luz e a recebiam e devolviam em tons mais maravilhosos do que antes" (pp. 103–4). Quando (provavelmente nos anos 1930) Tolkien traduziu alguns dos "Anais de Valinor" do seu legendário para o anglo-saxão, ele usou *eorclanstánas* para se referir especificamente às Silmarils (ver volume 4 da *História*, *A Formação da Terra-média*).

Os anãos, de fato, não mais precisavam de estímulo algum. Todos agora estavam ávidos para explorar o salão enquanto tinham a chance e se dispunham a acreditar que, por ora, Smaug estava longe de casa. Cada um agora segurava uma tocha acesa; e, conforme fitavam o tesouro, primeiro de um lado e depois do outro, esqueceram o medo e até a cautela. Falavam em voz alta e gritavam um para o outro, enquanto erguiam velhos tesouros da pilha ou do muro e os erguiam à luz, acariciando-os e tocando-os.

Fili e Kili estavam com um ar quase alegre e, achando ali, ainda penduradas, muitas harpas douradas com cordas de prata, tomaram-nas e as dedilharam; e, sendo mágicas (e também intocadas pelo dragão, que tinha pouco interesse em música), ainda estavam afinadas. O salão escuro se encheu de uma melodia há muito silenciada. Mas a maioria dos anãos tinha cabeça mais prática: reuniram gemas e encheram seus bolsos, e passaram por entre os dedos, com um suspiro, aquilo que não podiam carregar. Thorin não era o menos saudoso deles; mas sempre buscava, de um lado a outro, algo que não podia achar. Era a Pedra Arken; mas dela não falava ainda a ninguém.

Depois os anãos tiraram cotas de malha e armas das paredes, e se armaram. A aparência de Thorin era de fato a de um rei, vestido com uma malha de anéis banhados a ouro, com um machado de cabo de prata preso a um cinto incrustado com pedras escarlates.

"Sr. Bolseiro!", gritou. "Aqui está a primeira parcela de sua recompensa. Tire seu velho casaco e coloque isto!"

Dizendo isso, colocou em Bilbo uma pequena cota de malha, feita para algum jovem príncipe dos elfos muito tempo antes. Era de aço-de-prata,[2] que os elfos chamam de *mithril*, e a acompanhava um cinto de pérolas e cristais. Um elmo leve de couro gravado, reforçado na parte de baixo com argolas de aço e decorado em volta da borda com joias brancas, foi posto sobre a cabeça do hobbit.

"Sinto-me magnífico," pensou ele, "mas imagino que esteja com uma aparência bem absurda. Como eles iam rir na Colina, lá em casa! Ainda assim, queria que houvesse um espelho aqui perto!"

De todo modo, o Sr. Bolseiro conseguiu manter a cabeça mais limpa do feitiço do tesouro do que os anãos. Muito antes que o grupo se cansasse de examinar as riquezas, ele ficou exausto com aquilo e se sentou no chão; e começou a imaginar, nervoso, que fim teria aquilo tudo. "Eu daria uma bela quantidade desses cálices preciosos", pensou, "por um gole de alguma bebida animadora vinda das gamelas de madeira de Beorn!"

"Thorin!", gritou bem alto. "E agora? Estamos armados, mas de que serviram armaduras diante de Smaug, o Temível?

---

2 *1937:* "It was of silvered steel and ornamented with pearls, and with it went a belt of pearls and crystals" ["Era de aço prateado e ornamentada com pérolas, e a acompanhava um cinto de pérolas e cristais"] > *1966-Ball:* "It was of silver-steel, which the elves call *mithril*, and with it went a belt of pearls and crystals" ["Era de aço-de-prata, que os elfos chamam de *mithril*, e a acompanhava um cinto de pérolas e cristais"].

Essa revisão introduz o nome *mithril* em *O Hobbit* e harmoniza a descrição da cota de malha de Bilbo com a presente em *O Senhor dos Anéis*.

Mithril é uma palavra do élfico sindarin, que se traduz como "brilho gris". Esse aço-de-prata também é chamado prata-de-Moria e prata-vera. Na Terra-média, era encontrado exclusivamente em Moria.

Este tesouro ainda não foi recuperado. Não estamos procurando ouro ainda, mas uma via de escape; e tentamos a sorte por tempo demais!"

"Você diz a verdade!", respondeu Thorin, recobrando o juízo. "Vamos embora! Vou guiá-los. Nem em mil anos eu haveria de esquecer os caminhos deste palácio." Então chamou os outros, e eles se reuniram e, segurando as tochas acima de suas cabeças, passaram pelas portas escancaradas, não sem muitos olhares saudosos para trás.

As cotas de malha reluzentes eles tinham coberto de novo com seus velhos mantos, e seus elmos brilhantes, com seus capuzes amarfanhados; e, um a um, caminhavam atrás de Thorin, uma fila de luzinhas na escuridão que paravam com frequência, quando tentavam escutar, com medo mais uma vez, qualquer barulho da vinda do dragão.

Embora todos os antigos adornos tivessem apodrecido e sido destruídos muito tempo antes, e embora tudo estivesse conspurcado e queimado pelas idas e vindas do monstro, Thorin conhecia cada passagem e cada curva. Subiram longas escadarias, e viraram e desceram por largos caminhos ecoantes, e viraram de novo e subiram ainda mais escadas, e mais escadas ainda de novo. Essas eram lisas, recortadas da rocha, largas e bonitas; e cada vez mais e mais para o alto iam os anãos, e não achavam sinal nenhum de qualquer coisa viva, só sombras furtivas que fugiam da aproximação de suas tochas, cujas chamas tremeluziam nas correntes de ar.

Os degraus não tinham sido feitos, mesmo assim, para pernas de hobbits, e Bilbo começara a sentir que não conseguiria continuar mais, quando de repente o teto ficou alto, muito distante do alcance da luz das tochas. Um bruxulear branco podia ser visto, chegando através de alguma abertura muito acima, e o ar tinha um cheiro mais limpo. Diante deles a luz chegava fraca através de grandes portas, presas retorcidamente a seus gonzos e meio queimadas.

"Esta é a grande câmara de Thror," disse Thorin; "o salão de banquetes e do conselho. Não está muito longe agora o Portão da Frente."

Atravessaram a câmara arruinada. As mesas estavam apodrecendo ali; cadeiras e bancos jaziam revirados, queimados e se desfazendo. Crânios e ossos se espalhavam sobre o chão, em meio a jarros e tigelas e chifres de beber[a] e poeira. Quando atravessaram ainda mais portas do outro lado do salão, um som de água chegou a seus ouvidos, e a luz acinzentada de repente se fez mais forte.

---

[a]Chifres ocos de animais, como bois e carneiros, usados como taças. [N. T.]

"Ali está a nascente do Rio Rápido", disse Thorin. "Dali ele se apressa rumo ao Portão. Vamos segui-lo!"

De uma fenda escura numa parede de pedra saía uma água espumante, e ela ia correndo e girando por um canal estreito, escavado, aprumado e aprofundado pela habilidade de antigas mãos. Ao lado dele passava uma estrada pavimentada com pedra, larga o suficiente para que muitos homens caminhassem nela lado a lado. Rapidamente seguiram por ela, e passaram por uma virada bem aberta — e eis que diante deles estava a clara luz do dia. À frente se erguia um arco alto, ainda mostrando os fragmentos de antigas obras entalhadas nele, por mais que estivesse desgastado, estilhaçado e enegrecido. Um sol meio coberto por névoa enviava sua luz pálida por entre os braços da Montanha, e raios d'ouro caíam sobre o pavimento na entrada.

Uma revoada de morcegos, acordados de susto pelas tochas fumegantes deles, fez acrobacias por cima do grupo; e, seguindo em frente, seus pés escorregaram em pedras alisadas e cobertas pelo muco da passagem do dragão. Agora, diante deles, a água caía barulhenta para fora e descia espumejando na direção do vale. Jogaram suas tochas pálidas no chão e se puseram a fitar a cena com olhos ofuscados. Tinham chegado ao Portão da Frente, e estavam vendo Valle ao longe.

"Bem!", disse Bilbo, "nunca imaginei que um dia contemplaria a vista desta porta. E nunca imaginei que ficaria tão contente de ver o sol de novo, e de sentir o vento no meu rosto. Mas ai! esse vento é frio!"

Era. Uma brisa cortante do leste soprava com uma ameaça de inverno vindouro. Enroscava-se por cima e em volta dos braços da Montanha e entrava no vale e suspirava entre as rochas. Depois de passar tanto tempo nas profundezas abafadas das cavernas que o dragão assombrava, eles estremeciam ao sol.

De repente, Bilbo se deu conta de que estava não apenas cansado como também com muita fome mesmo. "Parece ser o fim da manhã," disse ele, "e assim suponho que seja mais ou menos hora do café da manhã — se é que há algum café da manhã para ser comido. Mas não sinto que a soleira da porta da frente de Smaug seja o lugar mais seguro para uma refeição. Vamos para algum lugar onde possamos nos sentar quietos por um tempo!"

"Certíssimo!", disse Balin. "E acho que sei para onde deveríamos ir: temos de seguir rumo ao antigo posto de observação no canto sudoeste da Montanha."

"A que distância fica isso?", perguntou o hobbit.

"Cinco horas de marcha, creio eu. Vai ser difícil. A estrada que sai do Portão e segue a margem esquerda da torrente parece toda destroçada. Mas olhe ali embaixo! O rio faz uma curva repentina a leste quando cruza Valle na frente da cidade

Observando do Portão da Frente.
Ilustração de Ryûichi Terashima para a edição japonesa de 1965.

arruinada. Naquele local havia antes uma ponte, que levava a escadas íngremes que subiam a margem direita e depois a uma estrada que seguia até Montecorvo. Há (ou havia) uma trilha que deixava a estrada e subia até o posto. Uma escalada dura, também, mesmo se os antigos degraus ainda estiverem lá."

"Minha nossa!", resmungou o hobbit. "Mais caminhadas e mais escaladas sem café da manhã! Fico pensando em quantos cafés da manhã e outras refeições perdemos dentro daquele buraco nojento, sem relógios e sem passagem do tempo…"

Para ser exato, duas noites e o dia entre elas tinham passado (e não totalmente sem comida) desde que o dragão destruíra a porta mágica, mas Bilbo tinha perdido totalmente as contas, e, por ele, poderia ter sido uma noite ou uma semana inteira de noites.

"Vamos, vamos!", disse Thorin, rindo — seu humor tinha começado a melhorar de novo, e ele estava chacoalhando as pedras preciosas em seus bolsos. "Não chame meu palácio de buraco nojento! Espere só até que ele esteja limpo e redecorado!"

"Isso não vai acontecer até que Smaug esteja morto", disse Bilbo, sombrio. "Enquanto isso, onde ele está? Eu daria um bom café da manhã para saber. Espero que não esteja no alto da Montanha olhando para nós!"

Essa ideia perturbou tremendamente os anões, e eles logo decidiram que Bilbo e Balin estavam certos.

"Temos de sair daqui", disse Dori. "Sinto como se os olhos dele estivessem fixos na parte de trás da minha cabeça."

"É um lugar frio e solitário", disse Bombur. "Pode haver algo para beber, mas não vejo sinal de comida. Um dragão sempre ficaria com fome nestas partes."

"Vamos! Vamos!", gritaram os outros. "Vamos seguir a trilha de Balin!"

***

Sob a muralha rochosa à direita não havia trilha, então lá se foram eles em meio às pedras do lado esquerdo do rio, e o vazio e a desolação[3] logo fizeram até Thorin ficar sério de novo. A ponte de que Balin falara eles descobriram que tinha caído havia muito, e a maioria de suas pedras agora eram apenas seixos na correnteza rasa e barulhenta; mas vadearam o rio sem muita dificuldade e acharam os antigos degraus e escalaram o barranco alto. Depois de andar um pouco, toparam com a velha estrada e, logo depois, chegaram a um valão profundo, abrigado entre as rochas; ali descansaram por um tempo e tomaram o café da manhã que era possível, principalmente *cram* e água. (Se você quer saber o que é *cram*, só posso dizer que não conheço a receita; mas lembra biscoito, não estraga por tempo indeterminado, supõe-se que dá sustança e certamente não é uma delícia, sendo, de fato, bastante desinteressante, exceto como exercício de mastigação. Era feito pelos Homens-do-lago para longas jornadas.[4])

Depois disso foram em frente de novo; e então a estrada seguiu para o oeste e deixou para trás o rio, e o grande braço do esporão da montanha que apontava para o sul foi ficando cada vez mais perto. Por fim chegaram à trilha do monte. Ia subindo cada vez mais íngreme, e eles continuaram devagar, um atrás do outro, até que afinal, à tardinha, chegaram ao topo da encosta e viram o sol invernal descendo no Oeste.

Ali acharam um espaço plano sem paredão de três lados, mas fechado, ao Norte, por uma face rochosa na qual havia uma abertura, semelhante a uma porta. Daquela porta havia uma ampla vista para o Leste, o Sul e o Oeste.

"Aqui," disse Balin, "nos dias antigos, sempre costumávamos deixar vigias, e aquela porta ali atrás leva a uma câmara escavada na rocha que foi feita para ser uma sala da guarda. Havia vários lugares como este ao redor da Montanha. Mas parecia haver pouca necessidade de vigiar nos dias de nossa prosperidade, e os guardas ficaram confortáveis demais, talvez — do contrário, poderíamos ter sido avisados da vinda do dragão antes, e as coisas poderiam ter sido diferentes. Ainda assim, aqui agora podemos ficar escondidos e abrigados por um tempo e ver muito sem sermos vistos."

"Não serve de muita coisa, se fomos vistos vindo até aqui", disse Dori, que estava sempre olhando na direção do pico da Montanha, como se esperasse ver Smaug empoleirado lá, feito uma ave numa torre.

"Temos de correr riscos nesse caso", disse Thorin. "Não podemos ir mais adiante hoje."

"É isso, é isso!", gritou Bilbo, e se jogou no chão.

---

3 *1937:* "So on they trudged among the stones on the left side of the river — to the right the rocky wall above the water was sheer and pathless — and the emptiness and desolation" ["Então lá se foram eles em meio às pedras do lado esquerdo do rio — à direita, a muralha rochosa sobre a água era massiva e sem trilha a seguir — e o vazio e a desolação"] > *1966-Ball:* "Under the rocky wall to the right there was no path, so on they trudged among the stones on the left side of the river, and the emptiness and desolation" ["Sob a muralha rochosa à direita não havia trilha, então lá se foram eles em meio às pedras do lado esquerdo do rio, e o vazio e a desolação"].

4 *Cram* é uma palavra élfica. Nas "Etimologias", lista feita por Tolkien das relações entre palavras élficas publicada no volume 5 da *História, A Estrada Perdida*, ele derivou *cram* do radical *KRAB-* "prensar". Ele também nota que se trata de "biscoito de farinha comprimida ou refeição (contendo geralmente mel e leite), usado em longas jornadas".

Na câmara de rocha havia espaço para uma centena de anãos, e existia uma câmara menor mais para dentro, mais protegida do frio lá de fora. Estava totalmente deserta; nem mesmo animais selvagens pareciam tê-la usado em todos os dias do domínio de Smaug. Ali deixaram seus fardos; e alguns se deixaram cair no chão de imediato e dormiram, mas os outros se sentaram perto da porta mais externa e discutiram seus planos. Em toda a conversa deles, voltavam perpetuamente para um assunto: onde estava Smaug? Olharam para o Oeste e não havia nada, e no Leste não havia nada, e no Sul não havia sinal do dragão, mas havia uma reunião de muitíssimas aves. Ficaram fitando a cena e se admiraram; mas não estavam mais perto de entendê-la quando as primeiras estrelas frias saíram.

~ 14 ~

Fogo e Água

Agora, se você deseja, como os anãos, ouvir notícias de Smaug, precisa retornar à noite em que ele destruiu a porta e saiu voando em sua fúria, dois dias antes.

Os homens da Cidade-do-lago de Esgaroth estavam quase todos dentro de casa, pois a brisa vinha do Leste negro e era gélida, mas uns poucos estavam andando pelos cais e observando, como gostavam de fazer, as estrelas brilharem perto dos trechos calmos do lago, conforme se abriam no céu. Vista da cidade deles, a Montanha Solitária era quase totalmente encoberta pelos morros baixos do lado mais distante do lago, através dos quais, por uma fenda, o Rio Rápido descia do Norte. Só seu pico mais alto podia ser visto quando o tempo estava claro, e olhavam raramente para ela, pois era agourenta e desolada, mesmo à luz da manhã. Naquela hora tinha se perdido e sumido, apagada no escuro.

De repente, flamejou à vista deles; um brilho breve a tocou e desapareceu.

"Vejam!", disse um deles. "As luzes de novo! Na noite passada os vigias as viram surgir e desaparecer da meia-noite até a aurora. Alguma coisa está acontecendo lá."

"Talvez o Rei sob a Montanha esteja forjando ouro", disse outro. "Foi há muito que ele partiu para o Norte. É hora de as canções se mostrarem verdadeiras de novo."

"Qual rei?", disse outro, com voz sombria. "Pode bem ser que se trate do fogo devastador do Dragão, o único rei sob a Montanha que jamais conheceremos."

"Você está sempre tendo presságios de coisas sinistras", disseram os outros. "Qualquer coisa, desde enchentes até peixe envenenado. Pense em algo alegre!"

Então, de repente, uma grande luz apareceu no lugar baixo nos morros, e a extremidade norte do lago se tornou dourada. "Eis o Rei sob a Montanha!", gritaram. "É rico como o Sol, sua prata a tudo banha, seus rios de arrebol! O rio está trazendo ouro da Montanha!", berraram, e em todo lugar janelas se abriam e pés se apressavam.

Houve mais uma vez tremenda empolgação e entusiasmo. Mas o camarada de voz sombria correu com pés velozes até o Mestre. "O dragão está vindo, ou eu sou um tolo!", gritou. "Cortem as pontes! Às armas! Às armas!"

Smaug sobre a Cidade-do-lago.
Ilustração de Maret Kernumees para a edição estoniana de 1977.

Então trombetas de alarme soaram de repente, ecoando ao longo das margens rochosas. Os festejos pararam, e o júbilo se transformou em terror. Assim foi que o dragão não os encontrou de todo despreparados.

Não muito depois, tão grande era a velocidade dele, conseguiam vê-lo feito uma fagulha de fogo apressando-se na direção da cidade e ficando cada vez mais imenso e brilhante, e nem os mais tolos duvidaram que as profecias tinham dado muito errado. Ainda assim, tinham um pouco de tempo. Toda vasilha da cidade foi enchida com água, todo guerreiro se armou, toda flecha e todo dardo foram preparados, e a ponte que levava à terra firme foi derrubada e destruída, antes que o rugido da terrível aproximação de Smaug ficasse alto, e o lago ondulasse, vermelho feito fogo, debaixo das tremendas batidas de suas asas.

Em meio a gritos e gemidos e urros dos homens, ele se lançou sobre eles, girou rumo às pontes e se deteve! A ponte se fora, e seus inimigos estavam numa ilha em água profunda — profunda e escura e fresca demais para seu gosto. Se mergulhasse nela, um vapor e uma bruma iriam se erguer, o suficiente para cobrir toda a terra com névoa por dias; mas o lago era mais poderoso que ele, apagaria seu fogo antes que conseguisse passar.

Smaug em fuga. Ilustração de Tamás Szecskó para a edição húngara de 1975.

Rugindo, deu uma volta por cima da cidade. Uma saraivada de flechas escuras se lançou ao céu, batendo em suas escamas e joias e fazendo-as chacoalhar, e suas hastes caíram, inflamadas por seu hálito, queimando e sibilando dentro do lago. Nenhum fogo de artifício que você já tenha imaginado se iguala à visão daquela noite. Quando os arcos eram disparados e as trombetas soavam, a ira do dragão ardia ao máximo, até que ele ficou cego e enlouquecido por ela. Ninguém ousava lhe oferecer combate havia muitas eras; nem teriam ousado agora, se não fosse pelo homem de voz sombria (Bard era seu nome), que corria de um lado a outro animando os arqueiros e cobrando do Mestre que lhes dessem a ordem de lutar até a última flecha.

O fogo saltava da bocarra do dragão. Ele voou em círculos por um tempo, muito alto no ar acima deles, iluminando todo o lago; as árvores nas margens brilhavam como cobre e como sangue, com sombras saltitantes de um negrume denso a seus pés. Então para baixo ele se lançou, atravessando diretamente a tempestade de flechas, descuidado em sua fúria, sem a precaução de virar suas laterais escamosas na direção dos adversários, buscando apenas encher a cidade deles de chamas.

O fogo saltava dos tetos de palha e das vigas de madeira conforme ele se jogava para baixo e para os lados e dava a volta de novo, embora tudo tivesse sido encharcado com água antes que o dragão chegasse. Mais uma vez a água foi despejada por

Death of Smaug [A Morte de Smaug] de J.R.R.Tolkien. Esse esboço inacabado foi publicado pela primeira vez como ilustração da capa da edição de bolso de *O Hobbit* lançada em 1966 pela Unwin Books. Quando essa edição estava em preparo, Tolkien expressou suas dúvidas sobre usar o esboço como capa em carta para Rayner Unwin datada de 15 de dezembro de 1965: "Não me recordo de quando o esboço da Morte de Smaug foi feito; mas acho que deve ter sido antes da primeira publicação, e 1936 deve estar próximo do alvo. Estou em suas mãos, mas ainda não estou muito feliz com o uso desse rabisco como uma capa. Parece demasiado no estilo moderno no qual aqueles que sabem desenhar tentam esconder o fato. Mas talvez haja uma distinção entre as produções deles e a de um homem que obviamente não sabe desenhar o que vê" (*Cartas*, n. 281).

O escrito na margem esquerda lê-se: "The Moon should be *crescent*: it was only a few nights after the *New Moon* on Durin's Day" ["A Lua deve ser *crescente*: foi apenas alguns dias após a *Lua Nova* no Dia de Durin"]; na parte inferior do canto esquerdo, "Dragon should have a white *naked* spot where the arrow enters" ["O Dragão deve ter uma marca branca *nua* onde a flecha penetra"]; e na parte inferior, "Bard the Bowman should be standing after release of arrow at extreme left point of the piles" ["Bard, o Arqueiro, deve estar de pé após soltar a flecha no extremo ponto esquerdo das pilhas"]. Essa ilustração aparece em *Artist* (n. 137) e em *Pictures* (n. 19).

uma centena de mãos onde quer que uma fagulha aparecesse. De novo volteou o dragão. Bastou um giro de sua cauda para que o teto da Grande Mansão ficasse esmigalhado e desabasse. Chamas irreprimíveis saltaram alto na noite. Outro giro e outro, e outra casa e depois mais outra encheram-se de fogo e tombaram; e ainda assim nenhuma flecha atrapalhava Smaug ou o feria mais do que uma mosca dos charcos.

Já havia homens pulando dentro d'água de todo lado. Mulheres e crianças estavam se apinhando em barcos carregados na enseada do mercado. Armas eram arrojadas ao chão. Havia luto e pranto onde, pouco tempo atrás, as velhas canções de júbilo por vir tinham sido cantadas sobre os anãos. Agora os homens amaldiçoavam seus nomes. O próprio Mestre se encaminhava para seu grande barco dourado, esperando remar para longe na confusão e se salvar. Logo toda a cidade seria abandonada e queimaria até a superfície do lago.

Essa era a esperança do dragão. Todos podiam entrar em barcos, no que lhe dizia respeito. Para ele seria um belo esporte caçá-los, ou então podiam ficar parados até morrerem de fome. Que tentassem chegar à terra firme — ele estaria preparado. Logo ele poria fogo em todas as matas das margens e faria secar cada campo e pastagem. Por ora, estava se divertindo com o esporte de atormentar uma cidade mais do que se divertira com qualquer coisa havia anos.

Mas havia ainda uma companhia de arqueiros que mantinha seu posto em meio às casas que queimavam. Seu capitão era Bard, de voz sombria e rosto sombrio, cujos amigos o tinham acusado de profetizar enchentes e peixes envenenados, embora conhecessem seu valor e sua coragem. Ele era um descendente, em longa linhagem, de Girion, Senhor de Valle, cuja mulher e filho escaparam do desastre descendo o Rio Rápido muito tempo antes. Agora disparava um grande arco de teixo, até que todas as suas flechas, menos uma, foram desperdiçadas. As chamas estavam perto dele. Seus companheiros o estavam deixando. Retesou o arco pela última vez.

De repente, vinda do escuro, alguma coisa voejou até seu ombro. Ele se assustou — mas era só um velho tordo. Sem temê-lo, o pássaro se empoleirou perto de seu ouvido e lhe trouxe notícias. Maravilhando-se, descobriu que conseguia entender a língua da ave, pois era da raça de Valle.

"Espere! Espere!", disse-lhe o tordo. "A lua está nascendo. Procure a parte côncava do peito esquerdo enquanto ele voa e vira acima de você!" E, enquanto Bard se detinha em assombro, a ave lhe contou sobre as novas no alto da Montanha e sobre tudo o que tinha ouvido.

1 O uso feito aqui por Tolkien da palavra *glede* [brasa] é arcaico. Ela vem do inglês antigo *glēde*, "carvão, brasa, fogo, chamas". Essa palavra sobrevive no inglês moderno, mas é grafada como gleed, e seu uso é raro. Ela aparece diversas vezes em *Beowulf*, como nesta descrição de um ataque feito pelo dragão: Ðā *se gæst ongan glēdum* spīwan / *beorht hofu bæ*rnan (seção 33, versos 2312–13): "Then the invader began to spew forth gledes to burn the bright dwellings" ["Então o invasor principiou a lançar brasas para incinerar as incandescentes habitações"]. Ela também aparece no verso 3040 (seção 41), "The fiery dragon, terribly bright, was scorched with glowing embers" ["O ígneo dragão, em atroz radiância, foi causticado com brasas candentes"], que é citado de forma mais extensiva na nota 1 ao Capítulo 17.

Glede aparece duas vezes no poema do inglês médio *Sir Gawain e o Cavaleiro Verde*, nos versos 891 e 1609 da edição de Tolkien e Gordon de 1925. A tradução de Tolkien, *Sir Gawain and the Green Knight, Pearl, and Sir Orfeo*, publicada postumamente, dá a segunda ocorrência como consta a seguir, em uma cena que sucede uma caçada bem-sucedida na qual a presa, um javali, é talhada por um dos caçadores e os cachorros têm sua recompensa:

> First he hewed off his head and on high set it,
> then he rent him roughly down the ridge of the back,
> brought out the bowels, burned them on gledes,
> and with them, blended with blood, the blood hounds rewarded.

> [Primeiro corta a cabeça e no alto a coloca,
> rude, então, rasga e racha o espinhaço, rompendo-o,
> extirpa as entranhas, incinera-as em brasa,
> e com elas, sanguentas, sacia os sabujos.]
>   (seção 64, p. 65)

A palavra moderna glede (hoje sobretudo dialetal) é uma palavra completamente diversa, usada para milhafres e outras aves de rapina; é derivada do inglês antigo glīda, palavra relacionada ao verbo *glide* [deslizar, planar].

Então Bard puxou a corda do arco até seu ouvido. O dragão estava dando a volta, voando baixo e, quando vinha chegando, a lua nasceu acima da margem leste e prateou suas grandes asas.

"Flecha!", disse o arqueiro. "Flecha negra! Deixei-te para o fim. Nunca me falhaste e sempre te recuperei. Eu te recebi de meu pai, e ele de antanho. Se vieste de fato das forjas do verdadeiro rei sob a Montanha, vai agora e sê veloz!"

O dragão mergulhou outra vez, mais perto do lago do que nunca, e, conforme se virou e se lançou para baixo, seu ventre chamejou branco com os fogos reluzentes das gemas à luz da lua — menos em um lugar. O grande arco cantou. A flecha negra voou em linha reta da corda, em linha reta rumo ao ponto côncavo no peito esquerdo onde a pata dianteira estava esticada. Esse lugar ela atingiu e nele desapareceu, ponta, haste e pena, tão feroz fora seu voo. Com um grito que ensurdeceu homens, derrubou árvores e rachou pedra, Smaug disparou jorrando fogo pelo ar, virou-se para baixo e desabou do alto em sua ruína.

Diretamente sobre a cidade ele caiu. Seus últimos estertores despedaçaram-na em fagulhas e brasas.[1] O lago a adentrou, rugindo. Vastos vapores saltaram pelo ar, brancos na escuridão repentina sob a lua. Ouviu-se um sibilo, um som gorgolejante, e então veio o silêncio. E esse foi o fim de Smaug e Esgaroth, mas não o de Bard.[2]

A lua crescente se erguia mais[3] e mais, e o vento se fez forte e frio. Ele retorceu a neblina branca em pilares inclinados e nuvens apressadas e a empurrou para o Oeste, espalhando-a em pedaços rasgados sobre os charcos diante de Trevamata. Então os muitos barcos apareceram, salpicando de negro a superfície do lago, e pelo vento vieram as vozes do povo de Esgaroth, lamentando sua cidade e seus bens perdidos e casas arruinadas. Mas realmente tinham muito a agradecer, se parassem para pensar, embora não fosse de se esperar que o fizessem bem naquela hora: três quartos do povo da cidade tinham pelo menos escapado com vida; seus bosques, e campos, e pastagens, e gado, e a maioria de seus barcos ainda estavam intactos; e o dragão estava morto. O que isso significava eles ainda não tinham percebido.

Reuniram-se em grupos chorosos nas margens ocidentais, tiritando no vento frio, e suas primeiras reclamações e raivas foram dirigidas contra o Mestre, que deixara a cidade tão cedo, enquanto alguns ainda estavam dispostos a defendê-la.

"Ele pode ter boa cabeça para negócios — especialmente seus próprios negócios," alguns murmuravam, "mas não presta quando algo sério acontece!". E louvaram a coragem de Bard e seu último flechaço poderoso. "Se ele não tivesse morrido," disseram todos, "faríamos dele um rei. Bard, o Flecha-dragão, da linhagem de Girion! Ai de nós que ele tenha se perdido!"

E bem no meio da conversa deles uma figura alta chegou, vinda das sombras. Estava encharcado d'água, seus cabelos negros caíam molhados sobre seu rosto e ombros, e uma luz feroz estava em seus olhos.

"Bard não está perdido!", gritou a figura. "Ele mergulhou, deixando Esgaroth, quando o inimigo foi morto. Eu sou Bard, da linhagem de Girion; eu sou o matador do dragão!"

"Rei Bard! Rei Bard!", gritaram eles; mas o Mestre rangeu seus dentes, que batiam de frio.

"Girion era senhor de Valle, não rei de Esgaroth", disse ele. "Na Cidade-do-lago nós sempre elegemos mestres tirados do meio dos idosos e sábios e nunca suportamos o governo de meros homens de guerra. Que o 'Rei Bard' volte para seu próprio reino — Valle agora está liberta pelo valor dele próprio, e nada impede seu retorno. E qualquer um que desejar pode ir com ele, se preferir as pedras frias sob a sombra da Montanha às margens verdejantes do lago. Os sábios ficarão aqui com esperança de reconstruir nossa cidade e gozar novamente, com o tempo, de sua paz e suas riquezas."

"Queremos o Rei Bard!", gritou em resposta o povo perto dele. "Já aguentamos demais os velhos e os contadores de dinheiro!" E o povo que estava mais longe acompanhou o grito: "Viva o Arqueiro e abaixo os Sacos-de-dinheiro", até que o clamor ecoou ao longo da margem.

"Sou o último homem a não dar valor a Bard, o Arqueiro", disse o Mestre, cuidadoso (pois Bard agora estava perto, ao lado dele). "Ele obteve, nesta noite, um lugar eminente no rol dos benfeitores de nossa cidade; e é digno de muitas canções imperecíveis. Mas por que, ó Povo" — e aqui o Mestre ficou de pé e falou muito alto e claro — "Por que recebo toda a culpa? Por qual falha devo ser deposto? Quem despertou o dragão de seu sono, se é que posso perguntar? Quem obteve de nós ricos presentes e ampla ajuda e nos levou a crer que antigas canções poderiam se tornar verdade? Quem se aproveitou de nossos corações moles e de nossos devaneios agradáveis? Que tipo de ouro eles enviaram rio abaixo para nos recompensar? Fogo de dragão e ruína! De quem deveríamos exigir recompensa pelos danos e auxílio para nossas viúvas e órfãos?"

Como você vê, o Mestre não tinha alcançado sua posição por nada. O resultado de suas palavras foi que, por ora, o povo acabou esquecendo a ideia de um novo rei e voltou seus pensamentos raivosos para Thorin e sua companhia. Palavras selvagens e amargas foram gritadas de muitos lados; e alguns daqueles que tinham antes cantado com mais força as antigas

Bard e o dragão. Ilustração de Nada Rappensbergerová para a edição eslovaca de 1973.

2 Em seu ensaio "Sobre Estórias de Fadas", Tolkien escreveu que quando criança ele "desejava dragões com um desejo profundo. Claro, eu, em meu corpo tímido, não queria tê-los na vizinhança, invadindo meu mundo relativamente seguro [...]. Mas o mundo que continha mesmo que só a imaginação de Fáfnir era mais rico e mais belo, qualquer que fosse o custo em perigo". Em uma entrevista para a Rádio BBC gravada em janeiro de 1965, Tolkien acrescentou: "Dragões sempre me atraíram como elemento mitológico. Eles pareciam ser capazes de acoplar malícia humana e bestialidade tão extraordinariamente bem, assim como certo tipo de sabedoria e astúcia perversas — criaturas pavorosas!" (ver nota 1 ao Capítulo 2).

Com ânimo mais descontraído, e com maior simpatia pelo dragão, Tolkien publicou o seguinte poema, parte da série "Contos e Canções da Baía Bimble", na edição de 4 de fevereiro de 1937 da *Oxford Magazine*:

A VISITA DO DRAGÃO

Jaz o dragão nas cerejeiras
ressonando a sono solto:
Ele era verde e as flores, brancas,
o sol em amarelo envolto.
De Finis-Terre chegou só,
sobre os Azulados Montes,
Lar de dragões, e a lua encanta
nas claras e altas fontes.

*"Ora, Seu Barbosa, notou
  o que jaz em seu jardim?
Há um dragão nas cerejeiras!"
  "Eh, quê? Desculpe-me, sim?"
Barbosa a mangueira buscou
  e o dragão enfim desperta;
Este pisca, ergue as orelhas
  ao sentir da água o alerta.*

*"Frescas", disse, "são tão fresquinhas
  De Seu Barbosa as fontes!
Canto até a lua apontar,
  tal como além dos montes;
Seu Barbosa, Dona Barreto
  Caixeta e o velho Carneiro
Com minha voz ficarão ledos:
  teremos jantar festeiro!"*

*Barbosa chamou a brigada
  com longa escada escarlate.
E homens com capacetes dourados.
  No imo o dragão se abate:
"Lembra os tristes dias sem data,
  em que ferozes guerreiros
Caçavam dragões nas moradas,
  o ouro afanando, faceiros."*

*Na escada vem Capitão Jorge.
  O dragão: "Boa gente, veja,
Que grita é essa? Vão, eu peço!
  Ou a torre da igreja
Vou derrubar, destruir árvores,
  e fazer em pedacinhos
Você, Capitão, Seu Barbosa
  e todos os seus vizinhos!"*

*"Abre a mangueira!", Jorge ordena,
  e escada abaixo ele tomba,
Do dragão o olhar enrubesce
  e a barriga então ribomba.
Fumeia, fumega, e zurze o rabo,
  se agita na floração;
Feito neve sobre o gramado,
  rosna e resmunga o dragão.*

*Co'estacas o atiçam por baixo
  (onde havia maciez):
Deu o dragão terrível grito,
  tal trovão subiu de vez.
A restos reduz a cidade,
  e sobre a Baía Bimble
Viam marujos o fulgor
  do Cabo Bumpus a Trimble.*

canções agora gritavam, com a mesma força, que os anãos tinham atiçado o dragão contra eles deliberadamente!

"Tolos!", disse Bard. "Por que desperdiçar palavras e ira com aquelas criaturas infelizes? Sem dúvida eles foram os primeiros a perecer no fogo, antes que Smaug viesse até nós." Então, enquanto estava falando, entrou em seu coração o pensamento de que o fabuloso tesouro da Montanha lá jazia sem guarda ou dono, e ele, de súbito, ficou em silêncio. Pensou nas palavras do Mestre, e em Valle reconstruída e repleta de sinos dourados, se ao menos ele achasse os homens para isso.

Por fim, falou de novo. "Este não é o momento para palavras raivosas, Mestre, ou para considerar planos dificultosos de mudança. Há trabalho a fazer. Ainda o sirvo — mesmo que, depois de algum tempo, eu possa pensar de novo em suas palavras e partir para o Norte com qualquer um que desejar me seguir."

Então saiu andando para ajudar a organizar os acampamentos e os cuidados com os doentes e os feridos. Mas o Mestre olhou para ele com desprezo pelas costas e continuou sentado no chão. Pensava muito, mas falava pouco, a não ser que fosse para ordenar em alta voz a seus homens que lhe trouxessem fogo e comida.

Ora, aonde quer que Bard fosse, descobria que entre o povo corria feito fogo a conversa acerca do vasto tesouro que agora estava desprotegido. Os homens falavam da recompensa para todas as suas desgraças que logo obteriam desse modo, e da riqueza abundante com a qual comprariam coisas preciosas vindas do Sul; e isso os animava grandemente em sua situação. Ainda bem, porque a noite era amarga e cruel. Poucos abrigos puderam ser arranjados (o Mestre tinha um), e havia pouca comida (até para o Mestre faltou). Muitos ficaram adoentados com a umidade, o frio e a tristeza daquela noite, e depois morreram, mesmo tendo escapado sem ferimentos da ruína da cidade; e, nos dias que se seguiram, houve muita enfermidade e grande fome.

Enquanto isso, Bard tomou a dianteira e deu ordem às coisas como desejava, ainda que sempre em nome do Mestre, e teve a difícil tarefa de governar o povo e orientar os preparativos para a proteção e o abrigo deles. Provavelmente a maioria deles teria perecido no inverno que agora chegava apressado depois do outono, se a ajuda não estivesse à mão. Mas a ajuda chegou rapidamente; pois Bard de imediato mandou mensageiros velozes rio acima até Trevamata, para pedir o auxílio do Rei dos Elfos da Floresta, e esses mensageiros encontraram uma hoste já em movimento, embora fosse então apenas o terceiro dia depois da queda de Smaug.

O Rei-élfico tinha recebido notícias de seus próprios mensageiros e das aves que amavam sua gente e já sabia muito do que tinha acontecido. Muito grande, de fato, foi a comoção entre todas as coisas com asas que habitavam as fronteiras da Desolação do Dragão. O ar ficou repleto de bandos circulantes, e seus mensageiros de voo veloz voavam daqui para ali através do céu. Acima das fronteiras da Floresta se ouviam assovios, gritos e piados. Pelos lugares mais distantes de Trevamata as novas se espalhavam: "Smaug está morto!" As folhas farfalhavam e orelhas espantadas ficavam em pé. Mesmo antes que o Rei-élfico cavalgasse, as notícias já tinham chegado ao oeste, até as matas de pinheiros das Montanhas Nevoentas; Beorn as ouvira em sua casa de madeira, e os gobelins reuniam-se em conselho em suas cavernas.

"Esta será a última vez que havemos de ouvir falar de Thorin Escudo-de-carvalho, temo eu", disse o rei. "Teria sido melhor para ele permanecer como meu hóspede. Mesmo assim, há males", acrescentou ele, "que vêm para bem." Pois ele também não tinha esquecido a lenda da riqueza de Thror. Assim foi que os mensageiros de Bard o encontraram então, marchando com muitos lanceiros e arqueiros; e corvos tinham se reunido em densos bandos acima dele, pois pensavam que a guerra estava despertando de novo, tal como não acontecera naquelas partes por longas eras.

Mas o rei, quando recebeu os rogos de Bard, teve piedade, pois era o senhor de um povo bom e gentil; assim, mudando o rumo de sua marcha, a qual de início tinha seguido direto para a Montanha, ele se apressou então rio abaixo, até o Lago Longo. Não tinha barcos ou balsas suficientes para sua hoste, e eles foram forçados a ir pelo caminho mais lento a pé; mas uma grande provisão de bens ele enviou na frente, pela água. Mesmo assim, elfos são leves ao caminhar e, embora naqueles dias eles não estivessem muito acostumados às terras fronteiriças e traiçoeiras entre a Floresta e o Lago, seu avanço foi rápido. Apenas cinco dias depois da morte do dragão, chegaram às margens e contemplaram as ruínas da cidade. Foram bem recebidos, como era de se esperar, e os homens e seu Mestre estavam prontos a aceitar qualquer trato para o futuro em troca da ajuda do Rei-élfico.

Seus planos logo ficaram prontos. Com as mulheres e as crianças, os idosos e os inválidos, o Mestre ficou para trás; e com ele alguns homens de ofícios e muitos elfos habilidosos; e se ocuparam com a derrubada de árvores e ajuntando a madeira enviada da Floresta. Então se puseram a erguer muitas cabanas na margem para enfrentar o inverno que chegava; e também, sob a orientação do Mestre, começaram a planejar uma nova cidade, com estrutura mais bela e ampla do que antes, mas não no mesmo lugar. Mudaram-se para o norte, na margem mais distante; pois desde então sempre sentiam terror diante da água onde o dragão jazia. Ele jamais

Barbosa era duro; já Caixeta,
   do nome tinha o sabor.
Disse o dragão, mascando a ceia:
   "Lá se foi todo o labor!"
O Capitão enterrou com Carneiro
   no alto em escarpa rochosa,
Mais os restos da velha Barreto;
   e um hino cantou por Barbosa.

Um triste canto, ao subir da lua,
   o mar abaixo, suspirante
Nas rochas cinzentas de Bimble,
   e a rubra chama expirante.
Muito além do mar visa os picos
   de sua terra se alinhando;
E pensa na gente de Bimble,
   na velha ordem cambiando:

"Eles não sabem admirar
   nossa cor ou cantoria,
Nem têm brio para logo matar-nos —
   E mais o mundo se entedia!"
Brilha a lua por suas verdes asas
   que movem da noite as monções,
E parte sobre o mar salpicado
   para um colóquio de dragões.

[THE DRAGON'S VISIT

The dragon lay on the cherry trees
   a-simmering and a-dreaming:
Green was he, and the blossom white,
   and the yellow sun gleaming.
He came from the land of Finis-Terre,
   from over the Blue Mountains,
Where dragons live, and the moon shines
   on high white fountains.

"Please, Mister Higgins, do you know
   What's a-laying in your garden?
There's a dragon in your cherry trees!"
   "Eh, what? I beg your pardon?"
Mister Higgins fetched the garden hose,
   and the dragon woke from dreaming;
He blinked, and cocked his long green ears
   when he felt the water streaming.

"How cool," he said, "delightfully cool
   are Mister Higgins' fountains!
I'll sit and sing till the moon comes,
   as they sing beyond the mountains;
And Higgins, and his neighbours, Box,
   Miss Biggins and old Tupper,

FOGO E ÁGUA

Will be enchanted by my voice:
  they will enjoy their supper!"

Mister Higgins sent for the fire brigade
  with a long red ladder.
And men with golden helmets on.
  The dragon's heart grew sadder:
"It reminds me of the bad old days
  when warriors unfeeling
Used to hunt dragons in their dens,
  their bright gold stealing."

Captain George, he up the ladder came.
  The dragon said: "Good people,
Why all this fuss? Please go away!
  Or your church-steeple
I shall throw down, and blast your trees,
  and kill and eat for supper
You, Cap'n George, and Higgins, Box,
  and Biggins and old Tupper!"

"Turn on the hose!" said Captain George,
  and down the ladder tumbled.
The dragon's eyes from green went red,
  and his belly rumbled.
He steamed, he smoked, he threshed his tail,
  and down the blossom fluttered;
Like snow upon the lawn it lay,
  and the dragon growled and muttered.

They poked with poles from underneath
  (where he was rather tender):
The dragon gave a dreadful cry
  and rose like thunder.
He smashed the town to smithereens,
  and over the Bay of Bimble
Sailors could see the burning red
  from Bumpus Head to Trimble.

Mister Higgins was tough; and as for Box
  just like his name he tasted.
The dragon munching his supper said:
  "So all my trouble's wasted!"
And he buried Tupper and Captain George,
  and the remains of old Miss Biggins,
On a cliff above the long white shore;
  and he sang a dirge for Higgins.

A sad song, while the moon rose,
  with the sea below sighing
On the grey rocks of Bimble Bay,
  and the red blaze dying.
Far over the sea he saw the peaks
  round his own land ranging;

retornaria à sua cama dourada, mas estava estendido, frio como pedra, retorcido sobre o leito dos baixios. Ali, durante eras, seus ossos enormes podiam ser vistos quando o tempo estava calmo, em meio às ruínas empilhadas da antiga cidade. Mas poucos ousavam cruzar o ponto amaldiçoado, e ninguém ousava mergulhar na água frígida ou recuperar as pedras preciosas que caíam de sua carcaça conforme o dragão apodrecia.

Mas todos os soldados que ainda podiam lutar e a maioria das forças do Rei-élfico prepararam-se para marchar para o norte até a Montanha. Assim foi que, onze dias após a ruína da cidade, a vanguarda da hoste conjunta atravessou os portões de pedra na extremidade do lago e adentrou as terras desoladas.

And he mused on the folk of Bimble Bay
  and the old order changing:

"They have not got the wit to admire
  a dragon's song or colour,
Nor heart to kill him brave and quick —
  the world is getting duller!"
And the moon shone through his green wings
  the night winds beating,
And he flew back over the dappled sea
  to a green dragon's meeting.]

Na primeira versão datilografada deste poema (precedida por dois manuscritos passados a limpo, com várias diferenças no texto), Tolkien escreveu muito depois "Oxford 1928? rev[isado] 1937".

Anos depois, provavelmente nos meses finais de 1961, Tolkien revisou o poema, alterando o final e acrescentando outro verso, com a intenção de incluí-lo em *As Aventuras de Tom Bombadil*, que foi publicado em novembro de 1962. Mas o poema não foi incluído no livro, tanto porque Tolkien o considerava deficiente como porque julgou impossível remodelá-lo e conduzi-lo ao mundo de *O Hobbit* e *O Senhor dos Anéis*. Tolkien retrabalhou-o novamente em dezembro de 1964. Essa versão final foi publicada, junto com outro errante poema de Tom Bombadil intitulado "Once upon a Time" [Era uma vez], em *Winter's Tales for Children 1* [Contos de inverno para crianças 1] (1965), editado por Caroline Hillier. Os dois poemas foram reimpressos em *The Young Magicians* [Os jovens mágicos] (1969), editado por Lin

Carter, mas não se encontram disponíveis de outra forma. Na versão revisada do poema, o dragão descura de matar Dona Barreto. O poema termina:

"*Nenhum deles mais sabe admirar*
 nossa cor ou cantoria,
Nem pode nosso fogo encarar —
 e mais o mundo se entedia!"
As asas abriu rumo à altura;
 mas bem quando se elevava
Dona Barreto o peito lhe fura,
 e essa ele não esperava.

"*Lamento muito por isso*", *disse ela.*
 "*Você é uma esplêndida criatura,*
E sua voz é bastante singular
 para alguém que não teve leitura;
Mas não hei de arcar com estes danos,
 e a eles preciso pôr fim."
Ao expirar cicia o dragão:
 "*De esplêndido chamou-me enfim.*"

[*"None of them now have the wit to admire*
 a dragon's song or colour,
Nor the nerve with steel to meet his fire —
 the world is getting duller!"
He spread his wide wings to depart;
 but just as he was rising
Miss Biggins stabbed him to the heart,
 and that he found surprising.

"*I regret this very much,*" *she said.*
 "*You're a very splendid creature,*
And your voice is quite remarkable
 for one who has had no teacher;
But wanton damage I will not have,
 I really had to end it."
The dragon sighed before he died:
 "*At least she called me splendid.*"]

3 1937: "The moon rose higher" ["A lua se erguia mais e mais"] > 1966-Ball: "The waxing moon rose higher" ["A lua crescente se erguia mais e mais"].

15

As Nuvens se Ajuntam

Agora retornaremos a Bilbo e aos anões. Durante toda a noite um deles ficara vigiando, mas, quando a manhã chegou, não tinham visto ou ouvido sinal algum de perigo. Mas cada vez mais densos eram os bandos de aves que se reuniam. Suas companhias chegavam voando do Sul; e os corvos que ainda viviam em volta da Montanha davam voltas e gritavam incessantemente acima deles.

"Algo estranho está acontecendo", disse Thorin. "Foi-se o tempo das migrações de outono; e essas são aves que habitam sempre na mesma terra; há estorninhos e bandos de tentilhões; e ao longe há muitas aves carniceiras, como se uma batalha estivesse em andamento!"

De repente Bilbo apontou: "Lá está aquele velho tordo de novo!", gritou. "Parece ter escapado quando Smaug esmigalhou a encosta da montanha, mas não suponho que os caracóis tenham escapado também!"

De fato, o velho tordo estava lá e, enquanto Bilbo apontava, ele voou na direção do grupo e pousou numa pedra ali perto. Então bateu rápido as asas e cantou; depois, inclinou de lado a cabeça, como se estivesse escutando algo; e de novo cantou, e de novo ficou escutando.

"Creio que ele esteja tentando nos contar alguma coisa," disse Balin, "mas não consigo acompanhar a fala de tais pássaros, é muito rápida e difícil. Você consegue entender, Bolseiro?"

"Não muito bem," disse Bilbo (para falar a verdade, ele não conseguia entender nada de nada); "mas o velho sujeito parece muito empolgado."

"Só queria que ele fosse um corvo!", disse Balin.

"Achei que não gostasse deles! Você parecia muito ressabiado com os corvos quando viemos para este lado antes."

"Aquelas eram gralhas! E eram criaturas desprezíveis e de aparências suspeita, aliás, e rudes também. Você deve ter ouvido os nomes feios que estavam gritando para nós. Mas os corvos são diferentes. Costumava haver grande amizade entre eles e o povo de Thror; e muitas vezes eles nos traziam notícias secretas e eram recompensados com as coisas reluzentes que cobiçavam esconder em suas moradas.

"Vivem anos sem conta,[1] e suas memórias são duradouras, e transmitem sua sabedoria a seus filhotes. Conheci muitos dos corvos das rochas quando eu era um rapazinho-anão. Esta mesma elevação antigamente era chamada de Montecorvo, porque havia um casal sábio e famoso, o velho Carc e sua esposa, que vivia aqui, em cima da câmara dos guardas. Mas não suponho que algum membro daquela raça antiga ainda se demore por aqui hoje."

Mal tinha acabado de falar quando o velho tordo deu um trinado alto e imediatamente voou para longe.

"Podemos não entendê-lo, mas aquele velho pássaro nos entende, tenho certeza", disse Balin. "Fique de olho agora e veja o que aconteça!"

Pouco depois, ouviu-se um bater de asas, e lá veio o tordo de novo; e com ele havia uma velha ave muitíssimo decrépita. Estava ficando cega, mal podia voar, e o alto de sua cabeça estava calvo. Era um corvo idoso de grande tamanho. Pousou todo duro no chão diante deles, lentamente sacudiu as asas e foi na direção de Thorin, bamboleando.

"Ó Thorin, filho de Thrain, e Balin, filho de Fundin",[2] crocitou ele (e Bilbo conseguiu entender o que dizia, pois estava usando linguagem comum, e não fala de aves). "Eu sou Roäc, filho de Carc.[3] Carc está morto, mas era bem conhecido de vocês há muito. Faz cento e três e cinquenta anos desde que saí do ovo, mas não esqueço o que meu pai me contou. Agora sou o chefe dos grandes corvos da Montanha. Somos poucos, mas recordamos ainda o rei que havia outrora. A maioria de meu povo está longe daqui, pois nos chegam grandes novas do Sul — algumas são novas de júbilo para vocês, e algumas vocês não acharão tão boas.

"Eis que as aves estão se ajuntando de novo na Montanha e em Valle, vindas do Sul e do Leste e do Oeste, pois espalhou-se a notícia de que Smaug está morto!"

"Morto! Morto?", gritaram os anãos. "Morto! Então sofríamos de um medo desnecessário — e o tesouro é nosso!" Todos eles ficaram de pé de um salto e começaram a pular de júbilo.

"Sim, morto", disse Roäc. "O tordo, que suas penas nunca caiam, viu ele morrer, e podemos confiar em suas palavras.

1 No folclore inglês tradicional, corvos são geralmente considerados aves de mau agouro. No entanto, o uso feito por Tolkien de corvos como mensageiros evoca os dois corvos na mitologia nórdica, Hugin e Munin, que trazem informações a Odin. Em *Gylfaginning*, primeira parte da *Edda* de Snorri Sturluson, "Dois corvos sentam em seus ombros e falam em seu ouvido todas as novas que veem ou ouvem. Seus nomes são Hugin e Munin. Ele os envia na alvorada a sobrevoar o mundo todo, e retornam à hora do jantar. Desse modo ele consegue saber sobre muito do que acontece. Em decorrência, recebe ele o nome deus-corvo" (p. 33 da tradução de 1987, *Edda*, de Anthony Faulkes).

Na natureza, corvos geralmente vivem por volta de 30 anos. Röac, introduzido abaixo como tendo 153 anos, é um corvo fantasticamente longevo.

2 *Fundin* é outro nome de anão tirado de "Voluspá"; ver nota 20 ao Capítulo 2.

3 *Roäc* e *Carc* são nomes para aves maravilhosamente onomatopaicos e inventados em fala de ave.

O tordo e o corvo Roäc. Esboço a lápis de Alan Lee para sua edição ilustrada de *O Hobbit* de 1997.

AS NUVENS SE AJUNTAM

Roäc fala a Thorin. Ilustração de Peter Chuklev da versão de 1979 da edição búlgara de 1975.

Roäc fala a Thorin e Bilbo. Ilustração de Chica para a edição francesa de 1976.

4 Uma flecha apontando para o leste, da Montanha Solitária às Colinas de Ferro, está visível na borda leste do mapa das Terras-selváticas. De acordo com o Apêndice B, "O Conto dos Anos", em *O Senhor dos Anéis*, as Colinas de Ferro foram colonizadas por volta do ano 2590 pelos Anãos liderados por Gror, um dos irmãos de Thror.

Viu ele tombar em batalha com os homens de Esgaroth na terceira noite a contar desta para trás, ao nascer da lua."

Demorou algum tempo antes que Thorin conseguisse fazer os anãos ficarem em silêncio e escutarem as notícias do corvo. Por fim, quando ele tinha contado toda a história da batalha, continuou:

"Basta de novas jubilosas, Thorin Escudo-de-carvalho. Vocês podem retornar a seus salões em segurança; todo o tesouro é seu — neste momento. Mas muitos estão se ajuntando para cá além das aves. As notícias da morte do guardião já viajaram para todos os lados, e a lenda da riqueza de Thror não diminuiu ao ser contada durante muitos anos; muitos estão ávidos por uma parte do butim. Já está a caminho uma hoste dos elfos, e aves carniceiras estão com ela, na esperança de que haja batalha e matança. À beira do lago os homens murmuram que seus pesares se devem aos anãos; pois estão sem lares, e muitos morreram, e Smaug destruiu sua cidade. Também eles pensam em obter compensação de seu tesouro, estejam vocês vivos ou mortos.

"Sua própria sabedoria deve decidir que curso você tomará; mas treze anãos é um pequeno remanescente do grande povo de Durin que outrora habitou aqui e que agora está espalhado por lugares distantes. Se ouvir meu conselho, não confiará no Mestre dos Homens-do-lago, mas antes naquele que feriu o dragão com seu arco. Bard é seu nome, da raça de Valle, da linhagem de Girion; é um homem soturno, mas leal. Desejamos ver paz mais uma vez entre anãos e homens e elfos depois da longa desolação; mas pode ser que ela lhe custe caro em ouro. É o que digo."

Então Thorin explodiu de raiva: "Nossos agradecimentos, Roäc, filho de Carc. Você e seu povo não serão esquecidos. Mas nada de nosso ouro hão de tomar os ladrões ou carregarão os violentos enquanto estivermos vivos. Se quiser ser ainda mais digno de nossos agradecimentos, traga-nos notícias sobre qualquer um que se aproximar. Ademais, imploro-lhes, caso algum de vocês ainda for jovem e de asas fortes, que mandem mensageiros para nossa gente nas montanhas do Norte, tanto a oeste daqui quanto a leste, e contem a eles sobre nossa necessidade. Mas voem especialmente até meu primo Dain, nas Colinas de Ferro,[4] pois ele tem consigo muita gente bem armada e é o que habita mais perto deste lugar. Peça a ele que se apresse!"

"Não direi se este conselho é bom ou mau," crocitou Roäc, "mas farei o que puder." Depois saiu voando devagar.

"De volta à Montanha!", gritou Thorin. "Temos pouco tempo a perder."

"E pouca comida para comer!", gritou Bilbo, sempre prático acerca de tais questões. De qualquer jeito, ele sentia que a aventura propriamente dita tinha acabado com a morte do dragão — no que estava muito enganado — e teria dado a maioria de sua parte nos lucros em troca da resolução pacífica daqueles assuntos.

"De volta à Montanha", gritaram os anãos como se não o tivessem ouvido; assim, de volta ele teve de ir com eles.

Como você já ouviu a respeito de alguns dos acontecimentos, perceberá que os anãos ainda tinham alguns dias à sua frente. Exploraram as cavernas mais uma vez e descobriram, conforme esperavam, que só o Portão da Frente permanecia aberto; todos os outros portões (exceto, é claro, a pequena porta secreta) havia muito tinham sido destruídos e bloqueados por Smaug, e nenhum sinal deles restava. Assim, logo começaram a trabalhar duro na fortificação da entrada principal, e na construção de um novo caminho que saía dela.[5] Ferramentas havia em quantidade, que os mineiros e pedreiros e construtores de outrora tinham usado; e em tais obras os anãos ainda eram muito habilidosos.

Conforme trabalhavam, os corvos lhes traziam notícias constantemente. Desse modo ficaram sabendo que o Rei-élfico tinha se desviado do caminho e ido para o Lago, e que ainda tinham algum tempo de respiro. Melhor ainda, ouviram dizer que três de seus pôneis tinham escapado e estavam vagando selvagens, descendo as barrancas do Rio Rápido, não muito longe de onde o resto de suas provisões tinha sido deixado. Assim, enquanto os outros continuavam o trabalho, Fili e Kili foram enviados, com um corvo como guia, para achar os pôneis e trazer de volta tudo o que pudessem.

Demoraram quatro dias para voltar e, naquela altura, sabiam que os exércitos unidos dos Homens-do-lago e dos elfos estavam se apressando rumo à Montanha. Mas agora suas esperanças estavam fortalecidas; pois tinham comida para algumas semanas, se consumida com cuidado — principalmente *cram*, é claro, e estavam muito cansados de comer aquilo; mas *cram* é muito melhor do que nada —, e o portão já estava bloqueado com uma muralha de pedras quadradas dispostas sem argamassa, mas muito grossas e altas, posicionada na frente da abertura. Havia buracos na muralha, através dos quais conseguiam ver (ou atirar), mas nenhuma entrada. Subiam e desciam com escadas e içavam as coisas com cordas. Na saída do riacho tinham construído um arco pequeno e baixo sob a nova muralha; mas, perto da entrada, tinham alterado tanto o leito apertado do rio que uma represa larga passou a se estender do paredão da montanha até o começo da queda, por cima da qual o riacho seguia até Valle. Aproximar-se do Portão agora era possível apenas, sem nadar, ao longo de uma plataforma estreita da ravina, à

5 *1937:* "and in remaking the road that led from it" ["e na reconstrução da estrada que saía dela"] > *1966-Longmans/Unwin:* "and in making a new path that led from it" ["e na construção de um novo caminho que saía dela"].

Essa alteração foi provavelmente feita para adequar o fraseado ao da p. 288, onde (como se lê de 1937 em diante) Bilbo deixa "a trilha recém-construída".

6 *1937:* "along a narrow path close to the cliff on the right (as you looked towards the gate from the outside)" ["ao longo de uma trilha próxima da ravina à direita (para quem olhava em direção ao portão do lado de fora)"] > *1966-Ball:* "along a narrow ledge of the cliff, to the right as one looked outwards from the wall" ["ao longo de uma plataforma estreita da ravina, à direita de quem olhava da muralha para fora"].

Essa mudança desloca a trilha de um lado para o outro do rio.

7 *1937:* "That day the camp was moved and was brought right between the arms of the Mountain" ["Naquele dia o acampamento foi deslocado e trazido para bem entre os braços da Montanha"] > *1966-Longmans/Unwin:* "That day the camp was moved to the east of the river, right between the arms of the Mountain" ["Naquele dia o acampamento foi levado para o leste do rio, bem entre os braços da Montanha"].

direita de quem olhava da muralha para fora.[6] Os pôneis eles tinham trazido apenas até o começo dos degraus acima da velha ponte, e, descarregando-os, mandaram-nos retornar a seus mestres e os enviaram sem cavaleiro para o Sul.

Chegou uma noite na qual, de repente, surgiram muitas luzes como as de fogueiras e tochas mais para o sul, em Valle, diante deles.

"Eles chegaram!", exclamou Balin. "E o acampamento deles é muito grande. Devem ter entrado no vale acobertados pelo crepúsculo, ao longo de ambos os barrancos do rio."

Naquela noite os anãos dormiram pouco. A manhã ainda estava pálida quando viram uma companhia se aproximando. Detrás de sua muralha, observaram-nos chegar ao fim do vale e ir subindo devagar. Logo puderam ver que tanto homens do lago, armados como que para a guerra, quanto arqueiros élficos estavam entre eles. Depois de um tempo, a vanguarda deles escalou as rochas derrubadas e apareceu no alto das quedas; e muito grande foi a surpresa dos soldados ao verem a represa diante deles e o Portão bloqueado com uma muralha de pedra recém-cortada.

Enquanto estavam parados, apontando e falando uns com os outros, Thorin os interpelou: "Quem são vocês", gritou com voz muito alta, "que chegam como que em guerra aos portões de Thorin, filho de Thrain, Rei sob a Montanha, e o que desejam?"

Mas nada responderam. Alguns deram meia-volta rapidamente, e os outros, depois de fitar por algum tempo o Portão e suas defesas, logo os seguiram. Naquele dia o acampamento foi levado para o leste do rio, bem entre os braços da Montanha.[7] As rochas ecoaram então com vozes e com canções, como não acontecia havia muitíssimos dias. Ouviu-se, também, o som de harpas élficas e de doce música; e, conforme ela ecoava na direção deles, parecia que a friagem do ar diminuía, e eles captavam de longe a fragrância de flores da mata desabrochando na primavera.

Então Bilbo ansiou por escapar da fortaleza escura e descer e se juntar aos folguedos e banquetes à beira das fogueiras. Alguns dos anãos mais jovens se comoveram em seus corações também e resmungaram que gostariam que as coisas tivessem acontecido de outro jeito, e que pudessem receber aquela gente como amigos; mas Thorin olhava feio para eles.

Então os próprios anãos pegaram harpas e instrumentos recuperados do tesouro e fizeram música para acalmar o ânimo de Thorin; mas a canção deles não era como a canção élfica e era muito semelhante à que tinham cantado muito tempo antes, na pequena toca hobbit de Bilbo.

Sob a Montanha alta e escura
O Rei em seu salão perdura!
Foi-se o clamor da Serpe-Horror,
Contra o inimigo faz-se a jura.

Aguda espada, longa lança,
Seta veloz da Porta avança;
Vence o desdouro quem vê ouro;
Do nobre anão eis a usança.

De anãos antigos a magia
Em seus martelos se fazia,
Numa cava a treva sonhava,
No oco salão da encosta fria.

Em colar de prata puseram
Astros de luz, laurel fizeram
Com luz feroz de draco atroz,
Melodia de harpas trançaram.

Liberto é o trono da montanha!
Ouvi o chamado, ó gente estranha!
Correi, correi, o ermo varrei!
Na ajuda ao rei ninguém se acanha.

D'além dos montes vos chamamos,
"Vinde aos lapedos ancianos"!
No Portão o rei abre a mão,
Ricos tesouros dividamos!

Chegou o rei a seu salão
Sob a Montanha na amplidão.
Da Serpe-Horror foi-se o temor,
Nossos contrários tombarão![a]

Essa canção pareceu agradar a Thorin, e ele sorriu de novo e ficou alegre; e começou a calcular a distância até as Colinas

---

[a] *Under the Mountain dark and tall / The King has come unto his hall! / His foe is dead, the Worm of Dread, / And ever so his foes shall fall. / The sword is sharp, the spear is long, / The arrow swift, the Gate is strong; / The heart is bold that looks on gold; / The dwarves no more shall suffer wrong. / The dwarves of yore made mighty spells, / While hammers fell like ringing bells / In places deep, where dark things sleep, / In hollow halls beneath the fells. / On silver necklaces they strung / The light of stars, on crowns they hung / The dragon-fire, from twisted wire / The melody of harps they wrung. / The mountain throne once more is freed! / O! wandering folk, the summons heed! / Come haste! Come haste! across the waste! / The king of friend and kin has need. / Now call we over mountains cold, / 'Come back unto the caverns old'! / Here at the Gates the king awaits, / His hands are rich with gems and gold. / The king is come unto his hall / Under the Mountain dark and tall. / The Worm of Dread is slain and dead, / And ever so our foes shall fall!*

de Ferro e quanto tempo levaria até que Dain pudesse alcançar a Montanha Solitária, se partisse assim que a mensagem o alcançasse. Mas o coração de Bilbo desabou, tanto ao ouvir a canção quanto a conversa: ambas soavam belicosas demais.

Na manhã seguinte, bem cedo, uma companhia de lanceiros foi vista cruzando o rio e marchando vale acima. Portavam consigo a bandeira verde do Rei-élfico e a bandeira azul do Lago e avançaram até ficarem bem diante da muralha no Portão.

De novo Thorin os interpelou em alta voz: "Quem são vocês, que vêm armados para a guerra aos portões de Thorin, filho de Thrain, Rei sob a Montanha?" Dessa vez houve resposta.

Um homem alto, de escuros cabelos e sombrio de rosto, se pôs à frente e gritou: "Salve, Thorin! Por que você se cercou feito um salteador em seu covil? Não somos inimigos ainda, e nos regozijamos ao vê-lo vivo, além de nossa esperança. Viemos esperando não achar nada vivente aqui; contudo, agora que nos encontramos, há matéria para debate[8] e conselho."

"Quem é você, e sobre o que deseja debater?"

"Eu sou Bard, e por minha mão foi morto o dragão e liberto o seu tesouro. Não é essa uma matéria que lhe diga respeito? Ademais, sou por descendência direta o herdeiro de Girion de Valle, e em seu salão do tesouro está misturado muito da riqueza dos palácios e vilas daquele reino, que outrora Smaug roubou. Não é essa uma matéria da qual podemos falar? Além disso, em sua última batalha Smaug destruiu as moradas dos homens de Esgaroth, e eu sou ainda o serviçal do Mestre deles. Desejo falar por ele e perguntar se você não pensa na tristeza e desgraça de seu povo. Eles o ajudaram em sua necessidade e em recompensa você, até agora, trouxe apenas ruína, ainda que sem dúvida não planejada."

Ora, essas eram palavras justas e verdadeiras, mesmo que pronunciadas de modo orgulhoso e sombrio; e Bilbo achou que Thorin de imediato admitiria que havia justiça nelas. É claro que não esperava que alguém recordasse que ele é que tinha descoberto, sozinho, o ponto fraco do dragão; ainda bem, porque ninguém nunca o fez. Mas ele também não contava com o poder que tem o ouro sobre o qual um dragão se deitou por muito tempo, nem com os corações dos anãos. Longas horas, nos últimos dias, Thorin passara no salão do tesouro, e a cobiça por tudo aquilo pesava sobre ele. Embora tivesse caçado principalmente a Pedra Arken, ainda assim estava de olho em muitas outras coisas maravilhosas que jaziam lá, em volta das quais estavam trançadas antigas memórias dos labores e tristezas de sua raça.

"Você coloca sua pior exigência no último e mais importante lugar", Thorin respondeu. "Ao tesouro de meu povo

8 *Parley* [debate; parlamentação] é uma discussão ou conferência, geralmente feita como tentativa de resolver uma disputa. Em situações militares, a parlamentação é geralmente acompanhada por uma trégua temporária, com o propósito de discutir termos.

homem nenhum tem direito, porque Smaug, que o roubou de nós, também roubou desse mesmo homem a vida ou o lar. O tesouro não era do dragão para que seus malfeitos sejam reparados com uma parte da riqueza. O preço dos bens e do auxílio que recebemos dos Homens-do-lago nós pagaremos justamente — no devido tempo. Mas *nada* havemos de dar, nem mesmo o preço de um pão, sob ameaça de força. Enquanto uma hoste armada estiver diante de nossas portas, nós os vemos como inimigos e ladrões.

"Tenho em mente perguntar que parte da herança deles você teria pagado à nossa gente, se tivesse achado o tesouro desprotegido e nós mortos."

"Uma pergunta justa", respondeu Bard. "Mas vocês não estão mortos, e nós não somos salteadores. Ademais, os ricos podem ter um tipo de piedade que supere o mero direito pelos necessitados que os acolheram quando viviam na pobreza. E ainda assim minhas outras reivindicações permanecem sem resposta."

"Não debaterei, como já disse, com homens armados no meu portão. Nem falarei de modo algum com o povo do Rei-élfico, a quem recordo com pouca gentileza. Neste debate eles não têm nenhum lugar. Partam agora, antes que nossas flechas voem! E, se desejar falar comigo de novo, primeiro mande a hoste élfica de volta às matas que são o seu lugar, e então retorne, depositando no chão suas armas antes de se aproximar da entrada."

"O Rei-élfico é meu amigo, e ele socorreu o povo do Lago em sua necessidade, embora não pudessem exigir dele nada além de amizade", respondeu Bard. "Vamos lhe dar tempo para se arrepender de suas palavras. Recobre sua sabedoria antes que retornemos!" Então partiu e voltou ao acampamento.

Antes que muitas horas se passassem, os porta-estandartes retornaram, e trombeteiros se puseram adiante e sopraram seus instrumentos:

"Em nome de Esgaroth e da Floresta," um deles gritou, "falamos a Thorin, filho de Thrain, Escudo-de-carvalho, que chama a si mesmo de Rei sob a Montanha, e pedimos que considere bem as reivindicações que lhe foram feitas ou seja declarado nosso inimigo. No mínimo, ele há de entregar uma décima segunda porção do tesouro a Bard, por ser o matador do dragão e o herdeiro de Girion. Daquela porção o próprio Bard contribuirá para o auxílio a Esgaroth; mas, se Thorin deseja receber amizade e honra das terras à sua volta, como seus ancestrais receberam outrora, então dará também algo do que é seu para confortar os homens do Lago."

Então Thorin tomou um arco feito de chifre e disparou uma flecha no porta-voz. Ela acertou o escudo dele e lá ficou, balançando.

9 A rígida formalidade e o severo legalismo do diálogo entre Thorin, Bard e os mensageiros vêm diretamente das Sagas Islandesas. Tom Shippey, em *The Road to Middle-earth*, sugere que "se pensa no herói de *The Saga of Hrafnkell* [A Saga de Hrafnkell] riscando as compensações adequadas pelos assassínios que cometera" (segunda edição, p. 77).

Na tradução dessa saga por Gwyn Jones, publicada como "Hrafnkel the Priest of Frey" [Hrafnkel, sacerdote de Frey], em *Eirik the Red and Other Icelandic Sagas* [Eirik, o Vermelho, e outras Sagas Islandesas] (1961) lê-se a passagem:

> Hrafnkel redarguiu que havia matado mais homens além daquele. "E não há de ser novidade para ti que sou relutante em prover reparação a qualquer um, e a gente deve lidar com isso da mesma forma. Ainda assim, admito que este meu feito impressiona-me entre os piores assassínios que cometi. Tu tens sido meu vizinho por longo tempo agora, gostei de ti e cada um do outro. Nenhuma questão comezinha teria causado transtorno entre mim e Einar, não tivesse ele cavalgado o garanhão. Ora, devemos amiúde lastimar abrir demasiado a boca — e raramente arrependermo-nos por falar tão pouco em vez de muito. Hei de deixar claro agora que julgo esse meu ato pior do que qualquer outra coisa que fiz. Hei de prover tua habitação com vacas leiteiras no verão e carne no outono, e hei de fazê-lo estação após estação enquanto desejares manter tua fazenda. [...] Hei de cuidar de ti até o dia de tua morte; e então teremos reparação. [...]"
>
> "Não vou aceitar essa oferta", disse Thorbjorn.
>
> "O que desejas então?", Hrafnkel lhe perguntou.
>
> "Desejo que designemos homens para arbitrarem entre nós."
>
> "Então tu te consideras meu igual", respondeu Hrafnkel, "e jamais encontraremos reparação nesses termos." (pp. 96–7)

Gwyn Jones (1907–1999) foi amigo e colega de Tolkien, assim como um prolífico estudioso, editor, tradutor e escritor de ficção. Por muitos anos foi professor de língua e literatura inglesa

"Já que tal é a sua resposta," gritou ele outra vez, "declaro que a Montanha está sob cerco. Você não há de partir dela até que procure nosso lado para uma trégua e um debate. Não portaremos armas contra você, mas o deixamos com seu ouro. Pode comê-lo, se desejar!"

Com isso, os mensageiros partiram rápido, e coube aos anãos considerar sua situação.[9] Tão soturno Thorin se tornara que, mesmo que tivessem desejado, os outros não teriam ousado criticá-lo; mas, de fato, a maioria deles parecia compartilhar de suas opiniões — exceto talvez o velho e gordo Bombur e Fili e Kili. Bilbo, é claro, desaprovava toda essa reviravolta nos negócios. A essa altura, já estava mais do que farto da Montanha, e enfrentar um cerco dentro dela não era de jeito nenhum de seu gosto.

"O lugar inteiro ainda fede a dragão", resmungou consigo mesmo, "e me deixa enjoado. E *cram* está simplesmente começando a grudar na minha garganta."

no University College do País de Gales, em Aberystwyth. Em dezembro de 1945 ele publicou na *Welsh Review*, uma revista que fundara em 1939, um dos mais excelentes poemas de Tolkien, "The Lay of Aotrou and Itroun". É um poema rimado de 508 versos em dísticos octossilábicos feito à maneira de uma balada bretã, e a versão mais antiga data de setembro de 1930. O poema fala de um soberano sem filhos (*aotrou* e *itroun* são as palavras bretãs para *senhor* e *senhora*) que obtém uma poção de fertilidade de uma bruxa, com trágicas consequências. O poema infelizmente não foi reimpresso. [Em 2016, *The Lay of Aotrou and Itroun* foi publicado pela HarperCollins no Reino Unido, com edição de Verlyn Flieger. {N. E.}]

Jones também pretendia publicar a obra "Sellic Spell" de Tolkien, uma releitura do material folclórico subjacente a *Beowulf*, mas a *Welsh Review* teve seu fim em 1948, e Jones devolveu com pesar o manuscrito a seu autor. "Sellic Spell" permanece inédito. [Em 2014, *Beowulf — A Translation and Commentary, together with Sellic Spell*, foi pubicado pela HarperCollins no Reino Unido, com edição de Christopher Tolkien. Uma tradução brasileira, feita por Ronald Kyrmse, foi publicada pela WMF Martins Fontes em 2015. {N. E.}]

16

Um Ladrão na Noite

Os dias agora passavam lentos e exaustivos. Muitos dos anãos empregavam seu tempo empilhando e organizando o tesouro; e então Thorin pôs-se a falar da Pedra Arken de Thrain, e pediu-lhes enfaticamente que procurassem por ela em todos os cantos.

"Pois a Pedra Arken de meu pai",[1] disse ele, "vale mais do que um rio de ouro por si só, e para mim está além de qualquer preço. Nessa pedra, entre todo o tesouro, ponho o meu nome, e terei minha vingança de qualquer um que a achar e a retiver."

Bilbo ouviu essas palavras e ficou com medo, imaginando o que aconteceria se a pedra fosse achada — embrulhada num velho maço de trapos rasgados que ele usava como travesseiro. Mesmo assim, não falou dela, pois, conforme o cansaço daqueles dias se tornava mais pesado, os começos de um plano tinham se formado em sua cabecinha.

As coisas andavam assim por algum tempo quando os corvos trouxeram notícias de que Dain e mais de quinhentos anãos, apressando-se das Colinas de Ferro, estavam agora a cerca de dois dias de marcha de Valle, vindos do Nordeste.

"Mas não vão conseguir alcançar a Montanha sem ser percebidos," disse Roäc, "e temo que haja batalha no vale. Não chamo de bom esse alvitre. Embora sejam uma gente terrível, não é provável que sobrepujem a hoste que está sitiando vocês; e, mesmo que o fizessem, o que vocês ganhariam? O inverno e a neve estão vindo apressados atrás deles. Como vão se alimentar sem a amizade e a boa vontade das terras à volta de vocês? É provável que o tesouro seja a sua morte, embora o dragão não mais exista!"

Mas Thorin não se comoveu. "O inverno e a neve ferirão tanto homens como elfos," disse ele, "e pode ser que achem a vida no ermo dura de suportar. Com meus amigos atrás deles e o inverno sobre eles, talvez tenham ânimo mais suave para parlamentar."

Naquela noite, Bilbo se decidiu. O céu estava negro e sem lua. Assim que ficou totalmente escuro, ele foi até um canto de uma câmara interna, logo depois do portão, e tirou de sua trouxa uma corda e também a Pedra Arken, embrulhada em um trapo. Depois, subiu até o topo da muralha. Só Bombur

---

[1] Uma ligeira confusão permanece evidente no texto aqui. Na primeira edição de *O Hobbit*, o pai de Thorin, Thrain, era o único personagem com esse nome. No entanto, no Mapa de Thror afirma-se: "Aqui outrora Thrain foi Rei sob a Montanha." Quando o dragão apareceu Thrain, o pai de Thorin, não era o Rei sob a Montanha, mas sim Thror, seu pai. Na segunda edição de *O Hobbit*, de 1951, Tolkien adicionou uma nota introdutória incluindo a afirmação "sobre uma questão levantada por diversos estudantes do período" que "o Mapa, no entanto, não incorre em erro. Nomes são constantemente repetidos em dinastias e as genealogias mostram que um ancestral distante de Thror fora referido, Thrain I, um fugitivo de Moria, que primeiro descobriu a Montanha Solitária, Erebor, e lá governou por um tempo, antes de seu povo se mudar para as montanhas mais remotas do Norte". Essa parte da nota introdutória fez-se desnecessária em 1966 por conta de algumas revisões do texto, incluindo a introdução do ancestral distante de Thorin, Thrain, o Velho, na p. 65.

Na Seção III ("O Povo de Durin") no Apêndice A de *O Senhor dos Anéis*, Tolkien escreveu sobre Thrain, o Velho (Thrain I): "Em Erebor ele encontrou a grande joia, a Pedra Arken, o Coração da Montanha". Na p. 256 de *O Hobbit*, a Pedra Arken é referida como "o Coração da Montanha, a Pedra Arken de Thrain". Aqui, Thorin fala da "Pedra Arken de Thrain" e da "Pedra Arken de meu pai", e na p. 292 Thorin diz "Essa pedra foi de meu pai". É certo que, ao nomear a pedra como "a Pedra Arken de Thrain", Tolkien queria dizer o Thrain que a descobriu. Originalmente, o descobridor era o pai de Thorin, mas quando Tolkien veio a expandir a ascendência dos Anãos ele parece não ter se dado conta da importância dessa passagem em que Thorin descreve a pedra como sendo de seu pai. Por direito, à época da chegada do dragão, a pedra pertencia não a Thrain, mas a Thror, pai de Thrain, então Rei sob a Montanha.

estava lá, pois era seu turno de guarda, e os anãos tinham só um vigia por vez.

"Está um bocado frio!", disse Bombur. "Queria acender uma fogueira aqui em cima, como eles fazem no acampamento!"

"Até que está bastante quente lá dentro", disse Bilbo.

"Ouso dizer que sim; mas estou preso aqui até a meia-noite", resmungou o anão gordo. "Um negócio triste, no geral. Não que eu me aventure a discordar de Thorin, que sua barba fique cada vez mais longa; mas ele sempre foi um anão de dura cerviz."

"Não tão dura quanto as minhas pernas", disse Bilbo. "Estou cansado de escadas e passagens de pedra. Daria muita coisa pela sensação da grama nos meus dedos dos pés."

"Eu daria muita coisa pela sensação de uma bebida forte na minha garganta e por uma cama macia depois de uma boa ceia!"

"Não posso lhe dar essas coisas enquanto o cerco estiver acontecendo. Mas faz tempo desde que fiquei de vigia, e posso fazer seu turno por você, se quiser. Não estou com sono algum nesta noite."

"Você é um bom sujeito, Sr. Bolseiro, e aceitarei com gratidão sua oferta. Se acontecer algo digno de nota, desperte-me primeiro, veja bem! Vou me deitar na câmara interna à esquerda, não muito longe."

"Vá para lá!", disse Bilbo. "Vou acordá-lo à meia-noite, e você pode acordar o próximo vigia."

Assim que Bombur saiu, Bilbo colocou seu anel, prendeu a corda, deslizou para baixo por cima da muralha e se foi. Tinha cerca de cinco horas pela frente. Bombur ficaria dormindo (ele conseguia dormir em qualquer momento e, desde a aventura na floresta, estava sempre tentando recuperar os lindos sonhos que tivera então); e todos os outros estavam ocupados com Thorin. Era improvável que qualquer um, mesmo Fili e Kili, viessem até a muralha antes que fosse seu turno.

Estava muito escuro, e a estrada, depois de algum tempo, quando Bilbo deixou a trilha recém-construída e foi descendo na direção do curso mais baixo do riacho, era estranha para ele. Por fim chegou à curva onde tinha de cruzar a água, se a ideia era chegar ao acampamento, como desejava. O leito do riacho ali era raso, mas já largo, e vadeá-lo no escuro não era fácil para o pequeno hobbit. Tinha quase atravessado quando errou a pisada numa pedra redonda e caiu na água fria com estardalhaço. Mal tinha se arrastado para a outra margem, tremendo e engasgando, quando lá vieram elfos na treva com tochas brilhantes, buscando a causa do barulho.

"Isso não foi peixe!", disse um. "Há um espião por aqui. Esconda suas luzes! Vão ajudar mais a ele do que a nós, se for aquela criaturinha esquisita que dizem ser serviçal deles."

"Serviçal, pois não!", bufou Bilbo; e, no meio da bufada, espirrou alto, e os elfos imediatamente se juntaram na direção do som.

"Acendam uma luz!", disse ele. "Estou aqui, se me quiserem!", e tirou o anel, aparecendo de detrás de uma rocha.

Agarraram-no rápido, apesar da surpresa. "Quem é você? Você é o hobbit dos anãos? O que está fazendo? Como conseguiu passar por nossas sentinelas?", perguntaram um depois do outro.

"Sou o Sr. Bilbo Bolseiro," respondeu, "companheiro de Thorin, se querem saber. Conheço bem o seu rei de vista, embora talvez ele não me reconheça só de olhar. Mas Bard vai se lembrar de mim, e é Bard que eu, particularmente, desejo ver."

"É mesmo?", disseram eles, "e qual seria o seu assunto?"

"O que quer que seja, é só meu, meus bons elfos. Mas, se desejam voltar algum dia às suas próprias matas e deixar este lugar frio e desanimado," respondeu tremendo, "vão me levar rápido até uma fogueira, onde eu possa me secar — e então vão me deixar falar com seus chefes o mais rápido que puderem. Só tenho uma ou duas horas sobrando."

* * *

Foi assim que sucedeu que, umas duas horas depois de sua fuga do Portão, Bilbo estava sentado ao lado de uma fogueira quentinha na frente de uma grande tenda, e ali se sentavam também, fitando-o com curiosidade, o Rei-élfico e Bard. Um hobbit de armadura élfica, parcialmente enrolado num cobertor velho, era algo novo para eles.

"Realmente, sabem," Bilbo estava dizendo, no seu melhor estilo de negócios, "as coisas estão impossíveis. Pessoalmente, estou cansado de todo esse assunto. Queria estar de volta ao Oeste, no meu próprio lar, onde o pessoal é mais razoável. Mas tenho certo interesse nessa matéria — uma décima quarta parte, para ser preciso, de acordo com a carta que, por sorte, creio que guardei." Tirou de um bolso de seu velho paletó (o qual ele ainda usava por cima da cota de malha), amassada e muito dobrada, a carta de Thorin que tinha sido posta debaixo do relógio em sua lareira em maio![2]

"Uma parte dos *lucros*, vejam bem", continuou. "Estou ciente disso. Pessoalmente, estou mais do que pronto a considerar todas as suas reivindicações cuidadosamente e a deduzir o que for correto do total antes de fazer minha própria reivindicação. Entretanto, vocês não conhecem Thorin Escudo-de-carvalho tão bem quanto eu conheço agora. Eu lhes asseguro, ele está bastante disposto a ficar sentado em cima de um monte de ouro e passar fome enquanto vocês ficarem sentados aqui."

[2] A afirmação aqui de que a carta de Thorin fora posta sob o relógio na lareira de Bilbo em maio está incorreta. Isso foi feito em 28 de abril. Ver nota 3 ao Capítulo 2, em que a "bela manhã, pouco antes do mês de maio" é citada. Tolkien também se refere por engano àquela "manhã de maio" na p. 188.

UM LADRÃO NA NOITE

"Bem, que fique!", disse Bard. "Tamanho tolo merece passar fome."

"De fato", disse Bilbo. "Entendo seu ponto de vista. Ao mesmo tempo, o inverno está se aproximando rápido. Em breve vocês enfrentarão neve e coisas do tipo, e obter suprimentos será difícil — mesmo para elfos, imagino. Além disso, haverá outras dificuldades. Não ouviram falar de Dain e dos anãos das Colinas de Ferro?"

"Ouvimos, muito tempo atrás; mas o que isso tem a ver conosco?", perguntou o rei.

"Foi o que pensei. Vejo que tenho algumas informações que vocês não têm. Dain, posso lhes dizer, está agora a menos de dois dias de marcha daqui e traz pelo menos quinhentos anãos soturnos consigo — uma boa parte deles se tornaram experientes nas terríveis guerras entre anãos e gobelins,[3] das quais vocês, sem dúvida, já ouviram falar. Quando chegarem aqui, pode haver um problema sério."

"Por que nos conta isso? Está traindo seus amigos ou está nos ameaçando?", perguntou Bard, soturno.

"Meu caro Bard!", guinchou Bilbo. "Não seja tão apressado! Nunca encontrei gente tão desconfiada! Estou meramente tentando evitar problemas para todos os envolvidos. Agora, vou lhes fazer uma oferta!"

"Vamos ouvi-la!", disseram eles.

"Podem vê-la!", respondeu o hobbit. "É esta!" e tirou do bolso a Pedra Arken, jogando fora a embalagem.

O próprio Rei-élfico, cujos olhos estavam acostumados a coisas de assombro e beleza, pôs-se de pé admirado. Até Bard ficou a fitá-la maravilhado, em silêncio. Era como se um globo tivesse sido preenchido com luar e pendurado diante deles numa rede tecida com o brilho de estrelas congeladas.

"Esta é a Pedra Arken de Thrain," disse Bilbo, "o Coração da Montanha; e é também o coração de Thorin. Ele dá a ela um valor superior ao de um rio de ouro. Vou dá-la a vocês. Vai ajudá-los a regatear." Então Bilbo, não sem um estremecimento, não sem um olhar de saudade, entregou a maravilhosa pedra a Bard, e ele a segurou na mão, como se estivesse atordoado.

"Mas como se tornou sua para que pudesse dá-la?", perguntou enfim, com esforço.

"Oh, bem!", disse o hobbit, desconfortável. "Não é minha, exatamente; mas, bem, estou disposto a deixar que ela contrabalance todas as minhas reivindicações, sabe. Posso ser um gatuno — ou assim dizem eles: pessoalmente, nunca me senti de fato um —, mas sou um gatuno honesto, espero, mais ou menos. De qualquer jeito, estou voltando agora, e os anãos podem fazer o que quiserem comigo. Espero que ela lhes seja útil."

---

[3] As guerras entre Anãos e Gobelins referidas aqui são nomeadas em *O Senhor dos Anéis* como a Guerra dos Anãos e dos Orques, disputada entre os anos 2793 e 2799 da Terceira Era. A guerra foi causada pelo assassinato e profanação do corpo do avô de Thorin, Thror, por Azog, o Gobelim, em 2790. Em 2793, após convocarem suas forças, os Anãos atacaram diversas fortalezas órquicas nas Montanhas Nevoentas. Em 2799, a decisiva Batalha de Azanulbizar foi disputada em Moria. Lá Azog foi morto por Dain, que então retornou às Colinas de Ferro. Dain nasceu no ano 2767 da Terceira Era e tinha, portanto, 174 anos de idade em 2941, quando a história de *O Hobbit* tem início. Anãos vivem por volta de 250 anos, daí ser provavelmente correta a sugestão de Bilbo de que boa parte dos guerreiros de Dain tinha experiência na Guerra dos Anãos e dos Orques.

O Rei-élfico olhou para Bilbo com novo assombro. "Bilbo Bolseiro!", disse ele. "Você é mais digno de usar a armadura de príncipes dos elfos do que muitos que tiveram aparência mais formosa com ela. Mas me pergunto se Thorin Escudo-de-carvalho vai enxergar as coisas desse modo. Tenho mais conhecimento sobre os anãos em geral do que você tem, talvez. Aconselho-o a permanecer conosco, e aqui você há de ser honrado e três vezes bem-vindo."

"Muito obrigado, por certo", disse Bilbo, inclinando-se. "Mas não acho que deva deixar meus amigos desse jeito, depois de tudo o que passamos juntos. E prometi acordar o velho Bombur à meia-noite também! Preciso ir, e rápido."

Nada do que pudessem dizer podia detê-lo; assim, providenciaram-lhe uma escolta e, quando partiu, tanto o rei quanto Bard o saudaram com honra. Conforme atravessavam o acampamento, um velho, envolto num manto escuro, levantou-se da porta de uma tenda, onde estava sentado, e veio na direção dele.

"Muito bem, Sr. Bolseiro!", disse, dando tapinhas nas costas de Bilbo. "Sempre há mais a seu respeito do que qualquer um espera!" Era Gandalf.

Pela primeira vez em muitos dias Bilbo ficou realmente encantado. Mas não havia tempo para todas as perguntas que ele desejava fazer imediatamente.

"Tudo a seu tempo!", disse Gandalf. "As coisas estão se aproximando do fim agora, a menos que eu esteja enganado. Há alguns momentos desagradáveis bem à sua frente; mas mantenha sua coragem! *Pode ser* que você passe bem por tudo isso. Há novidades acontecendo das quais nem os corvos ficaram sabendo. Boa noite!"

Intrigado, mas animado, Bilbo apressou-se. Foi guiado até um vau seguro e levado sem se molhar até o outro lado, e então disse adeus aos elfos e escalou cuidadosamente o caminho de volta ao Portão. Um grande cansaço começou a afetá-lo; mas ainda era bem antes da meia-noite quando subiu com esforço pela corda de novo — ainda estava onde a havia deixado. Desamarrou-a e a escondeu, e depois se sentou em cima da muralha e ficou imaginando, ansioso, o que aconteceria a seguir.

À meia-noite acordou Bombur; e então, por sua vez, enrolou-se no canto, sem ouvir os agradecimentos do velho anão (os quais sentia não merecer muito). Logo caiu em sono profundo, esquecendo todas as suas preocupações até a manhã. Na verdade, estava sonhando com ovos e bacon.

Bilbo mostra a Pedra Arken a Bard e ao Rei-élfico. Ilustração de Maret Kernumees para a edição estoniana de 1977.

Bilbo e a Pedra Arken. Ilustração de Chica para a edição francesa de 1976.

17

As Nuvens Desabam

No dia seguinte as trombetas soaram cedo no acampamento. Logo depois, um único mensageiro foi visto, passando apressado pela trilha estreita. A certa distância, ele parou e os chamou, perguntando se Thorin ouviria agora outra embaixada, já que novas notícias tinham chegado e a situação mudara.

"Deve ser Dain!", disse Thorin, quando escutou aquilo. "Devem ter ficado sabendo de sua chegada. Pensei mesmo que isso mudaria o ânimo deles! Mande que venham poucos em número e sem armas, e ouvirei", gritou ele para o mensageiro.

Por volta do meio-dia as bandeiras da Floresta e do Lago foram vistas sendo carregadas adiante de novo. Uma companhia de vinte guerreiros se aproximava. No começo do caminho estreito eles deixaram de lado espada e lança e vieram na direção do Portão. Intrigados, os anãos viram que no meio deles estavam tanto Bard quanto o Rei-élfico, diante dos quais um velho coberto com manto e capuz portava uma forte arca de madeira, montada com ferro.

"Salve, Thorin!", disse Bard. "Ainda tem a mesma opinião?"

"Minha opinião não muda com o nascer e o pôr de uns poucos sóis", respondeu Thorin. "Veio me fazer perguntas inúteis? A hoste-élfica ainda não partiu como mandei! Até lá você virá em vão negociar comigo."

"Não há então nada que levaria você a entregar algo de seu ouro?"

"Nada que você ou seus amigos tenham a oferecer."

"E quanto à Pedra Arken de Thrain?", disse ele, e, no mesmo momento, o velho abriu a arca e ergueu alto a joia. A luz saltou de sua mão, luzente e alva na manhã.

Então Thorin emudeceu de assombro e confusão. Ninguém falou por um longo tempo.

Thorin, por fim, rompeu o silêncio, e sua voz estava repleta de ira. "Essa pedra foi de meu pai e é minha", disse. "Por que eu deveria comprar o que é meu?" Mas o espanto o sobrepujou, e ele acrescentou: "Mas como você achou a herança de minha casa — se é que há necessidade de fazer tal pergunta a ladrões?"

"Não somos ladrões", Bard respondeu. "O que é seu devolveremos em troca do que é nosso."

"Como a achou?", gritou Thorin, em fúria crescente.

"Eu a dei a eles!", guinchou Bilbo, que estava espiando por cima da muralha, a essa altura com um medo terrível.

"Você! Você!", gritou Thorin, voltando-se para ele e agarrando-o com as duas mãos. "Seu hobbit miserável! Seu... gatuno de meia-tigela!", gritou, quase sem achar palavras, e sacudiu Bilbo como se ele fosse um coelho.

"Pela barba de Durin! Queria que Gandalf estivesse aqui! Maldito seja por ter escolhido você! Que a barba dele definhe! Quanto a você, vou jogá-lo nas pedras!", gritou, levantando Bilbo em seus braços.

"Basta! Seu desejo foi concedido!", disse uma voz. O velho que estava com a arca jogou de lado seu capuz e manto. "Aqui está Gandalf! E não cheguei cedo demais, parece. Se não gosta do meu Gatuno, por favor não lhe cause danos. Coloque-o no chão e escute o que ele tem a dizer!"

"Vocês todos parecem ter se aliado!", disse Thorin, depositando Bilbo no topo da muralha. "Nunca mais hei de ter ligações com nenhum mago ou seus amigos. O que tem a dizer, seu descendente de ratos?"

"Minha nossa! Minha nossa!", disse Bilbo. "Estou certo de que tudo isso é muito desconfortável. Será que você se lembra de dizer que eu poderia escolher minha própria décima quarta parte? Talvez eu tenha entendido a frase muito literalmente — já me disseram que anões às vezes são mais educados em palavras do que em ações. Foi numa hora, de todo modo, em que você parecia achar que eu tinha prestado alguns bons serviços. Descendente de ratos, pois não! É esse o serviço que você e sua família me prometeram, Thorin? Considere que eu peguei a minha parte como desejei e deixe como está!"

"Vou deixar", disse Thorin, soturno. "E também vou deixar você ir embora — e que nunca mais nos encontremos de novo!" Então se virou e falou por cima da muralha. "Fui traído" ele disse. "Imaginaram corretamente que eu não poderia deixar de recuperar a Pedra Arken, tesouro de minha casa. Por ela darei uma décima quarta parte do que tenho em prata e ouro, deixando de lado as gemas; mas isso há de ser contado como a parte prometida a este traidor, e com essa recompensa ele há de partir, e vocês podem dividi-la como quiserem. Ele receberá bem pouco, não duvido. Peguem-no, se querem que ele viva; e nenhuma amizade minha vai com ele.

"Desça agora até seus amigos," disse ele a Bilbo, "ou vou jogá-lo lá embaixo."

"E o ouro e a prata?", perguntou Bilbo.

"Vão ser mandados depois, do jeito que for possível arranjar as coisas", respondeu. "Desça!"

"Enquanto isso, vamos ficar com a pedra", gritou Bard.

"Você não está fazendo uma figura muito esplêndida como Rei sob a Montanha", disse Gandalf. "Mas as coisas ainda podem mudar."

Bilbo e Thorin. Ilustração de Tamás Szecskó para a edição húngara de 1975.

1 Provavelmente em 1922, Tolkien escreveu sobre o poder (e perplexidade) do tesouro em um poema intitulado "Iúmonna Gold Galdre Bewunden", publicado na edição de janeiro de 1923 de uma revista da Universidade de Leeds chamada *Gryphon*. O título é tomado de *Beowulf*, verso 3052, que Tolkien traduziu (em uma carta de 6 de dezembro de 1961, para Pauline Baynes), como "o ouro dos homens de outrora envolto em encantamento" (*Cartas*, n. 235). Tolkien publicou uma versão revisada do poema em 1937, que foi reimpresso (com revisões complementares) como "The Hoard" ["O Tesouro"] em *As Aventuras de Tom Bombadil* (1962), com ilustrações de Pauline Baynes. Tolkien pode ser ouvido lendo o poema em uma gravação lançada em 1967, *Poems and Songs of Middle-earth* [Poemas e Canções da Terra-média] (Caedmon, TC 1231). Dou aqui o poema em sua forma mais antiga.

IÚMONNA GOLD GALDRE BEWUNDEN

Eram elfos d'outrora, fortes encantos,
Sob verdes colinas em fundos recantos
Cantavam o ouro lavrado com riso
Na terra jovem, em tempo impreciso,
O Inferno sem poço, não havia dragão
Nem ananos nascidos em grutas no chão.
Homens havia, em terras bem poucas,
Que destreza ganharam de suas mãos e bocas.
Mas chegou sua sina, seu canto secou,
E a cobiça alheia às covas roubou
As gemas, o ouro, a beleza se leva,
Sobre Casadelfos cai a treva.

Um velho anano em grota cava
Os objetos de ouro que tinha contava,
Que os ananos roubaram de elfos e humanos
E mantinham no escuro por anos e anos.
Seu olho embaça, a orelha é mouca,
Amarela a pele debaixo da touca;
Sem ser vista escorre da mão descarnada
A luz fraquejante da gema acabada.
Os passos não sente que tremem no piso,
Nem o vento das asas, a audácia, o riso
Dos jovens dragões de luxúria fogosa;
Confiava no ouro e na joia lustrosa.
O dragão encontrou sua cova no ataque,
E perdeu a terra e o provento do saque.

"Podem, de fato", disse Thorin. E, a essa altura, tão forte era o desnorteamento que o tesouro[1] lhe causava que ele estava ponderando se, com a ajuda de Dain, não poderia recapturar a Pedra Arken e reter aquela parte da recompensa.

E assim Bilbo foi içado muralha abaixo, e partiu sem nada que pagasse todos os seus esforços, exceto a armadura que Thorin já tinha lhe dado. Mais de um dos anãos sentiram vergonha e pena em seus corações pela partida dele.

"Adeus!", gritou o hobbit. "Pode ser que nos encontremos de novo como amigos."

"Suma daqui!", berrou Thorin. "Carrega em seu corpo uma cota de malha que foi feita pela minha gente e é boa demais para você. Ela não pode ser varada por flechas; mas, se não se apressar, vou ferir seus pés desgraçados. Então seja rápido!"

"Não tão depressa!", disse Bard. "Vamos lhe dar até amanhã. Ao meio-dia retornaremos e veremos se você trouxe da sala do tesouro a porção que deve se equiparar à pedra. Se isso for feito sem engodo, então partiremos, e a hoste élfica voltará para a Floresta. Enquanto isso, adeus!"

Depois disso voltaram para o acampamento; mas Thorin enviou mensagens por meio de Roäc até Dain, contando o que tinha ocorrido e pedindo que ele viesse com cautelosa rapidez.

Aquele dia passou, bem como a noite. No dia seguinte, o vento mudou para o oeste, e o ar se fez escuro e tristonho. A manhã ainda estava no começo quando se ouviu um grito no acampamento. Corredores chegaram para relatar que uma hoste de anãos tinha aparecido ao redor do esporão oriental da Montanha e agora estava se apressando rumo a Valle. Dain chegara. Ele tinha continuado apressado durante a noite e, assim, chegara sobre eles mais cedo do que tinham esperado. Todos os de sua gente estavam trajados com uma couraça[2] de malha de aço que caía até os joelhos, e suas pernas estavam cobertas com uma calça feita de uma rede de metal fina e flexível, cujo segredo de fabricação era posse do povo de Dain. Os anãos são sobremaneira fortes para sua altura, mas a maioria desses era forte até mesmo para anãos. Em batalha, empunhavam picaretas pesadas de duas mãos;[3] mas cada um deles tinha também uma espada curta e larga presa do lado, e um escudo redondo pendurado nas costas. Suas barbas eram bifurcadas e trançadas, ficando enfiadas em seus cintos. Seus capacetes eram de ferro, e eles estavam calçados com ferro, e seus rostos eram sombrios.

Trombetas convocavam homens e elfos às armas. Em pouco tempo os anãos podiam ser vistos subindo o vale em passadas aceleradas. Pararam entre o rio e o esporão oriental; mas alguns continuaram em seu caminho e, cruzando o rio, chegaram perto do acampamento; e ali depuseram suas armas e ergueram as mãos em sinal de paz. Bard saiu para encontrá-los, e com ele foi Bilbo.

"Fomos enviados da parte de Dain, filho de Nain",[4] disseram, quando interpelados. "Vamos com pressa ao encontro de nossos parentes na Montanha, já que soubemos que o reino de outrora foi renovado. Mas quem são vocês, que se sentam na planície como inimigos diante de muralhas defendidas?" Isso, é claro, na linguagem educada e bastante antiquada de tais ocasiões, queria dizer simplesmente: "Vocês não têm nada a fazer aqui. Vamos seguir em frente, então abram caminho ou havemos de lutar com vocês!" Eles pretendiam se enfiar entre a Montanha e a curva do rio; pois o pedaço estreito de terra ali não parecia estar sob forte guarda.

Bard, é claro, se recusou a permitir que os anões continuassem diretamente até a Montanha. Estava determinado a esperar que o ouro e a prata fossem trazidos em troca da Pedra Arken; pois não acreditava que isso seria feito se a fortaleza chegasse a ser guarnecida com tão grande e belicosa companhia. Tinham trazido com eles larga provisão de suprimentos; pois os anões conseguem carregar fardos muito pesados, e quase todos os do povo de Dain, apesar de sua marcha rápida, carregavam imensos alforjes nas costas, além de suas armas. Poderiam resistir a um cerco por semanas, e depois desse tempo ainda mais anões poderiam chegar, e mais outros ainda, pois Thorin tinha muitos parentes. Além disso, seriam capazes de reabrir e guarnecer algum outro portão, de modo que as forças de sítio teriam de cercar a montanha inteira; e para isso não tinham números suficientes.

Esses eram, de fato, precisamente os seus planos (pois os corvos mensageiros tinham ficado muito ocupados voando entre Thorin e Dain); mas no momento o caminho tinha sido barrado, de modo que, depois de trocar palavras raivosas, os mensageiros anões se retiraram resmungando em suas barbas. Bard então mandou mensageiros de imediato ao Portão; mas não acharam nenhum ouro ou pagamento. Flechas voaram assim que se puseram ao alcance de arcos, e eles voltaram apressados e assustados. No acampamento tudo agora era movimento, como se houvesse batalha; pois os anões de Dain estavam avançando ao longo da margem oriental.

"Tolos!", riu Bard. "Não deviam chegar assim sob o braço da Montanha! Não entendem a guerra acima do solo, seja lá o que saibam sobre batalha nas minas. Há muitos de nossos arqueiros e lanceiros escondidos agora nas rochas acima do flanco direito deles. A cota de malha dos anões pode ser boa, mas logo estarão em grande aperto. Vamos cair sobre eles agora de ambos os lados, antes que estejam totalmente descansados!"

Mas o Rei-élfico disse: "Por muito tempo hei de me demorar antes que comece esta guerra por ouro. Os anões não

Um velho dragão sob pedra antiga,
Piscando os olhos vermelhos de intriga.
Eram débeis as chamas do fogo que tinha,
Nodoso, enrugado, encurvada a espinha;
O costume é cruel, a alegria pequena,
Cobiçava ainda e não tinha pena.
Ao lodo do ventre as gemas se colam,
Objetos de ouro abundam e rolam,
E ele deitado, sonhando co'a dor
E angústia que inflige ao salteador
Que o mínimo anel se atreva a tocar;
Mexeu uma asa, inquieto a sonhar.
Não ouviu o passo, o tinido do arnês
Do guerreiro à porta que ameaças lhe fez,
Que saísse a lutar, defender o seu ouro,
Mas o ferro cruel lacerou-lhe o couro.

Um velho rei cujo trono é um colosso;
A barba é branca, o joelho só osso,
De comida e bebida não sentia sabor,
Canções não ouvia, só dava valor
À arca enorme de tampo entalhado
De invisíveis gemas e ouro guardado
No tesouro secreto em subsolo escuro;
O enorme portal era ferro seguro.
A ferrugem roeu suas espadas robustas,
Sua glória embaçada, as leis são injustas,
Vazio seu salão, seu poder sem favor,
Mas do élfico ouro ele era senhor.
Não ouviu as trompas na montanha escarpada,
Não notou todo o sangue na grama pisada,
Os salões se queimaram, o reino é baldio,
Jogaram-lhe os ossos em túmulo frio.

Um velho tesouro em escuro grotão
Oculto por trás de intocável portão.
Perdidas as chaves, coberto o atalho,
Descuidado o morro, capim e cascalho;
Lá pastam carneiros e voa cotovia
Na verde encosta, e ninguém mais espia
Nem encontra o segredo, até que retornem
Os que as joias criaram e outra vez ornem
Com luzes da Terra-Fada a floresta,
E soem de novo os cantos de festa.

[IÚMONNA GOLD GALDRE BEWUNDEN

There were elves olden and strong spells
Under green hills in hollow dells
They sang o'er the gold they wrought
with mirth,

In the deeps of time in the young earth,
Ere Hell was digged, ere the dragon's brood
Or the dwarves were spawned in dungeons rude;
And men there were in a few lands
That caught some cunning of their mouths
and hands.
Yet the doom came and their songs failed,
And greed that made them not to its holes haled
Their gems and gold and their loveliness,
And the shadows fell on Elfinesse.

There was an old dwarf in a deep grot
That counted the gold things he had got,
That the dwarves had stolen from men and
elves
And kept in the dark to their gloomy selves.
His eyes grew dim and his ears dull.
And the skin was yellow on his old skull;
There ran unseen through his bony claw
The faint glimmer of gems without a flaw.
He heard not the feet that shook the earth,
Nor the rush of wings, not the brazen mirth
Of dragons young in their fiery lust:
His hope was in gold and in jewels his trust.
Yet a dragon found his dark cold hole,
And he lost the earth and the things he stole.

There was an old dragon under an old stone
Blinking with red eyes all alone.
The flames of his fiery heart burnt dim;
He was knobbed and wrinkled and bent of
limb;
His joy was dead and his cruel youth,
But his lust still smouldered and he had no ruth.
To the slime of his belly the gems stuck thick
And his things of gold he would snuff and lick
As he lay thereon and dreamed of the woe
And grinding anguish thieves would know
That ever set a finger on one small ring;
And dreaming uneasy he stirred a wing.
He heard not the step nor the harness clink
Till the fearless warrior at his cavern's brink
Called him come out and fight for his gold,
Yet iron rent his heart with anguish cold.

There was an old king on a high throne:
His white beard was laid on his knees of bone,
And his mouth savoured not meat nor drink,
Nor his ears song, he could only think
Of his huge chest with carven lid
Where the gold and jewels unseen lay hid
In a secret treasury in the dark ground,
Whose mighty doors were iron-bound.

podem passar por nós, a menos que o desejemos, ou fazer qualquer coisa que não possamos ver. Esperemos ainda algo que possa trazer reconciliação. Nossa vantagem em números será suficiente se, por fim, tudo terminar em golpes infelizes."

Mas ele não contava com os anãos. A consciência de que a Pedra Arken estava nas mãos dos que sitiavam a Montanha ardia nos pensamentos deles; ademais, percebiam a hesitação de Bard e seus amigos, e resolveram investir enquanto eles debatiam.

Súbito, sem qualquer sinal, avançaram silenciosamente para atacar. Arcos cantaram e flechas assobiaram; a batalha estava prestes a começar.

Ainda mais subitamente, uma escuridão veio sobre eles com horrenda velocidade! Uma nuvem negra correu pelo céu. Trovões de inverno, num vento selvagem, rolaram rugindo e ecoaram pela Montanha, e o relâmpago iluminou o pico. E, debaixo do trovão, outro negrume podia ser visto girando adiante; mas não vinha com o vento, vinha do Norte, como uma vasta nuvem de aves, tão apinhadas que nenhuma luz podia ser vista entre suas asas.

"Alto!", gritou Gandalf, que apareceu subitamente e se postou sozinho, de braços erguidos, entre os anãos que avançavam e as fileiras que os aguardavam. "Alto!", gritou com voz feito trovão, e seu cajado brilhava com uma faísca como a do relâmpago. "O terror veio sobre todos vocês! Ai de nós! Veio mais veloz do que eu imaginava. Os gobelins estão caindo sobre vocês! Bolg[a] [5] do Norte está chegando, ó Dain!, cujo pai você matou em Moria.[6] Eis que os morcegos voam acima do exército dele feito um mar de gafanhotos. Eles montam lobos, e wargs os seguem!"

Assombro e confusão caíram sobre todos eles. Enquanto Gandalf falava, a escuridão crescia. Os anãos se detiveram e fitaram o céu. Os elfos gritaram com muitas vozes.

"Venham!", convocou-os Gandalf. "Ainda há tempo para um conselho. Que Dain, filho de Nain, venha rapidamente até nós!"

Assim começou uma batalha que ninguém tinha esperado; e recebeu o nome de Batalha dos Cinco Exércitos,[7] e foi muito terrível. De um lado estavam os gobelins e os lobos selvagens, e do outro estavam os elfos, os homens e os anãos. Foi deste modo que ela aconteceu. Desde a queda do Grande Gobelim das Montanhas Nevoentas, o ódio daquela raça pelos anãos se reacendera até se tornar fúria. Mensageiros tinham passado de cá para lá entre todas as cidades, colônias e praças-fortes deles; pois tinham resolvido agora obter o

---

[a] Filho de Azog. Ver p. 66.

domínio do Norte. Notícias tinham obtido de modos secretos; e, em todas as montanhas, não cessava a forja e o armamento. Então marcharam e se reuniram em monte e vale, seguindo sempre por túneis ou no escuro, até que, em volta e debaixo da grande montanha de Gundabad[8] do Norte, onde ficava a capital deles, uma vasta hoste se ajuntou, pronta para, em tempo de tempestade, descer varrendo sem aviso o Sul. Então souberam da morte de Smaug, e houve júbilo em seus corações; e se apressaram noite após noite através das montanhas, e chegaram assim, afinal, de súbito, do Norte, nos calcanhares de Dain. Nem mesmo os corvos sabiam de sua chegada até que apareceram nas terras fragmentadas que dividiam a Montanha Solitária das colinas atrás dela. Quanto disso Gandalf sabia não se pode dizer, mas está claro que ele não esperava esse assalto repentino.

Este é o plano que ele arquitetou em conselho com o Rei-élfico e com Bard; e com Dain, pois o senhor-anão agora se juntara a eles: os gobelins eram os inimigos de todos, e com sua chegada todas as outras querelas foram esquecidas. A única esperança deles era atrair os gobelins para dentro do vale entre os braços da Montanha; e eles mesmos guarneceriam os grandes esporões que davam para o sul e o leste. Contudo, isso seria perigoso se os gobelins estivessem em número suficiente para ocupar a própria Montanha e, assim, atacá-los também de trás e de cima; mas não havia tempo para arquitetar nenhum outro plano, nem para convocar nenhuma outra ajuda.

Logo o trovão passou, rolando para o Sudeste; mas a nuvem de morcegos, voando mais baixo, passou por cima do flanco da Montanha e girou acima deles, tapando a luz e enchendo-os de terror.

"Para a Montanha!", chamou Bard. "Para a Montanha! Vamos assumir nossos lugares enquanto ainda há tempo!"

No esporão Sul, em suas encostas mais baixas e nas rochas a seus pés, os elfos foram dispostos; no esporão Leste estavam homens e anões. Mas Bard e alguns dos homens e elfos mais ágeis escalaram o topo do flanco Leste para obter uma boa visão do Norte. Logo puderam ver as terras diante dos sopés da Montanha enegrecidas pela presença de uma multidão apressada. Em pouco tempo a vanguarda deu a volta na ponta do esporão e chegou correndo a Valle. Esses eram os cavalga-lobos mais velozes, e seus gritos e uivos já rasgavam o ar ao longe. Uns poucos homens corajosos foram colocados diante deles para fazer uma finta de resistência, e muitos ali tombaram antes que o resto recuasse e fugisse para ambos os lados. Conforme Gandalf esperava, o exército gobelim tinha se acumulado detrás da vanguarda que sofrera resistência, e agora se despejava raivoso pelo vale, correndo selvagem entre

The swords of his warriors did dull and rust,
His glory was tarnished and his rule unjust,
His halls hollow and his bowers cold,
But he was king of elfin gold.
He heard not the horns in the mountain pass,
He smelt not the blood on the trodden grass,
Yet his halls were burned and his kingdom lost,
In a grave unhonoured his bones were tossed.

There is an old hoard in a dark rock
Forgotten behind doors none can unlock.
The keys are lost and the path gone,
The mound unheeded that the grass grows on;
The sheep crop it and the larks rise
From its green mantle, and no man's eyes
Shall find its secret, till those return
Who wrought the treasure, till again burn
The lights of Faery, and the woods shake,
And songs long silent once more awake.]

(*As Aventuras de Tom Bombadil*. Tradução de Ronald Kyrmse. São Paulo: Martins Fontes – Selo Martins, 2018. pp. 255–57.)

Em seu contexto, o verso 3052 de *Beowulf* revela a inspiração do poema de Tolkien. Eis uma tradução em prosa de John R. Clark Hall, revisada por C.L. Wrenn, amigo e colega de Tolkien. *Beowulf and the Finnesburg Fragment*, de Wrenn, foi publicado pela primeira vez em 1940; o livro inclui observações preliminares de Tolkien:

O ígneo dragão, em atroz radiância, foi causticado com brasas candentes. Cinquenta pés de comprimento, medidos tal como jazia. Por vezes à noite costumava habitar o ar jubiloso; então desceu outra vez a buscar seu covil; — e lá estava ele, em rígida morte. Habitara a derradeira de suas cavernas terrenas. Cálices e jarras ali estavam, jaziam pratos e espadas preciosas, enferrujadas e carcomidas, como se estivessem ali alojadas a mil invernos no seio da terra. Naquele tempo a potente herança, a reserva de ouro dos homens de outrora, foi coberta em feitiço, de modo que homem nenhum pudesse tocar a câmara do tesouro, a menos que o próprio Deus, vero rei de vitórias (ele é o escudo dos homens), desse permissão àquele que, parecendo-lhe apto, viesse a abrir o tesouro. (seção 41, versos 3040–57)

O artigo de Tom Shippey, "The Versions of 'The Hoard'" ["As versões de 'O tesouro'"], publicado em *Lembas*, n. 100 (2001), o boletim da Tolkien Society holandesa (Unquendor), compara as mudanças nas versões publicadas do poema e nota algumas coisas muito interessantes sobre a métrica tal como relacionada à de *Beowulf*:

> Uma provável melhor descrição do poema é dizer que (como no caso da poesia do inglês antigo) cada verso consiste em dois meio-versos, com uma pausa ou cesura fortemente marcada, sendo cada meio-verso composto por quatro ou cinco sílabas (raramente três), mas cada meio-verso também apresenta dois acentos fortes, frequentemente em sílabas consecutivas. Em suma, ele toma por base antes a contagem de acentos do que a de sílabas e está, neste sentido, mais próximo da tradição nativa de poesia do que da tradição aprendida com os franceses. [...] Tolkien estava escrevendo um tema do inglês antigo com um vocabulário do inglês antigo, com algo relativamente próximo da métrica do inglês antigo, como se para mostrar que ainda era possível fazê-lo.

Shippey também indica outra obra surpreendentemente similar à de Tolkien em tema e conceito: a história "O aguilhão do Rei", em *O Livro da Selva* (1894), de Rudyard Kipling. Nesse conto uma serpentesca cobra branca vigia um imenso tesouro subterrâneo, que é a morte daqueles que o cobiçam.

O poema de Tolkien foi também reimpresso em *A Book of Dragons* [O livro dos dragões] (1970), editado por Roger Lancelyn Green. Green (1918–1987) foi aluno de Tolkien e também um amigo próximo de C.S. Lewis. Sua dissertação de mestrado, "Andrew Lang and the Fairy Tale" [Andrew Lang e o conto de fadas], foi supervisionada por Tolkien; ela foi publicada em 1946 como *Andrew Lang: A Critical Biography* [Andrew Lang: uma biografia crítica]. *A Book of Dragons* é dedicado a Tolkien.

2 *Hauberk* [couraça] é uma cota de malha (de metal entrelaçado, flexível).

os braços da Montanha, procurando o inimigo. Suas bandeiras eram incontáveis, negras e vermelhas, e vinham feito uma maré, em fúria e desordem.

Foi uma batalha terrível. A mais horrenda de todas as experiências de Bilbo e a que na época ele mais odiou — o que significa que era dela que ele tinha mais orgulho e mais gostava de recordar muito tempo depois, embora tivesse sido bem desimportante nela. Na verdade, posso dizer que colocou seu anel bem no começo do negócio e desapareceu da vista, ainda que não evitasse todo perigo. Um anel mágico daquele tipo não é uma proteção completa num ataque gobelim, nem é capaz de deter flechas que voam e lanças desvairadas; mas de fato ajuda a sair do caminho e impede que sua cabeça seja especialmente escolhida para um golpe de varredura de uma espada gobelim.

Os elfos foram os primeiros a atacar. O ódio que têm dos gobelins é frio e amargo. Suas lanças e espadas brilhavam na treva com um faiscar de chama gélida, tão mortal era a ira das mãos que as seguravam. Assim que a hoste de seus inimigos se adensou no vale, mandaram contra ela uma chuva de flechas, e cada uma delas chamejou enquanto voava, como se com um fogo mordaz. Detrás das flechas um milhar de seus lanceiros saltou para baixo e atacou. Os urros eram ensurdecedores. As rochas foram manchadas de negro com sangue gobelim.

Assim que os gobelins começaram a se recuperar da matança e o ataque-élfico se deteve, ergueu-se através do vale um rugido vindo do fundo da garganta. Com gritos de "Moria!" e "Dain, Dain!", os anãos das Colinas de Ferro mergulharam na luta, empunhando suas picaretas, do outro lado; e ao lado deles vinham os homens do Lago com espadas longas.

O pânico caiu sobre os gobelins; e, enquanto se viravam para enfrentar esse novo ataque, os elfos investiram outra vez com números renovados. Muitos dos gobelins já estavam fugindo para baixo, rumo ao rio, para escapar da armadilha; e muitos de seus próprios lobos estavam se voltando contra eles e dilacerando os mortos e os feridos. A vitória parecia estar à mão quando um grito ecoou nas alturas acima do combate.

Certos gobelins tinham escalado a Montanha, vindos do outro lado, e muitos já estavam nas encostas acima do Portão, e outros iam descendo temerários, sem se preocupar com aqueles que caíam gritando de ravinas e precipícios, para atacar os esporões vindos de cima. Cada um deles podia ser alcançado por trilhas que desciam da massa principal da Montanha no centro; e os defensores tinham pouca gente para conseguir barrar o caminho por muito tempo. A vitória agora deixava de ser uma esperança. Tinham apenas detido a primeira investida da maré negra.

O dia avançava. Os gobelins se reuniram de novo no vale. Ali uma hoste de wargs chegou alucinada, e, com eles, veio a guarda pessoal de Bolg, gobelins de enorme tamanho com cimitarras[9] de aço. Logo a escuridão real veio chegando num céu tempestuoso, enquanto os grandes morcegos ainda davam voltas acima das cabeças e orelhas de elfos e homens, ou se agarravam, feito vampiros, aos feridos. Bard agora estava lutando para defender o esporão Leste e, contudo, ia recuando devagar; e os senhores-élficos estavam encurralados à volta de seu rei no braço sul, perto do posto de vigia em Montecorvo.

Súbito, ouviu-se um grande grito, e do Portão veio o toque de uma trombeta. Tinham se esquecido de Thorin! Parte da muralha, movida por alavancas, caiu com um estrondo na represa. Saltou para fora o Rei sob a Montanha, e seus companheiros o seguiram. Capuz e manto tinham desaparecido; envergavam armaduras reluzentes, e uma luz rubra saltava de seus olhos. Na treva, o grande anão chamejava feito ouro num fogo moribundo.

Rochas foram lançadas do alto pelos gobelins; mas eles continuaram, saltaram até os pés da queda d'água e avançaram para a batalha. Lobo e cavaleiro caíam ou corriam diante deles. Thorin dava com seu machado golpes poderosos, e nada parecia feri-lo.

"A mim! A mim! Elfos e homens! A mim, ó minha gente!", gritou, e sua voz ecoava feito uma trompa no vale.

Descendo, sem se importar com qualquer ordem, acorreram todos os anãos de Dain a ajudá-lo. Desceram também muitos dos Homens-do-lago, pois Bard não pôde impedi-los; e do outro lado vieram muitos dos lanceiros dos elfos. Mais uma vez os gobelins foram destroçados no vale; e foram empilhados até que Valle se tornou escura e horrenda com seus cadáveres. Os wargs se dispersaram, e Thorin abriu caminho até a guarda pessoal de Bolg. Mas não conseguiu varar as fileiras deles.

Atrás de Thorin, em meio aos gobelins mortos, jaziam muitos homens e muitos anãos, e muitíssimos belos elfos que deveriam ter vivido ainda longas eras alegremente nas matas. E, conforme o vale se alargava, sua investida se tornou cada vez mais lenta. Seus números eram muito poucos. Seus flancos estavam desguarnecidos. Não demorou para que os atacantes fossem atacados, sendo forçados a formar um grande círculo, voltados para todos os lados, pressionados à sua volta por gobelins e lobos que retornavam ao assalto. A guarda pessoal de Bolg veio uivando contra eles e investiu contra suas fileiras feito ondas sobre encostas de areia. Seus amigos não tinham como ajudá-los, pois o assalto vindo da Montanha foi renovado com força redobrada, e de ambos os lados homens e elfos iam sendo lentamente sobrepujados.

3 *Mattock* [picareta] é uma ferramenta de escavação, semelhante ao picão, mas com a lâmina perpendicular ao cabo (como um enxó) de um lado e geralmente com uma espécie de pique do outro.

O pequeno mineiro Curdie em *The Princess and Curdie*, de George MacDonald, é raramente visto sem sua picareta. Ela o auxiliava em suas tarefas de mineração e também servia como arma.

4 *Dain* e *Nain* são nomes de anão tirados de "Voluspá"; ver nota 20 ao Capítulo 2.

5 Essa nota de rodapé apareceu pela primeira vez em *1966-Ball*. (A referência da página foi alterada nas várias edições.)

6 A grande importância de manter a distinção entre a etimologia dos nomes dentro da história de Tolkien e as fontes das quais Tolkien como autor os derivou está exemplificada nas declarações seguintes, feitas por Tolkien a respeito da fonte para o nome *Moria* nos rascunhos para uma carta escrita em agosto de 1967:

> O nome Moria aparece como um "eco" casual do *Castelo de Soria Moria* em um dos contos escandinavos traduzidos por Dasent. (O conto não era de interesse algum para mim: eu já o havia esquecido e desde então nunca mais o vi. Assim, ele foi meramente a fonte da sequência sonora *moria*, que pode ter sido encontrada ou composta em outro lugar.) Gostei da sequência sonora; aliterava com "minas" e relacionava-se com elemento MOR ["sombrio, negro"] em minha construção linguística. (*Cartas*, n. 297)

Anteriormente na mesma carta, Tolkien dera a etimologia em élfico sindarin de *Moria*, explicando que significava "Abismo Negro", acrescentando: "Quanto à 'terra de Morīah' (note a ênfase): ela tampouco possui qualquer ligação (mesmo 'externamente'). Internamente não há ligação concebível entre as minerações dos Anãos e a história de Abraão. Repudio totalmente tais significados e simbolismos. Minha mente não trabalha dessa forma." (Ibid.)

A história "O Castelo de Soria Moria" aparece na coleção *Popular Tales from the Norse* [Contos populares nórdicos] (1858), traduzida por George Webbe Dasent a partir da segunda edição da coleção *Norske Folkeeventyr* (1852), de Peter Christen Asbjørnsen e Jørgen Moe. Ela também aparece em O Fabuloso Livro Vermelho (1890), editado por Andrew Lang.

7 Aqui os Cinco Exércitos estão especificados como Elfos, Homens e Anãos de um lado, e Gobelins e Lobos do outro. Curiosamente, na animação de *O Hobbit* para televisão feita pela Rankin/Bass em 1977, os Cinco Exércitos incluem especificamente as Águias no lugar dos Lobos. Esse lapso é uma transgressão diminuta comparada às grandes falhas daquela produção.

8 Essa é a única ocorrência do nome Gundabad no texto de *O Hobbit*. Ele também aparece no mapa das Terras-selváticas, no canto noroeste, onde as Montanhas Cinzentas encontram as Montanhas Nevoentas.

Em alguns escritos inicialmente pensados para o Apêndice A de *O Senhor dos Anéis*, agora publicados no volume 12 da *História, Os Povos da Terra-média*, ficamos sabendo que o Monte Gundabad foi o lugar onde Durin, um dos Sete Ancestrais dos Anãos, despertou pela primeira vez. Durin foi o pai da mais antiga raça dos Anãos, os Barbas-longas. Por essa razão os Anãos reverenciavam Gundabad, e sua ocupação pelos Orques durante a Terceira Era foi uma das principais razões da inimizade entre Anãos e Orques.

Tudo isso Bilbo observou horrorizado. Tinha assumido seu posto em Montecorvo, em meio aos elfos — parcialmente porque havia mais chance de escapar naquele ponto e parcialmente (com a parte mais Tûk de sua cabeça) porque, se tivesse de participar de uma última resistência desesperada, preferia, no geral, defender o Rei-élfico. Gandalf, também, posso dizer, estava lá, sentado no chão, como que em pensamentos profundos, preparando, suponho, uma última explosão de magia antes do fim.

Tal fim não parecia muito distante. "Não vai demorar muito agora", pensou Bilbo, "para que os gobelins conquistem o Portão e para que todos sejamos massacrados ou desbaratados e capturados. Realmente é o bastante para fazer o sujeito chorar, depois de tudo o que se passou. Eu preferiria que o velho Smaug tivesse ficado com toda a porcaria do tesouro a ver essas criaturas vis obtê-lo, e que o pobre velho Bombur, e Balin e Fili e Kili e todo o resto tivessem um mau fim; e Bard também, e os Homens-do-lago, e os elfos alegres. Mísero que sou! Já ouvi canções sobre muitas batalhas e sempre entendi que a derrota pode ser gloriosa.[10] Mas parece muito desconfortável, para não dizer desanimadora. Queria era estar bem fora disso."

As nuvens foram rasgadas pelo vento, e um pôr do sol vermelho irrompeu no Oeste. Vendo o clarão repentino na treva, Bilbo olhou em volta. Deu um grande grito: tivera uma visão que fez seu coração pular, formas escuras, mas majestosas, contra o brilho distante.

"As águias! As águias!", berrou. "As águias estão vindo!"[11]

Os olhos de Bilbo raramente erravam. As águias estavam vindo, descendo pelo vento, fila após fila, em tal hoste que só podia ter se reunido de todos os ninhais do Norte.

"As águias! As águias!", Bilbo gritou, dançando e agitando os braços. Se os elfos não conseguiam vê-lo, conseguiam ouvi-lo. Logo eles também aderiram ao grito, que ecoou vale afora. Muitos olhos admirados olharam para cima, embora por enquanto nada pudesse ser visto, exceto dos flancos ao sul da Montanha.

"As águias!",[12] gritou Bilbo uma vez mais, mas naquele momento uma pedra, caindo lá de cima, golpeou com força o seu elmo, e ele caiu com um estrondo e não soube de mais nada.

A Batalha dos Cinco Exércitos.
Ilustração de Nada Rappensbergerová
para a edição eslovaca de 1973.

O HOBBIT ANOTADO

Thorin exclama: "A mim!" Ilustração de Tove Jansson para as edições sueca de 1962 e finlandesa de 1973.

9 Cimitarra é uma espada de lâmina curta e curvada, com um único gume. Historicamente, cimitarras foram usadas por povos da Ásia Oriental, turcos e persas.

10 Tom Shippey me sugeriu que a afirmação de Bilbo "defeat may be glorious" ["a derrota pode ser gloriosa"] pode ser uma referência velada à terceira estrofe do refrão da canção da King Edward's School, que se lê: "Oftentimes defeat is splendid, victory may still be shame; Luck is good, the prize is pleasant, but the glory's in the game." ["Brilha amiúde a derrota, a mancha tinge a vitória; viva a Sorte, o prêmio se nota, mas em jogo está a glória."] A canção foi composta na época vitoriana por Alfred Hayes (1857–1936), e Tolkien a teria conhecido bem, tendo frequentado a King Edward's School em Birmingham por quase dez anos, partindo para Oxford em 1911. Shippey também frequentou a King Edward's School quase 50 anos depois de Tolkien, deixando-a em 1960.

11 Em 7–8 de novembro de 1944, Tolkien escreveu a seu filho Christopher: "eu sabia que havia escrito uma história de valor em 'O Hobbit' quando ao lê-lo (depois que o livro ficou velho o suficiente para estar distante de mim) tive repentinamente, em uma medida razoavelmente forte, a emoção 'eucatastrófica' com a exclamação de Bilbo: 'As águias! As águias estão vindo!'" (*Cartas*, n. 89).

Eucatástrofe é um termo do próprio Tolkien, de seu ensaio "Sobre Estórias de Fadas", para a repentina virada alegre dos eventos (a "boa catástrofe") que proporciona o final feliz a uma estória de fadas. O ensaio de Tolkien foi originalmente proferido como uma palestra em memória de Andrew Lang na Universidade de St. Andrews em 9 de março de 1939; foi bastante ampliada para publicação em *Essays Presented to Charles Williams* [Ensaios oferecidos a Charles Williams] (1947), editado por C.S. Lewis. O ensaio também aparece em *Árvore e Folha* (1964) e *The Tolkien Reader* [Textos selecionados de Tolkien] (1966). [Em 2008, a HarperCollins publicou uma edição expandida e anotada do ensaio, editada por Verlyn Flieger e Douglas A. Anderson. {N. E.}]

12 Um esboço inacabado de Tolkien, *The Coming of the Eagles* [A chegada das Águias], está publicado em *Artist* (n. 138).

18

A Viagem de Volta

Quando Bilbo voltou a si, estava literalmente por si só. Estava deitado nas pedras aplainadas de Montecorvo, e não havia ninguém por perto. Um dia sem nuvens, mas frio, estendia-se acima dele. Estava tremendo e gélido feito pedra, mas sua cabeça ardia como se estivesse em chamas.

"Ora, o que será que aconteceu?", disse a si mesmo. "De qualquer modo até agora não sou um dos heróis que tombaram; mas suponho que ainda haja tempo suficiente para isso!"

Sentou-se todo dolorido. Olhando para o vale, não conseguiu ver nenhum gobelim vivo. Depois de um tempo, quando suas ideias clarearam um pouco, ele pensou ter conseguido ver elfos se movendo nas rochas lá embaixo. Esfregou os olhos. Decerto havia ainda um acampamento na planície, a alguma distância dali; e havia idas e vindas em volta do Portão? Anãos pareciam estar ocupados removendo a muralha. Mas tudo estava numa quietude mortal. Não havia nenhum chamado, nem eco algum de canção. A tristeza parecia estar no ar.

"Vitória afinal, suponho!", disse ele, sentindo sua cabeça dolorida. "Bem, parece um negócio muito sombrio."

De repente, percebeu que um homem estava subindo e vinha na direção dele.

"Olá aí!", chamou com voz trêmula. "Olá aí! Quais as notícias?"

"Que voz é essa que fala em meio às pedras?", disse o homem, parando e olhando à sua volta não muito longe de onde Bilbo estava sentado.

Bilbo então se lembrou de seu anel! "Ora, abençoado eu seja!", disse. "Essa invisibilidade tem suas desvantagens, afinal. Do contrário, suponho que eu poderia ter passado uma noite quentinha e confortável na cama!"

"Sou eu, Bilbo Bolseiro, companheiro de Thorin!", gritou, tirando apressadamente o anel.

"É bom que eu o tenha encontrado!", disse o homem, andando na direção dele. "Precisam de você, e eu o procurei por muito tempo. Teria sido contado entre os mortos, que são muitos, se Gandalf, o mago, não tivesse dito que sua voz foi ouvida pela última vez neste lugar. Fui mandado até aqui para procurar pela última vez. Está muito ferido?"

Leito de morte de Thorin. Ilustração de Maret Kernumees para a edição estoniana de 1977.

"Uma porcaria de pancada na cabeça, eu acho", disse Bilbo. "Mas tenho um elmo e um crânio duro. Mesmo assim, sinto-me enjoado, e minhas pernas parecem feitas de palha."

"Vou carregá-lo até o acampamento lá embaixo, no vale", disse o homem, e se pôs a levá-lo com facilidade.

Ele era rápido e de pisadas seguras. Não demorou para que Bilbo fosse depositado diante de uma tenda em Valle; e lá estava Gandalf, com o braço numa tipoia. Nem o mago tinha escapado sem um ferimento; e havia poucos ilesos em toda a hoste.

Quando Gandalf viu Bilbo, ficou encantado. "Bolseiro!", exclamou. "Ora, que coisa! Vivo, afinal — *estou* contente! Comecei a me perguntar se até mesmo a sua sorte seria capaz de salvá-lo! Foi um negócio terrível e quase desastroso. Mas outras notícias podem esperar. Venha!", disse, com mais gravidade. "Requisitam sua presença"; e, conduzindo o hobbit, levou-o consigo para dentro da tenda.

"Salve, Thorin!", disse quando entrou. "Eu o trouxe."

Ali, de fato, jazia Thorin Escudo-de-carvalho, ferido com muitas feridas, e sua armadura rasgada e machado sem gume estavam jogados sobre o chão. Ele olhou para cima quando Bilbo se pôs ao lado dele.

"Adeus, bom ladrão", disse ele. "Vou agora para os salões de espera sentar-me ao lado de meus pais, até que o mundo seja renovado.[1] Uma vez que agora deixo todo ouro e toda prata, e vou aonde são de pequena valia, desejo me despedir em amizade de você e queria retirar minhas palavras e ações no Portão."

Bilbo se apoiou em um dos joelhos, cheio de tristeza. "Adeus, Rei sob a Montanha!", disse. "Esta é uma aventura amarga, se tem de terminar assim; e nem uma montanha de ouro pode torná-la boa. Contudo, estou contente de ter partilhado de seus perigos — isso foi mais do que qualquer Bolseiro merece."

"Não!", disse Thorin. "Há mais bem em você do que sabe, filho do gentil Oeste. Alguma coragem e alguma sabedoria, mescladas em boa medida. Se mais de nós[2] dessem valor à comida, à alegria e às canções acima do ouro entesourado, este seria um mundo mais feliz. Mas, triste ou feliz, devo deixá-lo agora. Adeus!"

Então Bilbo deu meia-volta, e saiu por ali a sós, e se sentou sozinho embrulhado num cobertor, e, acredite você ou não, chorou até seus olhos ficarem vermelhos e sua voz ficar rouca. Ele era uma alminha gentil. De fato, demorou antes que tivesse coragem de contar uma piada de novo. "Foi por misericórdia", disse ele por fim a si mesmo, "que acordei na hora certa. Queria que Thorin estivesse vivo, mas estou contente que nos separamos de modo gentil. Você é um

1 Na escatologia da Terra-média de Tolkien — uma concepção complexa e mutável em si mesma —, os espíritos dos elfos mortos seguem para um lugar de espera, onde permanecem até o fim do mundo; pois o destino deles está atado ao do mundo. Os espíritos dos homens mortos seguem igualmente para o lugar de espera, onde são libertos da servidão do mundo rumo a um destino desconhecido. Seu fado especial era a dádiva de Deus (Ilúvatar) aos homens.

O destino dos anãos após a morte permaneceu algo especialmente incerto para Tolkien. O comentário de Thorin, ecoando as próprias crenças dos anãos, não pode ser facilmente reconciliado com outras declarações presentes nos escritos de J.R.R. Tolkien. (Ver *O Silmarillion*, p. 75; *O Livro dos Contos Perdidos, Parte Dois*; *A Formação da Terra-média*; *A Estrada Perdida*; *O Anel de Morgoth*.)

2 1937: "If more men" ["Se mais homens"] > 1951: "If more of us" ["Se mais de nós"].

Essa mudança foi sugerida por Arthur Ransome em sua carta a Tolkien de 13 de dezembro de 1937. Ransome sentia que o termo *homens* se referia exclusivamente à humanidade, e assim deturpava as preocupações de Thorin. Tolkien discutiu a mudança em sua carta para a Allen & Unwin de 19 de dezembro de 1937, e ela foi adotada na segunda edição de 1951.

bobo, Bilbo Bolseiro, e fez uma grande bagunça com aquele negócio da pedra; e houve uma batalha, apesar de todos os seus esforços para adquirir paz e quietude, mas suponho que dificilmente possa ser culpado por isso."

Tudo o que tinha acontecido depois que desmaiou Bilbo ficou sabendo mais tarde; mas aquilo lhe deu mais tristeza que alegria, e estava agora cansado de sua aventura. Seus ossos doíam de vontade de fazer a viagem de volta. Isso, entretanto, demorou um pouco, então, nesse meio-tempo, vou lhe contar algo sobre o que ocorreu. As águias suspeitavam havia muito que os gobelins se reuniriam; de sua vigilância os movimentos nas montanhas não podiam ser de todo escondidos. Assim, elas também se haviam congregado em grandes números, sob as ordens da Grande Águia das Montanhas Nevoentas; e, por fim, farejando a batalha ao longe, tinham vindo velozes, descendo pela ventania no momento exato. Foram elas que desalojaram os gobelins das encostas da montanha, lançando-os em precipícios ou empurrando-os, gritando e desnorteados, para o meio de seus inimigos. Não demorou para que libertassem a Montanha Solitária, e elfos e homens de ambos os lados do vale conseguiram vir, enfim, ao auxílio de suas forças na batalha lá embaixo.

Mas, mesmo com as águias, ainda estavam em menor número. Na última hora, o próprio Beorn tinha aparecido — ninguém sabia como ou de onde. Veio sozinho, e em forma de urso; e parecia ter crescido até chegar quase ao tamanho de um gigante em sua ira.[3]

O rugido de sua voz era como o de tambores e canhões; e ele jogou para longe os lobos e gobelins que estavam em seu caminho como se fossem palha e penas. Caiu sobre a retaguarda deles e irrompeu feito um estrondo de trovão através do círculo que tinham formado. Os anãos ainda estavam defendendo uma posição em volta de seus senhores, em cima de uma colina baixa e arredondada. Então Beorn se abaixou e ergueu Thorin, que tinha tombado, vazado por lanças, e o carregou para fora da luta.

Rapidamente retornou, e sua ira se redobrara, de modo que nada podia detê-lo, e nenhuma arma parecia feri-lo. Dispersou a guarda pessoal de Bolg, arrastou-o para o chão e o esmagou. Então o desespero caiu sobre os gobelins, e eles fugiram em todas as direções. Mas o cansaço abandonou os inimigos deles com a chegada da nova esperança, e os perseguiram de perto e impediram que a maioria escapasse para onde pudesse. Empurraram muitos para dentro do Rio Rápido, e aqueles que fugiram para o sul ou oeste eles caçaram nos charcos em volta do Rio da Floresta; e ali a maior parte dos últimos fugitivos pereceu, enquanto aqueles

[3] Beorn exibe aqui algumas das qualidades do lendário *berserker* do nórdico antigo, que Christopher Tolkien definiu no glossário de sua edição de *The Saga of King Heidrek the Wise* como:

> um homem capaz de ataques frenéticos de raiva, ou de perder completamente o controle. Dizia-se que os *berserks* lutavam sem corseletes, furiosos como lobos com a força de ursos, e podem ser vistos quase como troca-formas, que adquiriam a força e ferocidade dos animais. Durante os tempos pagãos, os *berserks* eram altamente estimados como guerreiros, mas sob a lei cristã aqueles que "ficavam *berserk*" estavam sujeitos a punições severas. A palavra *berserkr*, "bear-shirted" [camisa-de-urso], traz a possível implicação de que os *berserks* se passavam ocasionalmente por ursos. (p. 93)

chegaram com dificuldade ao reino dos Elfos-da-floresta lá foram mortos, ou arrastados para morrer nas profundezas da escuridão sem caminhos de Trevamata. Dizem as canções que três partes dos guerreiros gobelins do Norte pereceram naquele dia, e as montanhas tiveram paz por muitíssimos anos.

A vitória fora assegurada antes do cair da noite; mas a perseguição ainda prosseguia quando Bilbo retornou ao acam-pamento; e não havia muitos no vale, salvo os mais grave-mente feridos.

"Onde estão as águias?", perguntou ele a Gandalf naquela noite, deitado e enrolado em muitos cobertores quentes.

"Algumas saíram à caça," disse o mago, "mas a maioria voltou a seus ninhais. Não queriam ficar aqui e partiram com a primeira luz da manhã. Dain coroou o chefe delas com ouro e jurou amizade para com elas para sempre."

"Sinto muito. Quero dizer, gostaria de vê-las de novo", disse Bilbo, sonolento; "talvez eu as veja no caminho para casa. Suponho que voltarei para casa logo?"

"Tão logo quiser", disse o mago.

Na verdade, demorou alguns dias antes que Bilbo realmente partisse. Enterraram Thorin nas profundezas sob a Montanha, e Bard pôs a Pedra Arken sobre o peito dele.

"Que ela fique ali até que a Montanha caia!", disse. "Que traga boa sorte a todo o seu povo que habitar aqui doravante!"

Sobre o túmulo de Thorin o Rei-élfico então dispôs Orcrist, a espada élfica que tinha sido tirada dele no cativeiro. Contam as canções que ela sempre brilhava no escuro se inimigos se aproximavam, de modo que a fortaleza dos anãos não podia ser tomada de surpresa. Ali então Dain, filho de Nain, fez sua morada, e ele se tornou Rei sob a Montanha, e com o tempo muitos outros anãos se juntaram a seu trono nos antigos salões. Dos doze companheiros de Thorin, dez restavam. Fili e Kili tinham tombado a defendê-lo com escudo e corpo, pois era o irmão mais velho da mãe deles. Os outros permaneceram com Dain, pois Dain era generoso com seu tesouro.

Não havia mais, é claro, razão para dividir o tesouro em partes conforme tinha sido planejado, para Balin e Dwalin, e Dori e Nori e Ori, e Oin e Gloin, e Bifur e Bofur e Bombur — ou para Bilbo. Contudo, uma décima quarta parte de toda a prata e todo o ouro, trabalhado e não trabalhado, foi entregue a Bard; pois Dain disse: "Honraremos o acordo do falecido, e ele agora tem consigo a Pedra Arken".

Mesmo uma décima quarta parte era riqueza sobremaneira grande, maior do que a de muitos reis mortais. Daquele tesouro Bard enviou muito ouro ao Mestre da Cidade-do--lago; e recompensou com liberalidade seus seguidores e amigos. Ao Rei-élfico ele deu as esmeraldas de Girion, joias tais como as que ele mais amava, as quais Dain lhe havia restituído.

A Bilbo ele disse: "Este tesouro é tão seu quanto meu; embora os antigos acordos não possam vigorar, já que tantos tomaram parte no trabalho de conquistá-lo e defendê-lo. Contudo, ainda que você tenha se disposto a deixar de lado todas as suas reivindicações, eu desejaria que as palavras de Thorin, das quais ele se arrependeu, não se mostrassem verdadeiras: que nós lhe daríamos pouco. Desejo recompensá-lo mais ricamente do que a todos os demais."

"Muito gentil da sua parte", disse Bilbo. "Mas realmente é um alívio para mim. De que modo eu conseguiria levar todo aquele tesouro para casa, sem guerra e assassinato ao longo do caminho todo, eu não sei. E não sei o que faria com ele quando chegasse em casa. Estou certo de que é melhor deixá-lo em suas mãos."

No fim, quis levar apenas duas arcas pequenas, uma cheia de prata e a outra cheia de ouro, do tipo que um só pônei forte conseguiria carregar. "Isso será o máximo que consigo transportar.", disse ele.

Por fim, chegou a hora de dizer adeus a seus amigos. "Adeus, Balin!", disse; "e adeus, Dwalin; e adeus, Dori, Nori, Ori, Oin, Gloin, Bifur, Bofur e Bombur! Que suas barbas nunca se tornem ralas!" E, voltando-se na direção da Montanha, acrescentou: "Adeus, Thorin Escudo-de-carvalho! E Fili e Kili! Que a lembrança de vocês nunca esvaneça!"

Então os anãos curvaram-se profundamente diante de seu Portão, mas as palavras pareciam grudar em suas gargantas. "Adeus e boa sorte, aonde quer que você vá!", disse Balin, por fim. "Se alguma vez nos visitar de novo, quando nossos salões se fizerem belos uma vez mais, então o banquete há de ser de fato esplêndido!"

"Se alguma vez estiverem passando lá perto de casa," disse Bilbo, "não hesitem em bater! O chá é às quatro; mas qualquer um de vocês é bem-vindo a qualquer hora!"[4]

Então virou-se para partir.

A hoste-élfica estava em marcha; e, se tristemente tinha diminuído, ainda assim muitos estavam contentes, pois agora o mundo setentrional seria mais feliz por muitíssimos e longos dias. O dragão estava morto, e os gobelins, sobrepujados, e seus corações aguardavam, depois do inverno, uma primavera de regozijo.

Gandalf e Bilbo cavalgavam atrás do Rei-élfico, e ao lado deles caminhava Beorn, mais uma vez em forma de homem, e ele ria e cantava em alta voz pela estrada. Assim prosseguiram, até que se aproximaram das fronteiras de Trevamata, ao norte do lugar onde o Rio da Floresta desaguava. Então

---

[4] Em *The Road to Middle-earth*, Tom Shippey evidencia esse diálogo entre Balin e Bilbo como um contraste de estilos entre a linguagem elevada de Balin e o discurso trivial de Bilbo: "Não há muito em comum entre a linguagem desses dois falantes; apesar disso, é perfeitamente claro que estão dizendo a mesma coisa" (segunda edição, p. 79).

pararam, pois o mago e Bilbo não queriam entrar na mata, ainda que o rei lhes pedisse para ficar algum tempo em seu palácio. Pretendiam seguir pela borda da floresta e dar a volta em sua margem setentrional, pelo ermo que havia entre ela e o começo das Montanhas Cinzentas. Era uma rota comprida e tristonha, mas, agora que os gobelins tinham sido esmagados, parecia-lhes mais segura do que as trilhas horrendas sob as árvores. Ademais, Beorn estava indo por aquele caminho também.

"Adeus, ó Rei-élfico!", disse Gandalf. "Que seja alegre a verdemata, enquanto o mundo ainda é jovem! E que seja alegre todo o seu povo!"

"Adeus, ó Gandalf!", disse o rei. "Que você sempre apareça quando for mais necessário e menos esperado! Quanto mais aparecer em meus salões, mais hei de me comprazer!"

"Imploro-lhe", disse Bilbo, gaguejando e se apoiando num pé só, "que aceite este presente!" e exibiu um colar de prata e pérolas que Dain lhe dera quando se despediram.

"De que modo ganhei direito a tal presente, ó hobbit?", disse o rei.

"Bem, há, eu pensei, sabe," disse Bilbo, bastante confuso, "que, há, alguma pequena recompensa deveria ser dada por sua, há, hospitalidade. Quero dizer, até um gatuno tem seus sentimentos. Bebi muito de seu vinho e comi muito de seu pão."

"Receberei seu presente, ó Bilbo, o Magnífico!", disse o rei, muito grave. "E lhe dou o nome de amigo-dos-elfos e abençoado. Que sua sombra nunca fique menor (ou então roubar seria fácil demais)! Adeus!"

Então os elfos se voltaram na direção da Floresta, e Bilbo começou seu longo caminho para casa.

Teve muitas dificuldades e aventuras antes de voltar. O Ermo ainda era o Ermo, e havia muitas outras coisas nele naqueles dias além de gobelins; mas Bilbo foi muito bem guiado e bem protegido — o mago estava com ele, assim como Beorn, por boa parte do caminho — e ele nunca correu grande perigo de novo. De todo modo, no meio-do-inverno Gandalf e Bilbo já tinham feito todo o caminho de volta, ao longo de ambas as bordas da Floresta, até as portas da casa de Beorn; e ali, por algum tempo, ambos ficaram. O dia de Iule[a] [5] por lá foi aconchegante e alegre; e os homens vieram de todo canto para se banquetear a convite de Beorn. Os gobelins das Montanhas Nevoentas agora eram poucos e estavam aterrorizados e se escondiam nos buracos mais fundos que

---

[a] Equivalente, grosso modo, ao Natal do calendário cristão. [N. T.]

5 No Apêndice D ("Calendário do Condado") de *O Senhor dos Anéis*, o Calendário no Condado possui dois Dias-de-Iule, o último dia do ano e o primeiro do ano seguinte. A Época-de-Iule é descrita como tendo seis dias de duração, incluindo os três últimos e os três primeiros dias de cada ano.

A VIAGEM DE VOLTA

Enquanto essa ilustração de George Morrow poderia certamente ser vista como uma de Gandalf montando um pônei, ela é na verdade um desenho de Mãe Meldrum, a bruxa de *A Maravilhosa Terra dos Snergs*. Ela é mostrada aqui sob o disfarce que usou para raptar Joe e Sylvia, que estão nos cestos.

podiam achar; e os wargs tinham desaparecido dos bosques, de modo que os homens podiam sair sem medo. Beorn, de fato, se tornou um grande chefe naquelas regiões mais tarde e governou uma terra vasta entre as montanhas e a mata; e conta-se que por muitas gerações os homens de sua linhagem tinham o poder de assumir a forma de urso, e alguns foram homens soturnos e maus, mas a maioria tinha um coração como o de Beorn, ainda que fossem menores em tamanho e força. Nos dias deles, os últimos gobelins foram caçados nas Montanhas Nevoentas, e uma nova paz sobreveio à borda do Ermo.

Já era primavera, das bonitas, com clima ameno e sol brilhante, quando Bilbo e Gandalf se despediram enfim de Beorn, e, embora ansiasse por chegar em casa, Bilbo partiu arrependido, pois as flores dos jardins de Beorn eram, na primavera, não menos maravilhosas do que no alto verão.

Por fim subiram aquela estrada comprida e alcançaram o exato passo onde os gobelins os tinham capturado antes. Mas chegaram àquele ponto elevado de manhã e, olhando para trás, viram um sol alvo brilhando sobre as terras que se espalhavam lá embaixo. Lá atrás estava Trevamata, azulada na lonjura e de um verde-escuro na borda mais próxima, mesmo na primavera. Lá, muito ao longe, estava a Montanha Solitária, no limiar da visão. Em seu pico mais alto, a neve ainda não derretida luzia pálida.

"E assim vem a neve depois do fogo, e até dragões têm seu fim!", disse Bilbo, e deu as costas à sua aventura. A parte Tûk dele estava ficando muito cansada, e a parte Bolseiro se tornava mais forte a cada dia. "Agora queria só estar na minha própria poltrona!", disse.

19

O ÚLTIMO ESTÁGIO

Foi no primeiro dia de maio que os dois voltaram afinal à beira do vale de Valfenda, onde ficava a Última (ou a Primeira)[1] Casa Hospitaleira. De novo era o anoitecer, seus pôneis estavam cansados, especialmente o que carregava a bagagem; e todos eles sentiam necessidade de descanso. Conforme desciam a trilha íngreme, Bilbo ouviu os elfos ainda cantando nas árvores, como se não tivessem parado desde que ele se fora; e, assim que os cavaleiros desceram até as clareiras mais baixas da mata, explodiram numa canção de um tipo muito semelhante ao de antes. Isto dá uma ideia de como era:

> *O dragão, ressequido,*
> *De esqueleto rachado,*
> *Foi-lhe o ventre partido*
> *E o esplendor humilhado!*
> *Quando a espada sem fio*
> *E mil tronos perecem,*
> *Roubam de homens o brio*
> *E bens que os enriquecem,*
> *Cá tem relva crescendo*
> *E folhas balançando,*
> *Água fresca correndo*
> *E elfos inda cantando*
>   *Vem! Trá-lá-lá-láli!*
>   *Vem ver de novo o vale!*
>
> *Astros são mais luzentes*
> *Que joias sem medida,*
> *Raios da lua, ardentes*
> *Mais que prata esquecida;*
> *O fogo tão brilhante,*
> *Lareira crepitando,*
> *É mais que diamante,*
> *Por que ficar vagando?*
>   *Oh! Trá-lá-lá-láli*
>   *Vem ver de novo o Vale.*
>
> *Oh! Aonde estão indo,*
> *Tão tarde retornando?*
> *O rio está fluindo,*
> *As estrelas brilhando!*
> *Oh! Por que vão nas selas*

---

[1] A Casa de Elrond, estando próxima à Borda do Ermo, pode ser chamada de Última ou Primeira Casa Hospitaleira, a depender da direção pela qual se chega até ela.

> *Tristes e desolados?*
> *Aqui elfo e donzela*
> *Acolhem os cansados*
> *Com Trá-lá-lá-láli*
> *Vem ver de novo o Vale,*
> *Trá-lá-lá-láli*
> *Fá-lá-lá-láli*
> *Fá-lá!* [a]

Então os elfos do vale vieram saudá-los e os levaram, atravessando a correnteza, até a casa de Elrond. Ali uma recepção calorosa lhes foi dada, e havia muitos ouvidos ávidos, naquela noite, para escutar a história de suas aventuras. Gandalf foi quem falou, pois Bilbo tinha ficado quieto e sonolento. A maior parte da história ele conhecia, pois fizera parte dela, e contara ele mesmo muitas de suas aventuras ao mago durante o caminho de volta ou na casa de Beorn; mas de vez em quando ele abria um olho e escutava, quando uma parte da história que ele ainda não conhecia era narrada.

Foi dessa maneira que ele descobriu para onde Gandalf tinha ido; pois acabou ouvindo as palavras do mago a Elrond. Parece que Gandalf havia ido a um grande conselho dos magos brancos,[2] mestres do saber e da magia boa; e que eles tinham afinal expulsado o Necromante de seu forte sombrio, no sul de Trevamata.

"Agora não vai demorar muito", ia dizendo Gandalf, "para que a Floresta se torne um pouco mais sadia. O Norte ficará liberto daquele horror por muitos e longos anos, espero.[3] Contudo, gostaria que o Necromante fosse banido do mundo!"

"Seria um bem, de fato," disse Elrond; "mas temo que não venha a acontecer nesta era do mundo, ou por muitas eras no futuro."

Quando a história de suas jornadas foi contada, vieram outras histórias, e ainda mais histórias, histórias de muito tempo atrás e histórias de coisas novas, e histórias sem tempo

---

2 O fraseado aqui referente à presença de Gandalf em "um grande conselho dos magos brancos" é ligeiramente incomum e provavelmente reflete o fato de que, ao escrever o trecho, Tolkien não havia desenvolvido por completo a ideia de quantos magos havia, e quais deveriam ser suas cores. Em *O Senhor dos Anéis*, três dos Cinco Magos são nomeados: Gandalf, o Cinzento, Saruman, o Branco, e Radagast, o Castanho. Em *Contos Inacabados*, Christopher Tolkien publicou alguns escritos de seu pai sobre os Istari, ou magos, e lá ficamos sabendo que os outros dois eram "os Magos Azuis". (Alguns escritos ainda mais breves sobre os Cinco Magos encontram-se no volume 12 da *História, Os Povos da Terra-média*.)

No Apêndice B ("O Conto dos Anos") de *O Senhor dos Anéis*, o "conselho dos magos brancos" é chamado de o Conselho Branco, liderado por Saruman, o Branco. Em 2941 o Conselho concordou em atacar a fortaleza do Necromante, Dol Guldur (élfico sindarin para "Monte da Feitiçaria"), na parte sudoeste de Trevamata. O Necromante (Sauron) então abandonou Dol Guldur.

3 *1937:* "The North is freed from that horror for many an age" ["O Norte está livre daquele horror pelas eras por vir"] > *1966-Ball:* "The North will be freed from that horror for many long years, I hope" ["O Norte ficará liberto daquele horror por muitos e longos anos, espero"].

Essa revisão converte as palavras assertivas de Gandalf em uma declaração esperançosa, mais apropriada à luz da história de *O Senhor dos Anéis*.

---

[a] *The dragon is withered, / His bones are now crumbled; / His armour is shivered, His splendour is humbled! / Though sword shall be rusted, / And throne and crown perish / With strength that men trusted / And wealth that they cherish, / Here grass is still growing, / And leaves are yet swinging, / The white water flowing, / And elves are yet singing / Come! Tra-la-la-lally! / Come back to the valley! / The stars are far brighter / Than gems without measure, / The moon is far whiter / Than silver in treasure; / The fire is more shining / On hearth in the gloaming / Than gold won by mining, / So why go a-roaming? / O! Tra-la-la-lally / Come back to the Valley. / O! Where are you going, / So late in returning? / The river is flowing, / The stars are all burning! / O! Whither so laden, / So sad and so dreary? / Here elf and elf-maiden / Now welcome the weary / With Tra-la-la-lally / Come back to the Valley, / Tra-la-la-lally / Fa-la-la-lally / Fa-la!*

algum, até que a cabeça de Bilbo caiu-lhe em cima do peito, e ele ficou roncando confortavelmente num canto.

Acordando, achou-se numa cama alva, e a lua brilhava na janela aberta. Debaixo da janela muitos elfos estavam cantando com vozes fortes e claras nas beiradas do riacho.

Cantai jubilosos, cantai em harmonia!
Há vento nos galhos, vento na grama fria;
Há florada de estrelas, a Lua floresce,
Reluzem janelas quando a Noite desce.

Dançai jubilosos, dançai em harmonia!
Suave é a relva, nos pés é macia!
De prata é o rio, as sombras se vão;
Alegre maio é o mês, alegra a junção.
Cantemos mansinho e seus sonhos trancemos!

Teçamos seu sono e nele o deixemos!
Dorme o viandante. Sê leve, ó travesseiro!
Ninai-o! Ninai-o! Amieiro e Salgueiro!
Não gemas, Cedro, até a hora do orvalho!
   Desce, Lua! Cobre-te, terra!
   Quietos! Quietos! Freixo, Pinheiro e Carvalho!
Aquiete-se a água e a noite se encerra! [b]

"Bem, Gente Alegre!", disse Bilbo, olhando para fora. "Que horas são, segundo a lua? Sua canção de ninar acordaria até um gobelim bêbado! Mas agradeço."

"E seus roncos acordariam até um dragão de pedra — mas agradecemos", responderam eles em meio a risos. "Estamos chegando perto da aurora, e você já está dormindo desde o princípio da noite. Amanhã, talvez, esteja curado do cansaço."

"Um pouco de sono opera uma ótima cura na casa de Elrond," disse ele, "mas vou aproveitar toda a cura que puder conseguir. Uma segunda boa noite, belos amigos!" E com isso voltou para a cama e dormiu até o final da manhã.

O cansaço o deixou logo naquela casa, e Bilbo compartilhou muitas brincadeiras e danças, cedo e tarde, com os elfos do vale. No entanto, mesmo aquele lugar não era capaz

---

[b] *Sing all ye joyful, now sing all together! / The wind's in the tree-top, the wind's in the heather; / The stars are in blossom, the moon is in flower, / And bright are the windows of Night in her tower. / Dance all ye joyful, now dance all together! / Soft is the grass, and let foot be like feather! / The river is silver, the shadows are fleeting; / Merry is May-time, and merry our meeting. / Sing we now softly, and dreams let us weave him! / Wind him in slumber and there let us leave him! / The wanderer sleepeth. Now soft be his pillow! / Lullaby! Lullaby! Alder and Willow! / Sigh no more Pine, till the wind of the morn! / Fall Moon! Dark be the land! / Hush! Hush! Oak, Ash, and Thorn! / Hushed be all water, till dawn is at hand!*

de segurá-lo muito, e ele pensava sempre em sua própria casa. Depois de uma semana, portanto, disse adeus a Elrond e, dando-lhe presentes simples que ele podia aceitar, foi-se embora cavalgando com Gandalf.

Assim que deixaram o vale, o céu escureceu no Oeste na frente deles, e vento e chuva vieram ao encontro dos dois.

"Alegre é o mês de maio!", disse Bilbo, enquanto a chuva batia no seu rosto. "Mas demos as costas para as lendas e estamos voltando para casa. Suponho que este seja o primeiro gosto disso."

"Ainda há uma longa estrada pela frente", disse Gandalf.

"Mas é a última estrada", disse Bilbo.

Chegaram ao rio que marcava a exata margem da terra fronteiriça do Ermo e ao vau debaixo da barranca íngreme do qual talvez você se lembre. A água tinha ficado mais profunda, tanto com o derretimento das neves, por causa da aproximação do verão, como pela chuva de um dia inteiro; mas atravessaram, com alguma dificuldade, e seguiram em frente, conforme caía a noite, no último estágio de sua jornada.

Esse estágio foi muito parecido com a viagem de antes, exceto pelo fato de que a companhia tinha ficado bem menor e mais silenciosa; além disso, dessa vez não apareceram trols. Em cada ponto da estrada Bilbo recordava os acontecimentos e as palavras do ano anterior — pareciam-lhe mais dez anos do que um —, de modo que, é claro, ele notou rapidamente o lugar onde o pônei tinha caído no rio e onde tinham se desviado para enfrentar a terrível aventura com Tom e Bert e Bill.

Não muito longe da estrada encontraram o ouro dos trols, que tinham enterrado, ainda escondido e intocado. "Tenho o suficiente para o resto da vida", disse Bilbo, quando desenterraram o ouro. "É melhor você pegar isso aqui, Gandalf. Ouso dizer que você consegue dar alguma utilidade para ele."

"De fato consigo!", disse o mago. "Mas o negócio é repartir. Pode ser que você descubra que tem mais necessidades do que imagina."

Assim, puseram o ouro em alforjes e os colocaram sobre os pôneis, que não ficaram nem um pouco contentes com aquilo. Depois disso, seu avanço ficou mais lento, pois, na maior parte do tempo, iam caminhando. Mas a região estava verdejante, e havia muita relva, através da qual o hobbit ia andando cheio de contentamento. Enxugava o rosto com um lenço de seda vermelho — não! Nem unzinho só dos seus lenços tinha sobrevivido, ele emprestara esse de Elrond —, pois a essa altura o mês de junho trouxera o verão, e o tempo estava claro e quente de novo.

Como todas as coisas chegam a um fim, até mesmo esta história um dia chegou, afinal, quando ficou à vista deles o país onde Bilbo tinha nascido e se criado,[4] onde as formas

Bilbo ao final de sua aventura. Ilustração de Peter Chuklev da versão de 1979 da edição búlgara de 1975.

da terra e das árvores eram tão conhecidas dele quanto suas mãos e os dedos de seus pés. Chegando a um ponto elevado, ele conseguiu ver sua própria Colina na distância e parou de repente e disse:

> Estradas sempre avante vão
> Por floresta e por solar,
> Cruzam gruta e escuridão
> E rios que não vão pro mar;
> Passam por neve e geada,
> Varam relva e rocha nua,
> Alcançam de junho a florada
> E até as montanhas na lua.
>
> Estradas sempre avante vão,
> Cobrem-nas astros a brilhar,
> Até que os pés que longe estão
> Fazem o retorno ao lar.
> Olhos que viram fogo e espada
> E horror nos salões de pedra
> Fitam de novo a terra amada,
> Colinas onde a hera medra.^{c 5}

Gandalf olhou para ele. "Meu caro Bilbo!", disse. "Alguma coisa aconteceu com você! Não é mais o hobbit que um dia foi."⁶

E assim atravessaram a ponte e passaram pelo moinho na beira do rio e chegaram direto à porta da casa de Bilbo.

"Minha nossa! O que está acontecendo?", gritou ele. Havia uma grande comoção, e pessoas de todos os tipos, respeitáveis e desrespeitáveis, juntavam-se em torno da porta, e muitos estavam entrando e saindo — sem nem limpar os pés no tapete, como Bilbo notou com irritação.

Se ele ficou surpreso, os demais ficaram ainda mais surpresos. Bilbo tinha chegado bem no meio de um leilão!⁷ Havia um grande aviso em vermelho e preto pendurado no portão, informando que no dia 22 de junho os Srs. Fossador, Fossador e Covas⁸ venderiam em leilão os bens do finado Bilbo Bolseiro, Cavalheiro, morador de Bolsão, Sotomonte, Vila dos Hobbits. Venda a começar às dez em ponto. Já era quase hora do almoço, e a maioria das coisas já tinha sido

---

^c *Roads go ever ever on, / Over rock and under tree, / By caves where never sun has shone, / By streams that never find the sea; / Over snow by winter sown, / And through the merry flowers of June, / Over grass and over stone, / And under mountains in the moon. / Roads go ever ever on / Under cloud and under star, / Yet feet that wandering have gone / Turn at last to home afar. / Eyes that fire and sword have seen / And horror in the halls of stone / Look at last on meadows green / And trees and hills they long have known.*

4 O "país onde Bilbo tinha nascido e se criado" não é nomeado em *O Hobbit*, embora em *O Senhor dos Anéis* fiquemos sabendo que ele é chamado de Shire [Condado]. Em seu guia para tradutores, "Nomenclature of *The Lord of the Rings*", Tolkien observa que *Shire* deriva do inglês antigo *scír*, que "parece ter substituído muito cedo a antiga palavra germânica para um 'district' [distrito]". É um elemento comum em muitos nomes de condados na Inglaterra.

Bilbo chega em casa durante o leilão. Ilustração de Maret Kernumees para a edição estoniana de 1977.

5 No primeiro capítulo de *O Senhor dos Anéis*, somos apresentados a outra estrofe da mesma natureza dessas duas. Enquanto estas falam do anelo melancólico do regresso a casa, a outra expressa mais a inquietação pelo início de uma nova jornada. Ele é recitado por Bilbo, ao sair de Bolsão pela última vez:

> *A Estrada segue sempre avante*
> *Da porta onde é seu começo.*
> *Já longe a Estrada vai, constante,*
> *E eu vou por ela sem tropeço,*
> *Seguindo-a com pés ansiosos,*
> *Pois outra estrada vou achar*
> *Onde há encontros numerosos.*
> *Depois? Não posso adivinhar.*
>
> [*The Road goes ever on and on*
> *Down from the door where it began.*
> *Now far ahead the Road has gone,*
> *And I must follow, if I can,*
> *Pursuing it with eager feet,*
> *Until it joins some larger way*
> *Where many paths and errands meet.*
> *And whither then? I cannot say.*]

Frodo repete essa estrofe, com a mudança de "eager feet" ["pés ansiosos"] para "weary feet" ["pés morosos"] no verso 5, no Capítulo 3, "Três não é Demais", de *A Sociedade do Anel*.

Em um dos capítulos finais de *O Senhor dos Anéis* ("Muitas Despedidas", em *O Retorno do Rei*), Bilbo recita uma versão bastante diferente, mostrando agora um desejo profundo de deixar as demandas para terceiros:

A Estrada segue sempre avante
  Da porta onde é seu começo.
Já longe a Estrada vai, constante,
  Outros a sigam com apreço!
Comecem já nova jornada,
  Mas eu, exausto, pés morosos,
Me volto para a boa pousada,
  Descanso e sonhos tão preciosos.

[*The Road goes ever on and on*
  Out from the door where it began.
Now far ahead the Road has gone,
  Let others follow it who can!
Let them a journey new begin,
  But I at last with weary feet
Will turn towards the lighted inn,
  My evening rest and sleep to meet.]

A inspiração para esses versos pode ser um poema intitulado "Romance", de E.F.A. Geach, que, como foi descoberto pelo estudioso tolkieniano John D. Rateliff, aparece imediatamente na sequência de uma reimpressão do poema "Pés de Gobelim", de Tolkien, em *Fifty New Poems for Children: An Anthology Selected from Books Recently Published by Basil Blackwell* [Cinquenta novos poemas para crianças: uma antologia selecionada a partir dos livros publicados recentemente pela Basil Blackwell] (1922):

ROMANCE
DE E.F.A. GEACH

Na próxima rua e na próxima esquina
Eis que a aventura te espera.
Quem dirá o que se descortina
Na próxima rua e na próxima esquina!
Quão doce pode ser a rotina
Quando tudo é tão novo, quimera,
Na próxima rua e na próxima esquina?
Eis que a aventura te espera.

vendida, por vários preços que iam de quase nada até velhas canções (como não é incomum em leilões). Os primos de Bilbo, os Sacola-Bolseiros,[9] estavam, de fato, ocupados em medir os cômodos da casa para ver se a mobília deles ia caber ali. Resumindo, Bilbo tivera sua "Morte Presumida", e nem todos os que diziam isso ficaram contentes ao descobrir que a presunção estava errada.

O retorno do Sr. Bilbo Bolseiro criou uma bela balbúrdia, tanto sob a Colina como acima da Colina, e do outro lado do Água; foi algo bem maior do que nove dias de falatório.[10] O incômodo do ponto de vista legal, de fato, durou anos. Passou bastante tempo antes que admitissem que o Sr. Bolseiro estava vivo, aliás. As pessoas que tinham feito negócios especialmente bons na Venda deram trabalho para ser convencidas; e, no fim das contas, para não perder tempo, Bilbo teve de recomprar uma boa parte da sua própria mobília. Muitas das suas colheres de prata desapareceram misteriosamente e nunca foram encontradas. Pessoalmente, ele suspeitava dos Sacola-Bolseiros. Eles, por sua vez, nunca admitiram que o Bolseiro que regressara fosse genuíno e nunca mais tiveram relações amigáveis[11] com Bilbo. Realmente queriam muito viver na gostosa toca de hobbit dele.

De fato, Bilbo descobriu que tinha perdido mais do que as colheres — tinha perdido sua reputação. É verdade que, pelo resto da vida, continuou a ser um amigo-dos-elfos, e era honrado por anãos, magos e toda a gente desse tipo que passava por aquele lado; mas não era mais exatamente respeitável. Todos os hobbits da vizinhança, de fato, consideravam-no "esquisito" — exceto seus sobrinhos e sobrinhas do lado Tûk da família, mas até eles não eram encorajados pelos mais velhos a manter aquela amizade.

Sinto dizer que ele não se importava. Estava bem contente; e o som da sua chaleira no fogo passou a ser até mais musical do que tinha sido nos dias tranquilos antes da Festa Inesperada. A espada ele pendurou em cima do móvel da lareira. Sua cota de malha foi arrumada num suporte no salão de entrada (até que ele a emprestou a um Museu). Seu ouro e sua prata foram gastos, em grande parte, com presentes,[12] tanto úteis como extravagantes — o que, em certa medida, explica a afeição de seus sobrinhos e suas sobrinhas. O anel mágico ele continuou a manter em grande segredo, pois o usava principalmente quando visitantes desagradáveis chegavam.

Passou a escrever poesia e a visitar os elfos; e, embora muitos sacudissem a cabeça, pusessem a mão na testa e dissessem "Coitado do velho Bolseiro!", e embora poucos acreditassem em qualquer uma de suas histórias, permaneceu muito feliz até o fim de seus dias,[13] e esses foram extraordinariamente longos.

Em certo fim de tarde de outono, alguns anos mais tarde, Bilbo estava sentado em seu estúdio, escrevendo suas memórias[14] — pensou em chamá-las de "Lá e de Volta Outra Vez, as Férias de um Hobbit" —, quando ouviu a campainha. Eram Gandalf e um anão; e o anão, na verdade, era Balin.

"Entrem! Entrem!", disse Bilbo, e logo estavam acomodados em cadeiras ao lado do fogo. Se Balin notou que o colete do Sr. Bolseiro agora era mais suntuoso (e tinha botões de ouro verdadeiro), Bilbo também notou que a barba de Balin tinha ficado várias polegadas mais comprida e que seu cinto, cheio de joias, era de grande magnificência.

Puseram-se a conversar sobre o tempo que passaram juntos, é claro, e Bilbo perguntou como estavam indo as coisas nas terras da Montanha. Parecia que estavam indo muito bem. Bard reconstruíra a cidade de Valle, e homens tinham se juntado a ele vindos do Lago e do Sul e Oeste, e todo o lugar tinha voltado a ser cultivado e rico, e a desolação agora estava repleta de aves e floradas na primavera e de frutas e banquetes no outono. E a Cidade-do-lago tinha sido refundada e estava mais próspera do que nunca, e muitas riquezas subiam e desciam o Rio Rápido; e havia amizade, naquelas partes, entre elfos e anões e homens.

O velho Mestre tivera um mau fim. Bard lhe dera muito ouro para ajudar o Povo-do-lago, mas, sendo do tipo que pega facilmente tal moléstia, caiu sobre ele a doença-do-dragão, e o Mestre tomou consigo a maior parte do ouro, e fugiu com ele, e morreu de inanição no Ermo, abandonado por seus companheiros.

"O novo Mestre é de tipo mais sábio", disse Balin, "e muito popular, pois, é claro, recebe a maior parte do crédito pela presente prosperidade. Estão compondo canções que dizem que, nos dias dele, os rios correm cheios de ouro."

"Então as profecias das velhas canções se revelaram verdadeiras, de certa maneira!", disse Bilbo.

"É claro!", disse Gandalf. "E por que não se mostrariam verdadeiras? Certamente você não deixa de acreditar nas profecias porque houve uma mãozinha sua para concretizá-las, não é? Você não supõe que todas as suas aventuras e escapadas foram guiadas por mera sorte, só para o seu próprio benefício, supõe? Você é uma ótima pessoa, Sr. Bolseiro, e tenho muito apreço por você; mas é apenas um camarada bem pequeno num vasto mundo, afinal de contas!"

"Graças aos céus!", disse Bilbo, rindo, e passou a ele a jarra de tabaco.

[ROMANCE
BY E.F.A. GEACH

*Round the Next Corner and in the next street
Adventure lies in wait for you.
Oh, who can tell what you may meet
Round the next corner and in the next street!
Could life be anything but sweet
When all is hazardous and new
Round the next corner and in the next street?
Adventure lies in wait for you.*]

Esse poema apareceu previamente em *Oxford Poetry 1918* [Poesia oxfordiana 1918], editado por Geach, T.W. Earp e Dorothy L. Sayers, no qual Tolkien pode também tê-lo visto.

Eleonora Frederika Adolphina (Sgonina) Geach nasceu em 1896 em Essen, Alemanha. Estudou no Colégio para Garotas da Cidade de Cardiff e em Cambridge, antes de se matricular em Oxford como estudante nativa em 1917. Dorothy L. Sayers estava entre seus tutores. Seu breve casamento gerou um filho, o filósofo Peter Geach (1916–2013), que foi criado por seu pai e jamais conheceu a mãe. E.F.A. Geach publicou dois livros de poesia: o primeiro, *-Esques* [-Escos] (1918), em colaboração com Doreen Wallace (1897–1989), que viria a se tornar bastante conhecida como romancista, e *Twenty Poems* [Vinte poemas] (1931). Ambos foram publicados pela Basil Blackwell. Nada se sabe sobre a vida de E.F.A. Geach após 1931.

6 Tolkien resumiu o tema central de *O Hobbit* em uma carta não datada para Milton Waldman, provavelmente escrita no final de 1951: "Com efeito, esse é um estudo do homem simples e comum, nem artístico nem nobre e heroico (mas não sem as sementes subdesenvolvidas dessas coisas) frente a um cenário elevado — e, de fato (como um crítico percebeu), o tom e o estilo mudam com o desenvolvimento do Hobbit, passando do conto de fadas ao nobre e elevado, e recaindo com o retorno" (*Cartas*, n. 131).

O crítico a quem Tolkien se refere é provavelmente seu amigo C.S. Lewis, que escreveu uma resenha anônima de *O Hobbit* no *Times Literary Supplement* de 2 de outubro de 1937: "Nenhuma receita comum lhe dará criaturas tão enraizadas em seu próprio solo e história como as do Professor Tolkien. [...] A receita comum é ainda menos capaz de nos preparar para a mudança curiosa do começo mais prosaico da história [...] para o tom de saga dos capítulos posteriores. [...] Você mesmo deve ler a fim de descobrir como a mudança é inevitável e como ela acompanha a jornada do herói." (p. 714)

7 Em *The Road to Middle-earth*, Tom Shippey sugere que a ideia de Bilbo se deparar com um leilão em andamento ao voltar para casa, estando esta desmazelada e repleta de pessoas indo e vindo "sem nem limpar os pés no tapete", é uma reflexão jocosa da palavra grafada foneticamente como *okshę̣n*, no dialeto de Huddersfield em South Yorkshire. *A New Glossary of the Dialect of the Huddersfield District*, de Walter E. Haigh, para o qual Tolkien contribuiu com um prefácio, dá o sentido de *okshę̣n* como "um quarto desmazelado" — por exemplo, uma bagunça — e cita a reprovadora observação, supostamente dita por uma mulher para outra, "shu's nout but ę slut; er eęs ęz ę feęr okshę̣n" ["she's nothing but a slut; her house is a fair auction" {ela não é senão uma vagabunda; sua casa é puro leilão}]. Em seu prefácio, Tolkien especificou esse verbete em particular ao comentar que, neste glossário, os filólogos têm "a oportunidade de observar mudanças de sentido que ocorrem quando palavras de origem mais 'culta' são adotadas e postas em uso diário por meio do dialeto (ver *keęnsil, okshę̣n, insẹ́ns*), uma parte considerável e interessante da vida da fala dialetal" (p. xiv).

8 Em sua "Nomenclature of *The Lord of the Rings*", preparada originalmente como um guia para tradutores, Tolkien disse que o nome *Grubb* [Fossador] deveria "evocar o verbo inglês *grub*, 'cavar, enraizar, no chão'". Ele e *Burrowes* [Covas] deveriam então parecer nomes perfeitos para hobbits habitantes-de-tocas; mas se detecta, ainda, o sorriso irônico de Tolkien ao usá-los como nomes para advogados.

9 Tolkien comentou sobre o nome *Sackville-Baggins* [Sacola-Bolseiros] em "Nomenclature of *The Lord of the Rings*": "*Sackville* é um nome inglês (de associações mais aristocráticas que *Baggins* [Bolseiro]). Na história, ele é naturalmente ligado a *Baggins* devido a seu sentido similar em inglês (= fala comum) *sack* [saco] e *bag* [bolsa], e por conta do efeito ligeiramente cômico dessa conjunção." O nome Sackville-Baggins evoca inevitavelmente Sackville-West, e especialmente a escritora Vita Sackville-West (1892–1962), que escreveu sobre sua família aristocrática e sua moradia ancestral, Knole, em *Knole and the Sackvilles* [Knole e os Sackvilles] (1922). Seu romance de 1930, *The Edwardians* [Os Eduardianos], que detalha as vidas de aristocratas ingleses antes da Primeira Guerra Mundial, foi um *best-seller*.

10 "Nine days' wonder" ["nove dias de falatório"] é algo que causa grande sensação por alguns dias e então passa para o limbo das coisas olvidadas. A décima quarta edição do *Brewer's Dictionary of Phrase and Fable* [Dicionário Brewer de frases e fábulas] (1989), editado por Ivor H. Evans, cita um antigo provérbio, "A wonder lasts nine days, and then the puppy's eyes are open" ["O portento perdura por nove dias, e então abrem-se os olhos do filhote"], aludindo ao fato de que os cachorros nascem cegos, adquirindo visão apenas alguns dias depois.

11 *1937:* "they were not on speaking terms" > ["não voltaram a se falar"] > *1966-Ball:* "they were not on friendly terms" ["não tiveram relações amigáveis"].

Uma vez que os Sacola-Bolseiros foram convidados para a Festa de Despedida de Bilbo no primeiro capítulo de *O Senhor dos Anéis*, deve-se presumir que ao menos haviam voltado a falar com Bilbo.

12 *1937:* "His gold and silver was mostly spent in presents" ["Seu ouro e prata foram gastos, sobretudo, com presentes"] > *1966-Ball:* "His gold and silver was largely spent in presents" ["Seu ouro e sua prata foram gastos, em grande parte, com presentes"].

13 Em carta a Charles Furth, da Allen & Unwin, datada de 24 de julho de 1938, Tolkien referiu-se à presente observação de que Bilbo "permaneceu muito feliz até o fim de seus dias" como "um obstáculo quase insuperável para um vínculo satisfatório" entre *O Hobbit* e sua continuação, *O Senhor dos Anéis*, que Tolkien havia começado em dezembro de 1937. Felizmente, Tolkien conseguiu contornar tal obstáculo.

14 Por volta de 1954 Tolkien escreveu "A Demanda de Erebor", um relato, com extensão de capítulo, narrado da perspectiva de Gandalf sobre como o mago veio a planejar a aventura de Bilbo e dos Anãos. (*Erebor* é o nome em élfico sindarin para a Montanha Solitária.) Originalmente pensado como parte do Apêndice A de *O Senhor dos Anéis*, é uma fascinante peça de reimaginação da história de *O Hobbit*. Foi publicado pela primeira vez em *Contos Inacabados* e também aparece como Apêndice A deste livro.

O salão em Bolsão, de J.R.R. Tolkien, uma das ilustrações em preto e branco padrão presente em *O Hobbit* desde 1937.

Em uma carta à Allen & Unwin datada de 5 de fevereiro de 1937, após a editora ter feito a gravação em linha dessa ilustração, Tolkien confessou: "coloquei por engano uma sombra fraca [atrás da porta] que chega precisamente à viga lateral. Ela obviamente apareceu preta (com o desaparecimento da chave), embora não até a viga. Mas creio que a impressão seja tão boa quanto o original permite" (*Cartas*, n. 11). Em *Artist*, Wayne G. Hammond e Christina Scull notam que entusiastas de Tolkien fizeram muitas deduções sobre a cultura Hobbit e seus ofícios a partir do que pode ser visto nessa ilustração. Os autores também observam uma discrepância entre as proporções relativas de Bilbo e da porta: "tal como desenhado, o hobbit teria que ficar de pé sobre uma cadeira para alcançar a maçaneta" (p. 143).

Essa ilustração aparece em *Artist* (n. 139) e em *Pictures* (n. 20, à esquerda). Uma versão dessa ilustração, colorida por H.E. Riddett, apareceu em *The J.R.R. Tolkien Calendar 1979* (1978) e em *Pictures* (n. 20, à direita).

Apêndice A: A Demanda de Erebor
Apêndice B: Sobre as Runas
Bibliografia

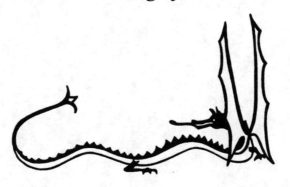

Apêndice A
A Demanda de Erebor

"A Demanda de Erebor" é, essencialmente, a explicação de Gandalf sobre como ele arranjou a aventura de Bilbo tal como contada em *O Hobbit*. O texto foi originalmente pensado como parte do Apêndice A de *O Senhor dos Anéis*, onde algumas porções dele sobrevivem de forma bastante abreviada (ver pp. 1532–34 de *O Retorno do Rei*). Ele foi eventualmente removido antes da publicação por questões de espaço. Uma versão de "A Demanda de Erebor" foi publicada pela primeira vez em *Contos Inacabados*, que também inclui o relato sobre a história textual feito por Christopher Tolkien. Essa história textual foi subsequentemente corrigida na *História*, já que novas informações foram descobertas. Faço aqui um breve resumo.

A história de "A Demanda de Erebor" emergiu primeiramente no trabalho referente à Seção III, intitulada "O Povo de Durin", do Apêndice A, e o rascunho manuscrito mais antigo que conduz à história encontra-se agora publicado em *Os Povos da Terra-média*, que também inclui duas notas que pertencem ao manuscrito mais antigo. Essa versão inicial era desconhecida por Christopher Tolkien na época em que compilou *Contos Inacabados*, no qual classificou a versão seguinte, um manuscrito mais limpo, mas também bastante retrabalhado e corrigido, intitulado "The History of Gandalf's Dealings with Thráin and Thorin Oakenshield [A História dos Tratos de Gandalf com Thráin e Thorin Escudo-de-carvalho], como texto A.[A] O texto A foi sucedido por B, um texto datilografado e passado a limpo. Ele consiste em dez páginas, com o subtítulo ("Gandalf's account of how he came to arrange the expedition to Erebor and send Bilbo with the Dwarves" [Relato de Gandalf sobre como ele veio a arranjar a expedição a Erebor e mandar Bilbo com os Anãos]) escrito a lápis no alto da primeira página, e "A Demanda de Erebor" escrito a lápis no canto superior direito. Uma versão subsequente e reduzida da história é também encontrada em um manuscrito, designado como C, ao qual faltam um título e a seção de abertura. A versão C foi possivelmente composta em uma tentativa de reter ao menos uma versão comprimida da história no volume publicado, mas ao final ela também foi rejeitada por razões de espaço.

A versão principal publicada em *Contos Inacabados* é o texto C, enquanto longos excertos de B estão dados na sequência junto dos comentários de Christopher Tolkien. A versão dada abaixo é a versão completa do texto B, e sou especialmente grato a Christopher Tolkien por permitir que ela apareça aqui.

É difícil datar com precisão qualquer uma das versões de "A Demanda de Erebor". Em uma das duas notas iniciais mencionadas anteriormente há uma nota de Tolkien que se refere

---

[A] No volume 8 da *História*, *A Guerra do Anel*, Christopher Tolkien apresenta outra breve passagem de "A Demanda de Erebor", extraída de uma versão inicial (que certamente precede o texto B, tratando-se possivelmente de A ou de uma versão anterior de A) que sobrevive na metade inferior de uma página rasgada. As notas no verso, um uso secundário da página conforme elucida Christopher Tolkien, referem-se a distâncias a leste de Edoras e podem ter sido registradas em associação com o mapa de Gondor, desenhado por Christopher Tolkien em abril de 1955 e publicado em outubro daquele ano em *O Retorno do Rei*.

a números de páginas reais de *A Sociedade do Anel*,[B] o que implica que o primeiro volume de *O Senhor dos Anéis* já estava com as provas de impressão prontas, se é que já não teria sido de fato publicado. As primeiras provas de granel[c] de *A Sociedade do Anel* foram enviadas a Tolkien no final de julho de 1953. Em 29 de setembro ele recebeu as provas de impressão, e o livro foi publicado em 29 de julho de 1954. Uma quantidade significativa de material para os Apêndices de *O Senhor dos Anéis* — que naquele momento incluía árvores genealógicas e relatos sobre as línguas, alfabetos e calendários — já existia em 11 de abril de 1953, quando Tolkien escreveu à editora com a esperança de que parte desse material, embora reduzido, aparecesse no volume 3. Até 8 de maio de 1954 Tolkien não havia finalizado o conteúdo dos Apêndices e sentia que não poderia fazê-lo até saber quanto espaço seria cedido a eles. Por volta de 18 de setembro ele ainda estava preocupado quanto ao que selecionar do que chamou de matéria demasiado abundante. Em 6 de março de 1955, Tolkien mostrou-se esperançoso de poder comprimir várias coisas no espaço remanescente, incluindo informações sobre a Casa de Durin. Por volta de 12 de abril, Tolkien havia finalmente entregado o restante dos Apêndices, incluindo A, e em maio recebeu as provas de granel do Apêndice A.

Se aceitarmos, no limite, 29 de setembro de 1953 (quando Tolkien recebeu as provas de impressão de *A Sociedade do Anel*) como *terminus a quo* para a composição das primeiras notas de "A Demanda de Erebor", e 12 de abril de 1955 (quando Tolkien havia entregado o material restante para *O Retorno do Rei*) como *terminus ad quem* para a desistência de Tolkien quanto ao uso de "A Demanda de Erebor" nos Apêndices, segue-se que todas as versões de "A Demanda de Erebor" devem estar datadas do período de tempo entre outubro de 1953 e meados de abril de 1955. Se, reduzindo o escopo, aceitarmos (como parece provável) que *A Sociedade do Anel* havia sido publicada antes de Tolkien escrever "A Demanda de Erebor", o intervalo de datas passa a ser do final de julho de 1954 a meados de abril de 1955. Desse modo, parece provável que "A Demanda de Erebor" date da segunda metade de 1954 ou do início de 1955.

A DEMANDA DE EREBOR

O relato de Gandalf sobre como ele veio a arranjar a expedição a Erebor e mandar Bilbo com os Anãos

Assim Thorin Escudo-de-carvalho tornou-se Herdeiro de Durin, mas um herdeiro sem esperança. No saque de Erebor, ele era jovem demais para portar armas, mas em Azanulbizar lutara na vanguarda do ataque; e, quando Thráin se perdeu, ele tinha noventa e cinco anos de idade, um grande Anão de postura altiva. Não tinha Anel, e, talvez por essa razão, parecia contente em permanecer em Eriador. Ali labutou por muito tempo, e comerciou, e ganhou a fortuna que conseguiu; e seu povo aumentou graças a muitos do Povo de Durin vagante, que ouviram de sua morada e vieram ter com ele. Agora tinham belos salões nas montanhas, estoques de bens e seus dias não pareciam tão difíceis, porém nas canções falavam sempre da Montanha Solitária lá longe, do tesouro e da alegria do Grande Salão à luz da Pedra Arken.

Os anos passaram. As brasas no coração de Thorin voltaram a se inflamar enquanto ele remoía as injustiças de sua Casa e a vingança contra o Dragão que lhe fora legada. Pensava em armas, exércitos e alianças enquanto seu

---

[B] Ver o volume 12 da *História*, *Os Povos da Terra-média*. Tolkien também fez algumas notas, que Christopher Tolkien associa ao manuscrito original de "A Demanda de Erebor", sob o título "Datas já fixadas na narrativa *impressa*...". Essas notas também incluem citações de páginas de *A Sociedade do Anel*. (Ver o texto de Christopher Tolkien "Note on the date of the Quest of Erebor" [Nota sobre a data de a Demanda de Erebor"], *Os Povos da Terra-média*.)
[c] Primeira prova que se tira de uma composição não paginada, a fim de ser enviada à revisão e/ou maquetagem. [N. T.]

grande martelo ressoava na forja; mas os exércitos estavam dispersos, as alianças, rompidas, e os machados de seu povo eram poucos; e uma grande ira sem esperança o queimava enquanto batia o ferro rubro na bigorna.

Gandalf ainda não desempenhara nenhum papel na sorte da Casa de Durin. Não tinha muitos tratos com os Anãos; porém era amigo dos de boa vontade e gostava bastante dos exilados do Povo de Durin no Oeste. Mas certa vez ocorreu que ele passava por Eriador (a caminho do Condado, que ele não vira por alguns anos) quando topou com Thorin Escudo-de-carvalho. Conversaram na estrada e repousaram naquela noite em Bri.

Pela manhã Thorin disse a Gandalf: "Tenho muitas coisas a me preocupar, e dizem que tu és sábio e conheces mais do que a maioria sobre o que se passa no mundo. Queres vir a minha casa para me ouvir e dar teu conselho?"

A isso Gandalf assentiu e, quando chegaram ao salão de Thorin, sentou-se e escutou toda a história dos agravos sofridos por ele.

Desse encontro decorreram muitos feitos e eventos de grande importância: na verdade o achamento do Um Anel, sua vinda ao Condado e a escolha do Portador-do-Anel. Portanto, muitos supõem que Gandalf previra todas essas coisas e escolhera o momento para se encontrar com Thorin. Acreditamos, porém, que não foi assim. Pois, em sua história da Guerra do Anel, Frodo, o Portador-do-Anel, deixou um registro das palavras de Gandalf sobre esse mesmo ponto. Foi isto o que ele escreveu:

Após a coroação, moramos com Gandalf em uma bela casa em Minas Tirith, e ele estava muito alegre, e, por muito que lhe fizéssemos perguntas sobre tudo o que nos ocorria, sua paciência parecia tão infinita quanto seu conhecimento. Agora não consigo relembrar a maioria das coisas que ele nos contou; muitas vezes não as compreendíamos. Mas lembro-me muito claramente desta conversa. Gimli estava lá conosco, e ele falou a Peregrin:

"Há uma coisa que preciso fazer um dia destes: preciso visitar esse teu Condado. Não para ver mais Hobbits! Duvido que possa aprender algo sobre eles que eu já não saiba. Mas nenhum Anão da Casa de Durin pode deixar de olhar aquela terra com assombro. Não começou lá a recuperação do Reino sob a Montanha e a queda de Smaug? Sem mencionar o fim de Barad-dûr, apesar de que ambos estavam estranhamente enredados. Estranho, muito estranho", comentou e fez uma pausa.

Então, olhando firme para Gandalf, prosseguiu: "Mas quem teceu a teia? Não creio que eu jamais tenha ponderado isso antes. Então planejaste tudo isso, Gandalf? Se não, por que levaste Thorin Escudo-de-carvalho a uma porta tão improvável? Encontrar o Anel, levá-lo longe rumo ao Oeste para escondê-lo e depois escolher o Portador-do-Anel — e restaurar o Reino da Montanha como um mero ato à margem do caminho; não era esse teu intento?"

Gandalf não respondeu de pronto. Levantou-se e olhou pela janela, para o oeste, em direção ao mar; o sol estava se pondo, e havia um brilho em seu rosto. Por bastante tempo permaneceu assim, em silêncio.

Mas finalmente voltou-se para Gimli e declarou: "Não sei a resposta. Pois mudei desde aqueles dias e não estou mais entravado pelo fardo da Terra-média como estava então. Naquela época eu teria te respondido com palavras como as que disse a Frodo, ainda na primavera do ano passado. Ainda no ano passado! Mas tais medidas não têm significado. Naquela época extremamente distante eu falei a um pequeno hobbit amedrontado: 'Bilbo estava *destinado* a encontrar o Anel, e *não* por seu artífice, e, portanto, você estava *destinado* a portá-lo'. E eu poderia ter acrescentado: 'e eu fui *destinado* a conduzi-los a ambos a esses pontos'.

"Para fazer isso, usei em minha mente desperta somente aqueles meios que me eram permitidos, fazendo o que estava à mão de acordo com as razões que tinha. Mas o que eu sabia em meu coração, ou sabia antes de pisar nesta costa cinzenta: isso é outro assunto. Olórin eu era no Oeste que está esquecido, e somente aos que lá estão hei de falar mais abertamente."

Então eu disse: "Agora, Gandalf, compreendo-o um pouco melhor do que compreendia antes. Porém suponho que, *destinado* ou não, Bilbo poderia ter-se recusado a sair de casa, e eu também. Você não podia nos compelir. Você nem tinha permissão para tentar. Mas ainda estou curioso para saber por que você fez o que fez, assim como você era então, aparentemente um ancião grisalho."

"Não entendo por que você deveria querer saber isso", disse Gandalf. "Mas eu tinha, naturalmente, claras razões para o que fiz; e, se assim posso dizer, a princípio os Hobbits não ocupavam um lugar muito importante entre elas.

"Minha razão principal era aquela de um capitão, um membro de um Conselho de Guerra. Quando encontrei Thorin, eu há muito sabia que Sauron se erguera de novo e esperava que ele fosse declarar-se logo. Eu sabia que ele planejava uma grande guerra, e inspecionei todas as terras em minha mente. A questão urgente era: O que ele faria primeiro? Tentaria reocupar Mordor; ou atacaria as pequenas, mas poderosas, fortalezas de seus principais inimigos, Lórien e Valfenda?

"Eu estava certo de que ele planejava atacá-las; teria sido um passo muito melhor para ele. Lórien estava próxima: viria primeiro. Mas Valfenda não estava fora de alcance. Ele apenas precisava reocupar o velho reino de Angmar, e logo descobriria ser algo demasiado fácil. Seu poder crescia rápido, e se houvesse enviado qualquer grande tropa de seus servos naquela direção, entre eles e os passos das montanhas do norte havia apenas os Anãos das Colinas de Ferro e o remanescente dos Homens de Valle que viviam na borda da Desolação de Smaug. Smaug poderia ser usado por ele com efeito terrível.

"O Norte, então, era um ponto demasiado fraco. Ainda havia tempo, mas não muito. 'Bem', disse a mim mesmo, 'é preciso encontrar meios de lidar com Smaug. Mas acima de tudo é necessário um golpe direto contra Sauron; ao menos isso poderá forçá-lo a tomar algumas decisões apressadas.'

"Para dar um salto adiante, foi por isso que parti assim que estava bem encaminhada a expedição contra Smaug e persuadi o Conselho a atacar Dol Guldur primeiro, antes que ele atacasse Lórien. Fizemos isso e Sauron fugiu. Mas ele sempre estava à nossa frente em seus planos. Preciso confessar que pensei que ele realmente se retraíra, e que poderíamos ter outro período de paz vigilante. Mas não durou muito. Sauron decidiu dar o próximo passo. Retornou imediatamente a Mordor e em dez anos declarou-se.

"Então tudo ficou escuro. E, no entanto, não era esse seu plano original; e ao final foi um erro. A resistência ainda tinha um lugar onde podia se aconselhar livre da Sombra. Como poderia ter escapado o Portador-do-Anel se não houvesse Lórien nem Valfenda? E esses lugares poderiam ter caído, penso eu, se Sauron tivesse lançado todo o seu poder contra eles primeiro, e não gasto mais de metade no ataque a Gondor.

"Bem, aí está. Essa foi minha razão principal. Mas é uma coisa ver o que precisa ser feito, e outra bem diferente encontrar os meios. Eu começava a me preocupar seriamente com a situação no Norte quando encontrei Thorin Escudo-de-carvalho certo dia: em meados de março de 2941, eu acho. Ouvi toda a sua história e pensei: 'Bem, eis pelo menos um inimigo de Smaug! E um que é digno de ajuda. Preciso fazer o que puder. Devia ter pensado nos Anãos antes.'

"E havia o povo do Condado. Comecei a ter uma pontinha de afeto por eles em meu coração durante o Inverno Longo, que nenhum de vocês consegue recordar. Sofreram muito naquela ocasião: um dos piores apertos em que estiveram, morrendo de frio e passando fome na terrível escassez que se seguiu. Mas essa foi a hora de ver sua coragem e compaixão de uns pelos outros. Foi por sua compaixão, tanto quanto por sua dura coragem sem queixas, que sobreviveram. Eu queria que sobrevivessem ainda.

Mas vi que as Terras-do-Oeste ainda viveriam situações muito ruins, mais cedo ou mais tarde, porém, de um tipo bem diferente: uma guerra impiedosa. Para superar essa dificuldade pensei que necessitariam de algo mais do que tinham então. Não é fácil dizer o quê. Bem, precisariam de saber um pouco mais, compreender com um pouco mais de clareza do que se tratava e qual era sua situação.

"Haviam começado a esquecer: esquecer seus próprios primórdios e suas lendas, esquecer o pouco que tinham conhecido da grandeza do mundo. Ainda não se fora, mas estava sendo sepultada: a lembrança do sublime e do perigoso.

"Mas não se pode ensinar essa espécie de coisa rapidamente a todo um povo. Não havia tempo. E de qualquer modo é preciso começar em algum ponto, com alguma pessoa determinada. Atrevo-me a dizer que ele foi 'escolhido' e eu apenas fui escolhido para escolhê-lo; mas dei a preferência a Bilbo."

"Ora, é bem isso o que quero saber", questionou Peregrin. "Por que fez isso?"

"Como selecionar um certo Hobbit para tal propósito?", perguntou Gandalf. "Eu não tinha tempo de testá-los a todos; mas a essa altura conhecia muito bem o Condado, apesar de, quando encontrei Thorin, ter estado afastado por mais de vinte anos em atividades menos agradáveis. Assim, repassando naturalmente os Hobbits que conhecia, disse a mim mesmo: 'Quero uma pitada de Tûk' (porém não demais, Mestre Peregrin) 'e quero uma boa fundação do tipo mais impassível, quem sabe um Bolseiro.'

"Isso apontava para Bilbo imediatamente. E eu o conhecera muito bem, quase até ele chegar à maioridade, melhor do que ele me conhecia. Gostava dele então. E agora descobria que ele estava 'solteiro' — saltando adiante mais uma vez, pois evidentemente eu não sabia de tudo isso antes de voltar ao Condado. Descobri que ele nunca se casara. Achei isso esquisito, apesar de imaginar por quê; e o motivo que suspeitei *não* era o que a maioria dos Hobbits me dava: que cedo ele ficara bem de vida e era seu próprio patrão. Não, imaginei que ele queria permanecer 'solteiro' por alguma razão bem profunda, que ele mesmo não compreendia ou não queria reconhecer, pois ela o alarmava. Queria, mesmo assim, ser livre para partir quando surgisse a oportunidade ou quando ele tivesse reunido coragem. Lembro-me de como costumava me atormentar com perguntas, quando era jovem, sobre os Hobbits que às vezes 'tinham-se ido', como dizem no Condado. Havia pelo menos dois tios seus, do lado Tûk, que tinham feito isso.

"Mas minha história está ficando fora de ordem. Voltemos a meu encontro com Thorin. Ele me convidou a ir com ele a sua morada. Assim o fiz; e nós de fato passamos através do Condado, embora Thorin não quisesse se deter o bastante para que isso fosse útil. Na verdade, penso que foi a irritação com seu altivo menosprezo pelos Hobbits que primeiro me deu a ideia de enredá-lo com eles. No que lhe tangia, tratava-se de meros produtores de alimentos que por acaso cultivavam os campos de ambos os lados da ancestral estrada dos Anãos para as montanhas.

"Ora, escutei sua longa história. Partes dela me eram previamente conhecidas, embora o modo como se dera a morte de Thrór e o desaparecimento de Thráin eram então conhecidos unicamente pelos Anãos. Se não têm conhecimento disso, peçam a Gimli para lhes contar em outra ocasião. Senti o coração pesaroso por Thorin, mas via pouca esperança de ajudá-lo. Ele estava envolvido, tal como percebi demasiado bem, na rede de desígnios de Sauron, uma estratégia sombria além de seus poderes, e além de seu alcance. Ainda assim ele continuava lá sentado, falando largamente, conjecturando se seu primo Dáin poderia prover dois milheiros, e se os Homens daquela região estariam dispostos a ajudar, ou o Rei Thranduil, e assim por diante, como se estivesse planejando uma campanha.

"Enfim, eu o interrompi. 'Pensarei sobre isso', eu disse. 'Tenho o palpite de um plano em minha mente, mas há uma peça faltante que desejo encontrar se puder. Preciso ir agora.

Tenho certos negócios a tratar. Mas não fiques muito esperançoso. Meu plano é muito diverso de qualquer um dos teus, e tu podes não gostar nem um pouco dele.'

"'Irei considerá-lo, quando tu retornares', disse Thorin. 'Não demores! Meu coração me abrasa.'

"Fui direito para o Condado e reuni todas as notícias sobre eventos e pessoas que consegui. Então sentei só por um longo tempo e pensei. Eu precisava. Não conseguia tirar Bilbo da cabeça, embora não tivesse tido tempo de visitá-lo ainda. A história de Thorin havia evocado em minha mente uma estranha coincidência semiesquecida. Ela parecia agora menos uma coincidência. Vós adivinhareis o que quero dizer, já que conheceis a história de Bilbo. Eu me lembrei do infeliz Anão agonizante nos poços de Dol Guldur, e do velho mapa, e da estranha chave. Até então eu não tinha ideia de quem ele era. Ele possuía um mapa que pertencera ao Povo de Durin em Erebor e uma chave que parecia acompanhá-lo (embora não pudesse explicá-la); e disse que tinha possuído um Anel.

"Quase todos os seus delírios eram sobre isso: *o último dos sete*, ele dizia e repetia. Mas todos aqueles objetos podiam ter chegado a ele de muitas maneiras. Poderia ter sido um mensageiro capturado ao fugir; ou mesmo um ladrão apanhado por um ladrão maior. Ele morreu, antes que eu mesmo escapasse, e escondi os objetos. Graças a algum aviso do coração sempre os mantive comigo, a salvo, mas logo quase esquecidos. Pois eu tinha outros negócios em Dol Guldur, mais importantes e perigosos que todos os tesouros de Erebor.

"Mas então me lembrei deles e vi que os guardara até o tempo revelar seu significado. Então entendi que ouvira os últimos delírios de Thráin II, filho de Thrór, embora ele não tenha podido dizer seu próprio nome, nem o do filho; e que eu tinha o plano e a chave de uma entrada secreta de Erebor. O que deveria fazer quanto a isso?

"Bem, vós sabeis o que decidi fazer; e isso pode soar agora menos absurdo do que fora então. Parecia então demasiado absurdo, mesmo para mim, que ri de mim mesmo, e indaguei o que me fizera considerar tal plano: enredar o povo do Condado nos assuntos dos Anãos, e nas contendas e desastres nas fronteiras distantes mais de duzentos anos atrás.

"Por fim decidi-me e voltei a Thorin. Encontrei-o em conclave com alguns de seus parentes. Balin e Glóin estavam lá, bem como vários outros.

"'Bem, o que tens a dizer?', perguntou-me Thorin assim que entrei.

"'Primeiro isto', respondi: 'tuas próprias ideias são as de um rei, Thorin Escudo-de-carvalho. Mas teu reino foi-se. Se for para ser restaurado, do que duvido, isso tem de acontecer a partir de um pequeno começo. Eu me pergunto se tu, aqui tão longe, compreendes plenamente a força de um grande dragão. Mas isso não é tudo: há uma Sombra muito mais terrível crescendo depressa no mundo. Eles se ajudarão entre si.' E certamente já o teriam feito, se eu não tivesse atacado Dol Guldur ao mesmo tempo. 'A guerra aberta seria totalmente inútil; e de qualquer forma para ti é impossível organizá-la. Tu terás de tentar algo mais simples e, no entanto, mais ousado, na verdade algo desesperado.'

"'Tu és ao mesmo tempo vago e inquietante', impacientou-se Thorin. 'Fala mais claro!'

"'Bem, por um lado', expliquei, 'tu próprio terás de ir nesta busca, e terás de ir *secretamente*. Sem mensageiros, arautos ou desafios, Thorin Escudo-de-carvalho. No máximo poderás levar contigo alguns parentes ou seguidores fiéis. Mas precisarás de algo mais, algo inesperado.'

"'Diz o que é!', reclamou Thorin.

"'Um momento!', pedi. 'Tu esperas lidar com um dragão; e ele não apenas é muito grande, mas agora também é muito velho e astucioso. Desde o começo de tua aventura tu terás de levar isso em conta: a memória e o olfato dele.'

"'Naturalmente', assentiu Thorin. 'Os Anãos trataram mais com dragões que a maioria, e tu não estás instruindo um ignorante.'

"'Muito bem', respondi; 'mas teus próprios planos não me pareciam considerar este ponto. Meu plano é de dissimulação. *Dissimulação*.ᴰ

"'Smaug não se deita sem sonhos em seu precioso leito, Thorin Escudo-de-carvalho. Ele sonha com Anãos! Podes ter certeza de que ele explora seu palácio dia após dia, noite após noite, até se certificar de que não haja por perto nem o mais tênue ar de anão, antes de buscar o sono: seu meio-sono, com as orelhas em pé para o som de... pés de Anãos.'

"'Tu fazes tua *dissimulação* soar tão difícil e sem esperança quanto qualquer ataque aberto', falou Balin. 'Impossivelmente difícil!'

"'Sim, é difícil', respondi. 'Mas não *impossivelmente* difícil, do contrário eu não perderia meu tempo aqui. Eu diria *absurdamente* difícil. Portanto, vou sugerir uma solução absurda para o problema. Levai convosco um hobbit! Smaug provavelmente nunca ouviu falar de hobbits e certamente nunca os farejou.'

"'O quê!', exclamou Glóin. 'Um desses simplórios lá do Condado? De que poderia servir um deles na face da terra, ou debaixo dela? Não importa o cheiro que tenha, ele nunca se atreveria a chegar à distância de faro do mais pelado dragonete recém-saído da casca!'

"'Vamos lá!', defendi, 'isso é bem injusto. Tu não sabes muito sobre o povo do Condado, Glóin. Suponho que tu os consideres simplórios porque são generosos e não barganham; e os consideres tímidos porque nunca lhes vende armas. Tu estás errado. Seja como for, existe um que estou destinando a ser vosso companheiro, Thorin. Tem mãos hábeis e é esperto, porém astuto e nem um pouco precipitado. E creio que tem coragem. Grande coragem, eu acho, conforme a maneira do seu povo. Poderíamos dizer que são *bravos no aperto*. É preciso pôr esses hobbits num lugar apertado para descobrir como são de fato.'

"'O teste não pode ser feito', respondeu Thorin. 'Pelo que observei, eles fazem o possível para evitar lugares apertados.'

"'É bem verdade', concordei. 'São um povo muito sensato. Mas este hobbit é bastante incomum. Penso que ele possa ser persuadido a entrar em um lugar apertado. Creio que no fundo do coração ele de fato deseja isso — viver, como ele diria, uma aventura.'

"'Não à minha custa!', contestou Thorin, levantando-se e andando furioso de um lado para o outro. 'Isto não é conselho, é tolice! Não consigo ver o que qualquer hobbit, bom ou mau, poderia fazer que me compensasse o sustento de um dia, mesmo que ele pudesse ser persuadido a partir.'

"'Não consegues ver! O mais provável é que não consigas ouvir', respondi. 'Hobbits movem-se sem esforço em maior silêncio que qualquer Anão do mundo conseguiria, mesmo que sua vida dependesse disso. Suponho que tenham os passos mais leves de todas as espécies mortais. De qualquer forma tu, Thorin Escudo-de-carvalho, não pareces ter observado isso ao marchar pelo Condado, fazendo um barulho (devo dizê-lo) que os habitantes escutavam a uma milha de distância. Quando eu falei que tu precisarias de dissimulação, foi isso o que quis dizer: dissimulação profissional.'

"'Dissimulação profissional?', exclamou Balin, interpretando minhas palavras de modo bem diverso do que eu pretendia. 'Queres dizer um caçador de tesouros treinado? Ainda se pode encontrá-los?'

"Hesitei. Essa era uma faceta nova, e eu não tinha certeza de como encará-la. 'Penso que sim', respondi afinal. 'Mediante um prêmio, eles entram onde tu não te atreves, ou quem sabe não consegues, e obtêm o que tu desejares.'

"Os olhos de Thorin brilharam à medida que as lembranças de tesouros perdidos se agitavam em sua mente; mas comentou com desdém, 'Um ladrão pago, queres dizer. Isso poderá ser

---

ᴰ Em *Contos Inacabados*, Christopher Tolkien observa que "neste ponto uma frase no manuscrito A foi omitida no texto datilografado, talvez não propositadamente" (p. 441). A frase diz: "Também um odor que não pode ser identificado, pelo menos não por Smaug, o inimigo dos Anãos."

considerado, se o prêmio não for alto demais. Mas o que tudo isso tem a ver com um desses aldeões? Eles bebem em recipientes de barro, e não distinguem uma pedra preciosa de uma conta de vidro.'

"'Gostaria que tu não falasses sempre com tanta confiança sem conhecimento', repreendi-o com aspereza. 'Esses aldeões moram no Condado há uns mil e quatrocentos anos, e aprenderam muitas coisas nesse tempo. Tratavam com os Elfos e com os Anãos, mil anos antes de Smaug chegar a Erebor. Nenhum deles é rico como seus antepassados julgavam a riqueza, mas tu descobrirás que algumas das suas moradias contêm coisas mais belas do que tu podes vangloriar-te aqui, Thorin. O hobbit em quem estou pensando possui ornamentos de ouro, come com talheres de prata e bebe vinho em cristais elegantes.'

"'Ah! Finalmente percebo aonde queres chegar', concluiu Balin. 'Então é um ladrão? É por isso que tu o recomendas?'

"Ao ouvir isso, receio que perdi minha paciência e minha cautela. Essa presunção dos Anãos, de que ninguém pode ter ou fazer nada 'de valor' exceto eles próprios, e de que todos os objetos refinados em mãos alheias devem ter sido obtidos, se não roubados, dos Anãos em alguma ocasião, era mais do que eu podia suportar naquele momento. 'Um ladrão?', disse eu, rindo. 'Ora, sim, um ladrão profissional, é claro! De que outro modo um Hobbit conseguiria uma colher de prata? Vou pôr a marca dos ladrões em sua porta, e assim vocês a encontrarão.'

"Então levantei-me, já que estava com raiva, e adverti com uma veemência que me surpreendeu a mim mesmo: 'Tu tens de procurar essa porta, Thorin Escudo-de-carvalho! Falo *sério*.' E de repente senti que de fato eu estava sendo extremamente sincero. Essa minha ideia esquisita não era piada, estava *certa*. Era desesperadoramente importante que se realizasse. Os Anãos tinham de deixar de ser cabeçudos.

"'Escutai-me, Povo de Durin!', exclamei. 'Se persuadirdes esse hobbit a se unir a vós, vós tereis êxito. Se não, fracassareis. Se vos recusardes mesmo a tentar, não vou mais querer saber de vós. Não mais recebereis conselhos nem ajuda minha até que a Sombra se abata sobre vós!'

"Thorin voltou-se e me olhou espantado, como era de esperar. 'Palavras vigorosas!', observou ele. 'Muito bem, irei. Tu tiveste algum presságio, se não estiveres simplesmente maluco.'

"'Ótimo!', respondi. 'Mas tu tens de ir de boa vontade, não apenas esperando demonstrar que sou um tolo. Precisas ter paciência e não desistir facilmente, caso nem a coragem nem o desejo de aventura dos quais falei estejam evidentes à primeira vista. Ele os negará. Ele tentará esquivar-se; mas *tu* não pode*s* deixá-lo fazer isso.'

"'Barganhar não vai lhe adiantar nada, se é isso o que queres dizer', comentou Thorin. 'Eu lhe oferecerei um prêmio justo por tudo o que recuperar, e nada mais.'

"Não era o que eu queria dizer, mas parecia inútil tentar esclarecer. 'Mais uma coisa', prossegui, 'tu tens de fazer todos os teus planos e preparativos com antecedência. Apronta tudo! Uma vez persuadido, ele não pode ter tempo para pensar melhor. Vós tendes de partir direto do Condado, para leste em vossa demanda.'

"'Parece ser uma criatura muito estranha, esse teu ladrão', notou um Anão jovem chamado Fili (um sobrinho de Thorin, como descobri depois). 'Como se chama, ou que nome ele usa?'

"'Os Hobbits usam seus verdadeiros nomes', respondi. 'O único que ele tem é Bilbo Bolseiro.'

"'Que nome!', comentou Fili, e riu.

"'Ele o considera muito respeitável', revidei. 'E lhe assenta bastante bem; pois Bilbo é um solteirão de meia-idade, e está ficando um tanto flácido e gordo. Talvez a comida seja seu principal interesse no momento. Dizem que mantém uma excelente despensa, e talvez mais de uma. Pelo menos sereis bem servidos.'

"'Já basta', interrompeu Thorin. 'Se não tivesse dado minha palavra, eu não iria agora. Não estou com humor para ser feito de tolo. Pois eu também falo sério. Muito sério, e meu coração está quente aqui.'

"Não dei atenção a isso. 'Agora vê, Thorin', retomei, 'abril está passando e a primavera chegou. Apronta tudo assim que puderes. Tenho alguns assuntos a resolver, mas estarei de volta em uma semana. Quando eu voltar, se tudo estiver em ordem, cavalgarei na frente para preparar o terreno. Então todos nós o visitaremos juntos no dia seguinte.'

"E com essas palavras despedi-me, sem querer dar a Thorin mais oportunidades do que Bilbo teria para pensar melhor. O resto da história é bem conhecido de vós — do ponto de vista de Bilbo. Se eu tivesse escrito o relato, teria soado bem diferente. Ele não sabia tudo o que estava acontecendo: o cuidado que tomei, por exemplo, para que a chegada em Beirágua de um grande grupo de Anãos, fora da estrada principal e de seu trajeto usual, não lhe chegasse aos ouvidos cedo demais.

"Foi na manhã da terça-feira, 25 de abril de 2941, que fiz uma visita a Bilbo; e, apesar de saber mais ou menos o que esperar, devo dizer que minha confiança ficou abalada. Vi que as coisas seriam muito mais difíceis do que eu pensara. Mas perseverei. No dia seguinte, quarta-feira, 26 de abril, levei Thorin e seus companheiros a Bolsão; com grande dificuldade, no que tangia a Thorin — ele relutou na última hora. E é claro que Bilbo ficou completamente aturdido e se comportou de modo ridículo. Na verdade tudo correu extremamente mal para mim desde o princípio; e aquela história infeliz do 'ladrão profissional', que os Anãos haviam metido firmemente na cabeça, só piorou as coisas.

"Fiquei grato por ter dito a Thorin que devíamos todos passar a noite em Bolsão, pois precisaríamos de tempo para discutir os aspectos práticos. Isso me deu uma última chance. Se Thorin tivesse saído de Bolsão antes que eu pudesse falar com ele a sós, meu plano teria sido arruinado.

"Houve muitos perigos e dificuldades no percurso depois disso, mas, para mim, penso que a parte mais difícil de todas foi persuadir Thorin, naquela noite e na manhã seguinte, a levar Bilbo em sua companhia. Apesar de eu discutir com ele até de madrugada depois que Bilbo foi dormir, a questão somente foi decidida de fato ao amanhecer do dia seguinte. Thorin estava cheio de menosprezo e suspeita, e sentia que eu o enganara.

"'Ladrão', bufou. 'Ele é tão honesto quanto palerma. Sua mãe morreu cedo demais. E, de todo modo, muitas colheres eram de estanho. Tu estás armando alguma das tuas, Mestre Gandalf. Tenho certeza de que tu tens outros propósitos além de me ajudar.'

"'Tu tens toda a razão', concordei. 'Se eu não tivesse outros propósitos, nem te estaria ajudando. Por muito que teus negócios te possam parecer importantes, eles são apenas um pequeno fio na grande teia. Eu me ocupo de muitos fios. Mas isso deveria dar mais peso a meu conselho, não menos.'

"'Conheço tua fama', respondeu Thorin, 'e devo ter esperanças de que seja merecida. Mesmo assim, toda essa bobagem com teu hobbit pode me fazer me perguntar se tantas preocupações não desordenaram teu juízo.'

"'Com certeza são suficientes para isso acontecer', assenti; 'e, entre elas, a que acho mais irritante é um Anão orgulhoso que me pede um conselho (sem nenhum direito sobre mim, que eu saiba) e depois fala comigo com insolência. Trilha teu próprio caminho se quiseres, Thorin Escudo-de-carvalho. Mas tu buscaste conselho, e isso não pode ser desfeito. Se o menosprezares, irás fazê-lo por teu próprio risco. Tu caminharás para um desastre. Cuidado! Tu e tua demanda estão envolvidos em uma questão muito mais ampla. Se fores bem-sucedido, isso vai se dar de modo que outras causas maiores possam ser favorecidas. Controla teu orgulho, e tua ganância, ou poderás tombar no final, por muito que tenhas as mãos cheias de ouro!'

"A essas palavras ele empalideceu um pouco; mas seus olhos estavam em brasa. 'Não me ameaces!', exclamou. 'Usarei meu próprio discernimento neste caso, como em outros.'

"'Então faz isso!', insisti eu. 'Não irei mais discutir. Já disse todo o necessário. Exceto talvez o seguinte. Não dou meu amor nem minha confiança à toa, Thorin; mas gosto desse hobbit e quero o bem dele. Trata-o bem e tu hás de ter minha amizade até o fim de teus dias.'

"Falei isso sem esperança de persuadi-lo; mas era algo bom de se dizer. Os Anãos compreendem e aprovam a devoção aos amigos, e a gratidão aos que os ajudam. 'Muito bem', aceitou Thorin finalmente. 'Seja como tu queres! Ele há de partir com minha companhia — se tiver coragem para isso (do que duvido). Mas, se tu insistires em me sobrecarregar com ele, tu também terás de vir para cuidar do teu favorito.'

"Percebi que o havia impelido até seu limite. 'Muito bom', respondi. 'Irei e permanecerei convosco o quanto puder: pelo menos até tu descobrires o quanto ele vale' Isso provou-se acertado no final, mas naquele momento fiquei preocupado, pois tinha nas mãos o assunto urgente do Conselho Branco, e o ataque a Dol Guldur. Bem, foi assim que a Demanda de Erebor teve início; e a partir daquele dia os Anãos e os Hobbits foram ambos maravilhosamente enredados em todos os eventos decisivos de nosso tempo."

Assim Gandalf findou seu longo relato. Lembro-me que Gimli riu. "Ainda parece absurdo", comentou ele, "mesmo agora que tudo saiu mais do que bem. Conheci Thorin, é claro; e queria ter estado lá, mas eu estava longe na ocasião da primeira visita que nos fez. E não me foi permitido partir na demanda: jovem demais, disseram, embora aos sessenta e dois anos eu me considerasse apto a qualquer coisa. Bem, estou contente de ter ouvido a história completa. Se é que é completa. Na verdade, não acho que mesmo agora tu estejas nos contando tudo que sabes."

"Claro que não", respondeu Gandalf.

"Não", disse Merry. "E quanto ao mapa e a chave, por exemplo? Você nada disse sobre eles a Thorin, ao ouvir sua história, embora devesse estar com eles por cem anos!"

"Quase noventa e um, para ser exato", disse Gandalf. "Fazia dez anos que Thráin havia deixado seu povo quando o encontrei e estava nos poços havia cinco anos pelo menos. Não sei como suportou tanto tempo, nem como mantivera aqueles objetos escondidos ao longo de todas as torturas. Penso que o Poder Sombrio nada desejava dele além do Anel e, quando o tomou, não se importou mais, mas somente lançou o prisioneiro alquebrado nos poços, para delirar até morrer. Um pequeno descuido. Mas que demonstrou ser fatal. É o que costuma acontecer com pequenos descuidos.

"Bem, como já expliquei, eu não soube por noventa e um anos qual era o valor dessas coisas. Quando soube, vi que tinha de todo modo um bom argumento para o meu plano; e, se assim posso dizer, revelei-o no momento certo: justo quando as coisas se tornaram quase sem esperança e Bilbo havia se comportado de maneira ridícula. A partir daquele momento Thorin realmente se decidiu a seguir meu plano, pelo menos no que dizia respeito à expedição secreta. Não obstante o que pensasse de Bilbo, ele mesmo teria partido.

"O mapa e a chave trouxeram-lhe de volta todo o passado de forma vívida. Ele era um jovem anão no saque de Erebor, com apenas vinte e quatro anos, mas se indagava com frequência, como me contou, sobre a forma como Thrór e Thráin escaparam de seus salões. A existência de uma porta secreta que só os Anãos poderiam encontrar fazia com que parecesse ao menos possível descobrir algo sobre os atos do dragão, talvez até recuperar algum ouro, ou algum objeto herdado para aplacar a saudade em seu coração.

"Imagino que, quando começou, Thorin não tivesse esperança real de destruir Smaug. Não havia esperança. No entanto foi o que sucedeu. Mas ai! Thorin não viveu o bastante para desfrutar seu triunfo nem seu tesouro. O orgulho e a ganância o venceram a despeito de meu aviso."

"Mas certamente", ponderei, "ele não poderia ter sido morto de um modo ou de outro? Teria ocorrido um ataque de Orques por mais generoso que Thorin tivesse sido com seu tesouro."

"Ele poderia", disse Gandalf. "Pobre Thorin! Foi um grande Anão de uma grande Casa, não importam seus defeitos. E embora o Inimigo o tenha matado, o Reino sob a Montanha foi restaurado. Dáin foi um sucessor à altura. Minha estratégia provou-se correta. O ataque principal foi desviado para o sul, mas ainda assim, com sua mão direita bem estendida, Sauron poderia ter causado danos terríveis no Norte enquanto nós defendíamos Gondor. Mesmo Valfenda poderia ter sido devastada se o Rei Brand e o Rei Dáin não se tivessem interposto em seu caminho. Quando pensardes na grande Batalha dos Campos Pelennor, não vos esqueçais da Batalha de Valle. Imaginai como poderia ter sido. Fogo de dragão e espadas selvagens em Eriador! Poderia não haver Rainha em Gondor. Agora somente poderíamos esperar voltar da vitória daqui para ruínas e cinzas. Mas isso foi evitado — porque me encontrei com Thorin Escudo-de-carvalho certa manhã, à beira da Primavera,[E] não longe de Bri. Um encontro casual, como dizemos na Terra-média."[F]

[E] O texto aqui foi originalmente datilografado "one winter's morning not far from Bree" ["uma manhã de inverno, não longe de Bri"], mas "winter's" [de inverno] está riscado e "Spring" [Primavera] escrito em seu lugar, e embaixo disso "on the edge of Spring" ["à beira da Primavera"]. No posterior texto C, a linha diz: "one evening on the edge of spring" ["certo dia ao anoitecer, à beira da primavera"].

[F] Há sob o texto datilografado uma nota feita a lápis por Tolkien que diz: "Nada é dito para justificar os instrumentos musicais que os Anãos trouxeram para Bolsão — nem para explicar o que foi feito deles."

Apêndice B
Sobre as Runas

Em uma carta publicada em um jornal londrino em 20 de fevereiro de 1938, Tolkien observou que as runas em *O Hobbit* eram "similares, mas não idênticas, às runas de inscrições anglo-saxãs" (*Cartas*, n. 25). Tolkien fez uso dessas runas em *O Hobbit* em três lugares — duas vezes no Mapa de Thror (as runas comuns e as runas-da-lua, sendo ambas repetidas na nota introdutória acrescida ao livro em 1966) e uma vez na sobrecapa da edição britânica (ver p. 33). Estas runas da sobrecapa estão aqui copiadas:

As runas dizem (com os pares de letras sublinhados representados por um único caractere rúnico):

THE HOBBIT OR THERE AND BACK
AGAIN BEING THE RECORD OF A YEARS
JOURNEY MADE BY BILBO BAGGINS
OF HOBBITON COMPILED FROM
HIS MEMOIRS BY J R R TOLKIEN
AND PUBLISHED BY GEORGE
ALLEN AND UNWIN LTD.

[O HOBBIT OU LÁ E DE VOLTA OUTRA
VEZ QUE É O REGISTRO DE UM ANO
DE VIAGEM FEITO POR BILBO BOLSEIRO
DA VILA DOS HOBBITS COMPILADO DE
SUAS MEMÓRIAS POR J R R TOLKIEN
E PUBLICADO PELA GEORGE
ALLEN AND UNWIN LTD.]

Na edição brasileira (2019), as runas na capa e folha de rosto foram traduzidas para o português:

O HOBBIT OU LÁ E DE VOLTA OUTRA
VEZ QUE É O REGISTRO DE UM ANO
DE VIAGEM FEITO POR BILBO BOLSEIRO
DA VILA-DOS-HOBBITS, COMPILADO
DE SUAS MEMÓRIAS POR J R R TOLKIEN
E PUBLICADO PELA HARPERCOLLINS
BRASIL.

A edição norte-americana de *O Hobbit* publicada em 1938 possuía uma sobrecapa diferente (ver p. 35), mas para a segunda edição do livro, de 1951 (quinta impressão), a editora norte-americana começou a importar cópias da edição britânica com a sobrecapa britânica. Com o tempo, alguém enfim percebeu que as runas davam o nome da editora britânica do livro em vez do da norte-americana. Em 1965, as últimas cinco palavras das runas na sobrecapa da edição norte-americana foram alteradas para:

A editora aparece aqui como "HOUGHTON MIFFLIN AND CO.". Essa mudança pode ter sido feita na décima nona impressão (fevereiro de 1965), da qual ainda preciso ver um exemplar; a vigésima impressão (agosto de 1965) possui as runas atualizadas. Não se sabe se o próprio Tolkien alterou as runas nesse caso.

Tolkien de fato redesenhou as runas para a capa da edição de *O Hobbit* da Longmans, Green de 1966 (ver p. 342), na qual a inscrição foi encurtada para:

[runas]

Essas runas dizem:

THE HOBBIT OR THERE AND BACK AGAIN EDITION FOR SCHOOLS PUBLISHED BY LONGMANS GREEN AND CO.

[O HOBBIT OU LÁ E DE VOLTA OUTRA VEZ EDIÇÃO ESCOLAR PUBLICADA PELA LONGMANS GREEN AND CO.]

Tolkien usou esse sistema de runas em outro exemplo publicado, em um cartão-postal de 1947 para Katherine Farrer impresso em *Cartas* (n. 112). Nesse caso, o uso é um pouco mais sofisticado; por exemplo, um ponto colocado abaixo de uma runa dobra o valor dela.

Os exemplos anteriores foram usados para compilar a tabela disposta à direita. Para maiores informações sobre a forma como essas runas eram empregadas pelos anglo-saxões e outros povos germânicos, ver *Runes: An Introduction* [Runas: uma introdução] (1959, edição revisada em 1989), de Ralph W.V. Elliott, e *An Introduction to English Runes* [Introdução às runas inglesas] (1973, edição revisada em 1999), de R.I. Page.

Em *O Senhor dos Anéis*, Tolkien apresenta uma tabela de runas muito mais ampla, mas nela são atribuídos valores diferentes a essas mesmas runas de acordo com o diferente modo de uso. Para maiores informações, ver a Seção II ("Escrita") do Apêndice E de *O Senhor dos Anéis*, e o "Appendix on Runes" [Apêndice sobre as runas], de Christopher Tolkien, no volume 7 da *História*, *A Traição de Isengard*. Ver também "The Angerthas and *The Hobbit*" [O Angerthas e *O Hobbit*], de Paul Nolan Hyde, em *Mythlore*, verão de 1987 (v. 13, n. 4, ed. 50) e "Certhas, Skirditaila, Fuþark: A Feigned History of Runic Origins" [Certhas, Skirditaila, Fuþark: uma história forjada das origens rúnicas], de Arden R. Smith, em *Tolkien's Legendarium* [O Legendário de Tolkien] (2000), editado por Verlyn Flieger e Carl F. Hostetter.

Tolkien não foi o primeiro escritor a usar runas históricas em uma narrativa infantil. Rudyard Kipling, no seu *Histórias assim* (1902), inclui a ilustração de uma narrativa entalhada na presa de um elefante, com uma longa inscrição rúnica.

Bibliografia

Esta bibliografia está dividida em cinco seções principais. A primeira é uma listagem, necessariamente seletiva, das mais importantes publicações em livro de J.R.R. Tolkien. As primeiras edições britânica e estadunidense estão indicadas, e edições subsequentes com diferenças significativas também são mencionadas. Leitores interessados em uma descrição mais completa dos escritos publicados de Tolkien (incluindo contribuições para livros e periódicos, bem como detalhes referentes às várias edições de seus livros) devem consultar *J.R.R. Tolkien: A Descriptive Bibliography* [J.R.R. Tolkien: uma bibliografia descritiva] (1993), de Wayne G. Hammond, com assistência de Douglas A. Anderson.

A segunda seção refere-se às revisões feitas por Tolkien no texto publicado de *O Hobbit* e como elas estão distribuídas nas anotações presentes na parte principal deste livro. A terceira seção contém uma lista das traduções de *O Hobbit*, enquanto a quarta é uma lista selecionada de estudos sobre *O Hobbit* publicados em livros e periódicos.

Na seção final, dei informações sobre as duas principais sociedades (uma nos Estados Unidos, a outra na Inglaterra) que direcionam seu interesse para as obras de J.R.R. Tolkien. Há, além dessas, muitas outras sociedades internacionais devotadas a Tolkien, e uma listagem delas pode ser encontrada na página de *links* do *site* da Tolkien Society, onde também há informações sobre outros recursos relacionados a Tolkien.

I. As obras de J.R.R. Tolkien
Escritos sobre a Terra-média

The Hobbit, or There and Back Again. Londres: George Allen & Unwin, 1937. (2. ed., 1951; 3. ed., 1966; 4. ed., 1978.)

_____. 5. ed. Londres: HarperCollins, 1995.

_____. Boston: Houghton Mifflin Company, 1938. (2. ed., 1951; 3. ed., 1966 [brochura], 1967 [tecido]; 4. ed., 1985; 5. ed., 1999.)

[**Edições brasileiras**

O Hobbit. Tradução de Luiz Alberto Monjardim. Rio de Janeiro: Artenova, 1976.

O Hobbit, ou Lá e de Volta Outra Vez. Tradução de Lenita Maria Rímoli Esteves (prosa) e Almiro Pisetta (poesia). São Paulo: Martins Fontes, 1995.

O Hobbit: ou Lá e de Volta Outra Vez. Tradução de Reinaldo José Lopes. Rio de Janeiro: HarperCollins Brasil, 2019.]

The Lord of the Rings:

The Fellowship of the Ring: Being the First Part of The Lord of the Rings. Londres: George Allen & Unwin, 1954. (2. ed., 1966.)

_____. Boston: Houghton Mifflin Company, 1954. (2. ed., 1965 [brochura], 1967 [tecido].)

[**Edições brasileiras**

O Senhor dos Anéis — Livro Primeiro: A Terra Mágica e *Livro Segundo: O Povo do Anel*. Tradução de Antônio Ferreira da Rocha. Rio de Janeiro: Artenova, 1974 e 1975.

O Senhor dos Anéis: Primeira Parte — A Sociedade do Anel. Tradução de Lenita Maria Rímoli Esteves (prosa) e Almiro Pisetta (poesia). São Paulo: Martins Fontes, 1994.

A Sociedade do Anel: Primeira Parte de O Senhor dos Anéis. Tradução de Ronald Kyrmse. Rio de Janeiro: HarperCollins Brasil, 2019.]

The Two Towers: Being the Second Part of The Lord of the Rings. Londres: George Allen & Unwin, 1954. (2. ed., 1966.)

_____. Boston: Houghton Mifflin Company, 1955. (2. ed., 1965 [brochura], 1967 [tecido].)

[**Edições brasileiras**

O Senhor dos Anéis — Livro Terceiro: As Duas Torres e *Livro Quarto: A Volta do Anel*. Tradução de Luiz Alberto Monjardim. Rio de Janeiro: Artenova, 1975 e 1976.

O Senhor dos Anéis: Segunda Parte — As Duas Torres. Tradução de Lenita Maria Rímoli Esteves (prosa) e Almiro Pisetta (poesia). São Paulo: Martins Fontes, 1994.

As Duas Torres: Segunda Parte de O Senhor dos Anéis. Tradução de Ronald Kyrmse. Rio de Janeiro: HarperCollins Brasil, 2019.]

The Return of the King: Being the Thrid Part of The Lord of the Rings. Londres: George Allen & Unwin, 1955. (2. ed., 1966.)

_____. Boston: Houghton Mifflin Company, 1956. (2. ed., 1965 [brochura], 1967 [tecido].)

[**Edições brasileiras**

O Senhor dos Anéis — Livro Quinto: O Cerco de Gondor e *Livro Sexto: O Retorno do Rei*. Tradução de Luiz Alberto Monjardim. Rio de Janeiro: Artenova, 1979.

O Senhor dos Anéis: Terceira Parte — O Retorno do Rei. Tradução de Lenita Maria Rímoli Esteves (prosa) e Almiro Pisetta (poesia). São Paulo: Martins Fontes, 1994.

O Retorno do Rei: Terceira Parte de O Senhor dos Anéis. Tradução de Ronald Kyrmse. Rio de Janeiro: HarperCollins Brasil, 2019.]

O Senhor dos Anéis é por vezes publicado em volume único. Para uma visão geral sobre a complexa história textual e de publicação dessa obra, ver minha "Nota sobre o Texto" em edições de *A Sociedade do Anel* e *O Senhor dos Anéis* publicadas atualmente pela HarperCollins na Inglaterra e pela Houghton Mifflin Company nos Estados Unidos. A "Nota sobre o Texto" foi publicada em três versões, a primeira datada de 1986 e as versões revisadas datadas de 1993 e 2002.[a]

The Adventures of Tom Bombadil and Other Verses from the Red Book. Ilustrações de Pauline Baynes. Londres: George Allen & Unwin, 1962.

_____. Ilustrações de Pauline Baynes. Boston: Houghton Mifflin Company, 1963.

[**Edições brasileiras**

As Aventuras de Tom Bombadil. Edição bilíngue. Traduções de William Lagos e Ronald Kyrmse. São Paulo, Martins Fontes, 2008.

_____. Organização de Christina Scull e Wayne G. Hammond. Tradução de Ronald Kyrmse. Ilustrações de Pauline Baynes. São Paulo: Martins Fontes — selo Martins, 2018.]

The Road Goes Ever On: A Song Cycle [A Estrada Segue Sempre Avante: Um Ciclo de Canções]. Poemas de J.R.R. Tolkien musicados por Donald Swann. Boston: Houghton Mifflin Company, 1967. (2. ed., 1978.)

_____. Poemas de J.R.R. Tolkien musicados por Donald Swann. Londres: George Allen & Unwin, 1968. (2. ed., 1978.)

Na segunda edição de *The Road Goes Ever On: A Song Cycle*, tanto na Inglaterra como nos Estados Unidos, houve o acréscimo de uma versão musicada do poema "A Última Canção de Bilbo".

Bilbo's Last Song. Publicado em formato de pôster. Fotografia de Robert Strindberg. Boston: Houghton Mifflin Company, 1974. (2. ed., 1990, em formato de livro, ilustrações de Pauline Baynes.)

_____. Publicado em formato de pôster. Ilustração de Pauline Baynes. Londres: George Allen & Unwin, 1974. (2. ed., 1990, em formato de livro, ilustrações de Pauline Baynes.)

---

[a] A "Nota sobre o Texto" está presente na atual edição brasileira de *A Sociedade do Anel* (HarperCollins Brasil, 2019, pp. 15–23). [N. E.]

Bilbo's Last Song, que se trata de um único poema, *a priori* foi lançado como pôster, cuja edição norte-americana trazia como pano de fundo uma fotografia de Robert Strindberg, enquanto a edição britânica trazia uma ilustração de Pauline Baynes. Esse poema foi posteriormente lançado como livro, integralmente ilustrado por Baynes.

[**Edição brasileira**

A Última Canção de Bilbo. Tradução de Christine Röhrig. Ilustrações de Pauline Baynes. São Paulo: Martins Fontes — selo Martins, 2013. Publicado em dois formatos: uma versão mais alta e fina, em brochura e branca, e outra, menor, com capa dura e sobrecapa azul.]

The Silmarillion. Editado por Christopher Tolkien. Londres: George Allen & Unwin, 1977.

_____. 2. ed. Londres: HarperCollins, 1999.

_____. Boston: Houghton Mifflin Company, 1977. (2. ed., 2001.)

Na segunda edição de *The Silmarillion*, tanto na Inglaterra como nos Estados Unidos, houve o acréscimo de um longo excerto da carta de 1951 de Tolkien para Milton Waldman (ver *Cartas*, n. 131), e um "Prefácio à Segunda Edição", de Christopher Tolkien.

[**Edições brasileiras**

O Silmarillion. Editado por Christopher Tolkien. Tradução de Waldéa Barcellos. São Paulo: Martins Fontes, 1999.

_____. Editado por Christopher Tolkien. Tradução de Reinaldo José Lopes. Rio de Janeiro: HarperCollins Brasil, 2019. (Esta última edição contém o excerto da carta de Tolkien a Waldman e o "Prefácio da Segunda Edição".)]

Unfinished Tales of Númenor and Middle-earth. Editado por Christopher Tolkien. Londres: George Allen & Unwin, 1980.

_____. Editado por Christopher Tolkien. Boston: Houghton Mifflin Company, 1980.

[**Edições brasileiras**

Contos Inacabados de Númenor e da Terra-média. Editado por Christopher Tolkien. Tradução de Ronald Kyrmse. São Paulo: Martins Fontes, 2002.

_____. Editado por Christopher Tolkien. Tradução de Ronald Kyrmse. Rio de Janeiro: HarperCollins Brasil, 2020.]

The History of Middle-earth [A História da Terra-média]. Série em 12 volumes, editada por Christopher Tolkien. Um volume individual, *History of Middle-earth Index* [Índice da História da Terra-média], foi publicado em 2002.

I. *The Book of the Lost Tales, Part One* [O Livro dos Contos Perdidos, Parte Um]. Editado por Christopher Tolkien. Londres: George Allen & Unwin, 1983.

_____. Editado por Christopher Tolkien. Boston: Houghton Mifflin Company, 1984.

II. *The Book of Lost Tales, Part Two* [O Livro dos Contos Perdidos, Parte Dois]. Editado por Christopher Tolkien. Londres: George Allen & Unwin, 1984.

_____. Editado por Christopher Tolkien. Boston: Houghton Mifflin Company, 1984.

III. *The Lays of Beleriand* [As Baladas de Beleriand]. Editado por Christopher Tolkien. Londres: George Allen & Unwin, 1985.

_____. Editado por Christopher Tolkien. Boston: Houghton Mifflin Company, 1985.

IV. *The Shaping of Middle-earth: The Quenta, the Ambarkanta and the Annals* [A Formação da Terra-média: O Quenta, o Ambarkanta e os Anais]. Editado por Christopher Tolkien. Londres: George Allen & Unwin, 1986.

_____. Editado por Christopher Tolkien. Boston: Houghton Mifflin Company, 1986.

V. *The Lost Road and Other Writings: Language and Lore Before* The Lord of the Rings [A Estrada Perdida e Outros Escritos: Linguagem e Saber antes de *O Senhor dos Anéis*]. Editado por Christopher Tolkien. Londres: Unwin Hyman, 1987.

_____. Editado por Christopher Tolkien. Boston: Houghton Mifflin Company, 1987.

VI. *The Return of the Shadow: The History of* The Lord of the Rings, *Part One* [O Retorno da Sombra: A História de *O Senhor dos Anéis*, Parte Um]. Editado por Christopher Tolkien. Londres: Unwin Hyman, 1988.

_____. Editado por Christopher Tolkien. Boston: Houghton Mifflin Company, 1988.

VII. *The Treason of Isengard: The History of* The Lord of the Rings, *Part Two* [A Traição de Isengard: A História de *O Senhor dos Anéis*, Parte Dois]. Editado por Christopher Tolkien. Londres: Unwin Hyman, 1989.

_____. Editado por Christopher Tolkien. Boston: Houghton Mifflin Company, 1989.

VIII. *The War of the Ring: The History of* The Lord of the Rings, *Part Three.* [A Guerra do Anel: A História de *O Senhor dos Anéis*, Parte Três]. Editado por Christopher Tolkien. Londres: Unwin Hyman, 1990.

_____. Editado por Christopher Tolkien. Boston: Houghton Mifflin Company, 1990.

IX. *Sauron Defeated: The End of the Third Age (The History of* The Lord of the Rings, *Part Four) The Notion Club Papers and The Drowning of Anadûnê.* [Sauron Derrotado: O Fim da Terceira Era (A História de *O Senhor dos Anéis*, Parte Quatro), Os Documentos do Clube Notion e a Submersão de Anadûnê]. Editado por Christopher Tolkien. Londres: HarperCollins, 1992.

_____. Editado por Christopher Tolkien. Boston: Houghton Mifflin Company, 1992.

A primeira seção de *Sauron Defeated*, referente a *O Senhor dos Anéis*, foi publicada separadamente, a partir de 1998, como uma edição em brochura intitulada *The End of the Third Age* [O Fim da Terceira Era].

X. *Morgoth's Ring: The Later Silmarillion, Part One: The Legends of Aman* [O Anel de Morgoth: O Silmarillion Tardio, Parte Um: As Lendas de Aman]. Editado por Christopher Tolkien. Londres: HarperCollins, 1993.

_____. Editado por Christopher Tolkien. Boston: Houghton Mifflin Company, 1993.

XI. *The War of the Jewels: The Later Silmarillion, Part Two: The Legends of Beleriand.* [A Guerra das Joias: O Silmarillion Tardio, Parte Dois: As Lendas de Beleriand]. Editado por Christopher Tolkien. Londres: HarperCollins, 1994.

_____. Editado por Christopher Tolkien. Boston: Houghton Mifflin Company, 1994.

XII. *The Peoples of Middle-earth* [Os Povos da Terra-média]. Editado por Christopher Tolkien. Londres: HarperCollins, 1996.

_____. Editado por Christopher Tolkien. Boston: Houghton Mifflin Company, 1996.

Escritos linguísticos

Parma Eldalamberon — I•Lam na•Ngoldathon: The Grammar and Lexicon of the Gnomish Tongue [I•Lam na•Ngoldathon: Gramática e Léxico da Língua Gnômica]. Editado por Christopher Gilson, Patrick Wynne, Arden R. Smith e Carl F. Hostetter. Walnut Creek, Califórnia: Elvish Linguistic Fellowship, n. XI, 1995.

Parma Eldalamberon — Qenyaqetsa: The Qenya Phonology and Lexicon [Qenyaqetsa: Fonologia e Léxico do Qenya]. Editado por Christopher Gilson, Carl F. Hostetter, Patrick Wynne e Arden R. Smith. Cupertino, Califórnia: Elvish Linguistic Fellowship, n. XII, 1998.

Parma Eldalamberon — The Alphabet of Rúmil & Early Noldorin Fragments [O Alfabeto de Rúmil & Primeiros Fragmentos do Noldorin]. Editado por Arden R. Smith (*The Alphabet of Rúmil*), Christopher Gilson, Bill Welden, Carl F. Hostetter e Patrick Wynne (*Early Noldorin Fragments*). Cupertino, Califórnia: Elvish Linguistic Fellowship, n. XIII, 2001.

Escritos não relacionados à Terra-média

Farmer Giles of Ham. Ilustrações de Pauline Baynes. Londres: George Allen & Unwin, 1949.

_____. Ilustrações de Pauline Baynes. Boston: Houghton Mifflin Company, 1950.

Farmer Giles of Ham — 50th Anniversary Edition. Ilustrações de Pauline Baynes. Londres: HarperCollins, 1999.

_____. Ilustrações de Pauline Baynes. Boston: Houghton Mifflin Company, 1999.

As edições de cinquenta anos, editada por Christina Scull e Wayne G. Hammond, incluem a então inédita primeira versão da história e notas de Tolkien para uma sequência, com introdução e notas dos editores.

[**Edições brasileiras**

Mestre Gil de Ham. Organizado por Christina Scull e Wayne G. Hammond. Ilustrações de Pauline Baynes. Tradução de Waldéa Barcellos. São Paulo: Martins Fontes, 2003.

Mestre Giles d'Aldeia. Organizado por Christina Scull e Wayne G. Hammond. Ilustrações de Pauline Baynes. Tradução de Rosana Rios. Rio de Janeiro, HarperCollins Brasil, 2021.]

Tree and Leaf. Londres: George Allen & Unwin, 1964.

_____. 2. ed. Londres: Unwin Hyman, 1988.

_____. Londres: HarperCollins, 2001.

_____. Boston: Houghton Mifflin Company, 1965. (2. ed., 1989.)

A primeira edição de *Tree and Leaf,* tanto na Inglaterra como nos Estados Unidos, contém o ensaio "Sobre Estórias de Fadas" e o conto "Folha de Cisco". Já na segunda edição, houve o acréscimo do poema "Mitopeia" e de um "Prefácio" de Christopher Tolkien. Uma outra edição, de 2001, acrescida de "O Regresso de Beorhtnoth", foi publicada pela HarperCollins em brochura.

[**Edições brasileiras**

Sobre Histórias de Fadas. Tradução de Ronald Kyrmse. São Paulo: Conrad, 2006.

Árvore e Folha. Tradução de Ronald Kyrmse. São Paulo: Martins Fontes, 2013; 2017.

Árvore e Folha. Tradução de Reinaldo José Lopes. Rio de Janeiro: HarperCollins, 2020.

As edições de 2006, 2013 e 2017 contemplam apenas o ensaio — que teve seu título alterado de "Sobre Histórias de Fadas" para "Sobre Contos de Fadas" da primeira para a segunda edição, entre outras pequenas mudanças — e o conto. A quarta edição corresponde à versão completa, com os quatro textos.]

Smith of Wootton Major. Londres: George Allen & Unwin, 1967.

_____. Boston: Houghton Mifflin Company, 1967.

_____. Edição ampliada. Editado por Verlyn Flieger. Ilustrações de Pauline Baynes. Londres: HarperCollins, 2005; 2015.

[**Edições brasileiras**

Ferreiro de Bosque Grande. Edição ampliada. Editado por Verlyn Flieger. Ilustrações de Pauline Baynes. Tradução de Ronald Kyrmse. São Paulo: WMF Martins Fontes, 2015.

Ferreiro do Bosque Maior. Editado por Verlyn Flieger. Ilustrações de Pauline Baynes. Tradução de Cristina Casagrande. Rio de Janeiro: HarperCollins Brasil, 2021.]

The Father Christmas Letters. Editado por Baillie Tolkien. Londres: George Allen & Unwin, 1976.

_____. Editado por Baillie Tolkien. Boston: Houghton Mifflin Company, 1976.

Father Christmas Letters. Londres: HarperCollins, 1994. Versão em minilivro, com três volumes em uma caixa.

Letters from Father Christmas. Londres: HarperCollins, 1995. Versão condensada, publicada em formato oblongo, com envelopes apensos às páginas e contendo cartas desdobráveis.

_____. Boston: Houghton Mifflin Company, 1995. Idem edição britânica do mesmo ano.

Father Christmas Letters. Londres: HarperCollins, 1998. Versão em formato minilivro de um único volume, bastante condensada.

_____. Boston: Houghton Mifflin Company, 1998. Idem edição britânica do mesmo ano.

Letters from Father Christmas. Londres: HarperCollins, 1999. Versão bastante expandida e redesenhada do livro de 1976, incluindo cartas e desenhos não publicados anteriormente.

_____. Boston: Houghton Mifflin Company, 1999. Idem edição britânica do mesmo ano.

[**Edições brasileiras**

Cartas do Papai Noel. Editado por Bailie Tolkien. Tradução de Ronald Kyrmse. Revisão de tradução de Monica Stahel. São Paulo: WMF Martins Fontes, 2012.

Cartas do Papai Noel. Editado por Bailie Tolkien. Tradução de Cristina Casagrande. Rio de Janeiro: HarperCollins Brasil, 2020. Esta tradução tomou por base a edição de 2015, que contém cartas inéditas.]

Mr. Bliss. Londres: George Allen & Unwin, 1982. Boston: Houghton Mifflin Company, 1983. História infantil, reproduzida a partir do manuscrito ilustrado de Tolkien.

[**Edições brasileiras**

Sr. Bliss. Tradução de Monica Stahel. São Paulo: WMF Martins Fontes, 2010.

Sr. Boaventura. Tradução de Cristina Casagrande. Rio de Janeiro: HarperCollins Brasil, 2020.]

Roverandom. Editado por Christina Scull e Wayne G. Hammond. Londres: HarperCollins, 1998. Boston: Houghton Mifflin Company, 1998.

[**Edições brasileiras**

Roverandom. Editado por Christina Scull e Wayne G. Hammond. Tradução de Waldéa Barcellos. São Paulo: Martins Fontes, 2002.

Roverando. Editado por Christina Scull e Wayne G. Hammond. Tradução de Rosana Rios. Rio de Janeiro: HarperCollins Brasil, 2021]

Trabalhos acadêmicos

A Middle English Vocabulary [Vocabulário do Inglês Médio]. Oxford: Clarendon Press, 1922. Concebido para utilização conjunta com *Fourteenth Century Verse and Prose* [Poesia e Prosa do Século XIV] (Oxford: Clarendon Press, 1921), de Kenneth Sisam, e posteriormente publicado junto com este.

Sir Gawain and the Green Knight [Sir Gawain e o Cavaleiro Verde]. Editado por J.R.R. Tolkien e E.V. Gordon. Oxford: Clarendon Press, 1925. (2. ed., 1967, revisada por Norman Davis.)

Ancrene Wisse: The English Text of the Ancrene Riwle. [*Ancrene Wisse: O Texto Inglês da Ancrene Riwle*] Editado por J.R.R. Tolkien. Londres: Oxford University Press, 1962. Early English Text Society, Original Series, n. 249.

Sir Gawain and the Green Knight, Pearl, Sir Orfeo [Sir Gawain e o Cavaleiro Verde, Pérola, Sir Orfeu]. Tradução de J.R.R. Tolkien. Editado por Christopher Tolkien. Londres: George Allen & Unwin, 1975.

_____. Tradução de J.R.R. Tolkien. Editado por Christopher Tolkien. Boston: Houghton Mifflin Company, 1975.

The Old English Exodus [O Exôdo em Inglês Antigo]. Texto, tradução e comentários de J.R.R. Tolkien. Editado por Joan Turville-Petre. Oxford: Clarendon Press, 1981.

Finn and Hengest: The Fragment and the Episode [Finn e Hengest: O Fragmento e o Episódio]. Editado por Alan Bliss. Londres: George Allen & Unwin, 1982.

_____. Editado por Alan Bliss. Boston: Houghton Mifflin Company, 1983.

The Monsters and the Critics and Other Essays [Os Monstros e os Críticos e Outros Ensaios]. Editado por Christopher Tolkien. Londres: George Allen & Unwin, 1983.

_____. Boston: Houghton Mifflin Company, 1984.

The Monsters and the Critics and Other Essays é composto por sete ensaios: "Beowulf: The

Monsters and the Critics" [Beowulf: Os Monstros e os Críticos]; "On Translating Beowulf" [Traduzindo Beowulf]; "Sir Gawain and the Green Knight" [Sir Gawain e o Cavaleiro Verde]; "On Fairy-Stories" [Sobre Estórias de Fadas]; "English and Welsh" [Inglês e Galês]; "A Secret Vice" [Um Vício Secreto]; e "Valedictory Address to the University of Oxford" [Discurso de Despedida à Universidade de Oxford].

Beowulf and the Critics [Beowulf e os Críticos]. Editado por Michael D.C. Drout. Tempe, Arizona: Medieval and Renaissance Texts and Studies, 2002.

Diversos

The Letters of J.R.R. Tolkien [As Cartas de J.R.R. Tolkien]. Editado por Humphrey Carpenter, com assistência de Christopher Tolkien. Londres: George Allen & Unwin, 1981.

_____. Boston: Houghton Mifflin Company, 1981.

Um índice bastante expandido, compilado por Christina Scull e Wayne G. Hammond, foi acrescentado à edição britânica em 1995 e à edição norte-americana em 2000.

[Edições brasileiras

As Cartas de J.R.R. Tolkien. Editado por Humphrey Carpenter, com assistência de Christopher Tolkien. Tradução de Gabriel Oliva Brum. Curitiba: Arte e Letra Editora, 2006.

_____. Editado por Humphrey Carpenter, com assistência de Christopher Tolkien. Tradução de Gabriel Oliva Brum. Rio de Janeiro: HarperCollins Brasil, 2020.]

Arte

Pictures by J.R.R. Tolkien [Ilustrações de J.R.R. Tolkien]. Editado por Christopher Tolkien. Londres: George Allen & Unwin, 1979.

_____. Boston: Houghton Mifflin Company, 1979. (2. ed., 1992.)

_____. 2. ed. Londres: HarperCollins, 1992.

Uma seleção das artes de Tolkien, baseada em uma série de calendários publicados na Inglaterra nos anos 1970.

J.R.R. Tolkien: Artist and Illustrator [J.R.R. Tolkien: Artista e Ilustrador]. Por Wayne G. Hammond e Christina Scull. Londres: HarperCollins, 1995. _____. Boston: Houghton Mifflin Company, 1995.

Um estudo abrangente sobre Tolkien como artista.

Coleções reeditadas

The Tolkien Reader [Textos Escolhidos de Tolkien]. Nova York: Ballantine Books, 1966 [brochura]. Contém "O Regresso de Beohrtnoth", "Sobre Estórias de Fadas", "Folha de Cisco", *Lavrador Giles de Ham* e *As Aventuras de Tom Bombadil.*

Smith of Wootton Major and Farmer Giles of Ham. Ilustrações de Pauline Baynes. Nova York: Ballantine Books, 1969 [brochura]. Reeditados em um único volume.

Tree and Leaf, Smith of Wootton Major, The Homecoming of Beorhtnoth. Londres: Unwin Books, 1975 [brochura]. Reeditados em um único volume.

Farmer Giles of Ham, The Adventures of Tom Bombadil. Londres: Unwin Books, 1975 [brochura]. Reeditados em um único volume.

Poems and Stories [Poemas e Histórias]. Ilustrações de Pauline Baynes. Londres: George Allen & Unwin, 1980.

_____. Boston: Houghton Mifflin Company, 1994.

Contém *As Aventuras de Tom Bombadil*, "O Regresso de Beorhtnoth", "Sobre Estórias de Fadas", "Folha de Cisco", *Mestre Giles d'Aldeia* e *Ferreiro do Bosque Maior.*

Tales from the Perilous Realm [Contos do Reino Perigoso]. Londres: HarperCollins, 1997. Contém *Mestre Giles d'Aldeia, As Aventuras de Tom Bombadil*, "Folha de Cisco" e *Ferreiro do Bosque Maior.*

A Tolkien Miscellany [Miscelânea Tolkieniana]. Ilustrações de Pauline Baynes. Garden City, Nova York: Science Fiction Book Club, 2002. Contém *Ferreiro de Bosque Grande, Mestre Giles d'Aldeia, Árvore* e *Folha, As Aventuras de Tom Bombadil* e *Sir Gawain and the Green Knight, Pearl, Sir Orfeo*.

 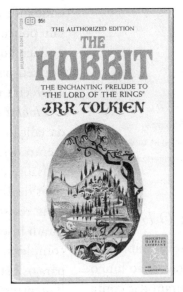 

Durante a Segunda Guerra Mundial, as editoras na Inglaterra estavam severamente limitadas em sua produção devido a políticas de racionamento de papel. Após o bombardeio e subsequente incêndio no depósito da Allen & Unwin em novembro de 1940, quando o estoque remanescente de cópias não encadernadas de *O Hobbit* foi destruído, o livro ficou temporariamente indisponível até que a edição do Children's Book Club [Clube do Livro Infantil] (datada de 1942) fosse lançada em 1943, após atrasos na encadernação. A sobrecapa (acima, à esquerda) foi redesenhada (deixando de lado a ilustração do próprio Tolkien) e impressa em preto, laranja e branco. Curiosamente, o livro não incluía o Mapa de Thror, embora o texto faça referências a ele. Tolkien comentou em uma carta à Allen & Unwin de 18 de março de 1945: "Certamente o papel desperdiçado naquela sobrecapa horrorosa poderia ter sido melhor empregado."

Acima, ao centro: A primeira edição de bolso norte-americana de *O Hobbit* (contendo o texto da segunda edição) foi publicada pela Ballantine Books em agosto de 1965. A vinheta na capa, parte de um mural também usado nas capas dos três volumes da edição de *O Senhor dos Anéis* da Ballantine publicada 1965, inclui de forma estranha um leão absurdamente sorridente com olhos vermelhos em uma paisagem surrealista. Com razão, Tolkien não ficou contente com essa capa. Escreveu a Rayner Unwin em 12 de setembro de 1965: "devo perguntar isso sobre a vinheta: o que ela tem a ver com a história? Onde é este lugar? Por que um leão e emus? E o que é a coisa no fundo com bulbos rosas?" (*Cartas*, n. 277).

A artista da capa, Barbara Remington, não pode ser de fato culpada por essa deturpação, pois a produção da edição foi tão apressada que a artista não teve tempo de ler o livro antes de fazer sua ilustração. Após a leitura subsequente dos livros, Remington escreveu a Tolkien concordando que sua arte era inapropriada para o texto.

Acima, à direita: Para a edição revisada de *O Hobbit* pela Ballantine (contendo o texto da terceira edição), publicada em fevereiro de 1966, o leão sorridente foi removido, oculto sob a relva amarelo-esverdeada. De modo curioso, as árvores também foram alargadas desta vez, embora o efeito geral da capa surrealista permaneça inalterado.

BIBLIOGRAFIA

Capa da edição de *O Hobbit* publicada em 1966 pela Longmans, Green. O próprio Tolkien redesenhou as runas, mas o artista que redesenhou parte do desenho feito por Tolkien para a sobrecapa é desconhecido.

II. Notas de revisão em *O Hobbit*

As revisões feitas por Tolkien no texto publicado de *O Hobbit* estão dadas nas anotações ao longo deste livro. Essas anotações procuram dar conta de todas as revisões feitas a partir da primeira edição (1937) até as várias recomposições da terceira edição (1966–67). Elas não detalham gralhas ou erros nessas edições, exceto nos casos que envolviam uma mudança planejada no texto. Cada anotação de revisão começa com o texto original de 1937 e detalha a mudança unicamente até o momento em que se chegou ao texto final pela primeira vez. Portanto, se uma mudança feita em 1951 está dada e o texto permanece inalterado a partir daquele ponto, não o repito. Ao longo de todas essas anotações, o símbolo > quer dizer "mudado para".

Ao compilar estas notas, vali-me, para o texto de 1937, da primeira impressão (com o hobbit curvado na folha de rosto) da edição norte-americana de 1938, publicada pela Houghton Mifflin. Essa impressão era uma reprodução fotográfica da primeira edição inglesa de 1937, contendo texto e gralhas idênticos. (A impressão posterior da edição de 1938 da Houghton Mifflin, com uma figura sentada tocando uma flauta no lugar do hobbit curvado na folha de rosto, possui um número diminuto de outras diferenças.)

Para o texto de 1951 eu usei a "Segunda Edição (Quinta Impressão)" da Houghton Mifflin, feita a partir de folhas inglesas. A segunda edição da Houghton Mifflin, impressa ao mesmo tempo que a segunda edição da Allen & Unwin, parece ter sido publicada na primavera de 1951, enquanto a segunda edição da Allen & Unwin saiu poucos meses depois, em julho. Christopher Tolkien fotocopiou para mim as revisões feitas por seu pai (por volta de agosto de 1965, para a terceira edição) em sua cópia de trabalho de *O Hobbit* — uma "Sexta impressão", de 1954, da edição da Allen & Unwin —, e um estudo atento dessas notas aprimorou minhas notas de revisão e confirmou algumas das intenções textuais de Tolkien.

As revisões de Tolkien para a terceira edição foram inseridas de uma maneira um pouco mais complexa. Elas foram primeiramente enviadas para os Estados Unidos para a edição de bolso da Ballantine Books, que foi publicada em fevereiro de 1966. Enquanto isso, na Inglaterra, a Allen & Unwin fez uso das revisões em uma nova edição em brochura para seu selo Unwin Books, classificada como "Terceira edição (décima sexta impressão) 1966". Ao mesmo tempo, a Allen & Unwin havia licenciado uma edição em capa dura para a série Heritage of Literature da Longmans, Green. Tanto a edição da Unwin Books como a da Longmans apareceram em junho de 1966, embora a edição da Longmans tenha aparentemente precedido a edição da Unwin Books em algumas semanas. (A Biblioteca Britânica recebeu a edição da Longmans em 6 de junho, enquanto a data de publicação para a edição da Unwin Books foi 30 de junho.) A Allen & Unwin também produziu uma edição em capa dura do texto revisado, publicada simultaneamente com a edição da Unwin Books em 30 de junho. Essa edição da Allen & Unwin ("Décima sexta impressão 1966") classifica erroneamente a "Décima quinta impressão 1966" como a

"Terceira edição". (A "Décima quinta impressão" correta é a datada de 1965; ela contém o texto da segunda edição.) As revisões de 1966 foram enfim adicionadas à edição norte-americana de capa dura, publicada pela Houghton Mifflin, na "Vigésima quarta impressão C" de agosto de 1967.

Para o que chamei de texto *1966-Ball*, utilizei a "Primeira Impressão", de fevereiro de 1966, da Ballantine Books, e para o texto *1966-Longmans/Unwin*, uma primeira impressão da edição da Longmans. (A edição da Longmans foi reimpressa quatro vezes até 1970). O texto *1966-A&U*, classificado como "Décima sexta impressão 1966", segue de muito perto o texto da Longmans/Unwin, embora algumas diferenças se façam notar. Para o texto *1967-HM*, utilizei uma "Vigésima quarta" impressão da edição norte-americana em capa dura (Houghton Mifflin).

A "Quarta Edição" de 1978, referida algumas vezes, foi publicada pela Allen & Unwin; uma edição norte-americana uniforme com esta foi publicada em 1985 (quadragésima impressão). O texto da "Quarta Edição" não é muito confiável, devido a mais do que algumas dezenas de erros inseridos durante a recomposição dos tipos.

A edição de 1961 da Puffin (uma edição britânica em brochura; ver p. 106) é também referida em alguns lugares. A edição de 1995 da HarperCollins é tecnicamente a quinta edição, embora não esteja assim designada. Para essa edição britânica em capa dura, o texto de *O Hobbit* foi pela primeira vez convertido em um arquivo de processamento de texto; ele é referido uma vez (embora outras peculiaridades daquela edição não sejam discutidas). Em 1999 foi feito um foto-offset desse texto para edições da Houghton Mifflin. No entanto, para a edição de 2001 da Houghton Mifflin (capa dura e edição de bolso, com capa de Peter Sís), o texto inteiro foi cotejado linha a linha com edições anteriores, e erros e peculiaridades da edição de 1995 foram aclarados. A versão mais atualizada desse arquivo de texto corrigido é a base para o texto utilizado neste livro.

Para os leitores interessados em estudar cronologicamente as revisões feitas por Tolkien em *O Hobbit*, aponho as listagens a seguir, que em sua maior parte omitem erros tipográficos. Para as revisões feitas na segunda edição de 1951, ver as seguintes anotações:

Nota Introdutória: 3
Capítulo 1: 36, 41, 50
Capítulo 3: 14
Capítulo 5: 11–12, 20, 25, 32
Capítulo 6: 3–5
Capítulo 18: 2

As anotações referentes a mudanças na edição da Puffin de 1961 são as seguintes:

Nota Introdutória: 3
Capítulo 1: 19
Capítulo 5: 17

Para as revisões feitas nas várias recomposições da terceira edição de 1966–67, ver as seguintes anotações:

Nota Introdutória: 3
Capítulo 1: 4, 9, 13, 17, 19, 21–23, 26–27, 30–31, 33, 39, 42–43, 45–46, 48–51, 53–54
Capítulo 2: 2, 4–11, 13, 18–19, 22, 24–25
Capítulo 3: 1, 4–6, 10–11, 13, 15–17
Capítulo 4: 3, 8
Capítulo 5: 2, 5, 7, 17
Capítulo 8: 1, 22–23
Capítulo 12: 6
Capítulo 13: 2–3
Capítulo 14: 3
Capítulo 15: 5–7
Capítulo 17: 5
Capítulo 19: 3, 11–12

III. TRADUÇÕES E EDIÇÕES ILUSTRADAS DE *O HOBBIT*

A listagem a seguir procura incluir todas as traduções de *O Hobbit* publicadas em livro, assim como todas as diversas edições ilustradas, mas ela de forma alguma procura dar conta das muitas reimpressões dessas edições. Deve-se notar também que as ilustrações nas edições citadas são por vezes retiradas de impressões subsequentes, de forma integral ou parcial, e tais alterações nem sempre são discutidas, assim como as muitas alterações feitas ao longo dos anos na arte das capas.

A listagem pioneira das traduções de Tolkien foi feita por Glen H. GoodKnight em "Tolkien in Translation" [Tolkien em tradução], *Mythlore*, verão de 1982 (v. 9, n. 2, ed. 32), pp. 22–7. Uma versão revista e atualizada, reintitulada "J.R.R. Tolkien in Translation" [J.R.R. Tolkien em tradução], apareceu em *Mythlore*, verão de 1992 (v. 18, n. 3, ed. 69), pp. 61–69. A esta versão seguiu-se logo depois a seção sobre traduções (G) na *Bibliography*. Desde sua fundação em 1992, *The Tolkien Collector*, editado por Christina Scull, estabeleceu-se como publicação de primeira importância para aqueles interessados em todas as edições das obras de Tolkien, britânicas, norte-americanas e estrangeiras. Ao atualizar minha lista das traduções do *Hobbit* (publicada originalmente no *Hobbit Anotado* de 1988), *The Tolkien Collector* mostrou-se inestimável. (Para mais informações sobre *The Tolkien Collector*, ver seu *site* em lanfiles.williams.edu/~whammond/collect.html.)

A esta listagem acrescentei alguns comentários a fim de chamar atenção para artigos (escritos em inglês) que discutem aspectos das traduções. Muitos desses são de autoria de Arden R. Smith, e fazem parte de sua sempre interessante coluna "Transitions in Translations" [Transições em traduções]. Essa coluna era parte regular do *Vinyar Tengwar*, o periódico da Elvish Linguistic Fellowship [Sociedade Linguística Élfica], uma divisão da Mythopoeic Society [Sociedade Mitopoética]. Um artigo mais geral de Smith, "Tolkien on Translation" [Tolkien sobre tradução], que não está referenciado a seguir e discute as próprias reações de Tolkien às traduções, encontra-se em *Vinyar Tengwar*, n. 21, jan. 1992, pp. 21–24. (Para mais informações sobre *Vinyar Tengwar* e outros recursos sobre as línguas inventadas de Tolkien, ver www.elvish.org.)

É preciso dizer aqui algumas palavras sobre a multiplicidade das traduções russas. Muitas delas não foram autorizadas e circularam subterraneamente em forma "samizdat" antes da queda do Comunismo no início dos anos 1990 tornar possível sua publicação em livro. As circunstâncias por trás de cada uma dessas traduções refletem as complexas condições políticas e sociológicas da antiga União Soviética e da atual Federação Russa. Para alguma compreensão de tais preocupações, ver "The Secret War and The End of the Third Age: Tolkien in the (former) USSR" [A guerra secreta e o fim da Terceira Era: Tolkien na (antiga) URSS], de Maria Kamenkovich, *Mallorn*, n. 29, pp. 33–8, ago. 1992; "Problems of Translating into Russian" [Problemas de tradução para o russo], de Natalia Grigorieva, *Proceedings of the J.R.R. Tolkien Centenary Conference* [Anais da Conferência do Centenário J.R.R. Tolkien], organizado por Patricia Reynolds e Glen H. GoodKnight (1995), pp. 200–05; e "Russia As a New Context for Tolkien" [A Rússia como novo contexto para Tolkien], de Maria Kamenkovicch, *Inklings Jahrbook für Literatur und* Ästhetik [Anuário Inklings de Literatura e Estética] 17 (1999), pp. 197–216. O último ensaio também foi publicado como livreto, *The Trojan Horse: Russia As a New Context for Tolkien* [O cavalo de Troia: a Rússia como novo contexto para Tolkien] (Flint, Michigan: American Tolkien Society, 1999). Sobre como essas questões se relacionam especificamente com as muitas traduções russas de *O Hobbit*, recomendo especialmente o artigo de Mark T. Hooker "Tolkien Through Russian Eyes" [Tolkien pelos olhos russos], em *Concerning Hobbits and Other Matters: Tolkien Across the Disciplines* [Sobre Hobbits e outras questões: interdisciplinaridade em Tolkien], organizado por Tim Schindler (St. Paul, Minnesota: University of St. Thomas English Department, 2001), p. 7–31. Na seção russa dada a seguir, por conveniência, agrupei as várias edições primeiro por tradução e então cronologicamente sob cada tradução.

Ao compor esta listagem consultei as coleções de traduções do *Hobbit* em algumas bibliotecas especializadas em reunir as obras de Tolkien, incluindo o Centro Marion E. Wade, no Wheaton College, Wheaton, Illinois, e o Departamento de Coleções Especiais da Universidade Marquette, Milwaukee, Wisconsin. Uma coleção mais vasta das traduções de Tolkien encontra-se também disponível na Biblioteca Bodleian, na Universidade de Oxford, Inglaterra, associada à sua posse majoritária dos documentos do autor.

Alemão

Kleiner Hobbit und der grosse Zauberer. Tradução de Walter Scherf. Ilustrações de Horus Engels. Recklinghausen: Paulus Verlag, 1957. Republicado em 1967 com o título *Der kleine Hobbit.*

Der kleine Hobbit. Tradução revisada de Walter Scherf. Ilustrações de Klaus Ensikat. Recklinghausen: Georg Bitter, 1971. Uma reimpressão dessa edição foi lançada, contendo consideravelmente menos ilustrações.

Der kleine Hobbit. Segunda tradução revisada de Walter Scherf. Stuttgart: Klett-Cotta, 1991.

Der Hobbit, oder, Hin und zuriick. Tradução de Wolfgang Krege. Stuttgart: Klett-Cotta, 1997.

[Ver "The Hobbit in Germany" {O Hobbit na Alemanha}, de Manfred Zimmermann, em *Translations of "The Hobbit" Reviewed* {Analisando traduções de "O Hobbit"}, Quettar Special Publication n. 2 (Londres: Tolkien Society, 1988), pp. 3–7.

Arden R. Smith discute as edições utilizadas na tradução revisada de Walter Scherf lançada em 1971 em sua coluna "Transitions in Translations", em *Vinyar Tengwar,* n. 13, pp. 18–9, set. 1990, e n. 15, pp. 11–2, jan. 1991. Ele também discute as diferenças entre as traduções de nomes e expressões que aparecem tanto na tradução de *O Hobbit* de Scherf como na tradução alemã de *O Senhor dos Anéis* de 1969, feita por Margaret Carroux, no n. 28, pp. 35–8, mar. 1993. Comentários subsequentes de David Bratman e Arden R. Smith aparecem no n. 30, pp. 28–31, jul. 1993, e no n. 32, p. 30, nov. 1993.]

Armênio

Hobit: Kam Gnaln ou Galû. Tradução de Emma Makaryan. Ilustrações de Mikhail Belomlinskiy. Yerevan: Sovetakan Grogh, 1984.

Bretão

An Hobbit, pe eno ha distro. Tradução de Alan Dipode. Argenteuil: A.R.D.A., 2001.

Búlgaro

Bilbo Begins, ili, Dotam i obratno. Tradução de Krasimira Todorova (prosa) e Asen Todorov (poesia). Ilustrações de Peter Chuklev. Sófia: Narodna Mladezh, 1975. Essa tradução foi lançada em brochura pela mesma editora em 1979 com as ilustrações ligeiramente alteradas.

Khobit: Bilbo Begins, ili, Dotam i obratno. Tradução de Liubomir Nikolov. Ilustrações de J.R.R. Tolkien. Sófia: Bard, 1999.

[Ver "Tolkien in Bulgaria" {Tolkien na Bulgária}, de Christina Scull, *The Tolkien Collector,* n. 4, pp. 18–21, ago. 1993.]

Catalão

El Hòbbit, o, Viatge d'anada i tornada. Tradução de Francesc Parcerisas. Barcelona: Edicions de la Magrana, 1983.

Chinês

Sheau Aeren Lihshean Jih [grafia tonal] ou *Xiao Airen Lixian Ji* [hanyu pinyin]. Tradução de Liou Huey Yeou; reescrito por Jang Tsyrjiuan. Ilustrações de J.R.R. Tolkien. Taipei: Linking, 1996.

[*O Hobbit*]. Tradução de Xín Píao. Ilustrador anônimo. Jinan: Tomorrow Publishing House, 2000.

[*O Hobbit*]. Tradução de Lí Gí. Nanjing: Yilin Press, 2001.

[*O Hobbit*]. Tradução de Lucifer Chu. Taipei: Linking, 2001.

Coreano

[*O Hobbit*]. Tradutor desconhecido. Ilustrações de J.R.R. Tolkien. Seul: Sigongsa, 1997.

Croata

Hobit. Tradução de Zlatko Crnković. Ilustrações de J.R.R. Tolkien. Zagreb: Algoritam, 1994.

Dinamarquês

Hobbitten, eller, Ud og hjem igen. Tradução de Ida Nyrop Ludvigsen. Ilustrações de J.R.R. Tolkien. Copenhague: Gyldendal, 1969.

Eslovaco

Hobbiti. Tradução de Viktor Krupa (prosa) e Jana Šimulčíková (poesia). Ilustrações de Nada Rappensbergerová-Jankovičová. Bratislava: Mladé Letá, 1973.

[Ver "Works by and about J.R.R. Tolkien in Czech and Slovak" {Obras de e sobre J.R.R. Tolkien em tcheco e eslovaco}, de Karel Makovsky, *The Tolkien Collector*, n. 5, pp. 20–5, nov. 1993.]

Esloveno

Hobit, ali, Tja in spet nazaj. Tradução de Dušan Ogrizek. Ilustrações de Mirna Pavlovec. Liubliana: Mladinska Knjiga, 1986.

Hobit, ali, Tja in spet nazaj. Tradução de Dušan Ogrizek. Ilustrações de J.R.R. Tolkien. Liubliana: Založba Mladinska Knjiga, 2000.

Espanhol

El hobito. Tradução de Teresa Sanchez Luevas. Buenos Aires: Fabril, 1964.

El hobbit. Tradução de Manuel Figueroa. Ilustrações de J.R.R. Tolkien. Barcelona: Ediciones Minotauro, 1982.

El hobbit anotado [O Hobbit Anotado]. Tradução de Manuel Figueroa (texto de Tolkien) e Rubén Masera (anotações). Muitos ilustradores, conforme a edição anotada. Barcelona: Ediciones Minotauro, 1990.

El hobbit. Tradução de Manuel Figueroa. Ilustrações de Alan Lee. Barcelona: Ediciones Minotauro, 1997.

[Algumas dessas edições também foram distribuídas em outros países de língua espanhola, incluindo México, Cuba e Argentina.

Uma tradução de 1981 de José Valdivieso, listada por Glen H. GoodKnight em seu artigo original de 1982 sobre traduções de Tolkien e na *Bibliography*, provou-se ser um item inexistente.]

Capa da edição de 2000 da tradução para o esperanto. Arte da capa feita por Maŝa Baĵenova [Masha Bazhenova].

Tolkien estudou pela primeira vez a língua internacional esperanto, proposta por L.L. Zamenhof em 1887, quando era adolescente. Em 1932, publicou uma carta de apoio ao esperanto em The British Esperantist. Um estudo muito interessante, "Tolkien and Esperanto" [Tolkien e o esperanto], de Arden R. Smith e Patrick Wynne, pode ser encontrado em Seven: An Anglo-American Literary Review 17 (2000), pp. 27–46.

Esperanto

Lo hobito, aŭ tien kaj reen. Tradução de Christopher Gledhill (prosa) e William Auld (poesia). Ilustrações de Maŝa Baĵenova [Masha Bazhenova]. Ecaterimburgo: Sezonoj, 2000. [Resenhado por Arden Smith, *Mythprint*, (38, n. 7; ed. 232, jul. 2001), pp. 4–6. Smith acha que "a tradução do texto principal do livro é em grande parte um sucesso", mas que há também alguns lapsos inexplicáveis.]

Estoniano

Kääbik, ehk, Sinna ja tagasi. Tradução de Lia Rajandi (prosa e poesia) e Harald Rajamets (cotradutor, poesia). Ilustrações de Maret Kernumees. Tallinn: Eesti Raamat, 1977.

Feroês

Hobbin, ella, Út og heim aftur. Tradução de Axel Tógarð. Ilustrações de J.R.R. Tolkien. Hoyvík: Stiðin, 1990. [Ver a resenha de Hanus Andreassen da tradução feroesa, "The Dream of Getting Lost" {O sonho de perder-se} *Mallorn*, n. 30, pp. 46–9, set. 1993, que apareceu originalmente em feroês em *Tíðindablaðið Sosialurin*, 12 de dezembro de 1990. Andreassen comenta que "a tradução foi feita de tal forma que o leitor jamais suspeita de que está lendo uma tradução. O que quer dizer que ela é magistral."]

Finlandês

Lohikäärmevuori, eli, Erään hoppelin matka sinne ja takaisin. Tradução de Risto Pitkänen. Ilustrações de Tove Jansson. Helsinque: Kustannusosakeyhtiö Tammi, 1973. [As ilustrações de Jansson são idênticas às publicadas na edição sueca de 1962.]

Hobitti, eli, Sinne ja takaisin. Tradução de Kersti Juva (prosa) e Panu Pekkanen (poesia). Ilustrações de J.R.R. Tolkien. Porvoo: Werner Söderström, 1985.

[Ver os breves comentários de Ellen Pakarinen sobre as traduções finlandesas, com o título "Finnish" {Finlandês}, em *Translations of "The Hobbit" Reviewed*, Quettar Special Publication n. 2 (Londres: Tolkien Society, 1988), p. 24. Pakarinen nota que na tradução de 1973 o livro "foi basicamente tratado como um livro para crianças com todos os nomes adaptados ao finlandês", mas, quanto à edição de 1985, "a tradutora Sra. Kersti Juva recebeu um Prêmio Estatal por ela".

Arden R. Smith pondera brevemente sobre a tradução do nome Bilbo Baggins como Kalpa Kassinen na edição finlandesa de 1973 em sua coluna "Transitions in Translations", em *Vinyar Tengwar*, n. 15, p. 12, jan. 1991; ele discute a adaptação para o finlandês de palavras e nomes élficos no n. 16, pp. 10–1, mar. 1991; e, de modo análogo, pondera sobre os nomes dos anãos no n. 19, pp. 26–7, set. 1991.]

Francês

Bilbo le Hobbit, ou, Histoire d'un aller et retour. Tradução de Francis Ledoux. Paris: Éditions Stock, 1969.

Bilbo le Hobbit, ou, Histoire d'un aller et retour. Tradução de Francis Ledoux. Ilustrações de Chica. Paris: Hachette, 1976.

Bilbo le Hobbit, ou, Histoire d'un aller et retour. Tradução de Francis Ledoux. Ilustrações de J.R.R. Tolkien. Paris: Hachette, 1980.

Bilbo le Hobbit, ou, Histoire d'un aller et retour. Tradução de Francis Ledoux. Ilustrações de Évelyne Drouhin. Paris: Éditions Stock, 1983.

Le Hobbit. Tradução de Francis Ledoux. Ilustrações de Alan Lee. Paris: Christian Bourgois, 1997.

[Ver os breves comentários de David Doughan, sob o título *"Bilbo le Hobbit"*, em *Translations of "The Hobbit" Reviewed*, Quettar Special Publication n. 2 (Londres: Tolkien Society, 1988), p. 27. Doughan nota que a tradução francesa "tem uma leve tendência para a barrigada", e que embora "diferenças culturais agudas irrompam com frequência", ele ainda considera que "em geral, é uma boa tradução". Ver também "J.R.R. Tolkien in France" {J.R.R. Tolkien na França}, de Jean-Marc Bouilly, *The Tolkien Collector*, n. 17, pp. 24–7, dez. 1997.]

Galego

O Hobbit. Tradução de Moisés R. Barcia. Ilustrações de J.R.R. Tolkien. Salamanca: Edicións Xerais de Galicia, 2000.

Grego

Khompit. Tradução de A. Gabrielide e Kh. Delegianne. Ilustrações de J.R.R. Tolkien. Atenas: Kedros, 1978.

[Arden R. Smith discute a tradução grega em sua coluna "Transitions in Translations", em *Vinyar Tengwar*, n. 11, p. 16, maio 1990.]

Hebraico

ha-Hobit, o, Le-sham uva-hazarah. Tradução de Mosheh ha-Na'ami. Ilustrações de J.R.R. Tolkien. Tel Aviv: Zemorah, Bitan, Modan, 1976.

Hobit. Tradução feita "pelos Pilotos da Força Aérea Israelense, Prisioneiros de Guerra, e seus companheiros na Prisão de Abasia, Cairo, 1970–1973". Tel Aviv: Zemorah, Bitan, Modan, 1977.

Holandês

De hobbit, of Daarheen en weer terug. Tradução de Max Schuchart. Utrecht: Spectrum, 1960.

De hobbit, of Daarheen en weer terug. Tradução revisada de Max Schuchart. Ilustrações de J.R.R. Tolkien. Utrecht: Spectrum, 1976.

[Ver "Some Comments on the Dutch Translation of *The Hobbit*" {Alguns comentários sobre as tradução holandesa de *O Hobbit*}, de Renée Vink, em *Translations of "The Hobbit" Reviewed*, Quettar Special Publication n. 2 (Londres: The Tolkien Society, 1988), pp. 8–10. Vink chama a tradução de "encantadora".

Ver também "Dutch Editions of Tolkien's Works" {Edições holandesas das obras de Tolkien}, de Johan Vanhecke, *The Tolkien Collector*, n. 12, pp. 20–8, fev. 1996; algumas erratas quanto a esse artigo, apontadas por Vanhecke e Felix Claessens, aparecem na edição n. 14, p. 5–6, out. 1996. Um artigo anterior de Vanhecke (primordialmente relacionado a *O Senhor dos Anéis*), "Tolkien in Dutch: A Study of Tolkien's Work in Belgium and The Netherlands" {Tolkien em holandês: um estudo sobre a obra de Tolkien na Bélgica e nos Países Baixos}, aparece em *Mytholre*, outono de 1992 (18, n. 2, ed. 70), pp. 53–60.

Arden R. Smith discute as edições usadas na tradução revisada de Max Schuchart de 1976 em sua coluna "Transitions in Translations", em *Vinyar Tengwar*, n. 26, pp. 26–8, nov. 1992.]

Húngaro

A babó. Tradução de Tibor Szobotka (prosa) e István Tótfalusi (poesia). Ilustrações de Tamás Szecskó. Budapeste: Móra Könyvkiadó, 1975.

[Ver os breves comentários de Andrea Fazakas, sob o título "Hungarian" {Húngaro}, em *Translations of the "The Hobbit" Reviewed*, Quettar Special Publication n. 2 (Londres: Tolkien Society, 1988), p. 24.]

Capa da edição de 1975 da tradução húngara. Arte da capa de Tamás Szecskó.

Inglês

The Hobbit, or There and Back Again. Ilustrações extraídas do filme para televisão da Rankin-Bass Productions, 1977. Nova York: Harry N. Abrams, 1977.

The Hobbit, or There and Back Again. Ilustrações de Eric Fraser. Londres: Folio Society, 1979.

The Hobbit, or There and Back Again. Ilustrações de Michael Hague. Londres: George Allen & Unwin, 1984.

The Hobbit, or There and Back Again. Ilustrações de Michael Hague. Boston: Houghton Mifflin, 1984.

The Annotated Hobbit. Ilustrações de diversos artistas. Londres: Unwin Hyman, 1989.

The Annotated Hobbit. Ilustrações de diversos artistas. Boston: Houghton Mifflin, 1988.

The Hobbit. Adaptado por Charles Dixon e Sean Deming. Ilustrações de David Wenzel. Forestville, Califórnia: Eclipse Books, 1989-1990. Graphic novel em três volumes.

The Hobbit. Adaptado por Charles Dixon e Sean Deming. Ilustrações de David Wenzel. Nova York: Ballantine Books, 1990. Graphic novel em volume único.

The Hobbit, or There and Back Again. Ilustrações de Alan Lee. Londres: HarperCollins, 1997.

The Hobbit, or There and Back Again. Ilustrações de Alan Lee. Boston: Houghton Mifflin, 1997.

The Hobbit. Ilustrações de John Howe. Londres: HarperCollins, 1999. Livro pop-up ilustrando cinco cenas de *O Hobbit*.

The Hobbit. Ilustrações de John Howe. Nova York: HarperFestival, 1999. Livro pop-up ilustrando cinco cenas de *O Hobbit*.

Islandês

Hobbit. Tradução de Úlfur Ragnarsson e Karl Ágúst Úlfsson. Reykjavík: Almenna Bókafélagið, 1978.

Hobbitinn, eða, Út og Heim Aftur. Tradução de Þorsteinn Thorarensen. Ilustrações de Alan Lee. Reykjavík: Fjölvaútgáfan, 1997.

Indonésio

Hobbit. Tradução de Anton Adiwiyoto. Jacarta: P. T. Gramedia, 1977.

Italiano

Lo hobbit, o, La reconquista del tesoro. Tradução de Elena Jeronimidis. Ilustrações de J.R.R. Tolkien. Milão: Adelphi Edizioni, 1973. [O nome da tradutora aparece por vezes como Elena Jeronimidis Conte.]

Lo hobbit, o, La reconquista del tesoro. Tradução de Elena Jeronimidis. Ilustrações de Michael Hague. Milão: Arnoldo Mondadori Editore, 1986.

Lo hobbit, o, La reconquista del tesoro. Milão: Rusconi, 1991. *O Hobbit Anotado*. Tradução de Elena Jeronimidis (texto de Tolkien) e Grazia Maria Griffini (anotações). Muitos ilustradores, conforme a edição anotada.

Japonês

Hobitto no Bôken. Tradução de Teiji Seta. Ilustrações de Ryûichi Terashima. Tóquio: Iwanami Shoten, 1965.

Hobitto no Bôken. Tradução revisada de Teiji Seta. Ilustrações revisadas de Ryûichi Terashima. Tóquio: Iwanami Shoten, 1983. [Décima impressão, com a tradução revisada e corrigida, elevando ligeiramente o nível de leitura. Algumas poucas ilustrações também foram refeitas, particularmente as de Gollum, desenhado para ser mais branco e magro, mas com braços e pernas mais gordos do que na versão anterior. E, em algumas ilustrações, a porta da toca de hobbit de Bilbo é retratada agora como abrindo para dentro em vez de para fora.]

Hobitto, Yukite kaerishi Monogatari. Tóquio: Hara Shobô, 1997. *O Hobbit Anotado*. Tradução de Shirô Yamamoto. Muitos ilustradores, conforme a edição anotada.

[Ver "The Japanese Hobbit" {O Hobbit Japonês}, de Robert Ellwood, *Mythlore*, v. 1, n. 3, pp. 14-7, jul. 1969. Ellwood considera a tradução como "suave, idiomática, simples em vocabulário", e louva as ilustrações de Terashima (algumas delas foram reimpressas com a resenha). Ellwood também traduz algumas seções do posfácio de seis páginas do tradutor.

Ver também "The Japanese *Hobbit*" {O *Hobbit* japonês}, de Takashi Okunishi, em *Translations of "The Hobbit" Reviewed*, Quettar Special Publication n. 2 (Londres: Tolkien Society, 1988), pp. 19-20.

Em *The Tolkien Collector*, n. 17, p. 13, dez. 1997, nota-se quanto à edição japonesa de *O Hobbit Anotado* que "Makoto Takahashi a julga uma tradução pobre [do texto do romance, feito por Yamamoto] que não está de acordo com *O Senhor dos Anéis* japonês".]

Letão

Hobits, jeb, Turp un atpakaļ. Tradução de Zane Rozenberga. Ilustrações de Laima Eglīte. Riga: Sprīdītis, 1991.

Lituano

Hobitas, arba, Ten ir atgal: Apysaka-pasaka. Tradução de Bronė Balčienė. Ilustrações de Mikhail Belomlinskiy. Vilnius: Vyturys, 1985.

Luxemburguês

Den Hobbit. Tradução de Henry Wickens. Esch-sur-Sûre: Editions Op der Lay, 2002.

Moldávio

Hobbitul. Tradução de Aleksey Zurhkanu. Ilustrações de Igor Hmelnickij. Quichinau: Literatura Artistike, 1987.

Norueguês

Hobbiten, eller, Fram og tilbake igjen. Tradução de Finn Aasen e Oddrun Grønvik. Oslo: Tiden Norsk Forlag, 1972.

Hobbiten, eller, Fram og tilbake igjen. Tradução de Nils Ivar Agøy. Ilustrações de Alan Lee. Oslo: Tiden Norsk Forlag, 1997.

[Ver "*The Hobbit* in Norwegian" {*O Hobbit* em norueguês}, de Nils Ivar Agøy, em *Translations of "The Hobbit" Reviewed*, Quettar Special Publication n. 2 (Londres: The Tolkien Society, 1988), pp. 11–6. Agøy observa que "dois tradutores independentes prepararam, cada um, uma parte do livro. Finn Aasen deu início, mas desistiu na página 197 por razões sobre as quais os editores não desejam falar, e Oddrun Grønvik assumiu e traduziu o restante". Ele reclama que a linguagem da tradução é "sobretudo o norueguês coloquial ordinário, que *não é* um substituto digno para a prosa elegante e por vezes formal e arcaica de Tolkien".

Agøy também escreveu "Tolkien in Norway" {Tolkien na Noruega} em *Inklings Järbuch für Literatur und Ästhetik*, 3 (1985), pp. 159–67, e sua própria tradução de *O Hobbit* foi lançada em 1997.]

Polonês

Hobbit, czyli, Tam i z powrotem. Tradução de Maria Skibniewska. Ilustrações de Jan Mlodozeniec. Varsóvia: Iskry, 1960.

Hobbit, czyli, Tam i z powrotem. Tradução revisada de Maria Skibniewska. Ilustrações de Maciej Buszewicz. Varsóvia: Iskry, 1985.

Hobbit, albo, Tam i z powrotem. Tradução de Paulina Braiter. Ilustrações de Alan Lee. Varsóvia: Atlantic-Rubicon, 1997.

[Ver "A Few Comments on Maria Skibniewska's translation of *The Hobbit*" {Alguns comentários sobre a tradução de *O Hobbit* de Maria Skibniewska}, de Agnieszka Sylwanowicz, em *Translations of "The Hobbit" Reviewed*, Quettar Special Publication n. 2 (Londres: Tolkien Society, 1988), pp. 21–3. Sylwanowicz escreve que "no todo, *O Hobbit* está muito bem traduzido, sua atmosfera é preservada e o impacto no leitor é — até onde posso julgar — quase idêntico ao impacto que o original causa no falante de inglês".

Ver também "Tolkien Boom in Poland" {O boom de Tolkien na Polônia}, novamente de Agnieszka Sylwanowicz, *The Tolkien Collector*, n. 18, pp. 21–23, jun. 1998.]

Português

O gnomo. Tradução de Maria Isabel Braga e Mário Braga. Ilustrações de António Quadros. Porto: Livraria Civilização, 1962.

O Hobbit. Tradução de Luiz Alberto Monjardim. Rio de Janeiro: Artenova, 1976.

O Hobbit. Tradução de Fernanda Pinto Rodrigues. Mem Martins: Publicações Europa-América, 1985.

O Hobbit. Tradução de Lenita Maria Rímoli Esteves e Almiro Pisetta. São Paulo: Martins Fontes, 1995.

O Hobbit. Tradução de Reinaldo José Lopes. Rio de Janeiro: HaperCollins Brasil, 2019.

[Arden R. Smith comenta brevemente sobre a edição de 1962 em sua coluna "Transitions in Translations", em *Vinyar Tengwar*, n. 8, pp. 10–1, nov. 1989, e n. 10, p. 16, mar. 1990.

Ronald Kyrmse discute as falhas da tradução de 1976, feita por Monjardim, em "O Hobbit", *Translations of "The Hobbit" Reviewed*, Quettar Special Publication n. 2 (Londres: Tolkien Society, 1988), pp. 17–8.]

Romeno

O poveste cu um hobbit. Tradução de Catinca Ralea. Ilustrações de Livia Rusz. Bucareste: Editura Ion Creangă, 1975.

Povestea Unui Hobbit. Tradução de Junona Tutunea. Ilustrações de Peter Green. Ploieşti: Editura Elit, 1995.

Capa da reedição de 1989, lançada pela Detskaya Literatura, da tradução para o russo de Rakhmanova, publicada originalmente em 1976. Arte da capa de Mikhail Belomlinskiy.

Russo

Khobbit, ili, Tuda i obratno. Tradução de N. Rakhmanova (prosa) e G. Usova e I. Komarova (poesia). Ilustrações de Mikhail Belomlinskiy. Leningrado: Detskaya Literatura, 1976.

Khobbit, ili, Tuda i obratno. Tradução revisada de N. Rakhmanova (prosa) e G. Usova e I. Komarova (poesia). Ilustrações de Mikhail Belomlinskiy. Leningrado: Detskaya Literatura, 1989.

Khobbit, ili, Tuda i obratno. Tradução de N. Rakhmanova (prosa) e G. Usova e I. Komarova (poesia). Ilustrações de A. Shurits. Novosibirsk: Novosibirskoe Knizhnoe Izdatel'stvo, 1989.

Khobbit, ili, Tuda i obratno. Publicado em *Zabytiy den'Rozhdeniya: Skazki Angliyskikh Pisateley* [O Aniversário Esquecido: Contos de Fada por Escritores Ingleses], compilado por Olga Aleksandrovna Kolesnikova. Tradução de N. Rakhmanova (prosa) e G. Usova e I. Komarova (poesia). Ilustrações de Il'ya A. Markevich. Moscou: Pravda, 1990.

Khobbit, ili, Tuda i obratno. Tradução de N. Rakhmanova (prosa) e G. Usova e I. Komarova (poesia). Ilustrações de Denis Gordeyev. São Petesburgo: Severo-Zapad, 1991.

Khobbit, ili, Tuda i obratno. Tradução de N. Rakhmanova (prosa) e G. Usova e I. Komarova (poesia). Ilustrações de A.G. Zvonarev. Minsk: Vyshehjshaya Shkola, 1992.

Khobbit, ili, Tuda i obratno. Tradução de N. Rakhmanova (prosa) e G. Usova e I. Komarova (poesia). Ilustrações de N. Martinova. São Petesburgo: Severo-Zapad, 1993.

Khobbit, ili, Tuda i obratno. Tradução de N. Rakhmanova (prosa) e G. Usova e I. Komarova (poesia). Ilustrações de A.V. Koval'. Baku: Olimp, 1993.

Khobbit, ili, Tuda i obratno. Tradução de N. Rakhmanova (prosa) e G. Usova e I. Komarova (poesia). Ilustrações de Dar'ya Yudina. Moscou: Pedagogika-Press, 1994.

Khobbit, ili, Tuda i obratno. Tradução de N. Rakhmanova (prosa) e G. Usova e I. Komarova (poesia). Ilustrações de Nicolas Bayrachny.

Minsk: Kavaler, 1996. [Profusamente ilustrado. Três dessas ilustrações estão presentes em *Realms of Tolkien* {Os Reinos de Tolkien} (Londres: HarperCollins, 1997).]

Khobbit, ili, Tuda i obratno. Publicado em *Skazki Veka 2* [Contos de Fada do Século Vol. 2], compilado por Roland A. Bykov. Tradução de N. Rakhmanova (prosa) e G. Usova e I. Komarova (poesia). Ilustrações de Yu. Tokarev. Moscou: Polifakt, 1999.

Khobbit, ili, Tuda i obratno. Tradução de V.A.M. [Valeriya Aleksandrovna Matorina]. Khabarovsk: Amur, 1990.

Khobbit, ili, Tuda i obratno. Tradução revisada de V.A.M. [Valeriya Aleksandrovna Matorina]. Ilustrações assinadas por L. A. Dziazdyk (mas atribuídas a seu marido, Vladimir Kosyúk; ver The Tolkien Collector, n. 13, p. 14, maio 1996, e L.V. Malinka. Zaporozhye-Kaliningrado: Izdatel'stvo 'Interbook-Khortitsa', 1994.

Khobbit, ili, Tuda i obratno. Segunda tradução revisada de V.A.M. [Valeriya Aleksandrovna Matorina]. Ilustrações de I. Pankov. Moscou: Éksmo-Press, 2000. [Essa edição também inclui traduções, por outro tradutor, de *Mestre Giles d'Aldeia*, "Folha de Cisco" e *Ferreiro do Bosque Maior*.]

Khobbit, ili, Tuda i obratno. Tradução de Z. Bobyr'. Ilustrações de M.I. Sivenkova. Moscou: Molodaya Gvardiya, 1991. [Esta edição também inclui uma tradução de *A Sociedade do Anel*.]

Khobbit, ili, Tuda i obratno. Tradução de Z. Bobyr'. Ilustrações de A. Filipova e A. Kytmanova. Perm: Knizhnymir, 1992.

Khobbit, ili, Tuda i obratno. Tradução de Mariya Kamenkovich, Valeriy Karrik e Sergei Stepanov. Ilustrações de Nikita Badmayev. São Petesburgo: Terra/Azbuka, 1995. [Edição anotada por Kamenkovich e Karrik. *Karrik* é um pseudônimo de Valeriy Kamenkovich.]

Khobbit, ili, Tuda i obratno [etc., também com o título em inglês *The Hobbit and Other Minor Works* {O Hobbit e outras obras menores}]. Tradução de K. Korolev (prosa) e V. Tikhomirov (poesia). Ilustrações não editadas. Moscou: ACT; São Petesburgo: Terra Fantastica, 2000. [Essa edição também inclui traduções, feitas por tradutores diversos, de *As Aventuras de Tom Bombadil*, *Ferreiro do Bosque Maior*, *Cartas do Papai Noel* e *Mestre Giles d'Aldeia*.]

Khobbit, ili, Tuda i obratno. Tradução de Leonid L. Yakhnin. Ilustrações de V.S. Krivenko. Moscou: Armada/Al'fakniga, 2001.

Khobbit, ili, Tuda i obratno. Tradução de A. A. Gruzberg. Ecaterimburgo: Litur Publishers, 2001.

[David Doughan resenhou a tradução de 1976, feita por Nataliya Rakhmanova, em *Amon Hen*, n. 55, pp. 12–4, abr. 1982; e esse texto está republicado em *Translations of "The Hobbit" Reviewed*, Quettar Special Publication n. 2 (Londres: Tolkien Society, 1988), pp. 25–6. Doughan considera-a "uma tradução completamente agradável, que consegue capturar o espírito do original sem distorcer demasiado a letra".

Mark T. Hooker informou-me sobre outra tradução russa de *O Hobbit* que não foi publicada em livro, uma tradução anônima que circulou tanto em *samizdat* como em texto computadorizado na internet. As traduções listadas de V.A.M., Aleksandr A. Gruzberg e Zinaida A. Bobyr' também circularam primeiramente em *samizdat*, e a de Gruzberg, além disso, foi lançada como CD-Rom em 2000.

Arden R. Smith discute algumas das curiosidades geográficas do texto e do mapa da história na tradução revisada de Rakhmanova, lançada em 1989, em sua coluna "Transitions in Translations", *Vinyar Tengwar*, n. 29, pp. 25–6, maio 1993.

Uma versão de *O Hobbit* em *graphic novel*, intitulada *Khobbit* e adaptada por N. Utilova, também foi publicada (Moscou: Avlad, 1992). As ilustrações, de R. Ramazanov, A. Shevtsov e

R. Azizov, são fantasiosas (por exemplo, Bilbo é retratado com longas orelhas coelhescas), e a história é tanto alterada como abreviada.

Uma adaptação anônima em quadrinhos também foi lançada com o nome *Khobbit* (Moscou: Belyj Gorod, 1999).

Outras três edições de *O Hobbit* também foram lançadas, tendo por público-alvo estudantes russos que estejam aprendendo inglês. Essas edições contêm textos em inglês adaptados, ao lado de notas explicativas e exercícios em russo. A primeira saiu em 1982 (editada por Yu. P. Tret'yakova, e publicada pela Prosveshchenie em Moscou), a segunda em 1992 (publicada pela Tekart de São Petesburgo), e a terceira em 2000 (editada por S.N. Cherkhanova, com ilustrações de M.I. Sukharev, e publicada pela Presto em Moscou).]

Sérvio

Hobit. Tradução de Meri e Milan Milišić. Belgrado: Nolit, 1975.

Sueco

Hompen, eller, En resa dit och tillbaksigen. Tradução de Tore Zetterholm. Ilustrações de Torbjörn Zetterholm e Charles Sjöblom (apenas capa e mapas). Estocolmo: Kooperativa Förbundets Bokförlag, 1947.

Bilbo: en hobbits äventyr. Tradução de Britt G. Hallqvist. Ilustrações de Tove Jansson. Estocolmo: Rabén & Sjögren, 1962. [As ilustrações de Jansson também aparecem na edição finlandesa de 1973.]

Bilbo: em hobbits äventyr. Tradução de Britt G. Hallqvist. Ilustrações de J.R.R. Tolkien. Estocolmo: Rabén & Sjögren, 1971.

[Ver "Tolkien in Sweden" {Tolkien na Suécia}, de Anders Stenström, em *Inklings Jahrbuch für Literatur und Ästhetik*, 2 (1984), pp. 43–9. Stenström refere-se à tradução de *O Hobbit* de Hallqvist como "possivelmente a melhor tradução sueca de qualquer obra de Tolkien".]

Capa da reedição de 1994, pela Rabén Prisma, da tradução para o sueco de Hallqvist, publicada originalmente em 1962. Arte da capa de Tove Jansson.

Tailandês

[*O Hobbit*]. Tradutor desconhecido. Ilustrações de J.R.R. Tolkien. Bangkok: Naiin, 2002.

Tcheco

Hobit, aneb, Cesta tam a zase zpátky. Tradução creditada a Lubomír Dorůžka. Ilustrações de Jiří Šalamoun. Praga: Odeon, 1979. [Por razões políticas, a tradução tcheca foi inicialmente creditada a Dorůžka, que na verdade escreveu apenas o posfácio. A tradução foi efetivamente feita por František Vrba, que é creditado em edições posteriores.]

Capa do relançamento de 1991 da tradução tcheca, originalmente publicada pela Odeon em 1979. Arte da capa de Jiří Šalamoun.

[Ver "Works by and about J.R.R. Tolkien in Czech and Slovak" {Obras de e sobre Tolkien em tcheco e eslovaco}, de Karel Makovsky, *The Tolkien Collector*, n. 5, pp. 20-6, nov. 1993. Além disso, em 1996 a Tolkien Society tcheca lançou um livreto com 23 ilustrações em preto e branco para *O Hobbit*, feitas pelo artista Jan Václavík (1971-) como dissertação de mestrado na Faculdade de Educação em Hradec Králové em 1993. O livreto foi publicado com o título *Tam a zase zpátky: There and Back Again*.

Arden R. Smith comenta sobre o uso expandido de runas feito por Šalamoun ao ilustrar a tradução tcheca em sua coluna "Transitions in Translations", *Vinyar Tengwar*, n. 32, pp. 26-8, nov. 1993.]

Turco

Hobbit, Oradaydik ve şimdi *buradayiz*. Tradução de Emeli İzmirli. Istambul: Altikirbeş Yayin / Mitos Yayincilik, 1996.

Hobbit, Oradaydik ve şimdi *buradayiz*. Tradução de Esra Uzun. Istambul: Altikirbeş Yayin, 1997.

Ucraniano

Hobit, abo, Mandrivka za imlysti hory. Tradução de Oleksandr Mokrovol's'kiy. Ilustrações de Mikhail Belomlinskiy. Kiev: Veselka, 1985.

IV. Estudos selecionados sobre *O Hobbit*

Agøy, Nils Ivar. *Mr. Bliss:* The Precursor of a Precursor? [*Sr. Boaventura*: o precursor de um precursor?]. *Mallorn*, n. 20, pp. 25-7, set. 1983.

Alderson, Brian. *The Hobbit 50th Anniversary 1937-1987* [O Cinquentenário de O Hobbit 1937-1987]. Londres: Unwin Hyman, 1987.

Barnfield, Marie. The Roots of Rivendell: or, Elrond's House Now Open As a Museum [As raízes de Valfenda; ou, a casa de Elrond agora aberta como museu]. þe *Lyfe ant* þe *Auncestrye*, n. 3 (primavera de 1996), pp. 4-18.

Bibire, Paul. By Stock or by Stone: Recurrent Imagery and Narrative Pattern in *The Hobbit* [Junto à arvore ou à pedra: recorrência imagética e padrões narrativos em *O Hobbit*]. In: *Scholarship and Fantasy: Proceedings of "The Tolkien Phenomenon" May 1992, Turku, Finland* [Pesquisa e Fantasia: Anais de "O Fenômeno Tolkien", maio de 1992, Turku, Finlândia]. Organizado por K.J. Battarbee. Turku, Finlândia: University of Turku, 1993, pp. 203-15.

Bolintineanu, Alexandra. "Walkers in Darkness": The Ancestry of Gollum ["Caminhantes na escuridão": a ancestralidade de Gollum]. In: *Concerning Hobbits and Other Matters: Tolkien Across the Disciplines*. Organizado por Tim Schindler. St. Paul, Minnesota: University of St. Thomas English Department, 2001, pp. 67-72.

Brunsdale, Mitzi M. Norse Mythological Elements in *The Hobbit* [Elementos da mitologia nórdica em *O Hobbit*]. *Mythlore*, v. 9, n. 4 (ed. 34; inverno de 1983), pp. 49-50 e 55.

Burns, Marjorie J. Echoes of William Morris's Icelandic Journals in J.R.R. Tolkien [Ecos dos Diários Islandeses de William Morris em J.R.R. Tolkien]. *Studies in Medievalism* 3, n. 3 (inverno de 1991), pp. 367-73.

Chance, Jane. *Tolkien's Art: A Mythology for England, Revised Edition* [A Arte de Tolkien:

Uma Mitologia para a Inglaterra, Edição Revisada]. Lexington: University of Kentucky Press, 2001. Ver especialmente o Capítulo 2, "The King Under the Mountain: Tolkien's Children's Story" [O Rei sob a Montanha: A história infantil de Tolkien].

Christensen, Bonniejean. Gollum's Character Transformation in *The Hobbit* [A transformação do caráter de Gollum em *O Hobbit*]. In: *A Tolkien Compass*. Editado por Jared Lobdell. La Salle, Illinois: Open Court, 1975, pp. 9–28.

_____. Tolkien's Creative Technique: *Beowulf* and *The Hobbit* [A técnica criativa de Tolkien: *Beowulf* e *O Hobbit*]. *Mythlore*, v. 15, n. 3 (ed. 57; primavera de 1989), pp. 4–10.

Couch, Christopher L. From Under the Mountains to Beyond the Stars: The Process of Riddling in Leofric's *The Exeter Book* and *The Hobbit* [De sob as montanhas para além das estrelas: o processo de adivinhação no *Exeter Book* de Leofric e em *O Hobbit*]. *Mythlore*, v. 14, n. 1 (ed. 51; outono de 1987), pp. 9–13 e 55.

Crabbe, Katharyn W. *J.R.R. Tolkien: Revised and Expanded Edition* [J.R.R. Tolkien: Edição Revista e Ampliada]. Nova York: Continuum, 1988. Ver o Capítulo 2, "The Quest As Fairy Tale: *The Hobbit*" [A Demanda como Conto de Fadas: *O Hobbit*].

Ellison, John A. The Structure of *The Hobbit* [A Estrutura de *O Hobbit*]. *Mallorn*, n. 27, pp. 29–32, set. 1990.

Evans, Jonathan. The Dragon-Lore of Middle-earth: Tolkien and Old English and Old Norse Tradition [O saber dracônico da Terra-média: Tolkien e a tradição do inglês e do nórdico antigos]. In: *J.R.R. Tolkien and His Literary Resonances: Views of Middle-earth* [J.R.R. Tolkien e Suas Ressonâncias Literárias: Visões da Terra-média]. Editado por George Clark e Daniel Timmons. Westport, Connecticut: Greenwood Press, 2000, pp. 21–38.

Glenn, Jonathan A. To Translate a Hero: *The Hobbit* As *Beowulf* Retold [Traduzindo um herói: *O Hobbit* como releitura de *Beowulf*]. *Publications of the Arkansas Philological Association*, v. 17, 1991, pp. 13–34.

Green, William H. The Four-Part Structure of Bilbo's Education [A estrutura quadripartida da educação de Bilbo]. *Children's Literature*, v. 8, 1979, pp. 133–40.

_____. *The Hobbit: A Journey into Maturity* [O Hobbit: Uma Jornada Rumo à Maturidade]. Nova York: Twayne, 1995.

_____. King Thorin's Mines: *The Hobbit* As Victorian Adventure Novel [As Minas do Rei Thorin: *O Hobbit* como romance de aventuras vitoriano]. *Extrapolation*, v. 42, n. 1 (primavera de 2001), pp. 53–64.

_____. "Where's Mama?" The Construction of the Feminine in *The Hobbit* ["Cadê a mamãe?" A construção do feminino em *O Hobbit*]. *The Lion and the Unicorn*, v. 22, 1998, pp. 18–95.

Hammond, Wayne G. All the Comforts: The Image of Home in *The Hobbit* and *The Lord of the Rings* [Todos os confortos: a imagem do lar em *O Hobbit* e *O Senhor dos Anéis*]. *Mythlore*, v. 14, n. 1 (ed. 51; outono de 1987), pp. 29–33.

Hieatt, Constance B. The Text of *The Hobbit*: Putting Tolkien's Notes in Order [O texto de *O Hobbit*: ordenando as notas de Tolkien]. *English Studies in Canada*, v. 7, n. 2 (verão de 1981), pp. 212–24.

Helms, Randel. *Tolkien's World* [O Mundo de Tolkien]. Boston: Houghton Mifflin Company, 1974. Ver os Capítulos 2 ("Tolkien's Leaf: *The Hobbit* and the Discovery of a World" [A Folha de Tolkien: *O Hobbit* e a descoberta de um mundo]) e 3 ("*The Hobbit* As Swain: A World of Myth" [*O Hobbit* como Precursor: O Mundo do Mito]).

Hodge, James L. The Heroic Profile of Bilbo Baggins [O perfil heroico de Bilbo Bolseiro]. *Florilegium*, v. 8 (1986), pp. 212–21.

_____. Tolkien's Mythological Calendar in *The Hobbit* [O calendário mitológico de Tolkien em *O Hobbit*]. In: *Aspects of Fantasy: Selected Essays from the Second International Conference on the Fantastic in Literature and Film* [Aspectos da Fantasia: Ensaios Selecionados da Segunda Conferência Internacional sobre o Fantástico na Literatura e no Cinema]. Organizado por William Coyle. Westport, Connecticut: Greenwood Press, 1986, pp. 141–48.

Hopkins, Lisa. Bilbo Baggins As a Burglar [Bilbo Bolseiro como gatuno]. *Inklings Jahrbuch für Literatur und Ästhetik*, v. 10, 1992, pp. 93–101.

_____. *The Hobbit* and *A Midsummer's Night Dream* [*O Hobbit* e *Sonho de uma Noite de Verão*]. *Mallorn*, n. 28, pp. 19–21, set. 1991.

Hunnewell, Sumner Gary. Durin's Day [O Dia de Durin]. *Ravenhill*, edição especial Mythcon XXX/Bree Moot 4, pp. 1–14, 1º ago. 1999.

Kocher, Paul H. *Master of Middle-earth: The Fiction of J.R.R. Tolkien* [Mestre da Terra-média: A Ficção de J.R.R. Tolkien]. Boston: Houghton Mifflin Company, 1972. Ver o Capítulo 2, "*The Hobbit*" [O Hobbit].

Kuznets, Lois R. Tolkien and the Rhetoric of Childhood [Tolkien e a retórica da infância]. In: *Tolkien: New Critical Perspectives* [Tolkien: Novas Perspectivas Críticas]. Organizado por Neil D. Isaacs e Rose A. Zimbardo. Lexington: University of Kentucky Press, 1981, pp. 150–62.

Masson, Pat. Not an Orderly Narrator: Inaccuracies and Ambiguities in the Early Chapters of the Red Book of the Westmarch [Um narrador desordenado: imprecisões e ambiguidades nos capítulos iniciais do Livro Vermelho do Marco Ocidental]. *Mallorn*, n. 13 (1979), pp. 23–8.

Matthews, Dorothy. The Psychological Journey of Bilbo Baggins [A jornada psicológica de Bilbo Bolseiro]. In: *A Tolkien Compass*. Organizado por Jared Lobdell. La Salle, Illinois: Open Court, 1975, pp. 29–42.

McDaniel, Stanley V. *The Philosophical Etymology of Hobbit* [A Etimologia Filosófica de Hobbit]. Highland, Michigan: The American Tolkien Society, 1994.

McIntyre, Jean. "Time Shall Run Back": Tolkien's *The Hobbit* ["O Tempo Há de Retroceder": *O Hobbit* de Tolkien]. *Childrens Litterature Association Quarterly*, v. 13, 1988, pp. 12–7.

O'Brien, Donald. On the Origin of the Name "Hobbit" [Sobre a origem do nome "Hobbit"]. *Mythlore*, v. 16, n. 2 (ed. 60; inverno de 1989), pp. 32–8.

Olney, Austin. *The Hobbit Fifitieth Anniversary 1938–1988* [O Cinquentenário de O Hobbit 1938–1988]. Boston: Houghton Mifflin Company, 1988.

O'Neill, Timothy R. *The Individuated Hobbit: Jung, Tolkien and the Archetypes of Middle-earth* [O Hobbit Individuado: Jung, Tolkien e os Arquétipos da Terra-média]. Boston: Houghton Mifflin Company, 1979. Ver especialmente o Capítulo 4, "The Individuated Hobbit" [O Hobbit Individuado].

Reckford, Kenneth J. "There and Back Again" — Odysseus and Bilbo Baggins ["Lá e de Volta Outra Vez" — Odisseu e Bilbo Bolseiro]. *Mythlore*, v. 14, n. 3, (ed. 53; primavera de 1988), pp. 5–9.

Rogers, William N., II; Underwood, Michael R. Gagool and Gollum: Exemplars of Degeneration in *King Solomon's Mines* and *The Hobbit* [Gagool e Gollum: exemplos de degeneração em *As Minas do Rei Salomão* e *O Hobbit*]. In: *J.R.R. Tolkien and His Literary Resonances: Views of Middle-earth*. Organizado por George Clark e Daniel Timmons. Wesport, Connecticut: Greenwood Press, 2000, pp. 121–31.

Rosebury, Brian. *Tolkien: A Critical Assessment* [Tolkien: Uma Avaliação Crítica]. Londres, Macmillan; Nova York: St. Martin's, 1992. Ver a seção sobre *O Hobbit* em "Minor Works, 1914–1973" [Obras Menores, 1914–1973].

Rossenberg, René van. Tolkien's Golem: A Study in Gollumology [O Golem de Tolkien: um estudo sobre Gollumologia]. *Lembas Extra 1995*, 1995, pp. 57–71.

Russom, Geoffrey. Tolkien's Versecraft in *The Hobbit* and *The Lord of the Rings* [O ofício poético de Tolkien em *O Hobbit* e *O Senhor dos Anéis*]. In: *J.R.R. Tolkien and His Literary Resonances: Views of Middle-earth*. Organizado por George Clark e Daniel Timmons. Wesport, Connecticut: Greenwood Press, 2000, pp. 53–69.

Sarjeant, William A.S. The Shire: Its Bounds, Food and Farming [O Condado: seus limites, alimentos e agricultura]. *Mallorn*, n. 39, pp. 33–7, set. 2001.

_____. Where Did the Dwarves Come from? [De onde vêm os Anãos?]. *Mythlore*, v. 19, n. 1 (ed. 71, inverno de 1993), pp. 43 e 64.

Scull, Christina. Dragons from Andrew Lang's Retelling of Sigurd to Tolkien's Chrysophylax [Dragões: da versão de Sigurd por Andrew Lang ao Crisofilax de Tolkien]. In: *Leaves from the Tree: J.R.R. Tolkien's Shorter Fiction* [Folhas da Árvore: A Ficção Curta de J.R.R. Tolkien]. Londres: The Tolkien Society, 1991, pp. 49–62.

_____. The Fairy-Tale Tradition [A tradição dos contos de fada]. *Mallorn*, n. 23 (verão de 1986), pp. 30–6.

_____. *The Hobbit* and Tolkien's Other Pre-War Writtings [*O Hobbit* e outros escritos pré-Guerra de Tolkien]. *Mallorn*, n. 30, pp. 14–20, set. 1993.

_____. *The Hobbit* Considered in Relation to Children's Literature Contemporary with Its Writings and Publication [*O Hobbit* visto em relação à literatura infantil contemporânea de sua escrita e publicação]. *Mythlore*, v. 14, n. 2 (ed. 52; inverno de 1987), pp. 49–56.

Shippey, T.A. (Tom). *J.R.R. Tolkien: Author of the Century* [J.R.R. Tolkien: Autor do Século]. Londres: HarperCollins, 2000. Ver Capítulo 1, "*The Hobbit*: Re-Inventing Middle-earth" [*O Hobbit*: Re-Inventando a Terra-média].

_____. *The Road to Middle-earth* [A Estrada para a Terra-média]. 2. ed. Londres: Grafton, 1992. Ver Capítulo 3, "The Bourgois Burglar" [O Gatuno Burguês].

Sibley, Brian. *There and Back Again: The Map of* The Hobbit [Lá e de Volta Outra Vez: O Mapa de *O Hobbit*]. Ilustrações de John Howe. Londres: HarperCollins, 1995.

Stenström, Anders ("Beregond"). The Figure of Beorn [A figura de Beorn]. *Arda 1987*, v. 7, 1992, pp. 44–83.

_____. Some Notes on Giants [Algumas notas sobre gigantes]. In: *Scholarship and Fantasy: Proceedings of "The Tolkien Phenomenon" May 1992, Turku, Finland*. Organizado por K.J. Battarbee. Turku, Finlândia: University of Turku, 1993, pp. 53–71.

_____. Striking Matches [Acendendo fósforos]. *Arda 1985*, v. 5, 1988, pp. 56–69.

Stevens, David. Trolls and Dragons Versus Pocket Handkerchiefs and "Polite Nothings": Elements of the Fantastic and the Prosaic in *The Hobbit* [Trols e dragões contra lenços de bolso e "bobagens educadas": elementos do fantástico e do prosaico em *O Hobbit*]. In: *The Scope of the Fantastic – Culture, Biography, Themes, Children's Literature: Selected Essays from the First International Conference on the Fantastic in Literature and Film* [A Dimensão do Fantástico — Cultura, Biografia, Temas, Literatura Infantil: Ensaios Selecionados da Primeira Conferência Internacional sobre o Fantástico na Literatura e no Cinema]. Organizado por Robert A. Collins e Howard D. Pearce. Westport, Connecticut: Greenwood Press, 1985, pp. 249–55.

Thomas, Paul Edmund. Some of Tolkien's Narrators [Alguns narradores tolkienianos]. In: *Tolkien's Legendarium: Essays on The History of Middle-earth* [O Legendário de Tolkien: Ensaios sobre a História da Terra-média].

Organizado por Verlyn Flieger e Carl F. Hostetter. Westport, Connecticut: Greenwood Press, 2000, pp. 161-81.

Thompson, Kristin. *The Hobbit* As a Part of *The Red Book of Westmarch* [*O Hobbit* como parte do *Livro Vermelho do Marco Ocidental*]. *Mythlore*, v. 15, n. 2 (ed. 56; inverno de 1988), pp. 11-6.

Tolkien, Christopher. Note on the Differences in Editions of *The Hobbit* Cited by Mr. David Cofield [Nota sobre as diferenças nas edições de *O Hobbit* citadas pelo Sr. David Cofield]. *Beyond Bree* (boletim do Mensa Tolkien Special Interest Group), pp. 1-3, jul. 1986. Comenta sobre o artigo "Changes in Hobbits: Textual Differences in Editions of *The Hobbit*" [Mudanças nos Hobbits: diferenças textuais nas edições de *O Hobbit*], de David Cofield, na edição de abril de 1986 de *Beyond Bree*.

_____. Foreword [Prefácio]. *The Hobbit*, by J.R.R. Tolkien. Special fiftieth anniversary edition [Edição especial de cinquenta anos]. Londres: Unwin Hyman, 1987.

Wytenbroek, J.R. Rites of Passage in *The Hobbit* [Ritos de passagem em *O Hobbit*]. *Mythlore*, v. 13, n. 4 (ed. 50; verão de 1987), pp. 5-8 e 40.

V. Sociedades

A Mythopoeic Society [Sociedade Mitopoética] é uma organização literária internacional devotada ao estudo das obras de J.R.R. Tolkien, C.S. Lewis e Charles Williams (membros do círculo literário oxfordiano conhecido como Inklings), e também ao estudo de tradições literárias anteriores e descendentes das obras desses três homens. Fundada em 1967 por Glen H. GoodKnight, a sociedade promove uma Conferência Mitopoética anual (na qual ocorre a entrega dos Prêmios Fantasia e Pesquisa Acadêmica anuais) e publica o periódico trimestral *Mythlore* e o boletim mensal *Mythprint*. Para mais informações, ver o *site* da sociedade: www.mythsoc.org.

A Tolkien Society [Sociedade Tolkien] foi fundada em 1969, em Londres, por Vera Chapman. Ela é dedicada à promoção do interesse pela vida e obra de J.R.R. Tolkien, que, em 1972, aceitou tornar-se presidente honorário, assim permanecendo *in perpetuo*. A sociedade realiza dois encontros internacionais no Reino Unido, o Encontro Geral Anual na primavera e o Oxonmoot, em Oxford, no início do outono. A sociedade publica um periódico anual, *Mallorn*, e um boletim bimestral, *Amon Hen*. Para mais informações, ver o *site* da sociedade: www.tolkiensociety.org.

O HOBBIT ANOTADO

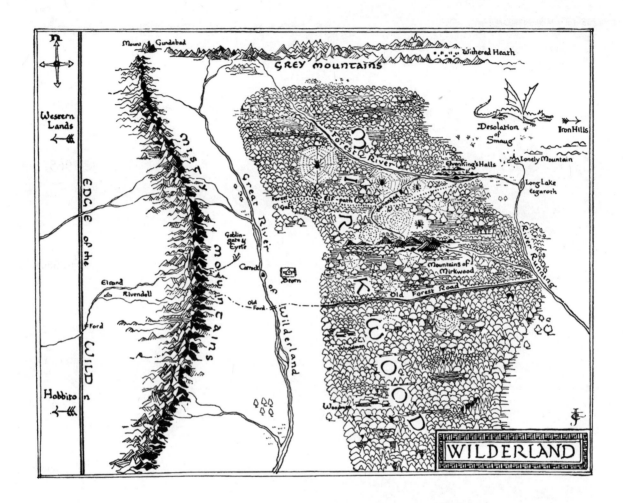

Mapa das *Terras-selváticas*, de J.R.R. Tolkien, presente em *O Hobbit* desde 1937. Ele aparece em *Artist* (n. 87), onde uma versão anterior também pode ser encontrada (n. 84). Uma versão colorida por H.E. Riddett foi publicada como pôster (que também inclui o "Mapa de Thror") pela Allen & Unwin em 1979.

O desenho de Smaug no canto superior direito é uma cópia aproximada do dragão no desenho de Tolkien *O Dragão Branco persegue Roverando e o Cachorro-da-lua*, que aparece em *Roverando* e em *Artist* (n. 75).

359

Nota sobre as Inscrições em Runas e suas Versões em Português

Por Ronald Kyrmse

Nas edições originais, em inglês, das obras de J.R.R. Tolkien *O Hobbit*, *O Senhor dos Anéis*, *O Silmarillion* e *Contos Inacabados*, existem diversas inscrições — especialmente nos frontispícios — grafadas em *tengwar* (letras élficas) e *tehtar* (os sinais diacríticos sobre e sob os *tengwar*, que indicam vogais, nasalização e outras modificações), ou então em runas. Nesta última categoria, é preciso destacar que em *O Hobbit Anotado* foram usadas runas anglo-saxônicas, ou seja, do nosso Mundo Primário, para representar as runas dos anãos, assim como o idioma inglês representa a língua comum da Terra-média e o anglo-saxão representa a língua dos Rohirrim, mais arcaica que aquela. Nas demais obras, a escrita dos anãos é coerentemente representada pelas runas anânicas, ou *cirth*, de organização bem diversa.

A seguir estão mostradas essas inscrições, traduzidas para o português (em coerência com o restante do texto das edições brasileiras) e suas transcrições para as escritas élficas ou anânicas usadas nos originais. Está indicada em cada caso a fonte usada para transcrever.

O processo pode ser resumido nas seguintes operações (exemplo para texto em runas no original):

Desta forma, temos as seguintes frases em inglês, e traduzidas para o português, em runas:

FRONTISPÍCIO EM INGLÊS:

The Hobbit or There and Back Again. Being the record of a year's journey made by Bilbo Baggins of Hobbiton. Compiled from his memoirs by J.R.R. Tolkien, and annotated in this edition by Douglas A. Anderson, and published by The Houghton Mifflin Company.

FRONTISPÍCIO EM PORTUGUÊS:

O Hobbit, ou Lá e de Volta Outra Vez, que é o registro de um ano de viagem feita por Bilbo Bolseiro da Vila-dos-Hobbits compilado por J.R.R. Tolkien, anotado nesta edição por Douglas A. Anderson e publicado pela Harper Collins Brasil.

Este livro foi impresso em 2022, pela Leograf,
para a HarperCollins Brasil.
A fonte usada no miolo é Adobe Garamond.
O papel do miolo é pólen bold 70 g/m².

O salão em Bolsão

VALFENDA